AF238325

ACCESO GRATIS a la Lectura en la Nube

Para visualizar el libro electrónico en la nube de lectura envíe junto a su nombre y apellidos una fotografía del código de barras situado en la contraportada del libro y otra del ticket de compra a la dirección:

ebooktirant@tirant.com

En un máximo de 72 horas laborales le enviaremos el código de acceso con las instrucciones de acceso

LA PRESCRIPCIÓN DE LA DEUDA TRIBUTARIA

TIRANT TRIBUTARIO

Directores:
JUAN LÓPEZ MARTÍNEZ
Catedrático de Derecho Financiero y Tributario de la Universidad de Granada

JOSÉ MANUEL PÉREZ LARA
Profesor Titular de Derecho Financiero y Tributario de la Universidad de Granada

Consejo científico:
ANTONIA AGULLÓ AGÜERO
Catedrática de Derecho Financiero y Tributario de la Universitat Pompeu Fabra

IGNACIO CORRAL GUADAÑO
Director de la Escuela de Hacienda Pública

RAFAEL FERNÁNDEZ MONTALVO
Magistrado del Tribunal Supremo

AMPARO NAVARRO FAURE
Catedrática de Derecho Financiero y Tributario de la Universidad de Alicante

LA PRESCRIPCIÓN DE LA DEUDA TRIBUTARIA

Marta González Aparicio

tirant lo blanch
Valencia, 2020

© TIRANT LO BLANCH
EDITA: TIRANT LO BLANCH
C/ Artes Gráficas, 14 - 46010 - Valencia
TELFS.: 96/361 00 48 - 50
FAX: 96/369 41 51
Email:tlb@tirant.com www.tirant.com
Librería virtual: www.tirant.es
ISBN: 978-84-1378-236-2
DEPÓSITO LEGAL: V-3009-2020

Si tiene alguna queja o sugerencia, envíenos un mail a: atencioncliente@tirant. com. En caso de no ser atendida su sugerencia, por favor, lea en www.tirant.net/ index.php/empresa/politicas-de-empresa nuestro procedimiento de quejas.

CONTENIDO

CAPÍTULO TERCERO

A Pablo, mi padre, mi hijo, mi hermano.
A mi madre.

ABREVIATURAS

AEDAF	Asociación Española de Asesores Fiscales
art.	Artículo
BOE	Boletín Oficial del Estado
Coord.	Coordinador
DGT	Dirección General de Tributos
Dir.	Director
ed.	Edición
Ej.	Ejemplo
FJ	Fundamento Jurídico
IAE	Impuesto sobre Actividades Económicas
IBI	Impuesto sobre Bienes Inmuebles
ICIO	Impuesto sobre Construcciones, Instalaciones y Obras
IRPF	Impuesto sobre la Renta de las Personas Físicas
IS	Impuesto sobre Sociedades
ISD	Impuesto sobre Sucesiones y Donaciones
ITPAJD	Impuesto sobre Transmisiones Patrimoniales y Actos Jurídicos Documentados
IVA	Impuesto sobre el Valor Añadido
LDGC	Ley de Derechos y Garantías de los Contribuyentes
LEC	Ley de Enjuiciamiento Civil
LGT	Ley General Tributaria
LIRPF	Ley del Impuesto sobre la Renta de las Personas Físicas
LIS	Ley del Impuesto sobre Sociedades
LISD	Ley del Impuesto sobre Sucesiones y Donaciones

LIVA	Ley del Impuesto sobre el Valor Añadido
LJCA	Ley de la Jurisdicción Contencioso-Administrativa
ob. cit.	Obra citada
Pág.	Página
RGAPGIT	Reglamento General de las actuaciones y los procedimientos de gestión e inspección tributaria
RGR	Reglamento General de Recaudación
TJCE	Tribunal de Justicia de las Comunidades Europeas
TJUE	Tribunal de Justicia de la Unión Europea
TEAC	Tribunal Económico Administrativo Central
V. gr.	*Verbi gratia*
Vid.	Véase

PRÓLOGO

Observo desde hace tiempo, que los jóvenes investigadores del Derecho tributario al desarrollar con brillantez la *"obra prima"* que les permite alcanzar el grado académico de Doctor, han postergado el estudio de las instituciones que constituyen el núcleo que da consistencia a nuestra disciplina jurídica. Probablemente, porque consideran que se trata de aspectos suficientemente tratados en el devenir del Derecho tributario, sobre los que la aportación innovadora resulta escasa y sus construcciones científicas no irían más allá de ser mera recopilación y síntesis de estudios anteriores.

Me resulta interesante por ello encontrar la obra de una joven autora que, rompiendo con la trayectoria observada, nos presenta un trabajo acabado, reflexivo, actualizado y crítico sobre una de las instituciones esenciales en el Derecho tributario, la prescripción, a la que Rafael Calvo aludiera como "contrapunto del poder" y forma de limitar temporalmente el ejercicio de importantes potestades y facultades ante situaciones jurídicas concretas, pero que tras las últimas modificaciones legislativas operadas en su régimen jurídico han venido a limitar su ámbito de aplicación, idea que subyace a lo largo de toda la obra de Marta González Aparicio para denunciar la crítica situación por la que atraviesa este instituto jurídico.

Desde 1989 hacia acá se puede apreciar cómo las dentelladas producidas en su regulación normativa lo han sido para debilitar los efectos de su aplicación, hallándonos ante una alarmante pérdida de eficacia jurídica de la prescripción tributaria. Baste recordar al respecto, la declaración de la imprescriptibilidad de la actuación comprobadora de los órganos de la Administración, el alargamiento del plazo de duración del procedimiento de inspección, la desaparición de su interrupción injustificada por causa del órgano administrativo actuante, aspectos estos que, aunque de modo indirecto, han incidido de forma relevante en el cómputo del plazo de prescripción tributaria. En este mismo orden de consideraciones, cabe aludir al régimen de la interrupción de la prescripción de las obligaciones tributarias por interconexión entre las que son titularidad de un mismo sujeto pasivo; la interrupción del plazo de prescripción por la presentación de recursos frente a actos administrativo-tributarios; el deber de conservar ilimitadamente en el tiempo documentación que ya se halla depositada en poder de la Administración; y la reiterada actuación administrativa sobre el mismo objeto tributario una vez anulado en vía revisora administrativa o judicial. Parece necesaria, por ello, realizar una reflexión crítica sobre la prescripción tributaria al modo en que se lleva a cabo en las páginas de esta obra prologada.

El régimen jurídico de la prescripción está necesitado de una sustancial revisión, cuanto menos, en estos tres aspectos esenciales de la institución. En primer lugar, para identificarla como institución propia del Derecho tributario alejada de los perfiles propios de la prescripción civil en los que inicialmente se inspiró su regulación; en segundo término, para replantear las causas que permiten interrumpir el plazo prescriptivo reiniciándolo; y finalmente, en orden a estudiar con detenimiento los efectos que, en relación con la prescripción, producen los actos radicalmente nulos para que se proyecten también sobre los actos viciados de anulabilidad.

Desde el origen de los tiempos en que el tributo empieza a tomar consistencia jurídica –me estoy refiriendo a finales del año 1963- el régimen jurídico de la obligación legal en que se concretan se hizo con el trazado de un paralelismo inoportuno con la obligación civil y, por ejemplo, no se advirtió con la nitidez debida que en el Derecho público son perfectamente compatibles la existencia de unos plazos de prescripción de las obligaciones tributarias que conviven con unos plazos de caducidad de los procedimientos articulados para cuantificarlas, de ahí, el inútil debate de si los plazos de pervivencia en el tiempo de las obligaciones tributarias lo eran de prescripción o de caducidad, si prescribían o caducaban las acciones administrativas, entre otros estériles debates jurídicos que, por infructuosos, solo han conducido a la melancolía.

La regulación positiva de la prescripción se ha forjado apegada a un modelo, el de la prescripción civil, en el que no encuentra adecuado reflejo. Así se encarga de ponerlo en evidencia Marta González Aparicio en el primer Capítulo de la presente obra cuando diseña las diferencias que separan la prescripción tributaria de la prescripción civil, instituciones ambas solo entrelazadas por el servicio común que prestan a la seguridad jurídica y como respuesta dada por el ordenamiento jurídico a quien, pudiendo ejercitar un derecho o una acción, se mantiene en silencio sin activarlos. Pero, incluso en este último aspecto, la diferencia entre ambos institutos jurídicos aplicados a sectores diferentes del ordenamiento nos muestra el distante significado entre la prescripción tributaria y la prescripción civil. En la prescripción civil el silencio del acreedor se interpreta como renuncia tácita al ejercicio de su derecho, en el caso de la prescripción tributaria el silencio en la relación tributaria es consecuencia de la inactividad –que no renuncia- del órgano encargado de comprobar, liquidar y recaudar el tributo.

No hemos alcanzado a concebir la prescripción tributaria como instituto jurídico propio y autónomo del Derecho tributario desligado del modo en que se regula en otros sectores del ordenamiento jurídico y en consecuencia, venimos moviéndonos aplicándole las pautas que la disciplinan en el derecho privado desnaturalizando el sentido y la finalidad de la figura. Prologando la obra sobre la prescripción de Ramón Falcón, ya prevenía Jaime García Añoveros del riesgo en que se incurría al importar al Derecho tributario instituciones asentadas en otros sectores del ordenamiento jurídico vaticinando que «*la traducción mimética, literal, de instituciones privadas a situaciones de derecho público, crea confusión y da lugar a regulaciones que no cumplen el objetivo para el que se establecen*».

Todavía hoy, desde el año 1963, venimos cuestionando qué es lo que prescribe en Derecho tributario. Unos lo hacen, porque ponen en cuestión que los órganos de la Administración sean titulares de unos derechos para liquidar y recaudar tributos susceptibles de extinguirse por el paso del tiempo y consideran que aquello que se agota con el tiempo son las actuaciones de los órganos de la administración tributaria dirigidas a liquidar y exigir tributos; otros, anclados en el origen de la obligación tributaria, sin poner en discusión la titularidad de los llamados derechos a liquidar y recaudar tributos, sostienen que lo que desaparece en el tiempo es la obligación, la deuda tributaria, como expresamente se afirma en el art. 59 de la Ley General Tributaria de 2003.

El profesor Cortés Domínguez en la primera edición de su *"Ordenamiento Tributario Español"* (año 1968), al polemizar sobre el nacimiento de la obligación tributaria –si del hecho imponible o del acto de liquidación- ya nos previno de que la correcta solución del dilema tendría que venir tras un riguroso análisis del fenómeno tributario en su conjunto, concebido el tributo no solo como obligación legal –que lo es- sino además y por ser tal, asistida de su necesaria cuantificación con el desarrollo de procedimientos administrativos. Como obligación legal, su determinación debe quedar sujeta a plazo, y asimismo, iniciadas las actuaciones administrativas dirigidas a cuantificarla, deben concluir en un plazo dado. De este modo, los conceptos de prescripción y caducidad se intercalan sin antagonismo en la construcción dogmática de la prescripción tributaria.

Cuando estudiamos la potestad tributaria, tendemos a hacerlo poniendo énfasis en la actuación dirigida a establecer tributos mediante ley acentuando su carácter de obligación legal, pero perdemos de vista que también por ley se confiere y se ejerce la potestad en orden a exigir los tributos. En el ejercicio de la potestad tributaria a través de ley se establecen los tributos como obligaciones legales abstractas que es preciso concretar cuantificándolas en los términos señalados en ley que los crea. Con este fin, también en ley, se reconocen funciones depositadas en órganos administrativos que, por ello, quedan investidos de competencia para desarrollarlas, y su ejercicio despliega las relaciones jurídicas que derivan de aquellas obligaciones legales que han de ser activadas en un plazo de tiempo, sin perjuicio de que una vez iniciadas, queden sujetas a un plazo de conclusión. Es así como el ejercicio de tales funciones públicas –la función, en cuanto tal, es imperecedera- dirigidas a la cuantificación y a la exigencia de los tributos, queda sujeta a plazos de prescripción (por el paso del tiempo prescribe la obligación legal, por causa en la inactividad del órgano administrativo que debe potenciarla), y cómo una vez que se han iniciado los procedimientos para cuantificar la obligación legal, la duración de sus actuaciones queda sujeta a plazo de caducidad. Prescribe la obligación tributaria por inactividad de los órganos encargados de cuantificarla y exigirla, y caducan las actuaciones iniciadas y dirigidas a cuantificar la obligación tributaria por sobrepasar el plazo máximo legalmente establecido para su duración.

En un segundo orden, el estudio de la prescripción exige someter a revisión las causas legales que permiten su interrupción.

Para hacerlo creo necesario partir de una idea que, por clara, no siempre se ha tenido en cuenta al estudiar este aspecto de la prescripción: solo se interrumpe aquello que se ha iniciado y no ha concluido. Si el art. 66 LGT en sus letras a) y b) ordena la prescripción a cuatro años del derecho a liquidar y exigir los tributos, debe convenirse que una vez ejercitados en plazo estos derechos se ha consumado su realización, lo que significa que, por ejemplo, una vez determinada la deuda tributaria mediante la oportuna liquidación por el órgano competente para su instrucción, el ejercicio del derecho a liquidar se ha agotado en plazo prescriptivo y cualquier otra actuación posterior administrativa o de particular cuestionando su contenido, no puede interrumpir un plazo establecido para el ejercicio de un derecho a liquidar el tributo que ya se ha consumado. Dicho en otros términos, una vez ejercitado el derecho de autotutela declarativa del acto tributario, como no hay ya nada que declarar, el ejercicio de ese derecho a determinar la obligación legal se ha agotado y cualquier actuación posterior que cuestione su validez no puede interrumpir el plazo de prescripción de un derecho ya ejercitado.

De entenderse así el ejercicio de los derechos a liquidar y recaudar, solo aquellas actuaciones encaminadas a su realización pueden interrumpir el plazo de prescripción no, en cambio, aquellas otras que tienen lugar una vez que el derecho se ha ejercitado. Por lo tanto, creo que deben someterse a revisión las causas de interrupción del plazo de prescripción contenidas en las letras c) de los apartados 1 y 2 del art. 68 LGT que considera como tales la interposición de recursos y reclamaciones contra actos administrativos de liquidación y recaudación tributaria dado que, cuando son objeto de impugnación, los derechos a liquidar y a recaudar ya han sido ejercitados en plazo prescriptivo y no se puede interrumpir el plazo establecido para accionar unos derechos cuyo ejercicio ya se ha agotado. De no ser así, el plazo establecido para el ejercicio de estos derechos subsistiría en el tiempo después de haberse consumado. Considero también, que los recursos de revisión de los actos tributarios no son actuaciones de parte o de la Administración dirigidas a determinar la deuda tributaria o a exigirla, sino instrumentos habilitados por el derecho para reaccionar frente a la posible falta de validez de dichos actos tributarios.

Cuando el art. 68 LGT en los apartados antes señalados convierte la interposición de recursos y reclamaciones en causa interruptora del plazo de prescripción, lo hace tomando como reflejo la causa de interrupción de la prescripción civil prevista en el art. 1973 del Código civil al señalar que la interrupción de acciones se produce, entre otros motivos, por su ejercicio ante los Tribunales. Lo así ordenado resulta acertado en el ámbito de las obligaciones voluntarias, pero no lo es en el campo de las obligaciones legales donde la ley ordena a los órganos de la Administración el deber de cuantificarlas y exigirlas en virtud de los principios de autotutela declarativa y autotutela ejecutiva que acompañan sus actuaciones. También en este particular se advierte la nociva influencia del régimen jurídico de la prescripción civil en el de la prescripción tributaria.

Si convenimos que la prescripción tributaria sanciona la inactividad (de particular o administrativa) en orden a la cuantificación de la obligación tributaria y su cumplimiento, debe concluirse que el plazo prescriptivo solo se puede interrumpir mediante acto administrativo o de particular dirigido a la cuantificación y al pago de esa deuda tributaria.

Llama la atención por ello, que la Ley General Tributaria admita como causas que interrumpen el plazo de prescripción algunas que son extrañas a las actuaciones de los agentes principales que intervienen en el desenvolvimiento de la relación jurídico-tributaria, como sucede cuando se traslada el tanto de culpa al orden jurisdiccional penal en los casos de persecución de un delito fiscal, o cuando un órgano judicial ordena la paralización del procedimiento administrativo-tributario, o cuando la presentación de denuncia ante el Ministerio fiscal detiene las actuaciones administrativas dirigidas a la liquidación o la recaudación del tributo. En todos estos casos la causa que paraliza el procedimiento tributario no responde a una actuación directa de quienes se hallan facultados para romper el silencio de la relación jurídico-tributaria -cuyo desarrollo, por lo demás, ya se ha iniciado-, sino que se trata de actuaciones realizadas por agentes extraños a ella que, en sentido propio, no es posible calificarlas de actuaciones interruptoras del plazo de prescripción pues, en términos jurídicos, quienes en estos casos provocan la interrupción del plazo de prescripción carecen de la facultad de romper el silencio en que se mantenía la relación tributaria, hallándonos ante actuaciones que, a lo sumo, deberían ser tratadas no como actuaciones con efecto interruptor del plazo de prescripción sino con otro diferente, por ejemplo, como causantes de la suspensión de ese plazo.

Entiendo por ello, que la interrupción del plazo de prescripción del derecho a determinar la deuda tributaria mediante la oportuna liquidación y del derecho de la Administración para exigir el pago de las deudas liquidadas y autoliquidadas (art. 66, letras a) y b) LGT) solo es posible a través de actuaciones desarrolladas en tal sentido, bien por los órganos de la Administración tributaria, bien por el particular interesado en el desarrollo de tales procedimientos dado que son ellos únicamente –Administración e interesados en el procedimiento-, quienes pueden causar el efecto de romper el silencio que mantenía soñolienta la relación jurídico-tributaria. Cualquier otra acción ajena al órgano de comprobación de la Administración tributaria o al obligado tributario, tendrá algún efecto jurídico sobre el plazo de prescripción del derecho a liquidar o recaudar el tributo, pero desde luego, no el de interrumpir el plazo prescriptivo porque la voz que despierta del sueño a la relación tributaria solamente es la que proviene de los obligados tributarios o de los órganos de la Administración en el ejercicio de la aplicación de los tributos, únicos llamados por ley a cuantificar la obligación tributaria.

En un tercer orden de consideraciones sobre la prescripción como institución sirviente de la seguridad jurídica, considero que anulado un acto tributario por causa de invalidez no debería producir el efecto interruptor del plazo de prescripción, y tanto da que se trate de una nulidad radical como de una simple anulabilidad.

Un acto administrativo privado de validez no puede desplegar ningún efecto jurídico, al quedar huérfano de la presunción de legalidad que le acompañaba y protegía. Mantener lo contrario supone arropar al acto viciado más allá de su eficacia jurídica y, por ende, a quien ha procurado su irregular dictado. Si, al acto administrativo caducado se le priva de eficacia para interrumpir el plazo de prescripción, cuánto no predicar este mismo efecto del acto administrativo viciado de validez aunque lo haya sido por causa de anulabilidad.

No existe norma en el ordenamiento tributario que permita extender en el tiempo los efectos jurídicos de un acto administrativo viciado de anulabilidad y que los impida en caso de nulidad radical.

De nuevo en este particular, la doctrina desarrollada en el Derecho civil y atraída al ámbito tributario, ha distorsionado su entendimiento.

Para el Derecho civil, la regla general es la nulidad radical de los actos y negocios jurídicos viciados de validez cuya declaración impide que desplieguen efecto jurídico alguno desde su nacimiento –tampoco, claro está, el de interrumpir el plazo de prescripción-. La excepción a esta regla general en el ordenamiento jurídico-privado la determina la anulabilidad del acto o negocio jurídico que puede producir determinados efectos en relación con todo lo no afectado por la causa de invalidez. En el Derecho tributario sucede lo contrario, la regla general es la anulabilidad del acto administrativo que, pese a ello, produce efectos jurídicos en todo lo que no se ve afectado por la razón de invalidez, y solo de modo excepcional, por causas tasadas, se admite la nulidad radical del acto tributario que no produce efecto jurídico alguno.

A la perpetuación en el tiempo de los efectos jurídicos de los actos viciados de anulabilidad contribuye, asimismo, la tesis del llamado *"in favor acti"* que propende la protección de los actos administrativos a través de las técnicas de su conversión, conservación y convalidación (arts. 50, 51 y 52 de la Ley 39/2015 del Procedimiento Administrativo Común), lo que ha permitido al Tribunal Supremo la construcción de una sólida teoría extendiendo más allá de su validez las actuaciones administrativas con efectos interruptores del plazo prescriptivo (STS de 22 de marzo de 2012, casación 997/2006, entre muchas más). Según ello, como las actuaciones dirigidas a determinar la deuda tributaria, aunque viciadas de anulabilidad, han tenido como finalidad la determinación o exigibilidad de la deuda anulada, todas aquellas no afectadas por la causa de invalidez han procurado la interrupción del plazo de prescripción, manteniendo vivo el derecho a liquidar o a exigir el tributo pese a la irregularidad detectada en el acto tributario.

Tal construcción jurisprudencial centrándose en el mandato de los arts. 50, 51 y 52 de la Ley 39/2015 del Procedimiento Administrativo Común pierde de vista que, previamente, su art. 39 prohíbe expresamente los efectos retroactivos de los actos nulos o anulados, admitiéndolo solo cuando se ordene su convalidación (apartado 3 de ese precepto).

En nuestro ordenamiento jurídico-tributario, conforme a lo dispuesto en el art. 239.3 LGT, párrafo segundo, la orden de retrotraer las actuaciones solo es posible cuando en una resolución económico-administrativa se hayan apreciado defectos de forma causantes de indefensión al reclamante. Esto es, para que se pueda ordenar por el órgano económico-administrativo la retroacción de actuaciones, la causa de anulación del acto recurrido (por ejemplo, una liquidación tributaria) debe haber consistido en un vicio de forma advertido en la envoltura del procedimiento instruido que, además, haya causado indefensión al interesado.

No todo defecto formal detectado en la tramitación de un procedimiento de aplicación del tributo es, a un tiempo, causante de indefensión. Por ejemplo, para mí, la falta de motivación de un expediente de comprobación de valores en el que se han dado al interesado los correspondientes trámites de audiencia y alegaciones, puede haber incurrido en vicio formal en el desarrollo del procedimiento, pero no tiene por qué haber sido causante de indefensión si el interesado en él ha tenido ocasión de alegar a propósito de la falta de motivación del acto de valoración tributaria. Estamos ante un acto viciado formalmente en su construcción, pero no causante de indefensión, y al declararse su anulación por defecto de forma no podría ordenarse la retroacción de actuaciones en los términos previstos en el art. 239.3 LGT, párrafo segundo.

Por lo tanto, a mi modo de ver, solamente cuando el acto tributario recurrido en vía económico-administrativa se anula por causa de un defecto de forma que ha privado de las garantías de defensa al obligado tributario, será posible retrotraer las actuaciones seguidas en ese procedimiento administrativo y recuperar –convalidar- aquellas que no se hayan visto afectadas por la causa de invalidez del acto tributario anulado, actuaciones que por desarrollarse en el mismo cuerpo del procedimiento retrotraído, pueden ocasionar la interrupción del plazo de prescripción.

Fuera de este supuesto, es decir, cuando el acto de naturaleza tributaria queda anulado por advertir en él un vicio formal que no ha causado indefensión al interesado, o por apreciar la existencia de un vicio sustancial, esencial, en el mismo, el acto invalidado –sin retroacción- no produce el efecto de interrumpir el plazo de prescripción y las actuaciones administrativas a convalidar atraídas del procedimiento anulado al nuevo que se instruya, producirán efecto desde la fecha en que se dicte en nuevo acto administrativo que sustituya al anulado. Así lo entiendo porque declarada la invalidez de un acto administrativo, queda privado de la presunción de legalidad que le acompañaba y no despliega efecto jurídico alguno, por lo tanto, tampoco el de interrumpir un plazo de prescripción para ejercitar un derecho que, además, ya se había consumado en el tiempo.

Entre otras, estas son las ideas que me ha suscitado la lectura de la monografía de Marta González Aparicio donde encontramos pasajes de brillante construcción científica, como cuando se introduce en el análisis de la imprescriptibilidad de las facultades de comprobación e investigación del art. 66 bis, puesto en relación con el art. 115, ambos de la LGT, y la sujeción a plazo de prescripción del derecho a liquidar, cuestionando la autora la doctrina del Tribunal Supremo que dio origen a esta regulación legal sobre la base de diferenciar el ejercicio de unas "potestades" (a comprobar e investigar) por definición imprescriptibles, frente al ejercicio del derecho a liquidar el tributo sujeto a prescripción en los términos del art. 66 a) LGT. Construcción jurisprudencial artificiosa dado que, puestos a calificarlas, si las reconocidas a los órganos de la Administración tributaria para comprobar e investigar tributos son auténticas "potestades", también de esta naturaleza debe ser considerada la potestad de liquidar los tributos, resultando ser todas ellas imprescriptibles de seguir la tesis alumbrada en la jurisprudencia del Tribunal Supremo.

Probablemente, para alcanzar la finalidad plasmada en la Ley (la no sujeción a plazo de prescripción de la actuación comprobadora e investigadora de la Administración), hubiera sido más sencillo señalar que como con tales actuaciones se persigue la verificación de hechos que, por definición, permanecen inamovibles en el tiempo –no prescriben–, ningún inconveniente existe para que los órganos de la Administración tributaria comprueben el pasado para constatar situaciones tributarias de presente. A mi modo de ver, ésta y no otra es la razón que podría haber sido argumentada para fundamentar la imprescriptibilidad de las actuaciones administrativas de comprobación e investigación frente a las de liquidación de los tributos.

Dicho lo cual, no puedo estar más de acuerdo con Marta González Aparicio cuando advierte que la comprobación de hechos del pasado para verificar el presente, nunca debió permitir a los órganos de la Administración actuantes la recalificación jurídica de tales hechos sin provocar un evidente jirón en el tejido de seguridad jurídica.

Creo que la clave de bóveda en la construcción del régimen jurídico de la prescripción tributaria se encuentra en la forma de regular las causas que permiten la interrupción del cómputo de su plazo con reinicio de éste (art. 68 LGT) que, como ya he señalado se trata de uno de los aspectos que merecen una revisión profunda y he razonado porqué algunas de las causas interruptoras de ese plazo no tienen tal carácter, sea porque no se trata de actuaciones dirigidas a la determinación de la deuda tributaria, ya porque proceden de agentes cuyas actuaciones carecen de relevancia jurídica a los efectos de romper el silencio en que se hallara la relación jurídico-tributaria. A este particular aspecto de la prescripción, dedica la autora el Capítulo Quinto de su monografía haciendo análisis detallado, preciso, y sobresaliente de cada uno de los motivos que suponen la quiebra del plazo prescriptivo y sus consecuencias. Se trata de un estudio tan pormenorizado y actual que trata, incluso, las consecuencias habidas tras la suspensión de plazos con la declaración del estado de alarma para paliar los efectos del coronavirus.

Dedica su autora el siguiente Capítulo de la obra a los efectos que produce la prescripción tributaria, en particular, si el deber de aplicarla de oficio recogido en el art. 69.2 LGT se extiende a la actuación de los Tribunales de Justicia o se trata de un mandato que alcanza hasta la revisión del acto tributario en sede económico-administrativa.

Constituyendo la esencia de toda función pública (sea legislativa, ejecutiva o judicial) el ejercicio de un poder-deber, aplicado el concepto a la desarrollada por los órganos de la Administración tributaria podemos concluir que a ellos, y solo a ellos, compete el poder de aplicar las normas tributarias y el deber de hacerlo con eficacia. Siendo así, cuando el art. 69.2 LGT ordena que la prescripción tributaria se aplique de oficio, entiendo que su mandato solo queda dirigido a los órganos de la Administración tributaria actuando en el ejercicio de sus funciones encaminadas a liquidar y exigir los tributos porque, solamente ellos, en virtud de la atribución de la que se hallan investidos en el ejercicio de su función pública, corresponde de oficio la apreciación de la prescripción tributaria.

Los Tribunales de Justicia, en el ejercicio de su función juzgadora tienen la facultad de determinar si los actos emanados de los órganos de la Administración tributaria lo han sido ajustándose a ley, ejercitando sobre ellos la revisión que tienen encomendada. En su ejercicio, los Tribunales de Justicia pueden enjuiciar si la prescripción tributaria se ha producido, pero no pueden aplicarla de oficio porque su apreciación solo es competencia de los órganos de la Administración tributaria en atención a las atribuciones que tienen reconocidas para el ejercicio de sus funciones declarativa y ejecutiva de la deuda tributaria. Los Tribunales de Justicia pueden apreciar si la prescripción se ha producido una vez alegada por las partes en el proceso, pero no pueden declararla de oficio porque de hacerlo, se excederían en el ejercicio de su función jurisdiccional.

Por lo tanto, el mandato contenido en el art. 69.2 LGT solo puede entenderse dirigido a los órganos de la Administración tributaria, nunca a los órganos del Poder Judicial ya se trate del Tribunal Supremo o de lo que la autora de esta obra califica de jurisprudencia menor por referencia a Tribunales Superiores de Justicia y Juzgados en el orden contencioso-administrativo.

Si las partes han suscitado la prescripción tributaria en sus escritos de demanda y contestación a la misma, el Tribunal juzgador deberá entrar en esa consideración y determinar si se ha producido o no el efecto extintivo de la liquidación o la recaudación tributaria.

Si el argumento no ha sido planteado por las partes y el Tribunal sospecha que hay prescripción no puede aplicarla de oficio porque la calificación jurídica de la deuda prescrita solo corresponde hacerlo, de oficio, esto es, en el ejercicio de su función, a los órganos de la Administración tributaria. De modo que, a los Tribunales de justicia en estos casos solo les cabe plantear la tesis a las partes para que aleguen sobre la prescripción.

Así lo entiendo porque la justicia es rogada en virtud del principio dispositivo y en el ámbito de la jurisdicción contencioso-administrativa significa que, iniciado un proceso, el marco que lo delimita es la actuación del tercero ajeno al Tribunal que ejercita la acción en juicio, a través de la que explicita la pretensión que plantea y los confines del enjuiciamiento conforme al art. 33 de la Ley de la Jurisdicción Contencioso-Administrativa que dispone: «*Los órganos del orden jurisdiccional contencioso-administrativo juzgarán dentro del límite de las pretensiones formuladas por las partes y de los motivos que fundamenten el recurso y la oposición*».

La inaplicabilidad de oficio de la prescripción por los Tribunales de Justicia explica, además, que el plazo de prescripción no discurra cuando el asunto reposa para la decisión de los Tribunales de Justicia y sí lo haga, en cambio, cuando discurren en vía revisora económico-administrativa.

Considero por ello, que el recorrido del plazo de prescripción y su aplicación de oficio no opera en el orden jurisdiccional, no solo por los razonamientos que recoge

Marta González Aparicio con fundamento en las SSTS de 25 de enero de 2010, 7 de julio de 2008, 16 de enero de 2003, 19 de febrero de 2000, entre otras, además de la STS de 20 de octubre de 2011, por tratarse de un proceso –como explica- en que las partes se sitúan en plano de igualdad, correspondiendo al órgano jurisdiccional el impulso de sus actuaciones, y porque la interposición del recurso no produce interrupción del plazo de prescripción, sino que la razón se encuentra en la misma esencia del instituto jurídico de la prescripción, a saber, la ruptura del silencio mantenido en la relación jurídica que solamente se produce por aquél o aquellos que tienen la facultad de romperlo, que desde luego, no se encuentra en manos de los Tribunales de Justicia que en el ejercicio de su función jurisdiccional únicamente se limitan a revisar la legalidad del acto administrativo recurrido.

Se encuentra el lector ante una obra minuciosa y bien estructurada, que alimenta reflexiones a propósito de una de las instituciones de nuestra disciplina ideada para armonizar la potente voz de la Administración con el semitrino del contribuyente, pero que en los últimos tiempos suena como melodía distorsionada y el diapasón de la crítica científica nos advierte que el instrumento jurídico (la prescripción) se está desafinando debido a la voluntad manifiesta de atenuar el efecto extintivo que ejerce sobre la obligación tributaria.

El ejercicio del magisterio no se traduce en enseñar a nadie, sino en hacer pensar. En el trabajo intelectual de Marta González Aparicio se advierte la tutela y la buena dirección de María Teresa Mata Sierra que, estoy convencido, con toda legitimidad, se regocija y enorgullece de la humana creación académica. Ojalá este binomio se prolongue en el tiempo y no prescriba, para que siga dando brillantes resultados con nuevas construcciones científicas como la presente, que he tenido el privilegio de prologar.

Ernesto Eseverri

Septiembre 2020

Capítulo Primero

PLAZO DE PRESCRIPCIÓN Y CONTENIDO DE LOS DERECHOS DE LA ADMINISTRACIÓN SUSCEPTIBLES DE PRESCRIBIR CONFORME AL ARTÍCULO 66 DE LA LEY GENERAL TRIBUTARIA

1. CONSIDERACIONES INICIALES

El concepto de relación jurídica representa la base sobre la que se construye el Derecho positivo. En palabras de SAVIGNY[1], precursor en la formación del concepto, la relación jurídica es *"un vínculo de persona a persona determinado por una regla jurídica, la cual asigna a cada individuo un dominio en donde su voluntad reina independientemente de toda voluntad extraña"*. LEGAZ Y LACAMBRA[2], por su parte, define la relación jurídica como *"un vínculo creado por normas jurídicas entre sujetos de derecho, nacido de un determinado hecho que origina situaciones jurídicas correlativas de facultades y deberes, cuyo objeto son ciertas prestaciones garantizadas por la aplicación de una consecuencia coactiva o sanción"*. Estas son solo dos de las múltiples definiciones de la relación jurídica que ha aportado

---

1 SAVIGNY, M. F. K.: *Sistema del Derecho romano actual. Vertido al castellano por Jacinto Mesía y Manuel Poley*, Tomo I, 2ª ed., Centro Editorial de Góngora, Madrid, 1978, pág. 258.

2 LEGAZ Y LACAMBRA, L.: *Introducción a la ciencia del Derecho*, Bosch, Barcelona, 1943, pág. 529.

la doctrina[3], pero que recogen de manera muy completa los elementos que caracterizan esta figura: creación legal, origen fáctico, dualidad de sujetos –sujeto activo o pretensor y sujeto pasivo o deudor[4]- y objeto garantizado con una consecuencia punitiva o sancionadora.

3   Otras destacadas voces doctrinales también han definido el concepto de relación jurídica. DE CASTRO señala que la relación jurídica es *"la situación jurídica en la que se encuentran las personas, organizada unitariamente dentro del orden jurídico total por un especial principio jurídico"*. Vid. DE CASTRO Y BRAVO, F.: *Derecho Civil de España*, 2ª ed., Instituto de Estudios Políticos, Madrid, 1952, pág. 556. CASTÁN apunta que la relación jurídica *"no es otra cosa que una relación de la vida práctica, a la que el Derecho objetivo da significado jurídico, atribuyéndole determinados efectos, o, en otros términos, una relación de la vida real, protegida y regulada, en todo o en parte, por el Derecho"*. Vid. CASTÁN TOBEÑAS, J.: *Derecho Civil Español, Común y Foral. Revisada y puesta al día por JOSE LUÍS DE LOS MOZOS*, Tomo 1, Volumen II, 14ª ed., Reus, Madrid, 1984, págs. 13-14. ALBALADEJO indica que *"relación jurídica es aquella situación en que se encuentran varias personas entre sí, regulada orgánicamente por el Derecho, partiendo de un determinado principio básico.* Vid. ALBALADEJO, M.: *La Prescripción Extintiva*, 18ª ed., Edisofer, Madrid, 2009, pág. 413. O'CALLAGHAN afirma que la relación jurídica *"presupone una relación social, como elemento material o de hecho, a la que el Derecho impone unas consecuencias jurídicas como elemento formal"*. Vid. O'CALLAGHAN MUÑOZ, X.: *Compendio de Derecho Civil. Tomo I (parte general)*, 1ª ed., Edersa, Madrid, 2004 (Consultado en la base de datos V-Lex, con fecha 13/04/2016).

4   Si bien la doctrina mayoritaria, con ejemplos como los *supra* expuestos, mantiene que la relación jurídica se produce entre sujetos en exclusiva, autores como ENNECERUS consideran que la relación jurídica se puede dar entre sujetos, pero también entre sujetos y objetos, pues define este concepto como *"una relación de la vida ordenada por el derecho subjetivo, y que consiste en una dirección jurídicamente eficaz de una persona hacia otras personas o hacia ciertos objetos (cosas o derechos)"*. Vid. ENNECERUS, L.: *Tratado de Derecho Civil (Parte General). Traducción del alemán por BLAS PÉREZ GONZÁLEZ y JOSÉ ALGUER*, Tomo I, Volumen 1°, Bosch, Barcelona, 1934, pág. 285.

Existe otro elemento que influye de manera decisoria en la relación jurídica: el tiempo. En palabras de CASTÁN[5], *"el tiempo, que todo lo muda, no podía dejar de afectar al nacimiento y a la pérdida de los derechos. Y, en efecto, su influencia es tan grande como variada"*. La relación jurídica se desarrolla en un determinado lapso temporal, que viene definido por su nacimiento y extinción.

Dos instituciones evidencian especialmente el efecto del transcurrir del tiempo sobre la relación jurídica: la prescripción y la caducidad[6]. No son las únicas, pero sí las que tienen una especial relevancia en el ordenamiento jurídico español, pues, a pesar de ser de origen jurídico-privado, ambas son acogidas por las distintas ramas del Derecho Público.

En su configuración iusprivatista, la prescripción presenta una doble faz: prescripción adquisitiva o usucapión, que supone la adquisición de derechos por el paso del tiempo, y prescripción extintiva, que implica la extinción de derechos por el transcurso de un periodo de tiempo determinado. La presente investigación versará sobre la prescripción extintiva, pues es esta figura la que ha sido adoptada por el ordenamiento tributario estatal como uno de los medios extintivos de la obligación tributaria. CALVO ORTEGA y

---

5   CASTÁN TOBEÑAS, J.: *Derecho Civil Español, Común y Foral. Revisada y puesta al día por JOSE LUÍS DE LOS MOZOS*, Tomo 1, Volumen II, ob. cit., pág. 959-960.

6   Aunque estas dos figuras son las de mayor importancia en lo relativo a la influencia del paso del tiempo sobre la relación jurídica, el elemento temporal también se manifiesta a través de otras figuras, si bien de menor importancia en el ordenamiento interno. Se trata de la preclusión del derecho, el no uso y la prescripción inmemorial.

CALVO VÉRGEZ[7] definen esta institución del siguiente modo: *"la prescripción es una figura extintiva de las obligaciones y, por lo que aquí interesa, de la obligación tributaria. El transcurso de un periodo de tiempo determinado y la falta de actividad de la administrativa del acreedor producen ese efecto extintivo"*. ESEVERRI[8], por su parte, indica que *"es la prescripción parte sustantiva del Derecho de la que se sirve para declarar adquiridos o extinguidos los derechos por el transcurso del tiempo"*. FALCÓN Y TELLA[9], en el mismo sentido, señala que la prescripción *"consiste en el ejercicio tardío de un derecho -es decir, el ejercicio del derecho cuando ha existido un continuado silencio de la relación jurídica- y funciona mediante la atribución al sujeto pasivo o a un tercer interesado de la facultad para detener, enervar o repeler dicho ejercicio tardío, o, -en el Derecho Público- mediante la imposición al acreedor de una obligación de abstenerse de ejercitar las facultades y acciones tendentes a la tutela de su crédito"*. De las tres definiciones se infiere que los elementos que concurren en el instituto de la prescripción extintiva son dos: el transcurso de un plazo de tiempo y la inactividad de las partes durante el mismo, lo que se ha denominado el *"silencio de la relación jurídica"*[10].

---

7   CALVO ORTEGA, R., CALVO VÉRGEZ, J.: *Curso de Derecho Financiero I. Derecho Tributario. Parte General. II. Derecho Presupuestario*, 20ª ed., Thomson Reuters, Madrid, 2019, pág. 189.

8   ESEVERRI, E.: *La prescripción tributaria en la jurisprudencia del Tribunal Supremo*, 1ª ed., Tirant lo Blanch, Valencia, 2012, pág. 13.

9   FALCÓN Y TELLA, R.: *La prescripción en materia tributaria*, 1ª ed., La Ley, Madrid, 1992, pág. 67.

10 Así se refiere en las Sentencias del Tribunal Supremo de 31 de enero de 1980, de 14 de mayo de 1987 (*Tol 1.736.453*) o de 31 de diciembre de 2002 (*Tol 4.927.477*), entre otras.

La prescripción, en su más amplio sentido, se configura como una institución esencial en nuestro ordenamiento jurídico, tal y como ha indicado el Tribunal Supremo en reiteradas ocasiones. En este sentido, es clara la Sentencia de 27 de febrero de 1964[11], que indica que *"la opinión científica, la legislación y la doctrina jurisprudencial reconocen la existencia de la prescripción como institución necesaria que sirve para asegurar la estabilidad económica, transformando en situación de derecho, la que solo era de mero hecho, ya que, sin este medio, la propiedad y los derechos todos, estarían expuestos a la incertidumbre e inseguridad impropia de lo que constituye su esencia"*[12]. En este fragmento que transcribimos se ponen de manifiesto varios de los atributos que caracterizan a la institución de la prescripción, destacando la esencialidad de su existencia para dar seguridad al tráfico jurídico. Y es que el principio de seguridad jurídica, consagrado en el artículo 9.3 de la Constitución[13], se configura como pilar principal e indispensable de la prescripción extintiva en el Derecho Tributario, atendiendo al fundamento objetivo que le es propio[14].

---

11   *Tol 4.324.955.*

12   El subrayado es nuestro, tanto en esta como en las restantes Sentencias, resoluciones judiciales o administrativas o preceptos en los que se emplea a lo largo de esta obra.

13   BOE núm. 311, de 29 de diciembre de 1978.

14   En la prescripción aplicable en el Derecho Civil resulta una cuestión dubitada si su fundamento es subjetivo,-fundamentado, por tanto, en el abandono del derecho por su titular-, u objetivo, -basado, por tanto, en el principio de seguridad jurídica-, acudiendo en numerosas ocasiones la jurisprudencia a ambos fundamentos de manera conjunta, -V. gr. las sentencias del Tribunal Supremo de 21 de junio de 2013 (*Tol 4.074.921*), de 19 de enero de 2015 (*Tol 4.786.534*) y de 12 de febrero de 2016 (*Tol 5.650.820*), entre otras-. Sin embargo, en la prescripción aplicable en Derecho Tributario no cabe duda de

Considerando los elementos que configuran la prescripción y lo indicado en el fragmento de la Sentencia *supra* transcrita cuando alude al fundamento de la prescripción y, particularmente, a la certidumbre y a la seguridad jurídica, se concluye que será labor del legislador, y no de los particulares, la determinación de cuándo se produce esa ausencia de actuación y de cómo se debe computar el transcurso del tiempo para considerar que la obligación tributaria ha prescrito. El legislador tributario ha desempeñado esa función tanto en la Ley 230/1963, de 28 de diciembre, General Tributaria[15], como la actual Ley 58/2003, de 17 de diciembre, General Tributaria[16], (en adelante, LGT), en las que establece el régimen jurídico aplicable a esta institución.

No obstante, su origen en el ámbito del Derecho Privado hace que la influencia de la Norma Civil sea clara, particularmente en la configuración de los distintos elementos definitorios de la institución extintiva[17]. Sin embargo, a pesar

---

que el fundamento es puramente objetivo, pues, a diferencia de las normas privadas, la prescripción tributaria tutela un interés público, sustentado en el principio de seguridad jurídica. En este sentido CORTÉS DOMÍNGUEZ, M.: *Ordenamiento tributario español*, Volumen I, 4ª ed., Civitas, Madrid, 1985, pág. 195; GÉNOVA GALVÁN, A.: "La prescripción tributaria", *Revista Española de Derecho Financiero*, núm. 57, 1988, pág. 29 y FALCÓN Y TELLA, R.: *La prescripción en materia tributaria*, ob. cit., págs. 68-70.

15   BOE núm. 313, de 31 de diciembre de 1963.

16   BOE núm. 302, de 18 de diciembre de 2003.

17   En este sentido es claro ESEVERRI, cuando indica que "*parece evidente que todo el tema de la extinción de la obligación tributaria en la Ley General se encuentra fuertemente influenciado por los modos de extinción de las obligaciones y de los derechos recogidos en el Código Civil, de donde se toma fielmente el modelo a emplear*". Vid. ESEVERRI, E.: "Apuntes sobre la prescripción tributaria", *Revista Española de Derecho Financiero*, núm. 57, 1988, pág. 6

de innegable *"parentesco"* entre ambas instituciones[18], en la actualidad resulta plenamente aceptado que la prescripción tributaria posee unos caracteres propios que exigen una regulación, un tratamiento y un estudio individual, admitiéndose la referencia a las construcciones civiles solo en aquellos puntos deficientemente regulados por la Norma Tributaria o en los que aparezcan conflictos en cuya resolución se propugne la preservación del principio de seguridad jurídica. Es por ello que en este estudio se pretende ofrecer una visión integral del instituto de la prescripción como mecanismo extintivo de la deuda tributaria, a través el examen de los caracteres que han definido y definen esta figura. Para ello, a lo largo de los cinco Capítulos que conforman esta obra, se examinará la prescripción de los derechos de la Administración que recaen sobre la deuda tributaria, para lo que se seguirá el *iter* marcado por la Ley. En particular, nos detendremos en el periodo de tiempo necesario para que prescriba la obligación tributaria, en el contenido de los derechos susceptibles de prescribir, en el inicio del cómputo de la prescripción, en las circunstancias interruptivas del plazo y en los efectos de la prescripción ganada.

---

18   En este sentido, señala PONT MESTRES que *"tal como se hallaba regulada la prescripción en la LGT de 1963, no parece desvincularse sin más de la génesis de la prescripción regulada en el Código Civil (...) por escasa atención que se dedique al tema, se aprecia la seria influencia que ejerce la prescripción civil sobre la prescripción tributaria".* Vid. PONT MESTRES, M.: *La prescripción tributaria ante el derecho a liquidar y el derecho a recaudar y cuestiones conexas*, 1ª ed., Marcial Pons, Madrid, 2008, págs. 103 y 105.

2. EL PLAZO DE PRESCRIPCIÓN

El instituto jurídico de la prescripción requiere para ser apreciado de la confluencia de dos requisitos: la ausencia de actividad del acreedor y el transcurso de un determinado periodo de tiempo. Siendo, por tanto, el plazo de prescripción o *tempus praescriptionis* uno de los elementos esenciales de la institución de la prescripción tributaria, no existe prescripción sin el transcurso de tal plazo que, atendiendo al carácter *ex lege* de esta institución, debe ser determinado por la Ley. Así, las distintas normas tributarias, tanto generales como especiales, se han ocupado del establecimiento del plazo desde el momento en que reconocen la prescripción como mecanismo extintivo de la obligación tributaria. Por ello, se detallarán las posibilidades en su configuración y su evolución desde la LGT de 1963 hasta la vigente LGT, con especial hincapié a la reducción de plazo efectuada por la Ley 1/1998, de Derechos y Garantías de los Contribuyentes y en las causas que posibilitan tal reducción.

2.1. *El PLAZO DE PRESCRIPCIÓN TRIBUTARIA ANTES DE LA LEY 230/1963*

La regulación de la prescripción tributaria antes de la Ley de 1963, se caracterizaba por una gran dispersión normativa. Esta situación se reflejaba en los distintos plazos de prescripción previstos en las normas especiales de cada uno de los tributos ya que, mientras algunos seguían la regla general establecida en el artículo 29 de la Ley de Hacienda

Pública de 1 de julio de 1911[19] -también denominada Ley de Administración y Contabilidad-, que establecía un plazo de quince años, otras se apartaban de tal plazo. Por ejemplo, el artículo 26 del texto refundido de la Ley de 29 de abril de 1920[20], relativa a la Contribución sobre las Utilidades de la Riqueza Mobiliaria, establecía que las cuotas de la Contribución prescribían a los cinco años desde su devengo; el artículo 143 del Reglamento por el que se desarrolla la Ley del Impuesto de Derechos Reales, de 21 de mayo de 1958, contemplaba un plazo de diez años para que la Administración practicara la liquidación correspondiente, y el artículo 6 de la Ley reguladora del Impuesto del Timbre del Estado, de 14 de abril de 1955[21], establecía un plazo de prescripción doble: cinco años para liquidar el tributo y diez años para recaudar lo liquidado. Con ello se observa que, además de los diversos plazos, en algunas de estas leyes se distinguía el derecho a liquidar del derecho a recaudar lo liquidado, previendo en ocasiones plazos distintos. Estas circunstancias, como se ha indicado, provocaban no solo una gran dispersión normativa, sino una falta de seguridad jurídica en torno a la aplicación de la prescripción y al plazo en el que se ganaba.

2.2. EL PLAZO DE PRESCRIPCIÓN EN LA LEY GENERAL TRIBUTARIA DE 1963

La LGT de 1963, en su vocación unificadora y, particularmente, su artículo 64 en su versión original,

---

19 Gaceta de Madrid, núm. 185 de 4 de julio de 1911.

20 Gaceta de Madrid, núm. 121, de 30 de abril de 1920.

21 BOE núm. 105, de 15 de abril de 1955.

establecía un plazo general de prescripción de cinco años, con una excepción referida al Impuesto sobre Sucesiones[22], en cuyo caso se regulaba un plazo de diez años[23]. No obstante,

---

22　Este plazo superior se fundamentaba en las particulares circunstancias suscitadas en el marco de la sucesión hereditaria, pues tal y como señala MARTÍNEZ LAFUENTE *"en el Impuesto que grava las adquisiciones hereditarias concurren una serie de circunstancias que hacen que la Administración quede salvaguardada del derecho que le corresponde a liquidar el Impuesto con un plazo mayor, como son todas las incidencias que se producen en toda la transmisión hereditaria que no se dan en otro Impuesto, por ejemplo, la determinación concreta de los derechos de cada uno de los herederos, que muchas veces requiere la intervención judicial, la necesidad frecuente de llevar a cabo la partición de la herencia, la existencia misma de un Impuesto devengado por un hecho involuntario e independiente de la voluntad del contribuyente y liquidable a unos sujetos pasivos que solo con la aceptación de la herencia adquieren los bienes"*. Vid. MARTÍNEZ LAFUENTE, A.: "La prescripción en el Impuesto sobre los Bienes de las Personas Jurídicas", *Crónica Tributaria*, núm. 3, 1972, págs. 50-51.

23　El plazo de prescripción de diez años se establece en el Decreto de 21 de marzo de 1958, por el que se aprueban los textos refundidos de la Ley y Tarifa de los Impuestos de Derechos Reales y sobre Transmisiones de Bienes (BOE núm. 102, de 29 de abril de 1958), que en sus artículos 62 y siguientes regula el denominado "Impuesto sobre el Caudal Relicto", remitiendo en su artículo 66 a las disposiciones vigentes para el Impuesto de Derechos Reales en todo lo referente a las reglas de liquidación, comprobación de valores, recaudación, revisión, inspección, investigación y prescripción del impuesto, así como en lo referente a la penalidad y a los recursos que se conceden a los contribuyentes. Las disposiciones relativas a la prescripción del Impuesto de Derechos Reales se encuentran en el artículo 19 del referido texto legal, que en su último párrafo establece que *"la acción de la Administración para liquidar el impuesto prescribe a los diez años, contados desde el otorgamiento del documento o la existencia del acto que produzca su exacción. No obstante, en los contratos de tracto sucesivo en los que el pago del precio debe hacerse por años o en plazos más breves, solo se liquidarán las cuotas de cinco anualidades. El mismo plazo de diez años regirá para la prescripción del derecho de la Administración a practicar las liquidaciones de los documentos presentados y para exigir el impuesto liquidado"*. En este precepto, además de lo señalado en relación al plazo, también se observan referencias significativas en torno a los derechos o acciones susceptibles de prescribir, pues, si bien inicialmente el precepto alude a *"la acción para liquidar"*, posteriormente se refiere al *"derecho a practicar las liquidaciones"*, que parece disgregar de la exigencia del pago del impuesto liquidado.

esta excepción fue suprimida por la Ley 29/1987, de 18 de diciembre, del Impuesto sobre Sucesiones y Donaciones[24], que en su artículo 25 equiparaba de este modo el plazo de prescripción en este tributo al establecido con carácter general[25].

---

24 BOE núm. 303, de 19 de diciembre de 1987.

25 A pesar de la homogeneización del plazo, la convivencia de dos plazos de prescripción en relación a esta figura impositiva podía dar lugar a problemas de Derecho transitorio. Por ello, la Disposición transitoria primera de la referida Ley 29/1987 establecía que *"los preceptos de esta Ley serán de aplicación a los hechos imponibles producidos a partir de su entrada en vigor. Los acaecidos con anterioridad se regularán por la legislación precedente, salvo en lo relativo al plazo de prescripción al que se aplicará lo dispuesto en el artículo 25 de esta Ley. En todo caso, la competencia para la gestión y liquidación estará atribuida a los órganos a que se refiere el artículo 34 desde el momento de la entrada en vigor de la presente Ley, salvo cuando se trate de documentos presentados con anterioridad a la liquidación, en cuyo caso se seguirá manteniendo la competencia de las oficinas en que hubiesen sido presentados hasta su liquidación definitiva"*, determinando, de este modo, la aplicación retroactiva del precepto. En este sentido, también, el Informe de la Dirección General de Inspección Financiera y Tributaria, de 3 de febrero de 1988, señalaba que todo ello *"sin afectar a efectos anteriores a la entrada en vigor de la Ley y, por tanto, a actos administrativos o interrupciones de las prescripciones producidas con anterioridad al 1 de enero de 1988"*. La DGT, por su parte, en resolución de 27 de julio de 1988, extendía la aplicación del nuevo plazo también a las obligaciones que estaban siendo objeto de comprobación e investigación, cuando entre el inicio de las correspondientes actuaciones y la finalización del plazo de declaración habían transcurrido más de cinco años. Esta resolución recibió críticas doctrinales, que compartimos. Así, señala FALCÓN Y TELLA que *"paradójicamente, se mantenía la validez, por ejemplo, de una inspección iniciada a los nueve años y medio que hubiera desembocado en una liquidación notificada antes del 31 de diciembre de 1987, pues se entendía que tal liquidación no se veía afectada por el acortamiento del plazo, ya que este había entrado en vigor el 1 de enero siguiente; mientras que la inspección iniciada a los cinco años y un día que no estuviera ultimada el 1 de enero de 1988, se veía abocada necesariamente a la declaración de la prescripción, con la consiguiente discriminación entre los contribuyentes"*. Vid. RECUERO ASTRAY, J. R.: *Impuesto sobre las Sucesiones y Donaciones,* Volumen II, 1ª ed., Ciss Fiscal, Madrid, 1980, pág. 166 y FALCÓN Y TELLA, R.: "Aspectos positivos y negativos de la Ley de derechos y garantías del contribuyente (II): especial referencia a la aplicación retroactiva del plazo de prescripción y a la indemnización de los costes del aval", *Quincena Fiscal,* núm. 7, 1998, págs. 6-7.

La supresión del plazo dual fue calificada positivamente por la doctrina, por los problemas interpretativos que causaba[26] y por considerar que las particulares circunstancias que rodean la sucesión *mortis causa* no justifican la multiplicación del plazo de cinco años, pues la Administración dispone de los medios necesarios para hacer efectivos sus derechos en ese lapso temporal[27].

Durante cierto tiempo una corriente doctrinal abogó por la reducción de este plazo de prescripción de cinco a tres años[28]. Este requerimiento de la disminución del plazo, y su efectiva posterior reducción –si bien no hasta los tres años, sino hasta los cuatro- se debe a tres factores fundamentales: los mayores poderes efectivos de la Administración, los principios de seguridad jurídica y proporcionalidad, y las exigencias del tráfico jurídico[29].

---

26 Estos problemas interpretativos venían referidos fundamentalmente a su posible aplicación a los Impuestos sobre Derechos Reales y sobre Bienes de las Personas Jurídicas, regulados también en el Decreto de 21 de marzo de 1958.

27 VEGA HERRERO, M.: *La prescripción de la obligación tributaria*, 1ª ed., Lex Nova, Valladolid, 1990, págs. 39-42.

28 SÁNCHEZ RAMÍREZ, C.: "La prescripción en el Derecho Tributario", *Gaceta Fiscal*, núm. 90, 1991, pág.163, HERRERO BOTAS, C.: "Hacia una prescripción tributaria de tres años", *Gaceta fiscal*, núm. 77, 1990, pág. 37. Este último autor señala que la reducción del plazo de prescripción tendría efectos favorables tanto para la Administración como para los contribuyentes, pero fundamentalmente para estos últimos.

29 Tal y como ponen de manifiesto CALVO ORTEGA, R., CALVO VERGÉZ, J.: *Curso de Derecho Financiero*, ob. cit., pág. 190.

2.3. LA MODIFICACIÓN DEL PLAZO DE PRESCRIPCIÓN POR LA LEY 1/1998, DE DERECHOS Y GARANTÍAS DE LOS CONTRIBUYENTES

En línea con las voces que venían solicitando una reducción del plazo, la Ley 1/1998, de 26 febrero, de Derechos y Garantías de los Contribuyentes (en adelante, LDGC) redujo el plazo de prescripción vigente en la LGT de cinco a cuatro años. Esta modificación se enmarca en el objetivo de *"reforzar los derechos del contribuyente y su participación en los procedimientos tributarios y, por otra, y con esta misma finalidad, a reforzar las obligaciones de la Administración tributaria, tanto en pos de conseguir una mayor celeridad en sus resoluciones, como de completar las garantías existentes en los diferentes procedimientos"*, según se indica en la Exposición de Motivos de la citada Ley. ALONSO MURILLO[30] apunta que la reducción del plazo favorece el principio de seguridad jurídica, en el sentido de que disminuye el marco temporal para ejercer derechos y acciones, tanto para la Administración como para el administrado. Estas consideraciones en torno a que la reducción del plazo favorece al obligado tributario, redundando en pro de la seguridad jurídica, ya habían sido realizadas por PAULICK[31] en referencia a la rebaja de los

---

30   ALONSO MURILLO, F.: "Artículo 24", en, ALONSO MURILLO, F., BLASCO DELGADO, C., GÓMEZ CABRERA, C., LÓPEZ MARTÍNEZ, J.: *Comentarios a la Ley de Derechos y Garantías de los Contribuyentes*, 1ª ed., McGrawHill, Madrid, 1998, pág. 182.

31   Señala a este respecto que *"el interés del obligado tributario por la seguridad jurídica se tiene en cuenta al haberse rebajado de cinco a cuatro años el plazo de prescripción correspondientes a los créditos tributarios aún no liquidados con carácter definitivo (...) Ello significa que los obligados tributarios pueden*

plazos de prescripción llevada a cabo en 1976 en la Ordenanza Tributaria Alemana. Sin embargo, justificar la reducción del plazo únicamente en el principio de seguridad jurídica resulta una explicación incompleta, máxime atendiendo a los medios de que dispone la Administración para efectuar el control. En palabras de VEGA HERRERO, *"es indudable que en la actualidad la Administración tributaria dispone de medios muy diversos para evitar que sus derechos y acciones prescriban y, de hecho, cada vez que se ha producido una rebaja del plazo de prescripción ha sido porque se apreciaba un progresivo rebustecimiento de la posición del acreedor tributario (...) incluso en alguna ocasión el poder ejecutivo ha reconocido explícitamente que la Administración dispone de sobrados recursos para evitar la prescripción extintiva"*[32]. De esta manera, la reducción del plazo no debe solo justificarse en la mejor salvaguarda de la seguridad jurídica, sino que

---

confiar en que la Oficina de Hacienda ya no podrá dirigirse contra ellos, a propósito de un crédito fiscal, por regla general cuatro años después de haber presentado su declaración tributaria". Vid. PAULICK, H.: *La Ordenanza tributaria de la República Federal Alemana. Su función y significado para el Derecho Tributario. Estudio preliminar. Versión española, traducida y anotada por Carlos Palao*, 1ª ed., Instituto de Estudios Fiscales, Madrid, 1980, pág. 39.

32   VEGA HERRERO, M.: "Capítulo XV. Prescripción (Artículo 24)", en VARIOS: *Derechos y Garantías del Contribuyente (Estudio de la nueva ley)*, 1ª ed., Lex Nova, Valladolid, 1998, pág. 622. En el mismo sentido DE LA NUEZ SÁNCHEZ CASCADO, cuando señala que la reducción del plazo *"puede producir el beneficioso efecto de estimular la diligencia de la Administración, máxime en un momento en que esta cuenta con una enorme cantidad de datos respecto a los contribuyentes, por lo que sus tareas de comprobación e investigación resultan más sencillas, afectan a un número mayor de contribuyentes y pueden realizarse en un plazo menor de tiempo"*. Vid. DE LA NUEZ SÁNCHEZ CASCADO, E.: "Primeras reflexiones en torno al proyecto de ley de derechos y garantías de los contribuyentes", *Carta tributaria. Monografías, núm.* 264, 1996, págs. 1-12.

debe ir acompañada de un incremento de los medios de que dispone la Administración para comprobar la situación del contribuyente que, efectivamente, posibiliten que esta realice sus actuaciones en un menor plazo. Será esa mayor disposición de elementos para realizar el control el requisito esencial que puede justificar la disminución del plazo. Este razonamiento, a la inversa, también podría justificar incrementos del plazo, en aquellos casos en los que el control por la Administración sea particularmente difícil. No obstante, esta afirmación se debe matizar por el efecto limitador de tales incrementos del plazo que provoca el principio de seguridad jurídica.

2.3.1. PROBLEMAS DE DERECHO TRANSITORIO. LA RETROACTIVIDAD DE LA NORMATIVA TRIBUTARIA

Partiendo de la base de que cualquier modificación legal presenta implicaciones temporales que tienen consecuencias respecto a la transitoriedad de la norma, si la modificación afecta a un plazo, estas implicaciones afloran de manera directa, al coexistir, de manera simultánea, dos plazos prescriptivos. Así ocurrió tras la reforma del plazo de prescripción que efectuó la LDGC, problema que se agravó al no prever dicho texto ninguna norma de Derecho transitorio expresa para resolver esta cuestión.

Inicialmente, el Proyecto de Ley sí incluía una previsión en este sentido, en el apartado 3 de la Disposición final sexta, que indicaba que lo dispuesto en el artículo 24 de la Ley 1/1998 y en el artículo 64 de la LGT se aplicaría *"a los hechos imponibles realizados, a las liquidaciones tributarias liquidadas, a las infracciones tributarias cometidas y a los ingresos indebidos realizados a partir de la entrada en vigor de la presente Ley".* A lo largo de la tramitación parlamentaria de la Norma esta previsión se eliminó, siendo sustituida por el apartado 2 de la Disposición final séptima. Según este precepto, la entrada en vigor de las normas relativas al nuevo plazo de prescripción se posterga hasta el 1 de enero de 1999, a pesar de que la Ley 1/1998 entró en vigor el 19 de marzo de 1998, esto es, a los veinte días de su publicación en el BOE[33]. En puridad esta Disposición no es una norma de Derecho transitorio, sino únicamente una norma reguladora del plazo de entrada en vigor que, por ende, no resolvía los problemas de transitoriedad[34].

Esta ausencia de previsiones que determinaran la transitoriedad de la norma debe calificarse, como poco, de imprecisión técnica, y provocó la aparición, de manera inmediata, de numerosos interrogantes en torno a la aplicación del plazo. La cuestión fundamental que se planteaba era si el nuevo plazo de prescripción se aplicaba solo a los procedimientos iniciados a partir del 1 de enero de 1999, o si se debía aplicar también a aquellos procedimientos o plazos

---

33   Señala GARCÍA NOVOA que el retraso en la entrada en vigor del precepto relativo a la prescripción hasta el 1 de enero de 1999 se debe a "*la idea de no causar perjuicios ni a la Administración tributaria (al acortarse su plazo para determinar la deuda tributaria, exigir su pago e imponer sanciones), ni al contribuyente (al acotarse, también, su plazo para reclamar la devolución de los ingresos indebidamente realizados"*. Vid. GARCÍA NOVOA, C.: *Iniciación, interrupción y cómputo del plazo de prescripción de los tributos*, 1ª ed., Marcial Pons, 2011, Madrid, pág. 120.

34   PALAO TABOADA, C.: "Ley de Derechos y Garantías de los Contribuyentes: el texto definitivo", *Estudios financieros. Revista de Contabilidad y Tributación*, núm. 181, 1998, pág. 7.

de prescripción en curso en la fecha de entrada en vigor de la norma. Cada una de estas posibilidades representa los tres grados por los que se puede optar para fijar la transitoriedad de una norma, en función del alcance de las nuevas normas en relación a los hechos jurídicos producidos con anterioridad a su entrada en vigor.: irretroactividad absoluta[35],

---

35 En el marco de la entrada en vigor de la LDGC, la irrectroactividad absoluta encuentra su fundamento en el artículo 2.3 del Código Civil, según el cual *"las leyes no tendrán efecto retroactivo, si no dispusieren lo contrario"*, disposición que, en opinión del ALBALADEJO, no excluye que *"en ciertos casos, sea razonable la retroactividad. Pero es el legislador de la ley nueva el que debe valorar ese extremo y decretarla, cuando la estima justa, pues de no hacerlo, la ley será irretroactiva"*. El problema es que, en ocasiones, el legislador no establece, con la suficiente claridad el grado de retroactividad de la norma. Vid. ALBALADEJO, M.: *Derecho Civil I. Introducción y parte general*, 18ª ed., Edisofer, Madrid, 2009, pág. 194. De esta manera, la regla general es la irretroactividad de las normas, que solo será exceptuada cuando la ley expresamente lo prevea Esta excepción no resulta infrecuente, a pesar de que, tal y como señala GARCÍA FRÍAS, *"la retroactividad es la excepción y no la regla, y solo deberá admitirse excepcionalmente cuando resulte plenamente justificada"*. Vid. GARCÍA FRÍAS, M. A.: "La retroactividad de la Ley Tributaria y sus límites constitucionales", en VARIOS: *Tratado sobre la Ley General Tributaria: Homenaje a Álvaro Rodríguez Bereijo, Volumen 1, Tomo I*, Thomson Reuters-Aranzadi, Cizur Menor (Navarra), 2010, pág. 357.

La LGT de 1963 no establecía criterios en relación a la retroactividad de las normas tributarias, pues únicamente indicaba en su artículo 20 que *"las normas tributarias entrarán en vigor con arreglo a lo dispuesto en el artículo 1 del Código Civil, y serán aplicadas durante el plazo, determinado o indefinido, previsto en la respectiva Ley, sin que precisen ser revalidadas por la Ley Presupuestaria o por cualquier otra"*, lo que no solucionaba el problema de la transitoriedad. Así, en defecto de previsiones tributarias específicas, el Tribunal Supremo ha venido avalando la aplicación del Código Civil como *"Derecho transitorio común"* - entre otras, en la Sentencia de 16 de noviembre de 1988 (*Tol 1.734.160*)-, que justifica la aplicación de los preceptos de la Norma Civil a la resolución de los supuestos problemáticos en estos extremos.

En principio, a falta de previsión expresa en la Ley 1/1998, esta sería una solución válida al problema planteado, y supondría que el nuevo plazo de prescripción únicamente se aplicaría a los hechos imponibles realizados con posterioridad al 1 de enero de 1999, manteniéndose el plazo de cuatro años

retroactividad limitada o de grado medio[36]

para las anteriores, aun mediando interrupción del plazo. Sin embargo, no parece ser la querida por el legislador pues, de ser así, no habría suprimido el precepto que la establecía ni habría determinado la entrada en vigor aplazada de los preceptos relativos a la prescripción. Vid. PALAO TABOADA, C.: "Ley de Derechos y Garantías de los Contribuyentes: el texto definitivo", ob. cit., págs. 7-8; VEGA HERRERO, M.: "Capítulo XV. Prescripción (Artículo 24)", en VARIOS: *Derechos y Garantías del Contribuyente (Estudio de la nueva ley)*, ob. cit., pág. 630-631.

36   La retroactividad limitada o de grado medio, en el ámbito de la prescripción, aparece avalada por el artículo 1.939 del Código Civil. Así, a pesar de que el artículo 2.3 del Código Civil establece como regla general la irretroactividad, el legislador iusprivatista estableció una excepción a esta regla precisamente en sede de prescripción. Esta norma indica, en primer término que *"la prescripción comenzada antes de la publicación de este Código se regirá por las leyes anteriores al mismo"*, puntualizando, a continuación que *"si desde que fuere puesto en observancia transcurriese todo el tiempo en él exigido para la prescripción, surtirá esta su efecto, aunque por dichas leyes anteriores se requiriese mayor lapso de tiempo"*. La ambigüedad en la redacción de este precepto requiere acudir a la interpretación doctrinal y jurisprudencial para desentrañar su significado.

El artículo 1.939 del Código Civil se configura como la regla general de Derecho transitorio en materia de plazos de prescripción, a tenor de lo indicado por el Tribunal Supremo en su Sentencia de 16 de noviembre de 1988 (*Tol 1.733.577*. Posteriormente, en el mismo sentido, entre otras, la Sentencia del Tribunal Supremo de 13 de mayo de 2011 (*Tol 2.153.413*), y el Auto del Tribunal Supremo de 11de mayo de 2016 (*Tol 5.718.610*).

Particularmente en materia de prescripción tributaria, la aplicación de esta excepción ha sido avalada por dicho Tribunal, en concreto, en las Sentencias de 6 de noviembre de 1993 *(Tol 1.671.842 y Tol 5.125.073)*., en la que indica que *"en defecto de normas transitorias específicas, habrá de acudirse, conforme previene el art. 9.2 de la Ley General Tributaria, a los preceptos del Derecho común y, concretamente, a la norma general sobre la aplicación transitoria de las prescripciones contenidas en el Libro IV, Título XVIII, Capítulo I, art. 1939 del Código Civil"*. A mayor abundamiento, el criterio de la retroactividad limitada del artículo 1.939 del Código Civil es el utilizado por el artículo primero y único de la Orden del Ministerio de Hacienda de 24 de junio de 1964 (BOE núm. 156, de 30 de junio de 1967), emitida para aclarar las dudas interpretativas en torno a la aplicación transitoria del plazo de prescripción establecido en la LGT de 1963.

En la resolución del problema planteado por la LDGC, optar por este grado de retroactividad suponía que a la prescripción iniciada antes del 1 de enero de 1999 se le aplicaría el plazo de cinco años, mientras que, si el inicio del

y retroactividad absoluta o de grado máximo[37].

cómputo del plazo se produce con posterioridad al 1 de enero de 1999, por ejemplo, tras una interrupción, habría que estar al nuevo plazo de cuatro años. Esta es la opción defendida por ALBIÑANA GARCÍA-QUINTANA y VEGA HERRERO, que argumentan que el supuesto generado tras la entrada en vigor del nuevo plazo coincide con el previsto en el artículo 1.939 del Código Civil, pues se produce un acortamiento del plazo, y que la jurisprudencia del Tribunal Supremo ha justificado la aplicación de la previsiones del Código Civil en materia de Derecho transitorio a otros órdenes jurídicos, cuando estos no recojan previsión expresa que establezca la transitoriedad. Sin embargo, FALCÓN Y TELLA considera que este no es el criterio aplicable por no ajustarse a lo que parece ser la intención del legislador cuando introduce la Disposición final séptima, a pesar de su deficiente redacción. Vid. ALBIÑANA GARCÍA-QUINTANA, C.: "El llamado Estatuto de los Contribuyentes", *Tapia*, núm. 99, marzo-abril, 1998, pág. 17; VEGA HERRERO, M.: "Capítulo XV. Prescripción (Artículo 24)", en VARIOS: *Derechos y Garantías del Contribuyente (Estudio de la nueva ley)*, ob. cit., págs. 631-634 y FALCÓN Y TELLA, R.: "Aspectos positivos y negativos de la Ley de derechos y garantías del contribuyente (II): especial referencia a la aplicación retroactiva del plazo de prescripción y a la indemnización de los constes del aval", ob. cit., pág. 5-7.

37   La retroactividad absoluta o en grado máximo, por su parte, supone que *"los efectos producidos y consumados bajo la antigua –ley-, se deshagan de la forma en que habían quedado producidos bajo esta, y se rehagan a tenor de la nueva"*. Vid. ALBALADEJO, M.: *Derecho Civil I. Introducción y parte general*, ob. cit., pág. 195. En esencia, este tipo de retroactividad suprime, en su totalidad, los efectos de la normativa derogada. Esta no es una opción extraña en materia tributaria, pues por ella se decantó la *supra* referida Ley 29/1987, del Impuesto sobre Sucesiones y Donaciones. Aplicada a la LDGC, lleva consigo, en palabras de PALAO TABOADA que *"el plazo de prescripción para hechos tanto anteriores como posteriores a la entrada en vigor de las nuevas normas no puede exceder en ningún caso de los cuatro años establecidos por estas, aun cuando no se haya cumplido en su totalidad después de su entrada en vigor"*. Esta es la opción defendida tanto por este autor, por considerarla la más favorable para el contribuyente, como por FALCÓN Y TELLA, que señala que el nuevo plazo ha de tenerse en cuenta a partir del 1 de enero de 1999 *"incluso respecto de las prescripciones en curso, computando los cuatro años desde la última interrupción que se haya producido"*. En el mismo sentido FERNÁNDEZ LÓPEZ, que afirma que *"si a 1 de enero no ha vencido la prescripción quinquenal y, por lo tanto, si el dies a quo o si la última interrupción habida es anterior a esa fecha, a partir de ese día el periodo prescriptivo pasa a ser de cuatro años"*. Sin embargo, VEGA

Si bien el artículo 9 de la Constitución contiene una referencia a la irretroactividad de las normas, esta mención no tiene un carácter muy amplio, pues se limita a establecer la irretroactividad de las normas sancionadoras no favorables y restrictivas de derechos individuales[38], no recogiendo tampoco ninguna previsión específica en este sentido la LGT de 1963 -al contrario que su sucesora la LGT de 2003, en la que ya se incluyó, en su artículo 10.2 una norma transitoria aplicable con carácter general-.

Aunque desde una óptica doctrinal las tres opciones planteadas podrían resultar aplicables al problema generado por la LDGC, y para todas ellas era posible alegar motivos favorables y desfavorables, ninguna de las alternativas parecía

---

HERRERO rechaza esta opción por considerar que, de no contener la LDGC ninguna previsión expresa sobre la posible aplicación retroactiva del plazo, -requisito exigido por el artículo 2.3 del Código Civil-, la única posibilidad de aplicar un cierto grado de retroactividad es acudir al artículo 1.939 del Código Civil que, como se ha indicado, solo establece una retroactividad limitada. Vid. PALAO TABOADA, C.: "Ley de Derechos y Garantías de los Contribuyentes: el texto definitivo", ob. cit., pág. 7; FALCÓN Y TELLA, R.: "Aspectos positivos y negativos de la Ley de derechos y garantías del contribuyente (II): especial referencia a la aplicación retroactiva del plazo de prescripción y a la indemnización de los constes del aval", ob. cit., pág. 6; FERNÁNDEZ LÓPEZ, R. I.: "El problemático alcance temporal del plazo de prescripción creado con la Ley 1/1998", *Jurisprudencia tributaria Aranzadi*, Volumen I, 2002, pág. 1858 y VEGA HERRERO, M.: "Capítulo XV. Prescripción (Artículo 24)", en VARIOS: *Derechos y Garantías del Contribuyente (Estudio de la nueva ley)*, ob. cit., págs. 633-634.

38   En la tramitación parlamentaria de la Constitución se planteó el reconocimiento en la Carta Magna de la irretroactividad de las normas fiscales. Finalmente esta previsión no se efectuó, aunque, como apunta GARRIDO FALLA, eso *"no significa que en adelante las leyes fiscales sean retroactivas, sino simplemente que la irretroactividad no se constitucionaliza"*. Vid. GARRIDO FALLA, F.: "Artículo 9", en GARRIDO FALLA, F. (Dir.): *Comentarios a la Constitución*, 2ª ed., Civitas, Madrid, 1985, pág. 161.

destacar sobre las demás a efectos de ofrecer una solución clara al problema. De ahí la importancia de las precisiones realizadas *a posteriori* por la jurisprudencia y por el propio legislador.

2.3.2. LA INTERPRETACIÓN DEL ARTÍCULO 64 DE LA LEY GENERAL TRIBUTARIA DE 1963 CONFORME A LA JURISPRUDENCIA DEL TRIBUNAL SUPREMO Y AL REAL DECRETO 136/2000

Las dudas interpretativas en torno a la aplicación del plazo de prescripción previsto en la Ley 1/1998, reflejadas en los tres supuestos de irretroactividad enunciados en el apartado precedente, provocaron una doble respuesta. Por un lado, jurisprudencial, materializada en varias Sentencias del Tribunal Supremo y, por otro lado, legal, sustentada en el Real Decreto 136/2000, que desarrolla la LDGC[39].

Siguiendo un orden cronológico, la primera resolución en este sentido la encontramos en la Sentencia del Tribunal Supremo de 6 de febrero de 1999[40] -si bien referida a la modificación del artículo 65 de la LGT por la ley 10/1985, de 26 de abril-, en la que se indica que *"la prescripción tributaria ha de regirse por la legalidad vigente al tiempo en que deba ser apreciada, no, salvo disposición expresa de la ley, por la en vigor en el momento de producirse el hecho imponible o el devengo"*. Conforme a esta interpretación,

---

39   BOE núm. 40, de 16 de febrero de 2000.

40   *Tol 1.700.232.*

independientemente de la fecha en que se hubieran realizado los correspondientes hechos imponibles, a partir del 1 de enero de 1999, el plazo de prescripción para liquidar la deuda tributaria y exigir su pago será de cuatro años[41]. Tal y como señala ESEVERRI[42], conforme a esta interpretación hay que estar al instante de activación de la prescripción para determinar el plazo aplicable, pues "*la prescripción iniciada pero no concluida no constituye un derecho adquirido con arreglo a la legislación anterior sino una mera expectativa de derecho que ha de regirse por la nueva regulación*".

Posteriormente, el legislador, a fin de solventar las dudas interpretativas que él mismo había creado con la supresión de la norma transitoria en el Proyecto de LDGC, incluyó una Disposición transitoria en el Real Decreto 136/2000, en concreto, en el apartado tercero de su Disposición final cuarta, indicando que "*lo dispuesto en el artículo 24 de la Ley 1/1998, de 26 de febrero, de Derechos y Garantías de los Contribuyentes, y la nueva redacción dada por dicha Ley al artículo 64 de la Ley 230/1963, de 28 de diciembre, General Tributaria (...) en lo relativo al plazo de prescripción de las deudas, acciones y derechos mencionados en dichos preceptos, se aplicará a partir de 1 de enero de 1999, con independencia de la fecha en que se hubieran realizado los correspondientes hechos imponibles, cometido las infracciones o efectuado los ingresos indebidos, sin perjuicio de que la interrupción de la prescripción producida, en su*

---

41   Según indica el propio Tribunal Supremo en una Sentencia posterior, de septiembre de 2001 (*Tol 3.659.947*).

42   ESEVERRI, E.: *La prescripción tributaria en la jurisprudencia del Tribunal Supremo*, ob. cit., pág. 41.

caso, con anterioridad a aquella fecha produzca los efectos previstos en la normativa vigente". Este precepto elimina la posibilidad de la convivencia de dos plazos, estableciendo la retroactividad absoluta, y ya no se refiere meramente a la entrada en vigor, sino a los actos afectados por la misma que, de esta manera, serán todos los hechos anteriores al 1 de enero de 1999.

Sin embargo, este artículo fue interpretado y matizado por el Tribunal Supremo, en la antecitada Sentencia de 25 de septiembre de 2001, cuyo criterio ha sido acogido, entre otras, por las Sentencias del Tribunal Supremo de 21 de marzo de 2006, de 7 de junio de 2006, de 7 de noviembre de 2006, de 11 de diciembre de 2006, de 4, 14 y 16 de febrero de 2007, de 11 de abril de 2007, de 13, 14 y 27 de junio de 2007, de 24 de enero de 2008, de 28 de abril de 2008, de 6 de noviembre de 2008 y 26 de octubre de 2009[43].

En la referida Sentencia de 25 de septiembre de 2001, el Tribunal, con vocación clarificadora, puntualizó que cuando el RD 136/2000 dice que *"con independencia de la fecha en que se hubieran realizado los correspondientes hechos imponibles, cometido las infracciones o efectuado los ingresos indebidos"*, esto significa que *"si el momento en que se cierra el período temporal durante el que ha estado inactiva la Administración tributaria es posterior al 1 de enero de 1999, el plazo prescriptivo aplicable es el de 4 años*

43　*Tol 883.248, Tol 987.110, Tol 1.018.915, Tol 1.025.719, Tol 1.042.406, Tol 1.042.392, Tol 1.049.947, Tol 1.229.750, Tol 1.107.974, Tol 1.107.975, Tol 1.138.400, Tol 1.256.763, Tol 1.320.792, Tol 1.408.216 y Tol 1.747.019,* respectivamente.

(aunque el «dies a quo» del citado período sea anterior a la indicada fecha) y el instituto de la prescripción se rige por lo determinado en los nuevos artículos 24 de la Ley 1/1998 y 64 de la LGT. Y, «a sensu contrario», si el mencionado período temporal de inactividad administrativa ha concluido antes del 1 de enero de 1999, el plazo prescriptivo aplicable es el anteriormente vigente de 5 años y el régimen imperante es el existente antes de la citada Ley 1/1998.

En ambos casos, sin perjuicio de que la interrupción de la prescripción producida, en su caso, con anterioridad a la indicada fecha del 1 de enero de 1999, genere los efectos previstos en la normativa –respectivamente–vigente".

De esta forma, el Alto Tribunal admite la retroactividad de la norma[44] al entender que el plazo de prescripción de

---

44   Precisa más el Tribunal Supremo en la referida Sentencia de 25 de septiembre de 2001, pues, recogiendo las opiniones doctrinales mayoritarias, establece tres posibles supuestos:

"a.–Si el día 1 de enero de 1999 ya han pasado 4 años, computados de fecha a fecha, desde cualquiera de los momentos a que se refiere el artículo 65 de la LGT (día en que finalizó el plazo reglamentario para presentar la correspondiente declaración; fecha en que concluyó el plazo de pago voluntario; momento en que se cometieron las respectivas infracciones; o día en que se realizó el ingreso indebido), y, además, no ha mediado causa alguna de interrupción del cómputo de la prescripción a virtud de cualquiera de las actuaciones a que se refiere el artículo 66 de la mencionada Ley, o no se ha dirigido la acción penal contra el contribuyente, resultará que ni este tiene que responder ya ante la Administración tributaria, ni esta podrá disponer, tampoco, de acción alguna para determinar la deuda mediante la oportuna liquidación, ni para exigir el pago de las deudas tributarias liquidadas, ni para imponer sanciones tributarias.

b.–Si el día 1 de enero de 1999 todavía no han pasado los citados 4 años, resultará que el contribuyente no ha podido aún alcanzar la prescripción; pero cuando dichos 4 años hayan, por fin, transcurrido, dicho efecto

cuatro años se debe aplicar sobre todos los plazos abiertos y en curso a fecha 1 de enero de 1999, de modo que si en tal fecha había transcurrido el periodo de cuatro años contado desde el *dies a quo*, la prescripción se producirá el día 1 de enero. Si en tal fecha no había transcurrido el plazo de cuatro años, el plazo prescribirá en el momento en que se cumpla el plazo de cuatro años, contado desde el *dies a quo*.

2.4. *LA DUALIDAD DE PLAZOS Y EL PLAZO ÚNICO*

Aunque la LGT ha optado, –y opta-, por el sistema de plazo único, el debate en torno a la posibilidad del establecimiento de un plazo doble ya se generó durante la tramitación de la LDGC, permaneciendo plenamente vigente en la actualidad, como a continuación se expondrá.

Inicialmente, el Proyecto de la LDGC, de 3 de febrero de 1997, no contemplaba este plazo único, sino que preveía un doble plazo en función de la conducta del contribuyente. El texto del artículo 24 en el Proyecto de Ley señalaba que:

"Prescribirán a los cuatro años los siguientes derechos y acciones:

---

prescriptivo queda consumado y materializado, salvo que, en el intermedio, se haya interrumpido la prescripción a virtud de cualquiera de las causas del antecitado artículo 65 de la LGT, o por el ejercicio de la acción penal, en cuyo supuesto habrá de iniciarse, a partir de ese momento, el cómputo de un nuevo plazo de 4 años.

c. –Si antes del 1 de enero de 1999 se vio interrumpida la prescripción que venía ganando el contribuyente, regirá, a partir de esa citada fecha, el plazo de 4, y no de 5, años".

a) El derecho de la Administración para determinar la deuda tributaria mediante la oportuna liquidación, salvo cuando el contribuyente no hubiera presentado la declaración correspondiente por el impuesto y periodo impositivo de que se trate o haya ocultado a la Administración tributaria el ejercicio de alguna de las actividades empresariales o profesionales que realice, en cuyo caso el plazo de prescripción será de seis años.

b) La acción para exigir el pago de las deudas tributarias liquidadas.

c) La acción para imponer sanciones tributarias, con la salvedad establecida en la letra a).

d) El derecho a la devolución de ingresos indebidos"

Así, se establecen dos supuestos en los que el plazo se incrementa: la omisión de la declaración tributaria y la ocultación a la Administración del ejercicio de actividades empresariales o profesionales.

Este doble plazo en función de la conducta del contribuyente no es extraño en ordenamientos tributarios extranjeros, especialmente en los iberoamericanos, pero también en algunos europeos[45]. En España era una situación novedosa y, como tal,

---

45   Así, en Argentina, hasta la modificación llevada a cabo por la Ley 7786 (Ley Impositiva 2005), se establecía un plazo de prescripción de cinco años para contribuyentes inscritos y de diez años para contribuyentes no inscritos (en Argentina se exige la inscripción en un padrón de contribuyentes). El Código Tributario Boliviano (Ley núm. 2492) resulta curioso, pues, en su artículo 59 no solo establece un plazo de prescripción distinto en función de la conducta del sujeto pasivo, fijando un plazo de prescripción diferente para los contribuyentes inscritos y no inscritos (y también para la imposición de sanciones), sino que implanta de manera progresiva un incremento en el plazo de prescripción en función del año al que se refieran las actuaciones de la Administración (*"las acciones de la Administración Tributaria prescribirán a*

generó opiniones doctrinales favorables y también críticas.

---

los cuatro (4) años en la gestión 2012, cinco (5) años en la gestión 2013, seis (6) años en la gestión 2014, siete (7) años en la gestión 2015, ocho (8) años en la gestión 2016, nueve (9) años en la gestión 2017 y diez (10) años a partir de la gestión 2018"). Además, establece la imprescriptibilidad del derecho a exigir el pago. En Chile, su Código Tributario (Decreto Ley Nº 830 sobre Código Tributario), establece en el artículo 200 un plazo de prescripción para *"liquidar un impuesto, revisar cualquiera deficiencia en su liquidación y girar los impuestos a que diere lugar"* de tres años, salvo en el caso de que la declaración *"no se hubiere presentado o la presentada fuere maliciosamente falsa"*, en cuyo caso el plazo se incrementa hasta los 6 años. Además, se prevé, en determinados supuestos específicos, el incremento del plazo de prescripción (por ejemplo, el artículo 69 establece que cuando la Autoridad Tributaria *"cuenta con antecedentes que permiten establecer que una persona, entidad o agrupación sin personalidad jurídica, ha terminado su giro o cesado en sus actividades sin que haya dado el aviso respectivo"*, el plazo de prescripción del artículo 200 se incrementará un año). El Código Tributario Venezolano (Decreto con Rango, Valor y Fuerza de Ley Del Código Orgánico Tributario, de 18 de noviembre de 2014) fija, en su artículo 59 un plazo general de prescripción de seis años, salvo en los supuestos en los que el sujeto pasivo no cumpla con alguna de sus obligaciones fiscales (referidas a *"la acción para verificar, fiscalizar y determinar la obligación tributaria con sus accesorios"* y a *"la acción para imponer sanciones tributarias, distintas a las penas restrictivas de libertad"*), en cuyo caso el plazo se incrementa hasta los diez años (artículo 60). El artículo 51 del Código de Normas y Procedimientos Tributarios de Costa Rica de tres de mayo de 1971 (Núm. 4755) establece un plazo de prescripción de cuatro años, que se extiende hasta los diez años para *"los contribuyentes o responsables no registrados ante la Administración Tributaria, o a los que estén registrados pero hayan presentado declaraciones calificadas como fraudulentas, o no hayan presentado las declaraciones juradas"*. El Código Tributario Nicaragüense (Ley núm. 562, de 28 de octubre de 2005) establece en su artículo 43 un plazo general de prescripción de cuatro años, salvo en los casos en los que el Estado no haya tenido conocimiento de la obligación tributaria *"por declaración inexacta del contribuyente o por la ocultación de bienes o rentas"*, en cuyo caso se incrementa hasta los 6 años. En Europa también podemos encontrar ejemplos de este doble plazo. En Francia, el Código Fiscal (*Code des Impots*, establecido por el artículo 5 de la Ley de Finanzas núm. 43-06 para el ejercicio presupuestario 2007), determina en su artículo 232, apartado IV, que el plazo de prescripción será de cuatro años, si bien en el apartado VII del mismo precepto fija determinados supuestos en los que ese plazo se incrementa. El Código Tributario Rumano (*Codul De Procedură Fiscală*), en su artículo 110, establece un plazo de prescripción de cinco años, salvo en el supuesto de que el derecho al cobro se derive de la comisión de un delito, en cuyo caso el plazo se extiende hasta los diez años.

Por un lado, a favor del establecimiento de un plazo doble, si bien con matices, se ha manifestado GARCÍA NOVOA[46]. Para este autor la modulación del plazo es admisible únicamente si se adecúa a la finalidad de la prescripción tributaria y excluye toda referencia a circunstancias subjetivas en la actuación del contribuyente (por ejemplo, presencia de dolo o existencia de buena o mala fe) pues, en ese caso, se equipararía el incremento del plazo a una consecuencia punitiva o sancionatoria que no es propia de la institución de la prescripción en el Derecho Público. En palabras de GARCÍA NOVOA, *"en principio parece razonable que se habilite un plazo mayor de prescripción cuando la Administración tenga una mayor dificultad objetiva para ejercer sus facultades de realizar un tributo"*. Sin embargo, esa dificultad objetiva en muchos casos va a aparecer unida a la actuación del sujeto que, bien ocultando o falseando las rentas, bien no presentando la declaración, dificulta la actuación de la Administración. Por ello, aunque estamos de acuerdo en que únicamente sería admisible el incremento del plazo de prescripción en esos supuestos si se excluye cualquier circunstancia de tipo subjetivo que aproxime el incremento del plazo a una consecuencia sancionatoria, consideramos complicada la exclusión de ese elemento subjetivo, en la medida en que es el propio comportamiento del sujeto pasivo el que genera la dificultad para la Administración y no

---

46 Este autor justifica el plazo dual en aquellos supuestos en los que la Administración se encuentre con especiales dificultades para ejercitar sus derechos, pues *"si la prescripción es una causa de extinción de la obligación tributaria, cuando el particular dificulta el ejercicio de las funciones liquidatorias y recaudatorias, la norma puede también dificultar la extinción, alargando el plazo"*. Vid. GARCÍA NOVOA, C.: *Iniciación, interrupción y cómputo del plazo de prescripción de los tributos*, ob. cit., págs. 115 y ss.

siempre se va a poder determinar con claridad si ha existido buena o mala fe en su actuación.

Por otro lado, criticaron el establecimiento del doble plazo, en particular, tal y como lo concibe la Ley 1/1998, autores como PALAO TABOADA[47], MARTÍN QUERALT[48], BANACLOCHE[49], FENELLÓS PUIGCERVER[50], DE LA NUEZ SÁNCHEZ-CASCADO[51], ALONSO MURILLO[52] FALCÓN Y TELLA[53] y VEGA HERRERO[54]. En síntesis, los principales motivos de oposición esgrimidos por estos autores son los siguientes:

---

47   PALAO TABOADA, C.: "Lo "blando" y lo "duro" del Proyecto de Ley de derechos y garantías de los contribuyentes", *Estudios financieros. Revista de Contabilidad y Tributación*, núm. 171, 1997, págs. 3-38.

48   MARTÍN QUERALT, J.: "Derechos y Garantías del contribuyente....y de la Hacienda Pública", *Tribuna Fiscal*, núm. 78, 1997, pág. 7.

49   BANACLOCHE, J.: "El Estatuto del Contribuyente", *Impuestos*, tomo I, 1991, págs. 1025-1039.

50   FENELLÓS PUIGCERVER, V.: "Consideraciones acerca del Proyecto de Estatuto del Contribuyente", *Impuestos*, tomo II, 1997, págs. 996 y ss.

51   DE LA NUEZ SÁNCHEZ CASCADO, E.: "Reflexiones acerca de un posible Estatuto del Contribuyente", *Carta Tributaria. Monografías*, núm. 224, 1995, págs. 1-8.

52   ALONSO MURILLO, F.: "Artículo 24", en, ALONSO MURILLO, F., BLASCO DELGADO, C., GÓMEZ CABRERA, C., LÓPEZ MARTÍNEZ, J.: *Comentarios a la Ley de Derechos y Garantías de los Contribuyentes*, ob. cit., pág. 181-188.

53   FALCÓN Y TELLA, R.: "La modulación de los plazos de prescripción en función de la conducta del sujeto pasivo", *Quincena Fiscal*, núm. 14, 1996, págs. 5-8.

54   VEGA HERRERO, M.: "Capítulo XV. Prescripción (Artículo 24)", en VARIOS: *Derechos y Garantías del Contribuyente (Estudio de la nueva ley)*, ob. cit., pág. 612-634.

- Imprecisión en la determinación de los presupuestos en los que se incrementa el plazo.

- Incremento de la inseguridad jurídica.

- A consecuencia de los anteriores, aumento de la litigiosidad en torno a la apreciación de los supuestos que justifican el plazo ampliado.

- Vulneración del principio de igualdad. Esta vulneración presenta un motivo doble: por un lado, los casos en los que la Ley prevé el incremento del plazo suponen un trato discriminatorio para aquellos que ocultan rentas empresariales o profesionales respecto a los que ocultan otro tipo de rendimientos; por otro lado, la Ley únicamente prevé el incremento del plazo en los supuestos de ocultación total, lo que puede favorecer la aparición de situaciones en los que solo se produzca una ocultación parcial, aunque esta sea grave.

- Los supuestos previstos son relevantes desde el punto de vista sancionatorio y, por ello, no deben justificar un incremento del plazo de prescripción.

- Incoherencia con el plazo de prescripción penal del artículo 131 del Código Penal para los delitos contra la Hacienda Pública.

Finalmente, a consecuencia de las enmiendas incluidas por distintos grupos políticos en la tramitación de la norma[55], se optó por el sistema de plazo único, quedando este fijado en cuatro años para todos los supuestos.

Sin embargo, en la actualidad, la posibilidad del establecimiento de un doble plazo de prescripción surge nuevamente, si bien en esta ocasión no tanto ligado a la conducta del contribuyente –aunque esta variable resulta, a nuestro modo de ver, muy difícil de escindir en muchas ocasiones-, sino más bien al lugar en que se obtienen o poseen los elementos patrimoniales, particularmente en aquellos casos en que se poseen u obtienen en el extranjero. Nos referimos particularmente a la situación creada en España tras la entrada en vigor, en el año 2012, de la Ley 7/2012, de 29 de octubre, de modificación de la normativa tributaria y de adecuación de la normativa financiera para la intensificación de las actuaciones en la prevención y lucha contra el fraude fiscal[56], que introdujo una nueva Disposición adicional decimoctava en la LGT, relativa al cumplimiento de la obligación de información sobre bienes y derechos situados en el extranjero. Esta norma establece la obligatoriedad de declarar los bienes poseídos en el extranjero a través del denominado "Modelo 720", con un régimen sancionatorio muy grave y con unas consecuencias en materia de

---

55   Para un mayor detalle en el *iter* de la tramitación se recomienda consultar: DEL PASO BENGOA, J. M., JIMÉNEZ JIMÉNEZ, C.: *Derechos y Garantías del Contribuyente. Comentarios a la Ley 1/1998*, 1ª ed., Ciss, Valencia, 1998, pág. 233 y VEGA HERRERO, M.: "Capítulo XV. Prescripción (Artículo 24)", en VARIOS: *Derechos y Garantías del Contribuyente (Estudio de la nueva ley)*, ob. cit., págs. 624-627.

56   BOE núm. 261, de 30 de octubre de 2012.

prescripción que suponen *de facto,* la imprescriptibilidad del derecho de la Administración a determinar la deuda tributaria[57]. Esta posibilidad de establecer un plazo más prolongado que el general de prescripción en estos se plantea como posible alternativa a la imprescriptibilidad actualmente vigente, como medida que puede solventar los negativos efectos en materia de seguridad jurídica derivados de la imprescriptibilidad aludida, apareciendo asimismo avalada esta posibilidad por cierta jurisprudencia europea[58].

Sin embargo, a pesar de la existencia de esta posibilidad, otros autores proponen no el establecimiento de un plazo de prescripción doble en estos supuestos, sino a fijación de un plazo diferenciado para efectuar la comprobación, pero de

---

57   Particularmente, a través de la modificación de la LIRPF y de la LIS, se establece que, en aquellos casos en los que aparezcan determinados bienes poseídos en el extranjero, no declarados hasta el momento, estos se imputarán a último periodo de los no prescritos, independientemente de que las rentas con las que se hayan obtenido estos bienes provengan de un periodo prescrito. Este régimen prescriptivo no solo vulnera el Derecho Interno, en tanto conculca el principio de seguridad jurídica y de capacidad económica, entre otros, sino también el Derecho Comunitario, pues vulnera, por ejemplo, los principios de libre circulación de personas o de libre circulación de capitales, pero también las disposiciones de los Tribunales Europeos en materia de establecimiento de plazos de prescripción. Precisamente a consecuencia de esta vulneración del Derecho de la Unión, la Comisión Europea compele al Gobierno español, en febrero de 2017, para modificar esta normativa, otorgándole un plazo de dos meses. Sin embargo, a fecha de hoy (agosto de 2020) esta modificación no se ha producido, lo que ha obligado a la Unión a presentar el correspondiente recurso ante el TJUE, que probablemente desembocará en una condena a España, a lo que se puede sumar, en opinión de muchos autores, la posible responsabilidad patrimonial de la Administración española por la aplicación de una normativa de la que ya se había advertido que vulneraba el Derecho Comunitario.

58   Sentencia de 11 de junio de 2009, asuntos acumulados C-155/08 y C-157/08, *Caso X, E.H.A. Passenheim -van Schoot contra Erich StammStaatssecretaris van Financiën* (TJCE 2009\171.)

caducidad, de entre diez y quince años[59]. Nos decantamos por esta última opción, pues consideramos que es la mejor alternativa de que dispone el legislador español para modificar esta cuestión y aunar el necesario respeto a los principios de la Unión y al principio de seguridad jurídica, con las mayores dificultades de control que plantea la tenencia de bienes en el extranjero. La calificación del plazo como de caducidad evita que la interrupción del plazo y su consecuente reinicio, haga que este sea excesivamente prolongado.

2.5. EL PLAZO DE PRESCRIPCIÓN EN LA LEY GENERAL TRIBUTARIA DE 2003

La Ley 58/2003 establece el plazo general de prescripción en su artículo 66, donde señala que el mismo será de cuatro años, manteniendo de este modo tanto el sistema de plazo único[60], como el término establecido en la Ley 1/1998, en línea con lo recomendado en el Informe para

---

59   FALCÓN Y TELLA, R.: "El anteproyecto de Ley de intensificación de la lucha contra el fraude especial referencia a la obligación de informar sobre los bienes y derechos situados en el extranjero", *Quincena Fiscal*, núm. 10, 2012, pág. 3; FERNÁNDEZ DE BUJÁN Y ARRANZ, A.: "Incidencia en la prescripción de la Ley 7/2012 de lucha contra el fraude fiscal", *Revista Aranzadi Doctrinal*, núm.1, 2014, págs. 49-75 y FERNÁNDEZ LÓPEZ, R. I.: *La imprescriptibilidad de las deudas tributarias y la seguridad jurídica*, 1ª ed., Marcial Pons, Madrid, 2016, págs. 187-188.

60   FERREIRO LAPATZA habla de *"doble plazo de prescripción"*, lo que puede hacer pensar en la dualidad de plazos ya referida. Sin embargo, este autor utiliza esta expresión, entendemos, para referirse al plazo de cuatro años que recae tanto sobre el derecho a liquidar como sobre el derecho a exigir el pago individualmente. FERREIRO LAPATZA, J. J.: *Instituciones de derecho financiero*, 1ª ed., Marcial Pons, Madrid, 2010, pág. 313.

la Reforma de la LGT de 2001[61]. Este plazo de prescripción afecta a los derechos de ambas partes en la relación jurídica tributaria: obligado tributario y Administración tributaria.

Aunque la regla general recogida en el artículo 66 de la LGT es que los derechos de la Administración prescriben a los cuatro años, esta regla tiene cada vez más excepciones, como la imprescriptibilidad o el plazo de diez años establecido en el artículo 66 bis de la LGT, o el plazo, también de diez años, previsto en el artículo 262 de la LGT para la recuperación de las ayudas de Estado.

Estas recientes modificaciones del plazo ponen de manifiesto una clara tendencia a su incremento, que no casa bien con las mayores posibilidades de control a disposición de la Administración, fundamentalmente a consecuencia de los enormes avances tecnológicos producidos en los últimos años en relación al tratamiento de datos. Si el establecimiento de la duración del término de la prescripción debe determinarse

---

61   Sin embargo, en el Informe de 2001 (pág. 94) se prevé la posibilidad de modificar el plazo, en concreto, sustituir el plazo de prescripción de cuatro años del derecho a liquidar y del derecho a imponer sanciones por un plazo de caducidad de cinco años, en línea con lo propuesto por algunos autores, como ESEVERRI – Vid. ESEVERRI, E.: "Apuntes sobre la prescripción tributaria", ob. cit., págs. 5-19-. La Comisión defiende que esta modificación no revestiría grandes consecuencias en la práctica, en la medida que *"la duración máxima del actual procedimiento de inspección, doce meses como regla general, y el hecho de que con este sistema, la liquidación tendría que estar notificada dentro de los cinco años siguientes a la finalización del plazo para declarar. De este modo, no sería necesario fijar plazos de duración para los procedimientos –singularmente, para el procedimiento de inspección– y tampoco habría supuestos de interrupción, al ser un plazo de caducidad, aunque sí motivos excepcionales de suspensión, como la remisión del expediente al Ministerio Fiscal".*

atendiendo a la mayor o menor dificultad para ejercitar el control, parece evidente que desde 1998, fecha en la que se estableció el plazo de cuatro años, los medios y la capacidad de control de la Administración tributaria se han incrementado exponencialmente. Ello debería conducir a efectuar una reflexión en relación a la posibilidad de reducir el plazo de prescripción en, al menos, uno o dos años. Sin embargo, el camino emprendido por el legislador, a tenor de las recientes reformas producidas en el seno de la prescripción, es el opuesto.

No obstante, a pesar de que, en lo general, esa mayor capacidad de control es evidente, tampoco se puede obviar que el avance de la tecnología y de los procesos informáticos, en ocasiones muy concretas dificulta enormemente el control. Un ejemplo evidente de esta situación son las operaciones efectuadas con criptomonedas. La forma en que se realizan estas operaciones, por su opacidad, presenta graves dificultades de control para la Administración tributaria[62].

---

62   Como indica PUJALTE MÉNDEZ LEITE, *"desde el punto de vista del control tributario y, consecuentemente, de la recaudación de los diferentes Estados, la transparencia en los medios de pago es fundamental para la determinación de los impuestos que deben gravar una operación"*. Vid. PUJALTE MÉNDEZ LEITE, H.: "La proliferación de las monedas virtuales en un entorno desregulado: su impacto en la fiscalidad", *Revista de Fiscalidad Internacional y Negocios Transnacionales*, núm. 6, 2017, pág. 173. La opacidad de las operaciones realizadas con criptomonedas viene provocada por las características del complejo sistema técnico a través del cual se realizan las operaciones con criptomonedas: el *blockchain* o cadena de bloques. El *blockchain* se puede definir como un "libro contable público", en el que quedan registradas todas las operaciones realizadas con monedas virtuales. Sin embargo, este carácter público no significa que recoja la identidad de los sujetos que realizan operaciones con criptomonedas, pues precisamente una de las principales características de este sistema es su carácter anónimo. A pesar

Por ello, si retomamos el razonamiento que fundamenta la reducción de los plazos de prescripción en la mayor facilidad y agilidad para efectuar el control por la Administración tributaria, en estos casos en los que, por su complejidad técnica y su carácter novedoso, los órganos de la Hacienda Púbica encuentran graves dificultades de control, se podría justificar un incremento del plazo de prescripción. De ser así, debería delimitarse con precisión que el incremento del plazo se refiere únicamente a este tipo de operaciones. El problema es que, crear un plazo específico para estos supuestos supondría la ruptura del marco general regulador de la institución de la prescripción –que establece un plazo común para el derecho a liquidar y exigir el pago, sea cual sea la obligación tributaria sobre la que recaiga-. Por otro lado, la creación de situaciones particulares dentro del régimen de la prescripción puede vulnerar el principio de seguridad jurídica y, en definitiva, retornar a la configuración heterogénea de la prescripción a la que la LGT de 1963 pretendió poner fin. Por ello, consideramos que, a pesar de las dificultades de control, el superior valor que representa el principio de seguridad jurídica como sustento de esta institución, y lo pernicioso de la creación de regímenes prescriptivos particulares, este tipo de supuestos, aun requiriendo un esfuerzo adicional para la Administración tributaria, no deben dar lugar a incrementos en

---

de que en los últimos años se han realizado algunos trabajos que concluyen que es posible, en cierta medida, conocer los sujetos que se encuentran tras las transacciones realizadas con monedas virtuales, y de que la Agencia Tributaria ha incrementado sus actuaciones de control en este sentido –ejemplo de ello son los objetivos reflejados en los Planes de Control Tributario de los últimos años-, la complejidad del sistema hace que siga siendo tremendamente dificultosos y que el uso de estas monedas virtuales se siga vinculando al blanqueo de capitales y otras actividades ilícitas.

el plazo de prescripción. Más, al contrario, pues al margen de estos supuestos excepcionales , reiteramos la idea previamente expuesta, en el sentido de considerar una posible reducción del plazo, que vendría plenamente justificada por las mayores capacidades de control que posee la Administración en la actualidad.

3. CONTENIDO DE LOS DERECHOS DE LA ADMINISTRACIÓN SUSCEPTIBLES DE PRESCRIBIR EN LA LEY GENERAL TRIBUTARIA: ANÁLISIS GENERAL

En la configuración de la institución de la prescripción, sea tributaria o de otro tipo, existen dos aspectos principales que el legislador debe fijar con claridad: el plazo de prescripción, –al que ya nos hemos referido-, y el objeto de la misma. Sin una determinación clara y cierta del plazo y del elemento susceptible de prescripción este mecanismo extintivo no puede funcionar, máxime teniendo en cuenta que el fundamento elemental de la prescripción tributaria es el principio de seguridad jurídica. Limitada la aplicación de la normativa civil en el ámbito fiscal a estos efectos, y teniendo en cuenta que la prescripción tributaria presenta sus propias particularidades, es al ordenamiento tributario al que corresponde establecer los elementos que configuran esta institución extintiva.

En España, el movimiento codificador tributario se inicia en el siglo XX. En este proceso, el ordenamiento fiscal adoptó algunas de las figuras civiles clásicas, entre ellas

las aplicables para la extinción de derechos y acciones. Así, las primeras normas especiales reguladoras de los distintos tributos recogían la prescripción como mecanismo extintivo de la deuda tributaria. Este reconocimiento particular daba lugar a que, en ocasiones, la configuración de esta institución adoleciera de algunos defectos, no tanto en cuanto a la delimitación del plazo sino, fundamentalmente, en cuanto a la fijación expresa del elemento objeto de extinción por prescripción. Ello, unido a la ausencia de una normativa tributaria de base, dio lugar a una gran dispersión normativa, con un régimen prescriptivo independiente para cada una de las figuras tributarias. Esta situación se solventó, en gran medida, con la entrada en vigor de la LGT de 1963, que establecía las normas básicas aplicables a esta institución, realizando un esfuerzo sistematizador notable al establecer el plazo de prescripción, los derechos prescribibles, y las normas en cuanto al cómputo del plazo, a la interrupción y a la aplicación del plazo de prescripción. Esta sistemática prosiguió en la LGT de 2003, que amplió notablemente el contenido de estos preceptos, modificando asimismo algunos de sus aspectos.

3.1. CONSIDERACIONES PREVIAS. LOS "NUEVOS" DERECHOS OBJETO DE PRESCRIPCIÓN

La exposición de este apartado no se puede iniciar sin referenciar las diferencias entre el texto de la LGT de 2003 y su predecesora de 1963. El elenco de *"derechos y acciones"* susceptibles de prescribir recogido en la LGT de 1963 originó un profundo debate en torno a su propia denominación y a la naturaleza de los plazos previstos para la extinción de la deuda tributaria, particularmente en relación al derecho de la Administración para determinar la deuda tributaria mediante la oportuna liquidación y a su naturaleza como plazo de prescripción o de caducidad.

En la LGT de 2003 el legislador pretendió acabar con ese *"totum revolutum"* de derechos y acciones, modificando la redacción de los apartados a) y b) del artículo 64. Así, en primer lugar, donde el artículo 64 a) de la LGT de 1963 decía *"el derecho de la Administración para determinar la deuda tributaria mediante la oportuna liquidación, salvo en el Impuesto de Sucesiones en que el plazo será de diez años"*; el artículo 66 a) de la LGT de 2003 señala *"el derecho de la Administración para determinar la deuda tributaria mediante la oportuna liquidación"*, suprimiendo con toda lógica la referencia específica al plazo de prescripción del ISD, por haberse eliminado tal plazo específico.

En segundo lugar, donde al artículo 64 b) de la LGT de 1963 decía *"la acción para exigir el pago de las deudas tributarias liquidadas"*; el artículo 66 b) de la LGT de 2003 dice *"el derecho de la Administración para exigir el pago de las deudas tributarias liquidadas y autoliquidadas"*. Este precepto, a pesar de haber dado lugar a menos problemas interpretativos en torno a la naturaleza del plazo, fue objeto de una reforma de mayor calado. Por un lado, se sustituye el concepto *"acción"* por *"derecho"*, a fin de eliminar problemas interpretativos al dotar de mayor homogeneidad al artículo 66 de la LGT y, por otro lado, se precisa que el derecho a exigir el pago se extiende a las deudas *"autoliquidadas"*, incluyendo de esta manera en este derecho los supuestos de impago de deudas resultantes de autoliquidaciones

Estas novedades en el artículo 66 de la LGT presentan aspectos positivos, pero también dejan algunas lagunas sin cubrir. Siguiendo a GONZÁLEZ SÁNCHEZ[63], las principales notas favorables que se observan en esta nueva regulación son unos mejores conceptos unidos a una redacción perfeccionada y más completa y una estructura más cuidada. Destaca la denominación como *"derechos"* a todos los supuestos objeto de prescripción, eliminando de esta forma la referencia a las *"acciones"* que tan problemática resultó en la LGT de 1963. La inclusión de la precisión *"y autoliquidadas"* junto a las deudas tributarias liquidadas puede considerarse positiva, pues el legislador parece realizar un esfuerzo por contemplar todos los supuestos que dan origen al cómputo del plazo de prescripción[64].

En relación al contenido de los derechos prescribibles enunciados en la LGT indica FALCÓN Y TELLA[65] que *"tanto*

---

63   GONZÁLEZ SÁNCHEZ, M.: La extinción de la obligación tributaria, en CALVO ORTEGA, R. (Dir.): *Comentarios a la Ley General Tributaria*, 2ª ed., Thomson Reuters, Cizur Menor (Navarra), 2009, págs. 779-780.

64   Sin embargo, el referido autor también apunta una serie de anomalías y confusiones que el texto de la LGT provoca o no resuelve respecto a la normativa anterior. En este sentido, abunda en la idea de que el derecho a determinar la deuda tributaria no es tal, sino que es una potestad, y que su denominación como derecho se deriva más de la forma en que se entiende por la jurisprudencia y por los obligados tributarios. Vid. GONZÁLEZ SÁNCHEZ, M.: La extinción de la obligación tributaria, en, CALVO ORTEGA, R. (Dir.): *Comentarios a la Ley General Tributaria*, ob. cit., págs. 779-780.

65   FALCÓN Y TELLA, R.: *La prescripción en materia tributaria*, ob. cit., pág. 23.

la clasificación del art. 64 de la Ley General Tributaria – refiriéndose a la LGT de 1963-, *como el régimen de prescripción tributaria establecido por la ley general, distan mucho de ser satisfactorios, pese a la intuición del legislador de la necesidad de distinguir, al regular la prescripción, entre las distintas situaciones subjetivas que dan lugar a la aplicación del tributo ".* Esto es, respecto a estos derechos, o a esta "relación de derechos", surge el problema clásico de si en los derechos explicitados en el artículo 66 se engloban todos los relacionados con la obligación tributaria, o si hay otros derechos, no específicamente recogidos en el referido precepto que, a pesar de estar relacionados con alguno de los indicados, presentan caracteres distintivos. De aceptar esta posibilidad podrían aparecer una serie de derechos cuyo plazo de prescripción no está determinado en ningún texto legal.

3.2. LOS DERECHOS DE LA ADMINISTRACIÓN SUSCEPTIBLES DE PRESCRIBIR EN LA LEY GENERAL TRIBUTARIA

El artículo 66 de la LGT establece cuatro categorías de derechos susceptibles de prescribir, siguiendo un sistema doble que refleja la distinción clásica entre la prescripción del derecho a liquidar la deuda y la prescripción del derecho para requerir su pago de la deuda ya liquidada, esto es, separa el derecho de la Administración a efectuar la liquidación del derecho a exigir el cobro- y, por otro lado, establece una distinción similar entre el derecho del obligado tributario a solicitar y a obtener devoluciones o reembolsos. Así, el artículo 66 de la LGT señala que:

"*Prescribirán a los cuatro años los siguientes derechos:*

a) El derecho de la Administración para determinar la deuda tributaria mediante la oportuna liquidación.

b) El derecho de la Administración para exigir el pago de las deudas tributarias liquidadas y autoliquidadas.

c) El derecho a solicitar las devoluciones derivadas de la normativa de cada tributo, las devoluciones de ingresos indebidos y el reembolso del coste de las garantías.

d) El derecho a obtener las devoluciones derivadas de la normativa de cada tributo, las devoluciones de ingresos indebidos y el reembolso del coste de las garantías."

Este catálogo de derechos prescribibles para la Administración y para el Administrado no es cerrado, pues a estos derechos hay que añadir otros que la LGT trata de manera separada en otros preceptos, como son:

1. La prescripción del derecho a comprobar e investigar, establecido en el artículo 66.bis de la LGT, introducido por la Ley 34/2015, de 21 de septiembre, con carácter autónomo respecto al derecho a liquidar.

2. La prescripción de las obligaciones tributarias formales, de las cuales se ocupa el artículo 70 de la LGT y para la que, en algunos casos, se fijan plazos prescriptorios superiores.

3. La prescripción de las infracciones y sanciones tributarias, reguladas en los artículos 189 y 190 de la LGT.

4. La prescripción de la recuperación de las ayudas de estado, regulada en el artículo 262 de la LGT.

5. La prescripción aplicable a la deuda aduanera y a los impuestos especiales, regulada en su normativa especial, que establece, en algunos supuestos, plazos distintos, si bien estos deben ser calificados como plazos de caducidad ya que no es posible su interrupción.

Considerando los distintos supuestos de prescripción y los sujetos afectados, los derechos susceptibles de extinguirse por prescripción se pueden clasificar de la siguiente manera:

- <u>Derechos de la Administración tributaria:</u>

   o Derecho a determinar la deuda tributaria mediante la oportuna liquidación.

   o Derecho a exigir el pago de las deudas tributarias liquidadas y autoliquidadas.

   o Derecho a comprobar e investigar.

o Derecho a exigir el cumplimiento de las obligaciones formales.

o Derecho a calificar las infracciones e imponer sanciones.

o Derecho de la Administración a determinar y exigir el pago de la deuda tributaria que resulte de la ejecución de la decisión de recuperación de ayudas de Estado.

o Derecho a determinar y exigir el pago de los derechos de importación o exportación.

- **Derechos del obligado tributario:**

o Derecho a solicitar las devoluciones derivadas de la normativa del tributo, las devoluciones de ingresos indebidos y el reembolso del coste de las garantías.

o Derecho a obtener las devoluciones derivadas de la normativa de cada tributo, las devoluciones de ingresos indebidos y el reembolso del coste de las garantías.

Para una mejor sistemática en la exposición, en el presente Capítulo y en los que le siguen, se analizará con detalle el régimen prescriptivo de los derechos de la Administración que afectan a la deuda tributaria, enunciados en el artículo 66 y en el artículo 66 bis de la LGT, lo que excluirá de nuestro análisis tanto los derechos del obligado tributario, como la prescripción de las infracciones y sanciones, al no formar parte estas del concepto de "deuda tributaria".

3.3. CONTENIDO DE LOS DERECHOS SUSCEPTIBLES DE PRESCRIBIR DEL ARTÍCULO 66 DE LA LEY GENERAL TRIBUTARIA

3.3.1. DERECHO A DETERMINAR LA DEUDA TRIBUTARIA MEDIANTE LA OPORTUNA LIQUIDACIÓN

A. CONTENIDO ESENCIAL DEL DERECHO

El derecho a determinar la deuda tributaria mediante la oportuna liquidación se refiere a la potestad administrativa para cuantificar lo devengado por la realización del hecho imponible y fijar la deuda del obligado tributario[66].

Desde el punto de vista conceptual, este supuesto ha sido el que tradicionalmente ha originado más problemas, en particular, en relación a la determinación de si se trata de un plazo de prescripción o de caducidad. Es posible que una redacción distinta del precepto aportara luz sobre esta cuestión, pero, en cualquier caso, tales debates conceptuales deben considerarse superados pues, en la práctica, tanto en el momento en que se promulgó la LGT de 2003, como en la actualidad, esta regulación se encuentra ampliamente aceptada por todos los sujetos que forman parte de la relación jurídico tributaria, que conocen sus límites[67]. Es evidente que

---

66   SÁNCHEZ RAMÍREZ, C.: *La prescripción en el Derecho Tributario*, ob. cit., pág. 149.

67   El Informe para la Reforma de la Ley General Tributaria de julio de 2001 (pág. 95) apuntaba estos extremos y por ello no recomendaba una modificación del plazo, si bien prevé que *"si se considera preferible introducir*

el problema es de índole más teórica que práctica, pero que esto sea así no significa *"que en la práctica y según los casos, puedan extraerse las concusiones procedentes y originarse los efectos oportunos"*[68].

Al margen de esta cuestión, la concepción de este derecho no ha sufrido variaciones de importancia, admitido que su objeto fundamental es la determinación de la deuda tributaria, lo que supone, en primer término, la cuantificación de la obligación tributaria principal. No obstante, limitar la exposición a tal obligación ofrecería una visión parcial de su contenido, pues este no es el único concepto que compone la deuda del contribuyente. Como acertadamente señala FERREIRO LAPATZA que *"en nuestro ordenamiento la LGT no regula la extinción de la obligación tributaria principal de forma separada respecto a la de las «otras obligaciones tributarias». Por el contrario la LGT regula*

---

modificaciones, incluida la de referirse con claridad a la posición de la Administración como titular de potestades, la prescripción como modo de extinción de la obligación y, por ello mismo, entendida como la prescripción de un derecho, debería configurarse como la consecuencia jurídica (efecto extintivo) de la inactividad de la Administración en el ejercicio de su potestad (dirigida a determinar la deuda mediante la oportuna liquidación) durante un determinado período de tiempo (cuatro años). En la línea de modificación de este supuesto, queda también la posibilidad, aludida anteriormente, consistente en establecer un plazo de caducidad de cinco años para notificar el acto de liquidación".

68 GONZÁLEZ SÁNCHEZ, M.: "La extinción de la obligación tributaria", en, CALVO ORTEGA, R. (Dir.): *Comentarios a la Ley General Tributaria,* ob. cit., pág. 780. Añade este autor que *"este derecho, entendido en sentido usual, no debe impedir que el jurista tenga presente que se está más en la línea del ejercicio de una potestad y en el contrapunto de los deberes específicos y con otra orientación en el mundo de los intereses legítimos y no en el de los derechos subjetivos públicos o no".*

de forma conjunta la extinción de «la deuda tributaria»; es decir, y según la terminología de esta Ley, extinción de todas las obligaciones que pueden componer o integrar la «deuda tributaria» "[69]. Por ello, la cuestión a analizar estriba en determinar cómo afecta el derecho a liquidar a todas las obligaciones comprenden el concepto de *"deuda tributaria"*, aspecto al que dedicaremos los apartados siguientes.

Por otro lado, el apartado a) del artículo 66 de la LGT se refiere únicamente al derecho a determinar la deuda mediante la oportuna liquidación ¿qué ocurre con las deudas autoliquidadas? ¿Puede desplegar respecto a ellas la Administración sus potestades comprobadoras en el plazo de cuatro años?. Evidentemente sí. A diferencia de lo que ocurre con el derecho a exigir el pago, en cuyo caso la referencia a las normas autoliquidadas era necesaria, en el caso del derecho a determinar la deuda tributaria tal referencia no es precisa. Efectuar la autoliquidación compete al obligado tributario pero ello no impide que, posteriormente, la Administración realice la liquidación de tal tributo. Si la Administración no despliega función alguna a lo largo del plazo de prescripción, la prescripción del derecho a determinar la deuda tributaria también desempeñará una importante función en relación a la autoliquidación: *"la conversión del importe de la autoliquidación en la cuantía definitiva del tributo"*[70].

---

69   FERREIRO LAPATZA, J. J.: *Instituciones de Derecho financiero*, ob. cit., pág. 324.

70   GARCÍA NOVOA, C.: *Iniciación, interrupción y cómputo del plazo de prescripción de los tributos*, ob. cit., pág. 30.

B. LA DEUDA TRIBUTARIA OBJETO DE LA PRESCRIPCIÓN

La LGT define el concepto de deuda tributaria en su artículo 59. En este precepto señala que la deuda tributaria *"estará constituida por la cuota o cantidad a ingresar que resulte de la obligación tributaria principal o de las obligaciones de realizar pagos a cuenta"*. De esta forma, estos serán los dos primeros elementos que van a configurar la deuda tributaria susceptible de extinguirse por prescripción. Añade el precepto, en su segundo apartado, que la deuda tributaria también estará integrada, en su caso, por el interés de demora, los recargos por declaración extemporánea, los recargos del período ejecutivo y los recargos exigibles legalmente sobre las bases o las cuotas, a favor del Tesoro o de otros entes públicos, excluyendo expresamente del concepto de deuda tributaria a las sanciones tributarias.

De estas referencias es posible extraer algunas conclusiones: por un lado, que el primer componente de la deuda tributaria es la obligación tributaria objeto de la prescripción   principal y, por otro, que el concepto de deuda tributara va más allá, abarcando aquellas obligaciones subsidiarias y accesorias de la primera[71].

---

71   Como señala CALVO ORTEGA y CALVO VÉRGEZ, *"a diferencia de las obligaciones civiles que ofrecen una mayor sencillez, la tributaria puede presentar una cierta complejidad teniendo en cuenta los distintos elemento generadores de una cantidad específica y autónoma que pueden sumarse a la obligación propiamente dicha. Todos ellos tienen en común, lógicamente, su previsión normativa y su carácter tasado salvo determinados aspectos de discrecionalidad en el aplazamiento del pago y en la determinación de sanciones"*. Vid. CALVO ORTEGA, R., CALVO VÉRGEZ, J.: *Curso de Derecho Financiero*, ob. cit., pág. 171.

El problema que se plantea en relación al derecho a determinar la deuda tributaria establecido en el artículo 66 de la LGT es concretar, de los múltiples elementos que conforman el concepto de deuda tributaria, cuáles de ellos, o si todos ellos, dan lugar al nacimiento de un plazo de prescripción independiente o, por el contrario cuáles de ellos, al depender de otros, aun naciendo no van a dar lugar al surgimiento de un plazo de prescripción autónomo, sino que su plazo de prescripción va a ir aparejado al de la obligación tributaria principal.

B.1. LA PRESCRIPCIÓN DEL DERECHO A LIQUIDAR LA OBLIGACIÓN TRIBUTARIA PRINCIPAL

El efecto extintivo de la prescripción recae en primer término sobre la obligación tributaria principal. Esta afirmación no es baladí pues esta concepción del objeto de la prescripción es uno de los argumentos que permite fundamentar que el plazo extintivo establecido en la LGT es de prescripción y no de caducidad.

Cuando el artículo 66 de la LGT alude a la prescripción del derecho a determinar la deuda tributaria mediante la oportuna liquidación, sin duda se refiere, en primer término, a la facultad administrativa para determinar la obligación tributaria principal, cuyo contenido, de esta manera, va a fijar el concreto alcance del derecho de la Administración a determinar la deuda tributaria. La obligación tributaria principal tiene por objeto, tal y como indica el artículo 19 de la LGT, *"el pago de la cuota tributaria"*. Siendo la cuota tributaria el contenido de la obligación tributaria principal, la doctrina más autorizada coincide en entender esta como la obligación cuantificada, *"la cantidad a pagar por el deudor y la deuda tributaria en su sentido estricto y genuino"*[72], que representa *"la verdadera y auténtica contribución del sujeto pasivo al sostenimiento del gasto público, pues solo ella emana del presupuesto de hecho (hecho imponible) al que la ley vincula el deber de contribuir al levantamiento de las cargas públicas"*[73]. Además, como indica SIMÓN ACOSTA[74], la cuota, como objeto de la obligación tributaria principal, debe entenderse en sentido amplio. De este modo, el contenido del derecho a determinar la deuda tributaria queda circunscrito, de manera ineludible, al establecimiento de la cuota tributaria, pues va a ser la que configure la obligación tributaria principal, al margen de que a esta se le puedan adicionar otros elementos que dependen de la previa determinación de la cuota.

Tres conceptos aparecen ligados a la obligación tributaria principal: hecho imponible, devengo y exigibilidad. Los tres van a desplegar una incidencia directa en la determinación del plazo de prescripción, particularmente en

---

72 CALVO ORTEGA, R., CALVO VÉRGEZ, J.: *Curso de Derecho Financiero*, ob. cit., pág. 168.

73 ESEVERRI MARTÍNEZ, E., LÓPEZ MARTÍNEZ, J., PÉREZ LARA, J.M., DAMAS SERRANO, A.: *Manual Práctico de Derecho Tributario. Parte General*, 5ª ed., Tirant lo Blanch, Valencia, 2019, págs. 325-326.

74 SIMÓN ACOSTA, E.: "Objeto del tributo: la prestación tributaria", en SIMÓN ACOSTA, E., VÁZQUEZ DEL REY VILLANUEVA, A., SIMÓN YARZA, M. E.: *"Lo esencial de Derecho Financiero y Tributario. Parte general"*, Aranzadi, Cizur Menor (Navarra), 2017, BIB 2016\10159. (Consultado en la base de datos Aranzadi Instituciones, con fecha 16/02/2017).

su inicio, pero también en el contenido del derecho susceptible de prescribir. Sin embargo, sobre el derecho a determinar la deuda tributaria solo dos afectarán directamente: hecho imponible y devengo. Por ello nos detendremos brevemente en estos dos conceptos.

La obligación tributaria principal nace con la realización del hecho imponible, que es, según el artículo 20.1 de la LGT, "*el presupuesto fijado por la ley para configurar cada tributo y cuya realización origina el nacimiento de la obligación tributaria principal*". Si no se realiza el hecho imponible no nace la obligación tributaria principal y, consecuentemente, no surge el derecho a determinar la deuda tributaria para la Administración.

Tampoco nace la obligación tributaria principal y, por tanto, no nace el derecho de la Administración a liquidar, en los supuestos de no sujeción, que representan, en palabras de CALVO ORTEGA y CALVO VÉRGEZ[75], "*declaraciones negativas del hecho imponible*", en el sentido de que son supuestos que se sitúan "*fuera del hecho imponible*", con lo que su realización no supone el nacimiento de la obligación tributaria[76].

---

75   CALVO ORTEGA, R., CALVO VÉRGEZ, J.: *Curso de Derecho Financiero,* ob. cit., pág. 131.

76   VAQUERA GARCÍA, A.: "Problemática actual de las exenciones relativas a las retribuciones en especie en el Impuesto sobre la Renta de las Personas Físicas", *Estudios financieros. Revista de Contabilidad y Tributación,* núm. 423, 2018, pág. 36. En el glosario de términos que se incluye en MERINO JARA y LUCAS DURÁN, se indica que la no sujeción "*implica el no nacimiento de la obligación tributaria principal al no realizarse el presupuesto de hecho previsto por la norma para tal nacimiento. Es una delimitación negativa del hecho imponible (mientras que los supuestos de*

En las exenciones tributarias se realiza el hecho imponible pero, conforme al artículo 22 de la LGT, la ley exime del cumplimiento de la obligación tributaria principal[77]. ¿Nace la obligación tributaria principal en los supuestos de exención? El artículo referenciado no lo dice expresamente, aunque parece inferirse de su texto, en el sentido de que si exime de su cumplimiento se debería entender que ha nacido.

Sin embargo, esta no es una cuestión clara para la doctrina. Por un lado, algunos autores consideran que la exención tributaria, cuando es total, impide el nacimiento de la obligación tributaria principal o disminuye su cuantía, en el caso de ser parcial[78]. Otros autores, por el contrario,

---

sujeción implican la delimitación positiva)". Vid. MERINO JARA, I. (Dir.), LUCAS DURÁN, M. (Coord.): *Derecho Financiero y Tributario. Parte General,* 8ª ed., Tecnos, Madrid, 2019, pág. 626.

77 La definición clásica de exención acuñada por SAINZ DE BUJANDA es la siguiente: *"técnica impositiva que puede afectar a todos los elementos estructurales de la relación impositiva –al presupuesto de hecho, a la base imponible, a los tipos de gravamen, a los sujetos y a las cuotas- y que, con relación a la carga que la aplicación normal del tributo traiga consigo, se dirige a provocar un efecto desgravatorio total o parcial en beneficio de ciertas personas o de determinados supuestos fácticos".* Vid. SAINZ DE BUJANDA, F.: *Hacienda y Derecho,* Volumen III, Instituto de Estudios Políticos, Madrid, 1963, pág. 465.

78 Adoptan la denominada "tesis clásica", entre otros, CORTÉS DOMÍNGUEZ, que señala que *"hay exención tributaria cuando una norma (llamada norma de exención) establece que una Norma Tributaria no es aplicable a supuestos de hecho que realizan la hipótesis de dicha Norma Tributaria, o cuando impide que se deriven los efectos jurídicos del mandato de esta Norma Tributaria para los sujetos fijados en la norma de exención".* Vid. CORTÉS DOMÍNGUEZ, M.: *Ordenamiento tributario español,* Volumen I., ob. cit., pág. 326. Recientemente, ESEVERRI, LÓPEZ MARTÍNEZ, PÉREZ LARA y DAMAS SERRANO señalan que *"la exención tributaria implica que no obstante haber tenido lugar la realización del hecho imponible, este no llega a producir el efecto característico del mismo: el devengo de la*

consideran que en los supuestos de exención nace la obligación tributaria, aun siendo la exención total[79].

La incidencia de la adopción de una u otra postura en materia de prescripción del derecho a determinar la deuda tributaria es evidente: siendo la obligación tributaria

---

obligación tributaria principal". Vid. ESEVERRI MARTÍNEZ, E., LÓPEZ MARTÍNEZ, J., PÉREZ LARA, J. M., DAMAS SERRANO, A.: *Manual Práctico de Derecho Tributario. Parte General*, ob. cit., pág. 339. También MARTÍN QUERALT, LOZANO SERRANO y TEJERIZO LÓPEZ, que indican que *"en estos casos la definición del hecho imponible se agota con la previsión genérica del mismo y su consecuencia ordinaria de provocar el nacimiento de la obligación, sino que a tal previsión la Ley añade otra más específica, en cuya virtud ciertos supuestos incluidos en el ámbito del hecho imponible no dan lugar a dicho nacimiento, o bien lo hacen pero por cuantía inferior a la ordinaria (exenciones parciales)".* Vid. MARTÍN QUERALT, J., LOZANO SERRANO, C., TEJERIZO LÓPEZ, J. M.: *Derecho Tributario,* 22ª ed., Aranzadi, Cizur Menor (Navarra) 2017, pág. 153. Asimismo, CALVO ORTEGA y CALVO VÉRGEZ, para quienes *"la exención tributaria es una declaración legal que impide el nacimiento de la obligación tributaria o disminuye la deuda tributaria normal establecida por la Ley".* Vid. CALVO ORTEGA, R., CALVO VÉRGEZ, J.: *Curso de Derecho Financiero.* ob. cit., pág. 169. En la doctrina internacional, LANZIANO también se manifiesta en este sentido, apuntando que *"la exención tributaria, es la situación jurídica de origen constitucional o legal, en que se encuentra un grupo de sujetos que hace que aun dándose respecto de ellos los supuestos fácticos que harían nacer la relación tributaria, los mismos no les sean imputables, no naciendo en consecuencia la misma".* Añade en otro apartado de su obra *"el supuesto fáctico, no le es atribuible al exento, no le es imputable para hacer nacer la obligación".* Vid. LANZIANO, W.: *Teoría general de la exención tributaria,* 1ª ed., Depalma, Buenos Aires, 1979, págs. 13 y ss. y 24.

79   En este sentido, PÉREZ DE AYALA, J., GONZÁLEZ GARCÍA, E.: *Curso de Derecho Tributario,* Tomo I, 5ª ed., Editorial de Derecho Financiero, Madrid, 1989, pág. 219. Recientemente, en el glosario de términos que se incluye en MERINO JARA y LUCAS DURÁN, se indica que la exención es una *"norma establecida para neutralizar total o parcialmente el importe de una obligación tributaria previamente nacida por realizarse el hecho imponible".* Vid. MERINO JARA, I. (Dir.), LUCAS DURÁN, M. (Coord.): *Derecho Financiero y Tributario. Parte General,* ob. cit., pág. 627.

principal el elemento esencial que determina el nacimiento de la deuda tributaria, si la obligación tributaria principal no llega a nacer, tampoco tendría contenido el derecho de la Administración a determinar tal deuda. Sin embargo, si la obligación tributaria sí nace, aunque la Ley exima de su cumplimiento, el derecho referenciado sí tendrá contenido.

Esto es, la concepción de que la exención no da lugar al nacimiento de la obligación tributaria plantea un grave problema en relación a la prescripción, pues, no nacida la obligación tributaria principal por estar exento el hecho imponible, ¿puede nacer el derecho a determinar la deuda tributaria?. En principio no, pues si no existe obligación tributaria principal, que es el primer elemento que compone la deuda tributaria, tampoco existiría deuda tributaria como tal que determinar. En este sentido, afirma VEGA HERRERO[80] que *"la exención tributaria viene a neutralizar, total o parcialmente, el efecto que deriva del hecho imponible de originar el nacimiento de la obligación tributaria; si esta no surge por existir una exención, es evidente que la Administración no tiene derecho a liquidar una obligación inexistente y tampoco puede prescribir tal derecho"*. Si se acepta esta argumentación, incluso no naciendo la obligación tributaria principal ni el derecho de la Administración a determinar la deuda tributaria, eso no significa que la Administración no pueda realizar ningún tipo de control, pues conserva sus potestades administrativas de comprobación e investigación, precisamente para verificar si, efectivamente, el supuesto considerado exento por el

---

80   VEGA HERRERO, M.: *La prescripción de la obligación tributaria*, ob. cit., pág. 50.

contribuyente es tal y, con ello, no ha nacido la obligación tributaria principal. Si la Administración despliega tales potestades y concluye que la exención está incorrectamente aplicada, y por tanto, ha nacido la obligación tributaria principal, ya dispondrá, desde el momento en que se devengó el impuesto, del derecho a determinar la deuda tributaria. El problema de este desarrollo es que siendo el derecho a comprobar e investigar, en su actual configuración, imprescriptible, en principio, la Administración podría iniciar ese procedimiento de comprobación e investigación de la exención aplicada sin sometimiento a plazo de prescripción alguno, lo que vulnera flagrantemente el instituto de la prescripción y su fundamento, el principio de seguridad jurídica. El planteamiento sería distinto de no estar vigente la imprescriptibilidad establecida en el artículo 66 bis. de la LGT. En ese caso, se debería considerar que esas "potestades comprobadoras", aun siendo imprescriptibles por definición, se insertan en el derecho a determinar la deuda tributaria, con lo que su ejercicio quedaría limitado al plazo de prescripción de cuatro años. Sin embargo, con la regulación actual, esa posibilidad para comprobar e investigar si la exención se aplicó correctamente de la Administración queda abierta *sine die*, independientemente de la concepción de la exención que se adopte.

A pesar de ello, la segunda opción expuesta, que recordemos supone considerar que en estos supuestos de exención, incluso siendo total, sí nace la obligación tributaria principal, nos parece más coherente y acorde con el principio de seguridad jurídica. Conforme a este planteamiento, el nacimiento de la obligación tributaria principal implica que el derecho a determinar la deuda tributaria de la Administración adquiere contenido, debiendo quedar sometido su ejercicio al plazo de prescripción de cuatro años. No obstante, es preciso apuntar que este análisis de la configuración y los efectos de la exención tributaria se realiza desde la óptica exclusiva de la prescripción, y que, desde tal punto de vista, consideramos que la solución defendida resulta la más adecuada a efectos de garantizar la seguridad jurídica. Ello no obsta para que, desde la teoría general de la exención tributaria, se puedan realizar críticas a este planteamiento, favorables a la primera de las posturas referenciadas, pues, reiteramos, este análisis se realiza considerando en exclusiva los efectos en materia de prescripción.

En relación al segundo de los conceptos esenciales enunciados, el devengo, es, tal y como indica el artículo 21 de la LGT, "*el momento en el que se entiende realizado el hecho imponible y en el que se produce el nacimiento de la obligación tributaria principal*". El momento del devengo es esencial en la configuración de la obligación tributaria principal, pues su efecto primordial es "*hacer aplicable la ley entonces vigente*"[81], esto es, la fecha en que se devengue el tributo va a determinar la ley aplicable para configurar la obligación tributaria principal y, con ello, todos los elementos esenciales que configuran el tributo. Devengado el impuesto y nacida la obligación tributaria principal ya hay una deuda tributaria que determinar, por tanto, ya tendría objeto el derecho de la Administración recogido en el artículo 66.a) de la LGT. Además, el devengo también va a desempeñar un

81   MARTÍN QUERALT, J., LOZANO SERRANO, C., TEJERIZO LÓPEZ, J. M.: *Derecho Tributario*, ob. cit., pág. 151.

papel fundamental en el inicio del plazo de prescripción[82], pues el nacimiento de la obligación tributaria principal, consecuencia del devengo, va a marcar, en algunos tributos, el inicio del plazo de prescripción y, en muchos otros, el inicio del plazo de declaración o autoliquidación de que dispone el contribuyente para liquidar el tributo de que se trate. Finalizado ese plazo, como se desarrollará en el Capítulo Tercero, se iniciará el plazo de prescripción.

B.2. LA PRESCRIPCIÓN DEL DERECHO A LIQUIDAR LAS OBLIGACIONES A CUENTA

La obligación de realizar pagos a cuenta es el segundo elemento que configura la deuda tributaria conforme al artículo 59 de la LGT. El artículo 23.1 de la LGT prevé tres tipos de obligaciones a cuenta: retenciones, pagos fraccionados y pagos a cuenta.

Cada una de estas tres categorías representa una obligación tributaria particular. Algunas de ellas son satisfechas por el propio obligado tributario, como es el caso de las liquidaciones trimestrales en el Impuesto sobre Sociedades (en adelante, IS) o en el Impuesto sobre la Renta de las Personas Físicas (en adelante, IRPF), mientras que otras son satisfechas por un tercero, que puede ser el pagador de las rentas, retenedor u obligado a hacer ingresos a cuenta, que las realiza por cuenta del contribuyente, con carácter

---

82   De hecho, la redacción originaria de la LGT de 1963 situaba el inicio de la prescripción en el momento del devengo del tributo. Aunque esta previsión se eliminó, volveremos sobre esta circunstancia en el Capítulo Tercero.

previo al devengo del tributo. Como veremos en adelante, esta distinción va a tener una especial importancia en la configuración del derecho a determinar la deuda tributaria.

Y es que el problema que se plantea en este punto en relación al contenido del derecho de la Administración a determinar la deuda tributaria y a su prescripción, es si la obligación de realizar pagos a cuenta da lugar al nacimiento de un plazo de prescripción independiente y anticipado al plazo de prescripción de la obligación tributaria principal, o si, por el contrario, la realización de pagos a cuenta no supone el nacimiento inmediato del derecho de la Administración a determinar la deuda tributaria, pues este se pospone hasta el momento en que nace la obligación tributaria principal.

Se pueden citar varios argumentos en defensa de la autonomía del plazo de prescripción del derecho a determinar la deuda tributaria en estos supuestos. El primero de ellos es la autonomía que el propio artículo 23 de la LGT, *in fine,* atribuye a la obligación de realizar pagos fraccionados o ingresos a cuenta. Señala este precepto que esta obligación *"tiene carácter autónomo respecto de la obligación tributaria principal".* Si se relaciona esta clara determinación de la autonomía de esta obligación con el texto del artículo 66 a) de la LGT, se puede concluir que *"habría tantos plazos de prescripción del derecho a liquidar como obligaciones a realizar pagos fraccionados o pagos a cuenta: cuatro por ejercicio, en el supuesto más habitual"*[83]. De esta manera,

---

83   SÁNCHEZ BLÁZQUEZ, V. M.: *La prescripción de las obligaciones tributarias*, 1ª ed., Asociación Española de Asesores Fiscales, Madrid, 2007, pág. 143.

cada uno de esos pagos daría lugar al inicio de un plazo de prescripción, autónomo, para cada una de las obligaciones a cuenta.

Sin embargo, la doctrina mayoritaria que ha estudiado esta cuestión ha concluido que esta interpretación, aunque posible a tenor del texto de la LGT, no resulta operativa. Y es que, a pesar de que las obligaciones a cuenta sean obligaciones autónomas, no cabe duda de que se efectúan en relación con la obligación tributaria principal, *"produciéndose así una comunicación entre aquellas y esta que dificulta el establecimiento de plazos de prescripción autónomos en uno y otro supuesto"*[84], criterio con el que coincidimos plenamente. A pesar de que no se puede negar que las obligaciones a cuenta gozan de carácter autónomo, también es innegable que, como el propio artículo 23 de la LGT señala, estas obligaciones se realizan *"a cuenta de la obligación tributaria principal"*; por tanto, esa autonomía no es total, pues su realización siempre va a aparecer indefectiblemente ligada al posterior nacimiento de la obligación tributaria principal. Como indica FERNÁNDEZ AMOR[85], *"del artículo 23 LGT se extraen características semejantes a las propias de la obligación tributaria principal, con la que mantiene una relación de autonomía, pero no de independencia"*.

---

84 FALCÓN Y TELLA, R.: *La prescripción en materia tributaria*, ob. cit., págs. 195-196.

85 FERNÁNDEZ AMOR, J. A.: "La relación jurídico tributaria", en MERINO JARA, I. (Dir.), LUCAS DURÁN, M. (Coord.): *Derecho Financiero y Tributario. Parte General*, ob. cit., pág. 299.

A mayor abundamiento, el nacimiento de la obligación de realizar un pago a cuenta se produce con anterioridad al devengo del impuesto que, tal y como hemos señalado, es el momento en el que nace la obligación tributaria principal de la que la obligación a cuenta trae causa[86]. Es a partir de ese momento cuando la Administración tributaria puede determinar la deuda tributaria y, entonces sí, los elementos que la integran: obligación tributaria principal, que siempre estará presente, y obligaciones a cuenta, si las hubiera. Por ello, coincidimos con FALCÓN Y TELLA[87] cuando concluye que *"por regla general, las obligaciones a cuenta no prescriben por sí mismas, sino que, en caso de incumplimiento, la deuda correspondiente queda subsumida en la obligación principal. Es esta y no aquellas, la que se extingue por prescripción"*.

---

86 Apunta SARTORIO ALABART en este sentido que *"las retenciones, los pagos a cuenta o fraccionados y los ingresos a cuenta de los rendimientos satisfechos en especie no son más que fórmulas a través de las cuales tiene lugar la denominada "anticipación de ingresos", es decir, el ingreso de determinadas cantidades a cuenta de la obligación tributaria futura que nacerá en el momento en que se realice, en su caso, el hecho imponible. El hecho de que la obligación tributaria a cuyo pago se imputan dichos ingresos a cuenta no haya nacido y sea todavía incierta determina que las cantidades ingresadas en aplicación de estos mecanismos, previstos en el IRPF y en el impuesto sobre Sociedades, no puedan tener jurídicamente la consideración de cuotas tributarias"*. Vid. SARTORIO ALABART, S.: *Ley General Tributaria e Interés de Demora*, 1ª ed., Marcial Pons, Madrid, 1999, pág. 192.

87 FALCÓN Y TELLA, R.: *La prescripción en materia tributaria*, ob. cit., pág. 196. En el mismo sentido MORÍES JIMÉNEZ, que señala que *"a falta de normativa expresa, la regla general en materia de obligaciones a cuenta es que estas no prescriben por sí mismas, sino que, en caso de incumplimiento, la deuda correspondiente se "confunde" con la obligación principal, siendo esta, y no aquellas, la que se extingue por prescripción"*. Vid. MORÍES JIMÉNEZ, M. T.: *La retención a cuenta en el Impuesto sobre la Renta de las Personas Físicas*, 1ª ed., Marcial Pons, Madrid, 1996, págs. 272-273.

Aunque el artículo 59 de la LGT señale que la deuda tributaria se constituye tanto por la cuota o cantidad a ingresar que resulte de la obligación tributaria principal como por la resultante de las obligaciones de realizar pagos a cuenta, este precepto no puede interpretarse como una exclusión de una de las dos obligaciones, sino que serán ambas, o al menos la obligación tributaria principal en todos los casos, las que habrá que considerar para determinar la deuda tributaria. Aunque esta interpretación *"supone un retraso respecto a la consumación de la prescripción de estas obligaciones, ya que si se produjera autónomamente, el plazo comenzaría a correr desde la finalización del plazo correspondiente a cada obligación a cuenta"*[88], consideramos que es la interpretación más adecuada tanto desde una perspectiva teórica, como normativa y empírica.

SÁNCHEZ BLÁZQUEZ[89], sin embargo, se muestra partidario de la autonomía de los plazos de prescripción, pero añadiendo algunos matices. Este autor analiza esta cuestión partiendo de la autonomía inicial de la prescripción del derecho a liquidar la obligación de realizar pagos fraccionados o pagos a cuenta. Según este autor, una vez finalizados los plazos para efectuar el pago a cuenta, *"comenzarían sucesivos plazos de prescripción del derecho a liquidar cada una de ellas, dotados de autonomía e independencia"* que también podrían ser interrumpidos independientemente. Sin embargo, esta aparente autonomía no es tal, pues el propio

---

88   MORÍES JIMÉNEZ, M. T.: *La retención a cuenta en el Impuesto sobre la Renta de las Personas Físicas*, ob. cit., pág. 272-273.

89   SÁNCHEZ BLÁZQUEZ, V. M.: *La prescripción de las obligaciones tributarias*, ob. cit., págs. 145-146.

autor reconoce que de consumarse la prescripción de la obligación principal, si continuase abierta la prescripción del derecho a liquidar la obligación a cuenta, también se entendería extinguida esta última. Cuando finaliza el plazo voluntario de autoliquidación de la obligación principal, entiende que tal separación carece de sentido, salvo en los supuestos en los que existiera alguna actuación interruptiva de los plazos de prescripción de las obligaciones a cuenta. Sin embargo, consideramos que, al igual que se subsume el plazo de prescripción de las obligaciones a cuenta en el plazo de prescripción de la obligación tributaria principal cuando no hay acto interruptivo del primero, se debe subsumir cuando lo hay, pues esa interpretación otorga al acto interruptivo una finalidad que le es extraña. El objeto del acto interruptivo no es dotar de independencia al procedimiento, sino evitar el *"silencio de la relación jurídica"* y reiniciar el cómputo del plazo, nunca justificar la existencia de un plazo independiente. Otra posibilidad sería entender la autoliquidación de la obligación principal como un acto interruptivo del plazo de prescripción de cada una de las obligaciones a cuenta, lo que supondría el reinicio de tal plazo en el momento en que se produjese esa interrupción. Es innegable que la presentación de una autoliquidación por el obligado tributario es un acto con virtualidad interruptiva del derecho a determinar la deuda tributaria, conforme al artículo 68.1 c) de la LGT y, desde esa óptica, se podría considerar que la presentación de la autoliquidación interrumpe el plazo en curso para las obligaciones a cuenta. Sin embargo, si se reflexiona sobre esa opción se concluye que debe ser desechada, en nuestra opinión, porque supondría que la interrupción y el consiguiente reinicio del plazo, según las reglas del artículo 68.6 de la LGT, se produciría en la fecha en que se presentó la autoliquidación, que no coincidirá con la fecha en que se inicia el plazo de prescripción del derecho a determinar la deuda tributaria –en virtud del artículo 67.1 de la LGT, el día siguiente de la finalización del plazo para presentar la correspondiente liquidación o autoliquidación-. A modo de ejemplo, supongamos el caso de un contribuyente del IRPF obligado a presentar liquidaciones trimestrales. Considerando que cada liquidación trimestral da lugar al inicio de un plazo de prescripción autónomo, y que la presentación de la autoliquidación del "periodo íntegro" interrumpe la prescripción de las obligaciones a cuenta de tal periodo, si este contribuyente presenta la autoliquidación del ejercicio 2018 el 30 de abril de 2019, sería en esa fecha en la que se interrumpiría el plazo de prescripción de las obligaciones a cuenta, reiniciándose de manera instantánea el plazo. Sin embargo, no es hasta el 1 de julio de 2019 cuando se inicia el plazo de prescripción del derecho a determinar la deuda tributaria del ejercicio 2018 en concepto de IRPF. Como se puede observar, se genera una situación de todo punto ilógica, en la que convivirían cinco plazos de prescripción referidos a una misma deuda: los cuatro de las obligaciones a cuenta y el de la obligación principal. Por ello, entendemos que esta posibilidad resulta inviable.

No obstante, para resolver esta cuestión plenamente, habrá que considerar también otra variable a la que nos referíamos al principio, que se centra en el sujeto que queda obligado a cumplir la obligación a cuenta. Esta, a su vez, se deberá conjugar con la autonomía de la obligación de realizar pagos a cuenta y la autonomía de los distintos plazos de prescripción a los que estas pueden dar lugar. Teniendo en cuenta ambas variables, si las obligaciones de realizar pagos a cuenta atañen al propio deudor principal, se deben considerar como obligaciones particulares integradas en la obligación tributaria principal, como venimos defendiendo. Imaginemos un contribuyente obligado a realizar pagos a cuenta del IRPF a lo largo del ejercicio, supongamos que cuatro y, posteriormente, a liquidar el impuesto. Si ese contribuyente no cumple ninguna de sus obligaciones de realizar pagos a cuenta, ni presenta la autoliquidación del impuesto, la Administración tributaria no iniciará cinco procedimientos separados de liquidación (los correspondientes a las cuatro obligaciones a cuenta y el correspondiente a la liquidación), sino que iniciará un procedimiento de liquidación único para determinar la deuda tributaria por IRPF correspondiente al ejercicio íntegro, que ya incorpora los pagos a cuenta, tomando como fecha inicial del cómputo del plazo de prescripción el día siguiente al que finalice el plazo para presentar la autoliquidación. Imaginemos que ese contribuyente no realiza todos los pagos a cuenta, o los realiza de manera incorrecta, presentando la autoliquidación del impuesto posteriormente. En ese caso la Administración también iniciará un único procedimiento para determinar la deuda tributaria, tomando como partida el cómputo del plazo de prescripción y, en el marco de ese procedimiento, podrá verificar si el contribuyente efectuó correctamente sus pagos a cuenta. En definitiva, lo que defendemos es que si se inicia el plazo de prescripción para la obligación principal no subsiste un plazo particular referido a la obligación de realizar pagos a cuenta[90].

---

[90] FERNÁNDEZ AMOR, J. A.: "La relación jurídico tributaria", en MERINO JARA, I. (Dir.), LUCAS DURÁN, M. (Coord.): *Derecho Financiero y Tributario. Parte General*, ob. cit., pág. 299. En relación al contenido de la Sentencia y a sus implicaciones en el sistema de retenciones, FALCÓN Y

Sin embargo, si el sujeto incumplidor no es el deudor principal, sino un tercero, como el retenedor que debe cumplir con su obligación de ingresar las cantidades retenidas, consideramos que el criterio puede ser matizado. Para ello desempeña un papel importante la naturaleza que se otorgue a las retenciones, como modalidad de obligación a cuenta. En este sentido, la Sentencia del Tribunal Supremo, de 27 de febrero de 2007[91] realiza estas apreciaciones sobre la naturaleza de las retenciones, indicando que *"la doctrina sobre la naturaleza de la retención no es uniforme ni unánime: Desde quienes la consideran como una obligación accesoria de otra principal, pasando por obligación dependiente de otra, hasta obligación en garantía del cumplimiento de otra. Parece evidente, que cualquiera que sea la naturaleza, es imposible su permanencia cuando ha sido cumplida la obligación principal, la obligación de la que depende, o, la obligación que garantiza"*. Del texto transcrito parece inferirse que el Alto Tribunal subsume el plazo de prescripción de la obligación del retenedor al plazo de prescripción de la obligación principal. Ello es claro, y así lo entendemos con carácter general, cuando la obligación a cuenta se efectúa por el propio obligado principal. Sin embargo, si la obligación a cuenta y, particularmente, la obligación de ingresar la retención, se realiza por un tercero, al que no va a afectar la obligación principal de manera directa, consideramos que en este caso la regla general se debe excepcionar, pues

---

TELLA, R.: "El principio de buena fe y la imposibilidad de que el sistema de retenciones o el sistema de deducción cuota a cuota del IVA supongan un doble pago: la STS 27 de febrero de 2007 y la SAN 2 de octubre de 2007", *Quincena Fiscal*, núm. 19, 2007, págs. 5-8.

91 *Tol 1.059.079.*

tal obligación goza de un carácter autónomo respecto a la obligación tributaria principal. De no ser así, se podría concluir o que la Administración carece de potestad para exigir al retenedor la entrega de lo retenido para su ingreso en las arcas públicas, o que el derecho de la Administración para liquidar y exigir el pago al retenedor no prescribiría nunca, circunstancia proscrita por el propio principio de seguridad jurídica[92]. Por tanto, en estos casos, entendemos que nace un plazo de prescripción autónomo, que se iniciará una vez finalizado el plazo de que dispone el retenedor para presentar la declaración de retenciones[93].

En conclusión ¿puede la Administración liquidar, de manera individual, un pago a cuenta? Entendemos que, como regla general, no, pues, como indica ESEVERRI[94], la LGT *"no permite descomponer el plazo de prescripción atendiendo a los momentos iniciales en que la Administración pudiera quedar facultada para la práctica de liquidaciones provisionales o definitivas"*, máxima que, en esencia, resume nuestra opinión. La excepción a esta regla general la representan aquellos

---

92 En este sentido, FALCÓN Y TELLA, R.: *La prescripción en materia tributaria*, ob. cit., págs. 213-214.

93 FALCÓN Y TELLA es claro en este sentido, afirmando que la prescripción de ingresar las cantidades retenidas es una prescripción *"autónoma, pero regida por los mismos criterios"* que la prescripción tributaria con carácter general. Vid. FALCÓN Y TELLA, R.: *La prescripción en materia tributaria*, ob. cit., págs. 213-214. La tesis de la autonomía en materia de prescripción de las obligación de ingresar las cantidades retenidas también es aceptada por MORÍES JIMÉNEZ, M. T.: *La retención a cuenta en el Impuesto sobre la Renta de las Personas Físicas*, ob. cit., págs. 272-277 y SÁNCHEZ BLÁZQUEZ, V. M.: *La prescripción de las obligaciones tributarias*, ob. cit., págs. 140-141.

94 ESEVERRI, E.: *La prescripción tributaria en la jurisprudencia del Tribunal Supremo*, ob. cit., pág. 62.

supuestos en los que la obligación a cuenta se cumple por un tercero, distinto del obligado principal, particularmente, en el supuesto de la prescripción de la obligación de ingresar las cantidades retenidas. En estos casos conjugar los derechos de la Administración con el principio de seguridad jurídica supone aceptar que tales actos dan lugar a un plazo de prescripción autónomo, sometido a las mismas reglas que el plazo general de cuatro años.

B.3. LA PRESCRIPCIÓN DEL DERECHO A LIQUIDAR LAS OBLIGACIONES ACCESORIAS: INTERESES DE DEMORA, RECARGOS POR DECLARACIÓN EXTEMPORÁNEA Y RECARGOS DEL PERIODO EJECUTIVO

El artículo 25 de la LGT define las obligaciones tributarias accesorias como *"aquellas distintas de las demás comprendidas en esta sección que consisten en prestaciones pecuniarias que se deben satisfacer a la Administración tributaria y cuya exigencia se impone en relación con otra obligación tributaria"*.

En cuanto a su tipología, el mismo artículo 25 de la LGT, en su párrafo segundo, indica que *"tienen la naturaleza de obligaciones tributarias accesorias las obligaciones de satisfacer el interés de demora, los recargos por declaración extemporánea y los recargos del período ejecutivo, así como aquellas otras que imponga la ley"*.

Estas obligaciones, en cuanto accesorias, *"derivan de la realización de otros presupuestos de hecho distintos del hecho imponible (...) y a través de las cuales se refuerza el cumplimiento tempestivo de la obligación tributaria principal"*[95]. Por ello, van a estar directamente relacionadas con la obligación tributaria principal. A pesar de su accesoriedad, el hecho de que la LGT los incluya dentro del concepto de deuda tributaria puede conducir al mismo problema que el planteado en relación a las obligaciones a cuenta: si su nacimiento da lugar a un plazo de prescripción autónomo respecto al que corresponde a la obligación tributaria principal.

Consideramos que no[96]. Es comúnmente aceptado por la doctrina que la prescripción de la obligación tributaria principal trae consigo la prescripción de las obligaciones accesorias y que, dependiendo estas últimas de la primera, el plazo de prescripción es único y su inicio dependerá del nacimiento de la obligación tributaria principal[97]. En este caso no apreciamos el problema que se observaba en el caso de las obligaciones a cuenta en cuanto a su generación

---

95 ESEVERRI MARTÍNEZ, E., LÓPEZ MARTÍNEZ, J., PÉREZ LARA, J. M., DAMAS SERRANO, A.: *Manual Práctico de Derecho Tributario. Parte General*, ob. cit., pág. 322.

96 No es de esta opinión SÁNCHEZ BLÁZQUEZ, que defiende una prescripción autónoma para cada una de las obligaciones accesorias. Vid SÁNCHEZ BLÁZQUEZ, V. M.: *La prescripción de las obligaciones tributarias*, ob. cit., págs. 124 y ss.

97 MARTÍN CÁCERES, A. F.: *La prescripción del crédito tributario*, 1ª ed., Marcial Pons-Instituto de Estudios Fiscales, Madrid, 1994, págs. 53-54. En el mismo sentido VEGA HERRERO, en VEGA HERRERO, M.: *La prescripción de la obligación tributaria*, ob. cit., págs. 112-113.También FALCÓN Y TELLA afirma que *"una vez producida la prescripción afecta (...) por igual a la obligación principal y a la obligación de pagar intereses"*. Vid. FALCÓN Y TELLA, R.: *La prescripción en materia tributaria*, ob. cit., pág. 195.

previa, pues estas obligaciones accesorias se generarán una vez determinada la cuota tributaria, esto es, el nacimiento de la obligación accesoria depende del previo nacimiento de la obligación principal y, con ello, de la fijación de la cuota[98]. En este sentido ARRANZ DE ANDRÉS[99] señala que existen *"determinados vínculos de tipo obligacional –las obligaciones accesorias y las formales, por ejemplo-, que no son objeto de prescripción autónoma, sino que simplemente, dado su carácter instrumental respecto a la obligación tributaria principal, se ven afectados por la prescripción de esta última"*.

A mayor abundamiento, a diferencia de lo que ocurría con las obligaciones a cuenta, particularmente con las retenciones y los pagos a cuenta, el sujeto de las obligaciones accesorias no puede ser un tercero distinto al sujeto pasivo de la obligación tributaria principal. La deuda tributaria

---

98 Como indica RODRÍGUEZ MÁRQUEZ, *"la accesoriedad, en un sentido estricto, solo es admisible cuando el devengo de la prestación se encuentra directamente vinculado al cumplimiento de la obligación tributaria"*. Vid. RODRÍGUEZ MÁRQUEZ, J.: "El interés de demora exigible por la Administración en el Proyecto de Ley General Tributaria: luces y sombras", *Quincena Fiscal*, núm. 15, 2003. BIB 2003\1067. (Consultado en la base de datos Aranzadi Instituciones, con fecha 02/04/2017). También en relación a la accesoriedad de los intereses de demora, los recargos por declaración extemporánea y los recargos del periodo ejecutivo respecto a la obligación tributaria principal realiza un extenso estudio GALAPERO FLORES, R.: "Obligaciones tributarias accesorias: interés de demora; recargos por declaración extemporánea y recargos del periodo ejecutivo", *Jurisprudencia Tributaria Aranzadi*, Volumen I, 2005, págs. 2547-2570.

99 ARRANZ DE ANDRÉS, C.: "La prescripción de la obligación del responsable tributario", en VARIOS: *Estudios de Derecho Financiero y Tributario en homenaje al Profesor Calvo Ortega*, 1ª ed., Lex Nova, Valladolid, 2005, pág. 537.

que nace para este será única y no cabe descomponer sus elementos a efectos de prescripción[100].

---

100   El Tribunal Supremo también se pronuncia sobre esta cuestión, aunque sin entrar en el fondo del asunto, en su Sentencia de 29 de septiembre de 2004 *(Tol 538.322)*, en la que se resuelve un recurso de casación en interés de Ley. La doctrina legal postulada por el Abogado del Estado es la siguiente, *"en el caso de pagos parciales por deuda tributaria, efectuados fuera de plazo y sin haberse concedido fraccionamiento alguno, el plazo de prescripción del derecho de la Administración para liquidar los intereses de demora inherentes a aquél pago o pagos parciales anteriores no comenzará a correr hasta que se efectúe el último pago de la deuda principal y quede esta definitivamente saldada. Por ello, el posible transcurso del plazo de prescripción, desde el ingreso de aquél pago o pagos parciales, no será un obstáculo para poder girar la meritada y posterior liquidación de intereses"*. El Tribunal Supremo concluye que *"la Sentencia ha partido del presupuesto de que en el caso presente había una situación fáctica de fraccionamiento de pago, admitida y no interrumpida ni por acto denegatorio de la Administración Tributaria, de una parte, ni por impugnación de la denegación presunta de su autorización, por otra y, en definitiva, aceptada por la sociedad interesada en cuanto que procedió a realizar ingresos parciales de la deuda reclamada por la Agencia Tributaria de San Cugat del Vallés hasta su total cancelación con arreglo a la secuencia que exponía en su escrito de demanda y que no ha sido desmentida por la Administración ahora recurrente. Por eso, habiendo partido la Sentencia recurrida de ese presupuesto de hecho y de derecho, no puede ahora el representante de la Administración del Estado venir a postular, por la vía de la casación en interés de la Ley, una doctrina legal sobre el plazo de prescripción del derecho de la Administración a liquidar los intereses de demora inherentes a pagos parciales que se explicita y fundamenta sobre el supuesto de la no existencia de fraccionamiento en el pago por no haber sido concedido expresamente, con lo que el «dies a quo» para el decurso de la prescripción de la liquidación de intereses tiene que ser distinto según se parta de la hipótesis de que la cantidad adeudada se satisfaga de una sola vez o de forma fraccionada. Y es que no es dable olvidar que en el recurso en el que nos encontramos no se puede partir de situaciones distintas de las contempladas por la Sentencia de instancia. Por eso, precisamente, el presente recurso de casación en interés de Ley carece de objeto"*.

3.3.2. DERECHO A EXIGIR EL PAGO DE LAS DEUDAS LIQUIDADAS Y AUTOLIQUIDADAS

Ya ROSSY[101] indicaba que *"la acción de cobro del crédito liquidado es la que pertenece a todo acreedor (...) en virtud de un derecho a su favor, reconocido y liquidado, para que le sea pagado lo que se le deba"*.

La exigencia del pago representa el acto siguiente bien a la determinación de la deuda tributaria por la Administración, bien a la determinación de la deuda efectuada por el contribuyente en su autoliquidación, disponiendo la Administración de un plazo de prescripción para hacer efectiva tal deuda en los casos en que el contribuyente no la satisfaga. Aunque en el siguiente epígrafe abundaremos sobre la cuestión de la distinción entre el derecho a liquidar del derecho para exigir el pago, baste avanzar que esta se fundamenta en el distinto tipo de inactividad que en uno y otro caso afecta al crédito tributario. Mientras que en el supuesto de la prescripción del derecho a liquidar el transcurso del plazo determina exclusivamente la inmutabilidad de la deuda, el transcurso del plazo para exigir la misma supone que el crédito deviene irreclamable[102].

---

101   ROSSY, H.: *Instituciones de Derecho Financiero*, 1ª ed., Bosch, Barcelona, 1959, pág. 547.

102   Señala DÍEZ-PICAZO que la facultad de exigir la prestación, así como el poder de ejecución de los bienes del deudor constituyen el núcleo central del derecho de crédito, de manera que si el crédito no ha sido constituido mediante un título ejecutivo, el acreedor ha de dotarle de este carácter mediante la obtención de una Sentencia condenatoria. Una vez convertido el derecho en ejecutivo, la facultad de exigir la prestación se concreta en la facultad de agresión contra los bienes del deudor. Vid. DÍEZ-PICAZO, L.: *Fundamentos de Derecho Civil*

Como ya se ha indicado, el apartado b) del artículo 66 establece la prescripción del derecho a exigir el pago de las deudas liquidadas y autoliquidadas. El texto de la LGT de 2003 ha optado por suprimir la referencia a la prescripción de la *"acción para exigir el pago"* que recogía la LGT de 1963, por el *"derecho a exigir el pago"*. Este cambio de denominación dota a la Ley de una mayor homogeneidad y coherencia.

Por otro lado, tal y como se ha apuntado en epígrafes anteriores, el debate derechos-potestades parece estar superado, siendo generalmente admitido que, si bien la Administración es titular de potestades, -con lo que el plazo establecido en la Ley debería ser calificado de caducidad-, dado que el objeto de la prescripción no es el ejercicio de tales potestades, sino la propia obligación tributaria, unido a la previsión de supuestos de interrupción, característicos de los plazos prescriptivos, supone la aceptación general en la práctica del instituto prescriptorio como mecanismo extintivo de las obligaciones tributarias,.

Más allá de la modificación terminológica *supra* indicada, el texto de la LGT de 2003 incluyó otra novedad en la regulación de la prescripción del derecho a recaudar, a la que ya hemos aludido. Mientras que la LGT de 1963 únicamente hacía referencia a la acción para exigir el pago de las *"deudas tributarias liquidadas"*, la norma de 2003 añade *"y autoliquidadas"*. Esta precisión no es en absoluto

---

Patrimonial, Introducción. Teoría del contrato. Las relaciones obligatorias, Volumen I, 2ª ed., Tecnos, Madrid, 1983, pág. 369.

insignificante pues conlleva importantes consecuencias en la práctica.

El texto de 1963, al referirse únicamente a las deudas liquidadas, parecía dejar fuera aquellas otras resultantes de autoliquidaciones. Esta situación suponía que si el contribuyente no satisfacía voluntariamente la deuda, la Administración no podía, sin más, ejercer la acción ejecutiva, sino que esta debía vincularse a algún pronunciamiento previo sobre la deuda que, adicionalmente, interrumpiría el plazo de prescripción. La ausencia de referencia expresa tampoco significaba, en modo alguno, que el cómputo del plazo de prescripción para exigir la deuda no se iniciase con la autoliquidación, pues eso supondría un retraso indefinido de la prescripción que la Administración lograría únicamente no realizando actuación alguna, con lo que tampoco se lograría la penalización a la inactividad del acreedor, que es fundamento de la prescripción[103].

En consecuencia, debe valorarse como positiva en su conjunto la regulación contenida en el apartado b) del artículo 66, en la medida en que contribuye a clarificar la extensión del derecho susceptible de prescribir, lo que no obsta para que, en la práctica, continúen subsistiendo algunas deficiencias, a las cuales nos referiremos con posterioridad.

---

103 Estos argumentos favorables a la introducción de la apostilla *"y autoliquidadas"* fueron expuestos por la Comisión que elaboró en el año 2001 el Informe para la reforma de la Ley General Tributaria (págs. 95-96).

A. DISTINCIÓN ENTRE EL DERECHO A DETERMINAR LA DEUDA TRIBUTARIA MEDIANTE LA OPORTUNA LIQUIDACIÓN Y EL DERECHO A EXIGIR EL PAGO DE LAS DEUDAS LIQUIDADAS Y AUTOLIQUIDADAS.

Con carácter previo a la exposición del contenido del derecho a exigir el pago, es preciso establecer con claridad los límites entre este derecho y el derecho a determinar la deuda tributaria, así como el objeto de la introducción de esta distinción pues, si bien las analogías entre sendos derechos son numerosas, el aspecto realmente importante de esta cuestión estriba en reconocer sus diferencias, ya que son estas las que dotan de sustantividad a cada uno de los derechos susceptibles de prescribir.

La secesión de la acción para recaudar del derecho a liquidar que efectuaba la LGT de 1963, ofrecía numerosas dudas en torno a la naturaleza de cada uno de estos plazos, que se vieron agravadas por su diferente conceptualización –derecho-acción-[104]. Estas dudas en torno a la categorización de la acción para recaudar se derivan de la propia definición que el legislador le otorga. El artículo 1 del Decreto 3154/

---

[104] Estas divergencias se aprecian en la propia Exposición de Motivos de la LGT de 1963, en la que señala *"constituyen medidas que facilitan o reducen las obligaciones a cargo de los sujetos pasivos respecto de la actual situación legal, las siguientes (...) d) La unificación de los vigentes plazos de prescripción de las acciones administrativas para liquidar y recaudar las deudas tributarias con arreglo al más reducido de los que actualmente rigen: cinco años"*, aludiendo de este modo tanto a la *"acción liquidatoria"* como a la *"acción recaudatoria"*, aunque en el artículo 64 únicamente mantiene el calificativo de *"acción"* para la recaudatoria.

1968, de 14 de noviembre, por el que se aprueba el Reglamento General de Recaudación[105], se refiere a la misma como una *"función administrativa conducente a la realización de los créditos y derechos que constituyen el haber del Estado y, en su caso, de las Entidades Locales, Organismos Autónomos de la Administración y demás Entes públicos"*. Posteriormente, el Real Decreto 1684/1990, de 20 de diciembre, por el que se aprueba el Reglamento General de Recaudación[106] define la gestión recaudatoria como el ejercicio de la función administrativa conducente a la realización de los créditos tributarios y demás de Derecho Público. En sendos preceptos se observa que el legislador opta por calificar las actividades de referentes a la recaudación como *"funciones administrativas"*, lo que no hace sino equiparar tales actividades recaudatorias al concepto de *"acción"*. Esta categorización como acción refuerza las críticas de una parte de la doctrina en relación al establecimiento de un plazo de prescripción para tal potestad recaudatoria[107].

---

105   BOE núm. 312, de 28 de diciembre de 1968.

106   BOE núm. 3, de 3 de enero de 1991.

107   Entre otros, CORRAL GUERRERO, *Comentarios a las Leyes Tributarias y Financieras*, Tomo I, 1ª ed., Edersa, Madrid, 1982, pág. 560 y VEGA HERRERO, M.: *La prescripción de la obligación tributaria*, ob. cit., págs. 33-35. Esta última autora destaca que la distinción que realiza el legislador reviste importantes consecuencias en la práctica, pues *"si la prescripción tiene como efecto primordial el extintivo no es lo mismo referir este efecto a la acción que al crédito; en concreto, si se refiere a la acción se puede argumentar que el derecho de crédito subsiste, lo cual a su vez sirve para fundamentar la validez del pago realizado habiéndose consumado el plazo de prescripción y la imposibilidad de obtener la repetición por la vía de la devolución de los ingresos indebidos; en cambio, si el efecto extintivo actúa sobre el crédito entendemos que se cercena la argumentación descrita"*.

Por otro lado, la existencia de dos plazos de prescripción que recaigan sobre una misma obligación supone una ruptura de los esquemas civiles tradicionales, conforme a los cuales el inicio de la prescripción se sitúa en el momento en que la obligación es líquida, según el brocardo *in illiquidis non fit praescriptio*[108]. Esto se relaciona directamente con las dos teorías formuladas originariamente por GIANNINI[109] en torno a la eficacia declarativa o constitutiva de la liquidación, que determinaba la existencia o no de plazo de prescripción antes de que la Administración concretara la deuda tributaria. Aceptando que el acto de liquidación tiene una eficacia simplemente declarativa, de modo que el nacimiento de la obligación tributaria se produce con la realización del hecho imponible, no en el acto de liquidación, la Administración tributaria es acreedora del tributo desde que tal obligación

---

108 FERREIRO LAPATZA señala que *"en Derecho Civil, el crédito tributario debería comenzar a prescribir en el momento de realización del presupuesto de hecho, puesto que desde ese momento se puede, en principio, proceder a la liquidación. La Ley General Tributaria rompe este molde, concediendo al acreedor, en vista de los particulares intereses que defiende y de las exigencias técnicas del procedimiento liquidatorio, un plazo dentro del cual se puede "determinar" la deuda sin que prescriba su derecho de crédito".* Vid. FERREIRO LAPATZA, J. J.: "La extinción de la obligación tributaria", *Revista de Derecho Financiero y Hacienda Pública*, núm. 77, 1968, pág. 1064. También pone de manifiesto esta peculiaridad FALCÓN Y TELLA, que señala que *"la coexistencia de dos plazos de prescripción sobre una misma obligación, aunque constituye una peculiaridad del ordenamiento tributario frente al civil, no es desconocida en el Derecho comparado"*, poniendo como ejemplo de ello el ordenamiento tributario alemán. FALCÓN Y TELLA, R.: "La imprescriptibilidad del derecho a comprobar e investigar (que no es un derecho sino una potestad) y los límites derivados de la buena fe y la confianza legítima", *Quincena Fiscal*, núm. 20, 2014, BIB 2014\4013. (Consultado en la base de datos Aranzadi Instituciones, con fecha 16/03/2017).

109 GIANNINI, A. D.: Instituzioni di Diritto Tributario, Giuffré, Milano, 1972.

tributaria nace, al margen de que la fijación de la cuantía de la deuda tributaria con posterioridad, dé lugar al nacimiento del derecho de la Administración a exigir su cumplimiento. Por ello, esta referencia a las deudas liquidadas o autoliquidadas como presupuesto inicial del derecho a exigir el pago puede parecer innecesaria, pues, de no existir tal determinación previa no existiría la propia deuda[110].

En principio, si se emplea la teoría declarativa para justificar el desdoblamiento de los derechos, se concluiría que el derecho a liquidar no quedaría sometido a plazo de prescripción, -particularmente en los tributos no sometidos a autoliquidación o en aquellos en los que el contribuyente incumple su obligación de autoliquidar, sino de caducidad, pues recaería sobre una obligación que no es líquida, pudiéndose hablar únicamente de prescripción desde el momento en que la Administración realice tal liquidación. Sin embargo, aun aceptando esa teoría, si se considera que el objeto de la prescripción es el propio crédito tributario, como señalan CALVO ORTEGA y CALVO VÉRGEZ[111],

---

110 ALBIÑANA GARCÍA-QUINTANA, C.: *Sistema tributario español y comparado*, 2ª ed., Tecnos, Madrid, 1992, pág. 140.

111 CALVO ORTEGA y CALVO VÉRGEZ abundan en lo innecesario, a su parecer, de la duplicidad entre la prescripción del derecho a liquidar la deuda y la prescripción de la acción para exigir la deuda ya liquidada, pues los efectos antiprescriptorios propios de la liquidación tributaria provocan que esta distinción pierda, en parte, sus efectos. Señalan estos autores *"hay que tener en cuenta que en los caso de autoliquidación, en principio, esta dualidad tiene poco sentido; y que en los supuestos de liquidación administrativa (cualquiera que sea su génesis) este acto ha interrumpido (desde luego) la prescripción del crédito tributario derivado del hecho imponible, comenzando el cómputo del nuevo plazo desde la liquidación de la misma (desde su notificación). La liquidación juega, por tanto, un importante efecto antiprescripción sin necesidad de que sea contemplada*

se justifica la aplicación del plazo de prescripción desde el momento en que la obligación tributaria nazca. Estos autores consideran que *"en los modernos ordenamientos (...) debería hablarse únicamente de la prescripción del crédito tributario (liquidado o no), que puede ser verificado, cuantificado y determinado en cualquier momento por la Administración e igualmente exigido su cobro; y cuya prescripción puede ser interrumpida en cualquier instante a contar desde la finalización del plazo de ingreso voluntario"*, rechazando así el desdoblamiento del plazo. Coincidimos con esta opinión doctrinal en cuanto al objeto de la prescripción: el crédito tributario –para el acreedor-, o la deuda tributaria –para el deudor-, siendo esta también la configuración que adopta la LGT. También en defensa del establecimiento de un único plazo de prescripción del crédito tributario se ha manifestado PALAO TABOADA[112], para el que *"si se rechaza la tesis del carácter constitutivo del acto de liquidación, y esta creemos que es la postura más defendible, el sistema dual de prescripción tiene muy poca justificación"*.

Sin embargo, el rechazo a la separación entre el derecho a liquidar y el derecho a exigir el pago que manifiestan CALVO ORTEGA y CALVO VÉRGEZ no resulta generalmente aceptada. La doctrina mayoritaria reconoce que la diferencia sustancial entre ambos derechos radica en el tipo de inactividad que despliegue la Administración, en

---

como un supuesto de prescripción independiente". Vid. CALVO ORTEGA, R., CALVO VÉRGEZ, J.: *Curso de Derecho Financiero*, ob. cit., pág. 190.

112 PALAO TABOADA, C.: "La dualidad de la prescripción del crédito tributario y la interrupción de la prescripción", *Estudios financieros. Revista de Contabilidad y Tributación*, núm. 199, 199, pág. 166.

particular, sobre qué potestades recae tal inactividad[113]. Así, la inactividad de las potestades de autotutela declarativa dará lugar a la prescripción del derecho a liquidar, mientras que la prescripción de las potestades de autotutela ejecutiva provocará la prescripción del derecho a recaudar[114]. Esta inactividad también tiene su reflejo en aspectos procedimentales, así, *"el derecho a liquidar se relaciona con actuaciones insertas en procedimientos de comprobación y liquidación y el derecho a exigir el cobro se relaciona con actos tendentes a cobrar o actuaciones orientadas a pagar, en el marco de procedimientos de recaudación"*[115]. Con ello, los efectos de la inacción son distintos, pues la prescripción del derecho a liquidar supone la invariabilidad de la deuda tributaria, mientras que la prescripción del derecho a exigir el pago entraña la inexigibilidad de la misma.

---

113 En este sentido, FALCÓN Y TELLA, R.: *La prescripción en materia tributaria*, ob. cit., págs. 78-80, GARCÍA NOVOA, C.: *Iniciación, interrupción y cómputo del plazo de prescripción de los tributos*, ob. cit., págs. 75-77, SÁNCHEZ BLÁZQUEZ, V. M.: *La prescripción de las obligaciones tributarias*, ob. cit., pág. 89.

114 El impacto de la inactividad de las distintas potestades de autotutela de la Administración en los derechos a liquidar y exigir el pago se fundamenta en la distinta función de esta potestad o privilegio. Así, mientras que mediante la autotutela declarativa *"la Administración puede dictar sus propios actos declarativos de derechos y deberes"*, la autotutela ejecutiva supone que la Administración puede *"proceder, además, a su ejecución sin necesidad de una resolución judicial, así como revisarlos de oficio o a instancia de parte, sin perjuicio de un posterior control jurisdiccional"*. Vid. MENÉNDEZ MORENO, A.: *Derecho Financiero y Tributario. Parte general. Lecciones de Cátedra*, 18ª ed., Civitas, Madrid, 2018, pág. 263-264. Así, ambas facultades se proyectan sobre los dos derechos susceptibles de prescribir: la autotutela declarativa sobre el derecho a liquidar y la autotutela ejecutiva sobre el derecho a exigir lo liquidado.

115 GARCÍA NOVOA, C.: *Iniciación, interrupción y cómputo del plazo de prescripción de los tributos*, ob. cit., pág. 76.

Tanto FERREITO LAPAZTA[116] como GÉNOVA GALVÁN[117] justifican esta distinción en los intereses que la Administración está llamada a defender y en las propias exigencias técnicas del procedimiento de liquidación, considerando este último autor que, si bien la obligación tributaria nace en el momento en que se realiza el hecho imponible, en ese momento aún no es exigible porque no está liquidada; de este modo, una vez determinada la obligación por la Administración, por medio de la declaración de su importe, tal obligación pasa a ser líquida y exigible, lo que supone la apertura de un nuevo plazo de prescripción para exigir el pago de tal deuda.

FALCÓN Y TELLA[118] plantea dos teorías para determinar si la prescripción del derecho a liquidar y del derecho a recaudar es una misma prescripción o si son dos prescripciones distintas. La primera de ellas supone que el acto de liquidación se configure como causa de interrupción de la prescripción, de modo que una vez finalizado el plazo de recaudación en periodo voluntario, *"no se inicia la prescripción de la acción recaudatoria, sino que comienza a correr de nuevo el plazo quinquenal de prescripción"*. El autor rechaza esta opción, pues la LGT separa claramente estos derechos y adoptar esta teoría supondría *"forzar excesivamente"* el tenor de la Ley. La segunda teoría defiende la coexistencia de dos tipos de prescripción en función de la

---

116   FERREIRO LAPATZA, J. J.: "La extinción de la obligación tributaria", ob. cit., pág. 1064.

117   GÉNOVA GALVÁN, A.: "La prescripción tributaria", ob. cit., pág. 37.

118   FALCÓN Y TELLA, R.: *La prescripción en materia tributaria*, ob. cit., págs. 78-80.

inactividad administrativa que, a su juicio, resulta la opción adecuada en el ordenamiento fiscal nacional. También, MARTÍN CÁCERES[119], tras analizar la procedencia de la duplicidad del plazo y las opiniones que justifican o no la misma, concluye que *"el establecimiento de un plazo de prescripción autónomo para exigir la deuda tributaria en vía ejecutiva es un imperativo derivado de la seguridad jurídica a la vista de la incidencia que sobre dicho principio provocan las prerrogativas con que cuenta la Administración para obtener por sí misma la ejecución de la deuda tributaria mediante el apremio sobre los bienes del deudor"*.

A mayor abundamiento, retornamos a FALCÓN Y TELLA[120] quien señala que no efectuar tal distinción únicamente resulta factible en aquellos ordenamientos *"que conocen un único plazo de prescripción de la obligación tributaria, en los que la potestad liquidadora únicamente queda sometida a un plazo de caducidad, o no está sometida a plazo alguno"*: En los restantes supuestos y, en concreto, en el supuesto español, la unificación del plazo no resulta factible. Por ello, este autor, junto a otros, es partidario de la tesis declarativa en la justificación del desdoblamiento del plazo. Las potestades sobre las que recaiga la inactividad darán lugar a una prescripción distinta que recaerá sobre la misma obligación. Así, como hemos indicado, la inactividad de las potestades de autotutela declarativa provoca la prescripción

---

119   MARTÍN CÁCERES, A. F.: *La prescripción del crédito tributario*, ob. cit., págs. 48-53.
120   FALCÓN Y TELLA, R.: *La prescripción en materia tributaria*, ob. cit., págs. 78-79. En el mismo sentido GARCÍA NOVOA, C.: *Iniciación, interrupción y cómputo del plazo de prescripción de los tributos*, ob. cit., págs. 75 y ss.

del derecho a liquidar, mientras que la inactividad de las potestades de autotutela ejecutiva origina la prescripción de la acción recaudatoria.

Aceptada y reflejada en el texto de la LGT, tanto de 1963, como de 2003, esa dualidad de plazos, *"la pregunta que ante esa realidad surge se centra en discernir acerta de si esta relación tiene la suficiente consistencia, fuerza y empuje, para aseverar que ambas han de correr la misma suerte, o, si se considera que dicha regulación carece del impulso jurídico necesario para que pueda aceptarse la tesis precedente. Es aquí donde los dos criterios divergen y se enfrentan, ya que, en definitiva, son distintos los planteamientos en uno y otro caso"*[121].

En respuesta a esta pregunta, el Tribunal Supremo ha consagrado el denominado *"principio de independencia"* entre ambos derechos, que supone aceptar la autonomía del derecho a liquidar respecto al derecho a recaudar. Junto con este sustrato jurisprudencial se encuentra una base doctrinal, en la medida en que FALCÓN Y TELLA[122].

La independencia entre ambas modalidades prescriptivas se manifiesta en los distintos elementos que configuran su régimen legal, tanto en el distinto *dies a quo*

---

121 PONT MESTRES, M.: *La prescripción tributaria ante el derecho a liquidar y el derecho a recaudar y cuestiones conexas*, ob. cit., pág. 105.

122 FALCÓN Y TELLA, R.: "Prescripción de tributos y sanciones", *Revista Española de Derecho Financiero*, núm. 86, 1998, pág. 190-191. Este autor se manifestó en el mismo sentido en FALCÓN Y TELLA, R.: *La prescripción en materia tributaria*, ob. cit., págs. 77-80.

para cada una[123], como, especialmente, en las distintas actuaciones que provocan la interrupción de uno u otro plazo, interrupción que tiene un carácter propio y limitado al derecho al que afecta. Así, el Tribunal Supremo, en las Sentencias de 18 de junio de 2004, de 19 de junio de 2008, de 3 de noviembre de 2009, de 5 de julio de 2010, de 10 de diciembre de 2012 y de 5 de noviembre de 2014[124], entre otras, ha dejado sentado que la independencia entre ambos derechos se manifiesta en que los actos interruptivos del derecho a liquidar no se extienden al derecho a recaudar, y viceversa. En concreto, la Sentencia de 18 de junio de 2004 no vacila en calificar el régimen interruptivo establecido en la LGT de 1963 como un *"totum revolutum"*, calificación que reitera en posteriores Sentencias[125], a lo que añade que, si bien la nueva redacción de la LGT de 2003 contribuye a clarificar la situación, tampoco ofrece una regulación idónea[126]. En cualquier caso, el Tribunal es claro al determinar que ese *"totum revolutum"* de actos interruptivos no debe identificarse con una confusión de los derechos susceptibles de prescribir *"pues los actos conducentes al reconocimiento*

---

123 LOZANO SERRANO, C.: "Precisiones en torno a la prescripción", *Jurisprudencia Tributaria Aranzadi*, Volumen III, 1999, págs. 1352-1355.

124 *Tol 502.304, Tol 1.366.338, Tol 1.768.765, Tol 1.910.260, Tol 2.714.787* y *Tol 4.551.938*, respectivamente.

125 Como las Sentencias de 22 de octubre de 2012 (*Tol 6.153.914*), 14 de noviembre de 2013 (*Tol 4.024.025*) o 26 de mayo de 2017 (*Tol 6.153.914*).

126 La Sentencia señala en su Fundamento Jurídico 8º que *"la Ley 58/2003, de 17 de diciembre, no aplicable «ratione temporis» al caso de autos, ha eliminado el «totum revolutum» de los actos interruptivos de la prescripción, distinguiendo en su artículo 68, la interposición de reclamaciones o recursos contra la liquidación (apartado 1, letra b), de los interpuestos contra con los actos recaudatorios (apartado 2, letra b), lo cual pese a su no muy precisa redacción, apoya la tesis que ha mantenido la Sala sobre esta cuestión".*

regularización, inspección, comprobación y liquidación se refieren obviamente solo al derecho a liquidar y a la acción de imponer sanciones (cuando se ejercía conjuntamente, y no después de la Ley 1/1998, de 26 de febrero, de Derechos y Garantías de los Contribuyentes, en que se establecieron procedimientos soportados), y no por razones de prioridad temporal a la acción de cobro. En cambio, los actos de aseguramiento (de difícil comprensión) y los de recaudación, se refieren sin duda alguna a la acción de cobro"[127].

---

127   Esta clara separación entre el derecho a liquidar y el derecho a exigir el pago reconocida por la jurisprudencia también ha tenido alguna excepción, como la que se presenta en las Sentencias del Tribunal Supremo de 8 de febrero de 2005 (*Tol 598.474*) y de 16 de octubre de 2006 (*Tol 1.002.292*), en las que se rompe esta línea argumental en relación a las exenciones provisionalmente concedidas, en particular, en el supuesto enjuiciado, referentes a una exención en el ITPAJD para Viviendas de Protección Oficial que había caducado tras el transcurso del plazo de tres años sin acreditar la calificación definitiva como VPO. El Tribunal confunde ambos derechos, señalando en el Fundamento Jurídico Tercero que *"la prescripción comienza desde la fecha en que finaliza el plazo de pago voluntario y, por tanto, para aquel contribuyente que ha obtenido una exención provisional que caduca y que queda sin efecto en una determinada fecha, el plazo de pago voluntario no termina el día en que se efectuó la transmisión inicialmente exenta, sino en la fecha de tres años posterior en que se incumplió el requisito de la exención, más el plazo reglamentario de pago (o sea que, en el presente caso de autos, comienza a computarse el plazo de prescripción desde los 30 días siguientes a los 3 años posteriores a la transmisión). La prescripción implica, siempre, una dejación, inactividad o paralización voluntaria del interesado, situaciones que no pueden ser apreciadas cuando, como en este caso acontece, la Administración acreedora no goza aún (durante los 3 años comentados) de un derecho exigible. En definitiva, como durante el plazo de los 3 años en que la exención operaba provisionalmente la Administración no podía por imperativo legal ejercitar su derecho liquidatorio, tal plazo no puede conceptuarse como un tiempo computable como de paralización a efectos de la sanción prescriptiva"*. FALCÓN Y TELLA critica esta resolución, a nuestro modo de ver de manera acertada, señalando que la interpretación ofrecida por el Tribunal en esta Sentencia *"recuerda la tesis de la «actio nata» (...) según el cual «el tiempo para la prescripción de toda clase de acciones,*

Aceptada la independencia entre ambos derechos, no se puede afirmar que esta sea total, pues es evidente que aun siendo derechos diferenciados, presentan numerosos puntos de conexión y una cierta dependencia en su discurrir. En relación a esta cuestión se ha pronunciado el Tribunal Supremo, entre otras, en sus Sentencias de 18 de junio de 2004, de 18 de junio de 2008, de 5 de junio de 2010, de 21 de enero de 2011 y de 14 de noviembre de 2013[128], determinando con claridad que ambas modalidades de prescripción son conceptual y operativamente distintas, pero que se hallan estrechamente relacionadas; en este sentido mantiene que si prescribiera la acción recaudatoria por no haberse iniciado la vía de apremio o por haberse paralizado esta, también se produciría la extinción del derecho a determinar la deuda tributaria, por carencia de objeto y, viceversa, la prescripción del derecho a determinar la deuda tributaria dejaría sin sentido a la acción recaudatoria de tal deuda, aunque esta no hubiera prescrito, -a excepción de los supuestos en que la deuda ha sido previamente autoliquidada por el contribuyente, si bien la cuantía a recaudar quedará limitara a la fijada en

---

cuando no haya disposición especial que otra cosa determine, se contará desde el día en que pudieron ejercitarse». Este criterio es coherente con la configuración subjetiva de la prescripción, como una suerte de presunción de abandono del derecho por su titular (...) Sin embargo, no es ni ha sido nunca el criterio seguido por el ordenamiento tributario, en el que no es admisible el abandono por la Administración de su crédito, configurándose por tanto la prescripción de forma objetiva (de ahí su aplicación de oficio, a diferencia de lo que ocurre en el ámbito privado), como una exigencia lógica de la seguridad jurídica". Vid. FALCÓN Y TELLA, R.: "La prescripción y las exenciones provisionalmente concedidas: el discutible criterio de la STS 8 febrero 2005", *Quincena Fiscal*, núm. 9, 2005, págs. 5-9.

128　*Tol 502.304, Tol 1.366.338, Tol 1.910.260, Tol 2.051.477 y Tol 4.024.025,* respectivamente.

la autoliquidación-. Por otro lado, pese a que el derecho a recaudar es independiente del derecho a liquidar, en muchas ocasiones el plazo prescriptivo de uno y otro corre de manera pareja. Esta situación se produce, especialmente, en el supuesto en que el acto que determina la deuda tributaria es una autoliquidación, en aquellos casos en los que, bien el contribuyente no presenta la autoliquidación y transcurre el plazo de prescripción sin que la Administración actúe, o en aquellos supuestos en los que, aun habiendo presentado la autoliquidación y efectuado el pago, en su caso, esta contiene errores u que suponen la declaración de una cuota menor a la debida.

En conclusión, a pesar de esta estrecha relación entre ambos derechos, el plazo de prescripción transcurre de manera autónoma para cada uno de ellos, pudiendo avanzar de manera paralela o no. Ello supone que, interrumpida la prescripción de uno de estos derechos, el plazo prescriptivo del otro continúa corriendo, pudiendo de esta manera producirse la extinción del no interrumpido a pesar de subsistir el interrumpido, con distintos efectos en cuanto a la variabilidad o exigencia de la obligación tributaria. Así, si prescribe el derecho a recaudar, pero subsiste el derecho a liquidar la deuda, se daría la situación de que la Administración, a pesar de poder efectuar la liquidación, no puede exigir el pago, con lo que la finalidad principal del ejercicio de tal derecho liquidatorio –la satisfacción de la deuda liquidada- quedaría sin efecto. Sin embargo, si prescribe el derecho a liquidar la deuda, la situación presenta ciertos matices, que dependerán de si la obligación ha sido autoliquidada por el sujeto pasivo o debe ser liquidada por la Administración. De esta forma, si el sujeto pasivo ha autoliquidado la obligación, reconociendo su deuda, la prescripción del derecho a liquidar antes de la prescripción del derecho a recaudar, no impide a la Administración que exija el pago de lo adeudado y reconocido por el sujeto pasivo. En este caso, la cantidad exigida por la Administración, si no ha comprobado la autoliquidación presentada por el sujeto pasivo, quedará limitada a lo consignado en tal autoliquidación. Sin embargo, en aquellos casos en los que bien el contribuyente no presentó la autoliquidación debiendo hacerlo, o bien la liquidación debía ser efectuada por la Administración en exclusiva, la extinción del derecho a liquidar supone la extinción pareja del derecho a recaudar, que ni siquiera llegaría a nacer, puesto que, no existiría deuda liquidada o autoliquidada exigible, con la consiguiente inexistencia de objeto sobre el que la Administración pueda ejercer sus potestades[129]. Asimismo, el reflejo de esta independencia supone que la misma no afecta al objeto de la prescripción, esto es, a la deuda tributaria, que mantiene su identidad en ambos derechos[130].

---

129   FERNÁNDEZ JUNQUERA, M.: *La prescripción de la obligación tributaria. Un estudio jurisprudencial*, ob. cit., pág. 21.

130   FALCÓN Y TELLA, R.: *La prescripción en materia tributaria*, ob. cit., pág. 79 y GARCÍA NOVOA, C.: *Iniciación, interrupción y cómputo del plazo de prescripción de los tributos*, ob. cit., pág. 78.

B. EL PAGO DE LA DEUDA TRIBUTARIA SUSCEPTIBLE DE PRESCRIPCIÓN

B.1. PRESCRIPCIÓN DEL DERECHO A EXIGIR EL PAGO DE LA OBLIGACIÓN TRIBUTARIA PRINCIPAL

FALCÓN Y TELLA[131]. Esa deuda líquida se cuantificará a través de una liquidación o autoliquidación, lo que otorga a ambos actos una importancia esencial en la determinación del derecho a recaudar[132].

Indicábamos en apartados precedentes que tres conceptos tributarios esenciales se ligaban estrechamente con los derechos susceptibles de prescribir: hecho imponible, devengo y exigibilidad. Los dos primeros mostraban mayor incidencia en el derecho de la Administración a determinar la deuda tributaria, mientras que el tercero se relacionaba directamente con el derecho a exigir el pago.

La exigibilidad, aunque no se define expresamente en la LGT[133], puede conceptuarse como el momento en que el

---

131 FALCÓN Y TELLA, R.: *La prescripción en materia tributaria*, ob. cit., pág. 192. En el mismo sentido Vid. SÁNCHEZ BLÁZQUEZ, V. M.: *La prescripción de las obligaciones tributarias*, ob. cit., pág. 160.

132 SÁNCHEZ BLÁZQUEZ destaca la importancia de las liquidaciones y autoliquidaciones, pues serán estas las que delimiten "o, al menos, contribuiría a delimitar, el ámbito al que se refiere cada prescripción del derecho a recaudar". SÁNCHEZ BLÁZQUEZ, V. M.: *La prescripción de las obligaciones tributarias*, ob. cit., pág. 160.

133 Únicamente el artículo 21.2 de la LGT señala que "*la ley propia de cada tributo podrá establecer la exigibilidad de la cuota o cantidad a ingresar, o*

acreedor, es decir, la Administración, puede exigir de modo inmediato el cumplimiento de la obligación tributaria[134]. La exigibilidad del tributo, de esta manera, puede coincidir o no con el devengo del mismo, pero lo habitual es que el devengo preceda a la exigibilidad *"pues difícilmente cabe exigir una obligación que ni tan siquiera ha llegado a nacer"*[135]. Que la obligación sea exigible supone no solo que el devengo ya se ha producido y, con él, ha nacido la obligación tributaria, sino que la obligación se ha liquidado y que la Administración dispone de las facultades necesarias para exigir su pago. En definitiva, cuando la obligación previamente nacida y líquida sea exigible, la Administración podrá ejercer sus potestades recaudatorias. El objeto principal de la prescripción del derecho a exigir el pago, con toda lógica, es la obligación tributaria principal, por tanto, la cuota tributaria.

---

de parte de la misma, en un momento distinto al del devengo del tributo".

134 FERREIRO LAPATZA, J.J.: *Instituciones de Derecho financiero*, ob. cit., pág. 254.

135 Como señalan ESEVERRI, LÓPEZ MARTÍNEZ, PÉREZ LARA y DAMAS SERRANO, el precepto deja abierta la posibilidad de que la exigibilidad del tributo se produzca antes de su devengo, posibilidad a todas luces ilógica. De hecho, *"en nuestro sistema tributario no encontramos ningún ejemplo real de tal posibilidad, y los que suelen citarse no constituyen realmente supuestos en los que la exigibilidad se anteponga al devengo, sino supuestos en los que o bien se establece un devengo anticipado del tributo, o bien se establece la obligación de realizar un pago a cuenta de la obligación tributaria principal"*. Vid. ESEVERRI MARTÍNEZ, E., LÓPEZ MARTÍNEZ, J., PÉREZ LARA, J. M., DAMAS SERRANO, A.: *Manual Práctico de Derecho Tributario. Parte General*, ob. cit., pág. 335.

B.2. PRESCRIPCIÓN DEL DERECHO A EXIGIR EL PAGO DE LAS OBLIGACIONES A CUENTA

Retomando lo indicado en el apartado precedente cuando se trató la cuestión de la prescripción del derecho de liquidar las obligaciones a cuenta, es preciso recordar algunas notas en cuanto a su naturaleza, particularmente la relativa a su autonomía.

Indicábamos entonces que estas obligaciones, aun siendo autónomas, no son independientes respecto a la obligación tributaria principal. A consecuencia de esto, aceptábamos que el derecho de la Administración a determinar la deuda tributaria no nace hasta el momento en que se devenga el impuesto y, con ello, surge la obligación tributaria principal, quedando las obligaciones a cuenta circunscritas dentro de esta. Esta misma conclusión es extrapolable al derecho a exigir el pago, pues entendemos que hasta que no nace la obligación tributaria principal, y esta es líquida y exigible, no se iniciará el plazo de prescripción de que dispone la Administración para exigir su pago, dentro del que se subsumirá el pago de las obligaciones a cuenta[136]. A modo de ejemplo, en el supuesto de las liquidaciones trimestrales del IRPF o del IS, cada liquidación trimestral, a nuestro juicio, no supone el inicio de un plazo particular

La regla general *supra* señalada solo tiene una excepción: la relativa a la obligación de ingresar las cantidades

---

136 FALCÓN Y TELLA, R.: *La prescripción en materia tributaria*, ob. cit., págs. 195-196 y MORÍES JIMÉNEZ, M. T.: *La retención a cuenta en el Impuesto sobre la Renta de las Personas Físicas*, ob. cit., págs. 172-173.

retenidas, cuando corresponde a un tercero. Esta obligación se considera una obligación legal autónoma, que deberá ser liquidada o autoliquidada de manera independiente y separada respecto a la obligación tributaria principal, que corresponde al contribuyente. De esta calificación como obligación legal autónoma se derivan dos características importantes en cuanto a la prescripción[137]:

> - Por un lado, la obligación de retener y de ingresar a cuenta va a desplegar sus efectos tanto en la esfera del pagador de la retención, como en la esfera del receptor de las rentas.

> - Por otro lado, la obligación de retención y la obligación de ingreso de la retención van a ser totalmente independientes, de modo que si el pagador de la retención no cumple con su obligación de retener, la obligación de ingresar la cuota retenida o que se debió retener persiste.

Estos argumentos justifican que tras finalizar el plazo voluntario de ingreso de la retención para el obligado a ello, se inicie un plazo de prescripción del derecho a recaudar autónomo e independiente respecto al plazo de prescripción para recaudar la obligación tributaria principal del retenido o retenidos[138].

---

137 BADAS CEREZO, J., MARCO SANJUAN, J. A.: *Obligaciones formales. Declaración y retenciones*, en VARIOS: *Renta y Patrimonio 2015*, Aranzadi, Madrid, 2015. (Consultado en la base de datos de Aranzadi Proview, con fecha 14/03/2017).

138 SÁNCHEZ BLÁZQUEZ, V. M.: *La prescripción de las obligaciones tributarias*, ob. cit., pág.161. Señala este autor que *"en estos supuestos de*

B.3. PRESCRIPCIÓN DEL DERECHO A EXIGIR EL PAGO DE LAS OBLIGACIONES ACCESORIAS: INTERESES DE DEMORA, RECARGOS POR DECLARACIÓN EXTEMPORÁNEA Y RECARGOS DEL PERIODO EJECUTIVO

Al igual que expusimos en relación al derecho a determinar la deuda tributaria, consideramos que las obligaciones accesorias no pueden dar lugar al nacimiento de un plazo de prescripción propio, ni para su liquidación, ni para su exigencia, pues tal plazo vendrá determinado por el existente para la obligación tributaria principal.

Admitir que se inicia un plazo de prescripción propio para cada uno de estos elementos no solo contradice el sentido del artículo 59, pues descompone en distintos elementos una deuda tributaria que es global, sino que presenta una gran inoperancia práctica, derivada de la existencia de distintos plazos de prescripción para los distintos componentes de una misma deuda tributaria, situación que, en cierta media, perjudica al principio de seguridad jurídica en tanto afecta, bajo nuestro punto de vista, a la eficiencia en el funcionamiento de la Administración.

---

obligación de ingresar retenciones, cuantificada en la autoliquidación o liquidación administrativa correspondiente, de finalizar el plazo voluntario de ingreso de una u otra sin efectuarse el pago debido, se iniciaría un plazo de prescripción del derecho a recaudar autónomo e independiente, relativo únicamente a la obligación de ingresar retenciones".

4. PRESCRIPCIÓN Y RESPONSABLES TRIBUTARIOS

4.1. LA RESPONSABILIDAD TRIBUTARIA: CARACTERES FUNDAMENTALES

La figura del responsable tributario se regula en los artículos 41, 42 y 43 de la LGT. El responsable tributario es un *"tercero ajeno al hecho imponible pero que, por mandato de la ley, se coloca junto al sujeto pasivo para responder de la deuda tributaria, pero sin desplazar a este ni alterar su posición de obligado, sino como elemento personal añadido en función de garantía del tributo. O bien, junto a otro obligado principal, pero sin haber realizado el presupuesto de hecho del que deriva su obligación material"*[139]. La LGT señala que el responsable se coloca *"junto a los deudores principales"*, de modo que la obligación de estos, aun habiendo responsables, se mantiene, coexistiendo ambos[140]. La expresión *"junto a los deudores principales"* y, particularmente, la consideración del responsable como sujeto pasivo ha sido una cuestión tradicionalmente discutida por la doctrina, fundamentalmente en relación al texto de la

---

139 MARTÍN QUERALT, J., LOZANO SERRANO, C., TEJERIZO LÓPEZ, J. M.: *Derecho Tributario*, ob. cit., pág. 153.

140 Como indica MENÉNDEZ MORENO *"el responsable no libera al obligado principal de sus deberes para con la Hacienda Pública, ya que si aquel no paga la deuda tributaria, la Administración podrá dirigirse contra el obligado principal si se recupera económicamente antes de que prescriba esa deuda"*. Vid. MENÉNDEZ MORENO, A.: *Derecho Financiero y Tributario. Parte General*, ob. cit., pág. 190.

LGT de 1963[141]. Sin embargo, tras la entrada en vigor de la LGT de 2003 este debate se vio zanjado en gran medida, pues el artículo 35.5[142] indica que los responsables serán considerados obligados tributarios[143].

Para que concurra esta figura es necesario que se den dos requisitos: el primero de ellos, su previsión legal y, el segundo, la realización del presupuesto de hecho que da origen a la responsabilidad. Cumpliéndose ambas circunstancias el responsable pasará a hacerse cargo de las obligaciones materiales del deudor principal, respondiendo de la deuda tributaria exigible en periodo voluntario (a excepción de los supuestos del artículo 42.2 de la LGT)[144].

---

141   Para un análisis de las distintas posturas al respecto se recomienda consultar: CHECA GONZÁLEZ, C.: *Los responsables tributarios*, 1ª ed., Aranzadi, Cizur Menor (Navarra), 2003, págs. 15-18.

142   Señala el artículo 35.5 de la LGT que *"tendrán asimismo el carácter de obligados tributarios los responsables a los que se refiere el artículo 41 de esta ley"*.

143   Analizar la corrección o incorrección de esta inclusión no es el objeto de la presente investigación, pero, al respecto, no podemos dejar de recoger un fragmento de la aludida "Declaración de Granada" (pág. 8), que nos parece sumamente acertado: *"se ha diluido la figura del contribuyente, sustituida por la más ambigua de "obligado tributario" en la mayor parte de las normas que rigen la aplicación de los tributos. Y con este término se pretende englobar como un todo a un conjunto de personas que guardan una relación más o menos directa, pero en todo caso diferente, con el nacimiento de la obligación tributaria y, en definitiva, con la aplicación de los tributos"*. El texto de la declaración es accesible en el siguiente enlace: https://www.aedaf.es/Plataforma/DOC20180521_Documento%20Granada%20(18%20mayo%202018).pdf (Consultado con fecha 02/05/2019)

144   CALVO ORTEGA y CALVO VÉRGEZ consideran que esta extensión de la responsabilidad es excesiva, pues esta debería extenderse únicamente a aquellos elementos *"que forman la obligación tributaria propiamente dicha"*. Vid. CALVO ORTEGA, R., CALVO VÉRGEZ, J.: *Curso de Derecho Financiero*, ob. cit., pág. 142

En la regulación de la responsabilidad se distinguen dos tipos principales[145]: responsabilidad solidaria y responsabilidad subsidiaria. A cada una de estas categorías se dedican los artículos 42 y 43 de la LGT, respectivamente. A pesar de que ambas son modalidades de responsabilidad tributaria y, por tanto, les va a resultar de aplicación las previsiones comunes del artículo 41 de la LGT, cada una de ellas presenta unos caracteres y una configuración propia. Expondremos sus caracteres brevemente, por la incidencia que estos despliegan en la determinación del régimen prescriptivo que se aplicará a esta figura:

- **La responsabilidad subsidiaria,** representa la regla general en materia de responsabilidad. Su régimen jurídico se encuentra en los artículos 41 y 43 de la LGT, mientras que del procedimiento de derivación de responsabilidad a los responsables subsidiarios se ocupan los artículos 174 y 176 de la LGT. El responsable subsidiario debe afrontar el pago de la deuda tributaria en defecto del deudor principal. La responsabilidad subsidiaria requiere el previo impago del deudor principal y del responsable solidario, en su caso, pues hasta que tal impago no se haya producido no se podrá iniciar el procedimiento para declarar este tipo de responsabilidad. En definitiva, los requisitos previos imprescindibles serán que la deuda tributaria sea líquida y exigible, y que se haya producido la declaración de fallido del deudor principal y de los responsables solidarios, declaración que solo se podrá

---

145 Si bien, como indica MENÉNDEZ MORENO, no son los únicos. Vid. MENÉNDEZ MORENO, A.: *Derecho Financiero y Tributario. Parte General*, ob. cit., pág. 191.

efectuar una vez finalizado el procedimiento de apremio para ambos tipos de sujetos y declarado incobrable el crédito tributario[146]. Una vez producida tal declaración de fallido, la declaración de responsabilidad se debe realizar a través de un acto administrativo de derivación de responsabilidad que, según el artículo 41.5 de la LGT, es un *"acto administrativo en el que, previa audiencia al interesado, se declare la responsabilidad y se determine la responsabilidad"*[147]. La notificación del acto de derivación de responsabilidad al responsable supondrá que, a partir de ese momento, este tendrá los mismos derechos y obligaciones que el deudor principal. En cuanto al pago de la deuda tributaria por el responsable subsidiario, se aplicará el sistema general previsto en el procedimiento de recaudación: el responsable dispondrá de un periodo voluntario de pago, que transcurrido sin realizar el ingreso, podrá dar origen a la vía de apremio.

---

146 Lo que no obsta para que antes de que se produzca la declaración de fallido, se notifique al responsable solidario del inicio del procedimiento de declaración de responsabilidad, pues tal notificación se puede hacer desde el momento en que se tengan indicios de la existencia de un sujeto responsable tributario. Lo que se deberá hacer, en todo caso, una vez producida la declaración de fallido del obligado principal, será la notificación del acto declarativo de la responsabilidad subsidiaria.

147 El desarrollo de un procedimiento que finaliza con el acto administrativo de derivación de responsabilidad es común a ambos tipos de responsabilidad. Como indican CALVO ORTEGA y CALVO VÉRGEZ, *"dentro de este procedimiento tiene particular importancia la puesta de manifiesto del expediente tributario correspondiente al contribuyente, la audiencia al interesado y la prueba por parte de la Administración de todos los extremos que permitan la imputación de responsabilidad"*. Vid. CALVO ORTEGA, R., CALVO VÉRGEZ, J.: *Curso de Derecho Financiero*, ob. cit., pág. 143.

-**La responsabilidad solidaria** se regula en los artículos 41 y 42 de la LGT, así como en el artículo 175 de la misma norma, que se ocupa del procedimiento de derivación de responsabilidad a los responsables solidarios. Este tipo de responsabilidad supone que el responsable responderá *"en plano de igualdad con el deudor principal"*[148]. Esto significa que la Administración se podrá dirigir *"contra el contribuyente o contra el responsable indistintamente"*[149].

Ello supone que, a diferencia de lo que ocurría con los responsables subsidiarios, la declaración de responsabilidad solidaria no requiere la previa declaración de fallido del deudor principal ni de otros responsables solidarios, sino que la Administración se podrá dirigir contra el responsable solidario directamente. En estos casos, la declaración de responsabilidad requiere el correspondiente acto administrativo, en el que, previa audiencia al interesado, se declare su responsabilidad, tal

---

148 MARTÍN QUERALT, J., LOZANO SERRANO, C., TEJERIZO LÓPEZ, J. M.: *Curso de Derecho Financiero y Tributario*, 25ª ed., Tecnos, Madrid, 2014, pág. 153.

149 CALVO ORTEGA, R., CALVO VÉRGEZ, J.: *Curso de Derecho Financiero*, ob. cit., pág. 141. Señala ROSEMBUJ en relación a la diferencia entre responsables solidarios y subsidiarios que *"lo característico, pues, del responsable es colocarse junto a los deudores principales para responder del pago del tributo, sea en su defecto (si es subsidiario) o en su mismo plano (si es solidario), liberándolo de la obligación tributaria que como sujeto pasivo le correspondía"*. Vid. ROSEMBUJ, T.: "La prescripción en el acto de derivación de responsabilidad", *El Fisco* (accesible a través del siguiente enlace: http://elfisco.com/articulos/la-prescripcion-en-el-acto-de-derivacion-de-responsabilidad) (Consultado con fecha 01/12/2018)

y como indica el artículo 41.5 de la LGT[150]. Notificado el acto de declaración de responsabilidad al responsable solidario, este queda obligado al pago de la deuda tributaria en plano de igualdad con el deudor principal.

Finalmente, es preciso indicar una cuestión común en sendos supuestos de responsabilidad, pues el procedimiento de declaración de responsabilidad tributaria, tanto solidaria, como subsidiaria, tiene un plazo máximo de duración de seis meses, y este procedimiento se puede iniciar en cualquier momento en que los órganos de la Administración tengan conocimiento de la existencia del responsable (por ejemplo, en el curso de unas actuaciones de comprobación o de inspección).

4.2. *LA AUTONOMÍA DEL PLAZO DE PRESCRIPCIÓN DEL DERECHO A EXIGIR EL PAGO A LOS RESPONSABLES*

El responsable tributario, ya sea solidario o subsidiario, brevemente caracterizado en el epígrafe anterior, queda obligado al pago de la deuda tributaria. Esta circunstancia provoca, consecuentemente, que sea necesaria la determinación de un plazo a lo largo del cual la

---

150 De ello se infiere que en la declaración de responsabilidad habrá que distinguir dos tipos de actuaciones administrativas: *"las que tienen por finalidad la declaración de la responsabilidad, de aquellas otras que hacia ellos se derivan para exigirles el cumplimiento del pago de las deudas tributarias"*. Vid. ESEVERRI MARTÍNEZ, E., LÓPEZ MARTÍNEZ, J., PÉREZ LARA, J. M., DAMAS SERRANO, A.: *Manual Práctico de Derecho Tributario. Parte General*, ob. cit., pág. 365.

Administración puede exigir tal pago. La LGT no establece diferencias en este punto; el plazo es el mismo para el obligado principal y para el responsable, cuatro años.

Sin embargo, que el periodo temporal considerado para aplicar la prescripción sea el mismo no se debe confundir con que el plazo de prescripción para el obligado principal y para el responsable sea el mismo, o dicho de otro modo, que el derecho susceptible de prescribir coincida. Para cada uno de estos sujetos nacerá un plazo de prescripción propio y autónomo, de la misma duración, cuatro años, pero independiente respecto al plazo del otro sujeto.

Esta autonomía de los plazos de prescripción en los supuestos de responsabilidad ha sido defendida por el Tribunal Supremo en distintas Sentencias, entre otras, de 17 de octubre de 2007, de 25 de abril de 2008, de 14 de mayo de 2009, de 18 de octubre de 2010, de 28 de septiembre de 2011, de 25 de octubre de 2012, de 17 de enero de 2013, de 9 de mayo de 2013, de 9 de junio de 2014, de 19 de noviembre de 2015 y de 21 de junio de 2016[151]. En todas ellas se consolida la misma idea, a saber, el responsable adquiere su condición por la realización del presupuesto de hecho que da origen a la responsabilidad, pero solo adopta la condición de deudor tributario tras la notificación del acto administrativo de declaración de responsabilidad[152].

---

151 *Tol 1.221.133, Tol 1.324.449, Tol 1.594.277, Tol 1.982.139, Tol 2.267.434, Tol 2.675.937, Tol 3.014.279, Tol 3.752.861, Tol 4.372.129, Tol 5.583.612* y *Tol 5.761.634*, respectivamente.

152 ESEVERRI, E.: *La prescripción tributaria en la jurisprudencia del Tribunal Supremo*, ob. cit., pág. 302.

Las Sentencias referidas son claras al respecto, indicando que *"existen dos períodos diferentes: el que se refiere a la prescripción de las acciones frente al deudo principal, que abarca todo el tiempo que transcurra hasta la notificación de la derivación de responsabilidad, y el que se abre con tal acto, siempre que la prescripción no se hubiese producido con anterioridad, que afecta a las acciones a ejercitar contra el responsable, teniendo incidencia en el cómputo de los plazos prescriptorios, dentro de los indicados períodos, las actuaciones interruptivas a que se refiere el artículo 66 de la LGT"*. Por ello, el plazo de prescripción, -y su inicio, como se expondrá en el Capítulo Tercero de la presente investigación- será propio para el responsable y autónomo respecto al plazo de prescripción del deudor principal.

No obstante, esta autonomía del plazo de prescripción del responsable respecto al deudor principal no es una cuestión pacífica doctrinalmente. ARRANZ DE ANDRÉS[153] sintetiza las opiniones en contra de esta autonomía, indicando que tal postura se sostiene en *"que existe un único plazo que opera sobre la deuda tributaria y no sobre los obligados al pago, añadiendo que la LGT contempla el instituto de la prescripción únicamente en torno a la figura del sujeto pasivo, y no con relación al responsable, o que, por similitud con la fianza, la accesoriedad de dicho instituto solo permite hablar de un único plazo de prescripción"*.

---

153 ARRANZ DE ANDRÉS, C.: "La prescripción de la obligación del responsable tributario", en VARIOS.: *Estudios de Derecho Financiero y Tributario en homenaje al Profesor Calvo Ortega*, ob. cit., pág. 537.

Sin embargo, entendemos que estos motivos de oposición se refieren a la regulación de la prescripción aplicable al responsable en la LGT de 1963, en cuyo texto no se distinguía la deuda atribuible al obligado principal de la deuda atribuible al responsable con la nitidez con la que se efectúa en el texto de 2003. De ahí que en la actualidad quepa afirmar que *"con la actual normativa, no quedan dudas sobre la autonomía de la obligación del responsable, por lo que se puede aplicar el régimen jurídico de la prescripción como a cualquier otra obligación tributaria"*[154]. Acogiendo las palabras de GARCÍA NOVOA[155], *"lo cierto es que el responsable es un obligado tributario independiente, al que necesariamente se le ha de reconocer un periodo de ingreso propio respecto al cual es necesario proclamar la independencia del periodo de prescripción de su obligación"*. ROSEMBUJ[156] también realiza una delimitación de ambos plazos de prescripción, afirmando que *"existen dos períodos diferentes; el que se refiere a la prescripción de las acciones frente al deudor principal, que abarca todo el tiempo que transcurra hasta la notificación de la derivación de responsabilidad, y el que se abre con tal acto, siempre que la prescripción no se hubiese producido con anterioridad, que*

---

154 RUIZ HIDALGO, C.: "La declaración de responsabilidad del artículo 42.2.a) de la LGT y la prescripción: una interpretación integradora de la LGT", *Revista Técnica Tributaria*, núm. 109, 2005. (Consultado en la base de datos de AEDAF, con fecha 13/10/2017).

155 GARCÍA NOVOA, C.: *Iniciación, interrupción y cómputo del plazo de prescripción de los tributos*, ob. cit., pág. 164.

156 ROSEMBUJ, T.: "La prescripción en el acto de derivación de responsabilidad", ob. cit., (accesible a través del siguiente enlace: http://elfisco.com/articulos/la-prescripcion-en-el-acto-de-derivacion-de-responsabilidad) (Consultado con fecha 01/12/2018)

afecta a las acciones a ejercitar contra el responsable, teniendo incidencia en el cómputo de los plazos prescriptorios, dentro de los indicados períodos, las actuaciones interruptivas a que se refiere el artículo 66 de la Ley General Tributaria".

4.3. LA PRESCRIPCIÓN COMPUTABLE PARA EL RESPONSABLE

Estrechamente relacionado con lo que acabamos de exponer se plantea la cuestión de si, efectivamente, el plazo susceptible de prescribir para el responsable es únicamente el plazo para exigir la deuda tributaria o, por el contrario, también debería ser el plazo para determinar tal deuda tributaria. Ante esta posibilidad, como en otras cuestiones, las opiniones doctrinales están divididas:

- Por un lado, una parte de la doctrina considera que el único derecho susceptible de prescribir para la Administración en relación al responsable es el derecho a exigir el pago, pues la deuda tributaria está determinada antes de que el responsable adquiera tal estatus. En este sentido ESEVERRI[157] señala que *"en*

---

157 ESEVERRI, E.: *La prescripción tributaria en la jurisprudencia del Tribunal Supremo*, ob. cit., pág. 296. Cosa distinta es que el responsable pueda impugnar la liquidación, con los límites que marca el artículo 174.5 de la LGT, que señala que *"en el recurso o reclamación contra el acuerdo de derivación de responsabilidad podrá impugnarse el presupuesto de hecho habilitante y las liquidaciones a las que alcanza dicho presupuesto, sin que como consecuencia de la resolución de estos recursos o reclamaciones puedan revisarse las liquidaciones que hubieran adquirido firmeza para otros obligados tributarios, sino únicamente el importe de la obligación del responsable que haya interpuesto el recurso o la reclamación. No obstante,*

la fase declarativa de los procedimientos de aplicación de los tributos (gestión e inspección) el responsable no es parte interesada y las actuaciones administrativas en ellos desarrolladas no despliegan efectos jurídicos hacia el responsable que solo toma interés en el procedimiento cuando la deuda ya liquidada, le puede resultar exigible (bien, en periodo voluntario, bien, en periodo ejecutivo). Consecuentemente, la prescripción que es objeto de cómputo al responsable es la referente al derecho de la Administración a exigir el pago de la deuda tributaria". Este planteamiento defiende que el responsable pasa a ser parte interesada en el procedimiento a partir del acto de derivación de responsabilidad, nunca antes y, en tal momento, la deuda ya está liquidada[158].

---

en los supuestos previstos en el apartado 2 del artículo 42 de esta Ley no podrán impugnarse las liquidaciones a las que alcanza dicho presupuesto, sino el alcance global de la responsabilidad. Asimismo, en los supuestos previstos en el citado apartado no resultará de aplicación lo dispuesto en el artículo 212.3 de esta Ley, tanto si el origen del importe derivado procede de deudas como de sanciones tributarias". Este precepto establece, por tanto, la firmeza de la liquidación como límite a la impugnación, como regla general, aunque este planteamiento ha sido objeto de algunas observaciones que ponen en duda tal inimpugnabilidad en MÁLVAREZ PASCUAL, L. A.: "El derecho de los responsables tributarios a recurrir las liquidaciones o sanciones firmes correspondientes al deudor principal", *Revista Española de Derecho Financiero*, núm. 142, 2009, págs. 435-470.

158 Señala ARRANZ DE ANDRÉS a través del procedimiento de declaración de responsabilidad *"no se pretende otra cosa que trasladar la pretensión de cobro del deudor principal al responsable".* Vid. ARRANZ DE ANDRÉS, C.: "La prescripción de la obligación del responsable tributario", en VARIOS: *Estudios de Derecho Financiero y Tributario en homenaje al Profesor Calvo Ortega*, ob. cit., pág. 539.

- Otro sector doctrinal considera que la prescripción computable al responsable es tanto la del derecho a determinar la deuda tributaria, como la del derecho a exigir el pago. En este sentido LOZANO SERRANO[159], que afirma que respecto al responsable tributario la Administración ejercita ambos derechos. Este sector doctrinal del que es exponente este autor considera que el derecho a determinar la deuda tributaria es ejercido por la Administración en el propio acto de derivación de responsabilidad, pues, como apunta RUIZ HIDALGO[160], la obligación del responsable *"nace ilíquida, por lo que la Ley regula un procedimiento específico para liquidarla, o lo que es lo mismo, declara la obligación del responsable"*. LOZANO SERRANO[161] señala que, a estos efectos, el acto de derivación de responsabilidad representa *"un acto análogo al de liquidación de la obligación principal, mediante el cual se determina la deuda tributaria del responsable"*. FALCÓN Y TELLA, por su parte, también considera que respecto al responsable juega tanto la prescripción del derecho a liquidar, pues

---

159 LOZANO SERRANO, C.: "La prescripción de la responsabilidad tributaria", *Quincena Fiscal*, núm. 17, 2002. BIB 2012\2998. (Consultado en la base de datos Aranzadi Instituciones, con fecha 12/10/2017).

160 RUIZ HIDALGO, C.: "La declaración de responsabilidad del artículo 42.2.a) de la LGT y la prescripción: una interpretación integradora de la LGT, ob. cit. (Consultado en la base de datos de AEDAF, con fecha 13/10/2017).

161 LOZANO SERRANO, C.: "La prescripción de la responsabilidad tributaria", ob. cit., BIB 2012\2998. (Consultado en la base de datos Aranzadi Instituciones, con fecha 12/10/2017).

la liquidación tiene lugar en el acto de derivación de responsabilidad, como la prescripción del derecho a exigir el pago[162].

Nuestra postura al respecto, tras analizar los diferentes posicionamientos doctrinales, es entender que los derechos que puede ejercer la Administración para declarar la responsabilidad y exigir el pago a los responsables son tanto el derecho a determinar la deuda tributaria como el derecho a exigir el pago. Esta conclusión se deriva del propio texto de la LGT, en la que el legislador ha querido equiparar el procedimiento de declaración de responsabilidad a la liquidación[163]. La liquidación tributaria, en palabras

---

162 Señala expresamente, FALCÓN Y TELLA que *"la derivación de responsabilidad no es una mera actuación tendente al cobro de una cantidad ya liquidada, sino una verdadera y propia liquidación, o al menos, una manifestación de la autotutela declarativa (...) al derivar la acción frente al responsable la Administración está ejerciendo su derecho a "determinar la deuda tributaria", en el sentido de que está determinando un elemento de dicha deuda (el carácter de responsable, y por tanto de obligado, de la persona frente a la que se deriva la acción), además de la cuantía o alcance de la derivación"*. Vid. FALCÓN Y TELLA, R.: "La prescripción de la obligación tributaria en relación al responsable: un problema mal planteado", *Quincena Fiscal*, núm. 12, 2001, pág. 6.

163 Señala GARCÍA NOVOA que *"no es de extrañar, por tanto, el innegable intento de la Ley General Tributaria de establecer un paralelismo entre la prescripción del derecho a declarar la responsabilidad y la prescripción de la potestad liquidadora"*. Vid. GARCÍA NOVOA, C.: *Iniciación, interrupción y cómputo del plazo de prescripción de los tributos*, ob. cit., pág. 167. ARRANZ DE ANDRÉS, por su parte, indica que *"no puede obviarse la función liquidatoria presente en el procedimiento de derivación de responsabilidad"*. Vid. ARRANZ DE ANDRÉS, C.: "La prescripción de la obligación del responsable tributario", en VARIOS: *Estudios de Derecho Financiero y Tributario en homenaje al Profesor Calvo Ortega*, ob. cit., pág. 547.

de CALVO ORTEGA y CALVO VÉRGEZ[164], "*es una actividad que tiene por finalidad cuantificar la obligación de los obligados tributarios*". Siendo la obligación tributaria distinta para el deudor principal y para el responsable, esta se cuantificará para el obligado principal en la liquidación efectuada por la Administración, o cabe que el propio deudor la haya cuantificado en una autoliquidación. En el caso del responsable, será el acto de derivación de responsabilidad el que fije la deuda tributaria que corresponde al responsable –que no tiene por qué coincidir exactamente con la exigida al obligado principal, por ejemplo, en los casos en los que se haya producido un pago parcial[165]- y trasladará la obligación de su pago. La deuda exigida al responsable por medio de este acto no incluirá nuevos conceptos no recogidos en la liquidación efectuada respecto al deudor principal, sino que se ceñirá a la liquidación realizada a este sujeto y la desplazará, total o parcialmente, al responsable.

Por ello, consideramos que la referencia expresa al *dies a quo* del derecho a exigir el pago a los responsables que realiza el artículo 67.2 de la LGT no debe entenderse como una exclusión para estos obligados del derecho de la Administración a determinar la deuda tributaria, sino que tal falta de previsión expresa debe interpretarse bien como un error del legislador en la regulación del plazo prescriptivo

---

164   CALVO ORTEGA, R., CALVO VÉRGEZ, J.: *Curso de Derecho Financiero*, ob. cit., pág. 229.

165   Cabe que la cuantía de las liquidaciones que se giren al deudor principal y al responsable coincida, pero también cabe la posibilidad de que no, por ejemplo, en el caso enunciado de los pagos parciales o cuando en la liquidación correspondiente al deudor principal se integran conceptos como intereses o recargos, que no van a poder ser exigidos al responsable.

aplicable a esta institución o bien como el mecanismo a través del cual se establece una regla especial para la determinación del *dies a quo* solo en el caso del derecho a exigir el pago, al margen de que el derecho a determinar la deuda tributaria al responsable quede o no sometido a las reglas generales. Del estudio de estas cuestiones nos ocuparemos especialmente en el Capítulo Tercero, dedicado al inicio del plazo de prescripción, pero a los efectos que aquí interesan, reiteramos que de esta previsión, que únicamente establece una especialidad en cuanto al inicio del plazo, no se puede derivar la exclusión del derecho a determinar la deuda al responsable.

Los efectos del acto de derivación de responsabilidad son claros, pues *"desde ese momento el responsable adquirirá los derechos del sujeto pasivo para poder impugnar la liquidación o el acto mismo de derivación de responsabilidad"* [166], salvo en los supuestos de responsabilidad del artículo 42.2 de la LGT, en los que el responsable únicamente podrá impugnar el acto de derivación de responsabilidad. Sin embargo, a los efectos que aquí nos ocupan, que se acepte que la derivación de responsabilidad desempeñe unas funciones análogas a la liquidación tributaria no significa, apriorísticamente, que le sea de aplicación el mismo régimen de la prescripción que le resulta aplicable al deudor principal. Y es que, como señala ARRANZ DE ANDRÉS[167], *"el hecho de que el citado artículo 67 se refiera exclusivamente al plazo de*

---

166 MARTÍN QUERALT, J., LOZANO SERRANO, C., TEJERIZO LÓPEZ, J. M.: *Derecho Tributario*, ob. cit., pág. 169.

167 ARRANZ DE ANDRÉS, C.: "La prescripción de la obligación del responsable tributario", en VARIOS: *Estudios de Derecho Financiero y Tributario en homenaje al Profesor Calvo Ortega*, ob. cit., pág. 539.

prescripción "para exigir el pago a los responsables", nos lleva a la conclusión de que en dicho precepto se está únicamente pensando en la acción para exigir el pago al responsable, quedando entonces sin concretar en qué términos discurrirá el plazo de prescripción en relación tanto con la acción para declarar la responsabilidad a que se refiere el artículo 174 de la LGT de 2003, como para exigir al responsable el pago por vía ejecutiva".

4.4. LA OBLIGACIÓN DEL RESPONSABLE COMO OBLIGACIÓN DE GARANTÍA ACCESORIA A LA PRINCIPAL: INCIDENCIA DE ESTA CONFIGURACIONENMATERIADEPRESCRIPCIÓN

La configuración de la obligación del responsable como obligación de garantía accesoria a la principal resulta incontestable. CALVO ORTEGA y CALVO VÉRGEZ[168] destacan esta función de la responsabilidad tributaria indicando que *"la figura del responsable del tributo ha obedecido históricamente a una finalidad de garantía (...) El legislador ha querido asegurar el crédito tributario en supuestos en los que la estructura o especial configuración del contribuyente pudiera disminuir su solvencia"*. No son los únicos que esgrimen esta opinión, pues en el mismo sentido se manifiestan ESEVERRI MARTÍNEZ, LÓPEZ MARTÍNEZ, PÉREZ LARA y DAMAS SERRANO[169], que señalan que *"el*

---

168   CALVO ORTEGA, R., CALVO VÉRGEZ, J.: *Curso de Derecho Financiero*, ob. cit., págs. 139-140.

169   ESEVERRI MARTÍNEZ, E., LÓPEZ MARTÍNEZ, J., PÉREZ LARA, J. M., DAMAS SERRANO, A.: *Manual Práctico de Derecho Tributario. Parte General*, ob. cit., pág. 408.

responsable se presenta como un claro garante personal del crédito tributario que lo fortalece asegurando el cumplimento de la deuda tributaria al que la ley conecta con determinadas conductas reprochables en el orden tributario, no tanto porque se encuentren prohibidas, cuanto por suponer la falta de diligencia de quien debió cuidar porque la conducta seguida por el deudor principal fuese la adecuada"[170].

Aceptado este extremo, se plantea la incidencia en materia de prescripción tributaria de esta configuración de la responsabilidad, en particular ¿puede subsistir la obligación del responsable si no subsiste la obligación del sujeto principal?. Inicialmente, si consideramos lo indicado en el apartado previo en relación a la autonomía de los plazos de prescripción, puede parecer que sí, pues, como *supra* se ha defendido, los plazos de prescripción para cada uno de estos

---

170   En el mismo sentido, entre otros, ARIAS ABELLÁN, que apunta que *"se trata de una figura que tiene como finalidad garantizar el exacto cumplimiento de las obligaciones tributarias nacidas como consecuencia de la realización de los distintos presupuestos de hecho, entre los que incluyo el hecho imponible, por los sujetos previstos en la ley. La doctrina ha afirmado con rotundidad que es una garantía personal, en sentido estricto, del crédito tributario, al modo en que lo es la fianza regulada en el Código Civil. Garantía con perfiles propios que se derivan de su específica regulación en la LGT pero que responde a esa función y cuya estructura se asemeja a la de esa fianza a la que he aludido. Al producirse el presupuesto de hecho establecido en la ley, su realizador se convierte, por mandato legal, en deudor de una obligación subordinada de la obligación principal, en su denominación legal".* Vid. ARIAS ABELLÁN, M. D.: "Sobre la prescripción de las obligaciones de los responsables tributarios: el régimen contenido en la Ley 7/2012, de 29 de octubre, de modificación de la normativa tributaria y presupuestaria y de adecuación de la normativa financiera para la intensificación de las actuaciones en la prevención y lucha contra el fraude", *Revista Española de Derecho Financiero*, núm. 158, 2013. BIB 2013\1233. (Consultado en la base de datos Aranzadi Instituciones, con fecha 13/10/2017).

sujetos son autónomos; por tanto, que desaparezca el de uno de ellos, en principio, no debería suponer que también quede sin contenido el del otro. Sin embargo, que ambos plazos sean autónomos no significa que sean absolutamente independientes pues, si prescribe el derecho a determinar la deuda al obligado principal, tal deuda se extingue; de esta forma ¿cabria exigir al responsable una deuda extinta para el obligado principal? FERNÁNDEZ JUNQUERA[171], considera que no. Señala esta autora *"que lo que prescribe es o bien el derecho de la Administración a liquidar la deuda o bien la acción para exigir su pago, pero, desde luego, con independencia de quien sea su deudor"*. Sin embargo, esta concepción alude a una misma deuda tributaria y, en el caso del deudor principal y del responsable hemos concluídos que la deuda tributaria es distinta. A pesar de ello, sí coincidimos con la referida autora en que entendemos que extinguido el derecho a determinar la deuda para el obligado principal, no puede subsistir tal derecho para el responsable, pues aceptar la construcción contraria implica admitir que la prescripción no se articula en torno a la obligación tributaria, sino en torno a los sujetos obligados a su cumplimiento, planteamiento que rechazamos.

La formulación que consideramos adecuada supone que el nacimiento del derecho a exigir el pago al deudor principal y el nacimiento del derecho a exigir el pago al responsable dependen del ejercicio en tiempo del derecho a determinar la deuda tributaria respecto al obligado principal

---

171 FERNÁNDEZ JUNQUERA, M.: *La prescripción de la obligación tributaria: un estudio jurisprudencial*, 1ª ed., Aranzadi, Elcano (Navarra), 2001, pág. 46.

en primer término, y respecto al responsable en segundo lugar, a través del acto de derivación de responsabilidad. Si se extingue el derecho de la Administración para determinar la deuda tributaria del deudor principal no podrá exigir el pago a este, pero tampoco podrá iniciar el procedimiento de derivación de responsabilidad que, como indicamos, desempeña a estos efectos la función de liquidación tributaria, pues la deuda a transmitir se ha extinguido antes de que se traslade su exigencia al responsable. El planteamiento contrario podría conducir a una situación en la que prescriba el derecho a determinar la deuda tributaria para el deudor principal pero perviva el derecho a determinar la deuda y a exigir el pago al responsable, lo que representa a todas luces un trato más desfavorable para el responsable que para el obligado tributario principal, hecho que carece de toda lógica, teniendo en cuenta la relación de uno y otro sujeto con la realización del hecho imponible[172].

Este razonamiento es coherente con la finalidad de la obligación del responsable respecto a la obligación del obligado principal a la que nos referimos en párrafos

---

172 Señala ROSEMBUJ que *"si la prescripción se ha producido para el deudor principal, también para el subsidiario. No cabe alegar que durante esos cinco años, ha habido actividades de la inspección que pueden haber interrumpido el cómputo de la prescripción, pues en ellas ninguna participación ha tenido el demandante, quien no ha tenido ocasión de practicar alegación alguna ni oponerse a dicho procedimiento. Por ello, el retraso sufrido por la Administración tributaria en su procedimiento de recaudación respecto del sujeto pasivo, no puede perjudicar a quien solamente tiene el carácter o condición de subsidiario".* ROSEMBUJ, T.: "La prescripción en el acto de derivación de responsabilidad", ob. cit., (accesible a través del siguiente enlace: http://elfisco.com/articulos/la-prescripcion-en-el-acto-de-derivacion-de-responsabilidad) (Consultado con fecha 01/12/2018).

anteriores. Como indicamos, esta finalidad es de garantía del crédito tributario que corresponde satisfacer al deudor principal. Si la Administración pierde su derecho a determinar este crédito no queda garantía alguna que pueda o que deba ofrecer el responsable, pues tal garantía se anuda a una deuda inexistente, al haberse extinguido por prescripción.

En relación a estas cuestiones se ha pronunciado el Tribunal Supremo en sus Sentencias de 22 de noviembre de 2013 y de 27 de noviembre de 2015[173] (tres Sentencias de esta fecha), entre otras. El Tribunal es claro en estos pronunciamientos, señalando que si expira la obligación del sujeto principal no puede exigirse la responsabilidad. Particularmente, en las tres Sentencias de 27 de noviembre de 2015, el Tribunal recoge un supuesto en el que la declaración dictada al deudor principal se había anulado. Se planteaba en estos supuestos si tal anulación suponía, también, la anulación del acuerdo de derivación de responsabilidad. Concluye el Tribunal que sí, pues *"la anulación de la liquidación de la deuda del obligado principal como consecuencia de la resolución del TEAC impide confirmar el acto administrativo de derivación de responsabilidad (...) Se ha producido un nuevo acto administrativo que aprueba una nueva liquidación de la deuda (...) lo que altera un elemento esencial del acto que acordó la derivación de responsabilidad. Por ello, debe anularse el acto de derivación de responsabilidad (...) Si se confiere firmeza a ese acto inicial de derivación de responsabilidad, se estaría privando a la recurrente de su derecho a impugnar los elementos de la*

---

173   *Tol 4.031.024, Tol 5.596.173, Tol 5.596.035 y Tol 5.595.773,* respectivamente.

deuda de la cual se le declara responsable, que es un derecho que puede nuevamente accionar por haber sido dictado un nuevo acto administrativo que, de manera sucesiva, afecta primero a la deuda del obligado principal y después a los elementos cuantitativos de la deuda derivada".

Para finalizar, es preciso realizar un apunte en relación a la conexión entre derecho a exigir el pago respecto al deudor principal y el derecho a exigir el pago al responsable en función de si la responsabilidad es subsidiaria o solidaria.

Para declarar la responsabilidad subsidiaria, que es la regla general, es necesaria la previa declaración de fallido del deudor principal, esto es, respecto a ese deudor principal la Administración ya ha ejercido su derecho a determinar la deuda tributaria y su derecho a exigir el pago, deviniendo este último irrealizable, total o parcialmente. Efectuada la última actuación en relación al cobro de la deuda al sujeto principal se inicia el procedimiento para declarar a tal sujeto deudor fallido y, poder así, posteriormente, emitir acto de derivación de responsabilidad.

Siendo el responsable un obligado tributario autónomo, para el que se abre un plazo de prescripción propio, entendemos que tal plazo no debería ser afectado por la extinción del derecho a exigir el pago al deudor principal. Sin embargo, no podemos efectuar tal afirmación con rotundidad, pues la propia LGT parece establecer una cierta dependencia entre la prescripción aplicable al deudor principal y la aplicable al responsable en sede de interrupción de la prescripción. Así, en artículo 68.8 de la LGT se indica que *"interrumpido el plazo de prescripción para un obligado tributario, dicho efecto se extiende a todos los demás obligados, incluidos los responsables"*. Aunque este precepto se puede interpretar de diversas maneras, y de ello nos ocuparemos en el Capítulo Cuarto, si extendemos su criterio a los efectos aquí estudiados, se debería concluir que este precepto supone que ambos plazos discurrirán de manera pareja, de modo que extinguido el derecho a exigir el pago al deudor principal, también se debe considerar extinguido el derecho a exigir el pago al responsable subsidiario.

En el caso del responsable solidario la situación es distinta, o, al menos, matizable. El responsable solidario se coloca *"junto al deudor principal"*, lo que ya supone un punto de partida distinto al del responsable subsidiario, que se colocaba *"en lugar del deudor principal"*. Como regla general, el inicio del plazo de prescripción del derecho a exigir el pago al responsable solidario se sitúa una vez finalizado el periodo voluntario de pago para el deudor principal, o lo que es lo mismo, el inicio del plazo de prescripción para exigir el pago al deudor principal y al responsable coinciden. No solo el inicio, sino todo el transcurso del plazo, puesto que, a consecuencia de lo indicado en el referido artículo 68.8 de la LGT, cualquiera de las actuaciones con virtualidad interruptiva que se realicen tanto en relación al obligado principal, como en relación a los responsables, van a interrumpir el plazo aplicable al otro obligado, tal y como se indicó previamente. Por lo que, tanto el inicio como el final del plazo va a coincidir. De esta forma, extinguido uno, también se extinguirá el otro, pero no porque exista relación de dependencia o de independencia, sino porque ambos plazos discurren simultáneamente.

CAPÍTULO SEGUNDO

LOS ARTÍCULOS 66 BIS. Y 115 DE LA LEY GENERAL TRIBUTARIA: EL CARÁCTER IMPRESCRIPTIBLE DEL DERECHO A COMPROBAR E INVESTIGAR Y LA EXTENSIÓN DE LAS POTESTADES DE COMPROBACIÓN

1. CONSIDERACIONES INICIALES

La comprobación de las bases imponibles negativas generadas en periodos prescritos pero empleadas como elemento cuantificador en periodos no prescritos ha sido una cuestión ampliamente discutida por la doctrina y la jurisprudencia, especialmente, en relación a las facultades de la Administración para comprobar las bases imponibles negativas correspondientes a un periodo prescrito y a los límites de esa comprobación. Esas manifestaciones han surgido acompañadas de distintas modificaciones legales que afectan tanto al ejercicio de la compensación, como a los límites de la comprobación. Y es que la doctrina administrativa y la jurisprudencia en muchos casos han evolucionado de manera pareja a los cambios normativos, pues, tal y como señala CAYÓN GALIARDO[174], la disparidad en los pronunciamientos jurisprudenciales y administrativos

---

174 CAYÓN GALIARDO, A.: "Jurisprudencia sobre los efectos hacia el fututo de elementos contenidos en declaraciones de ejercicios ya prescritos", *Revista Técnica Tributaria*, núm. 102, 2013 pág. 14.

son hijos "*de la legislación aplicable al caso y/o de la doctrina ya fijada por el Tribunal Supremo*".

Esta afirmación reviste una especial importancia en la cuestión que nos ocupa, pues en la comprobación de bases imponibles procedentes de periodos prescritos, pero compensadas en periodos no prescritos, se observa de manera clara tal disparidad. En relación a este tema, añade el referido autor, acertadamente, que la complejidad del problema va más allá del mero traslado hacia el futuro de bases imponibles negativas procedentes de periodos prescritos, pues supone "*la posibilidad de comprobar, alterándolos, los datos o elementos contenidos en las declaraciones correspondientes a ejercicios prescritos, cuando esos datos ya modificados van a tener incidencia en ejercicios no prescritos, pues en ningún caso se discute la plena apertura a la comprobación y liquidación administrativa de un ejercicio prescrito. Ahora bien, llegado el caso, la brecha que se abre con el reconocimiento de esta capacidad comprobadora bien pudiera afectar a los elementos esenciales de una situación claramente prescrita y firme*". El fragmento transcrito resume la esencia del problema que ofrece la cuestión expuesta y también anticipa parte de las conclusiones que se obtienen con el estudio de la solución que ha ofrecido el legislador, en particular, tras la introducción del artículo 66 bis. en la LGT.

Así, la introducción del artículo 66 bis. y la modificación del artículo 115 en la LGT de 2003 tras la reforma efectuada por la Ley 34/2015, de 21 de septiembre[175], ha dotado al "*derecho a comprobar e investigar*" de la Administración

---

175   BOE núm. 227, de 22 de septiembre de 2015.

tributaria de un carácter imprescriptible en muchos casos. Con carácter previo a la exposición del contenido y el alcance de la referida reforma, es necesario exponer su origen, como fórmula para entender el presente y anticipar, en la medida de lo posible, el futuro. Ese origen, al que antes aludíamos, es doble: por un lado, se deriva de la doctrina jurisprudencial y administrativa y, por otro, también encuentra su origen en la modificación legislativa efectuada en el ámbito del IS con la entrada en vigor de la LIS y, en particular, de su artículo 26.

Este cambio legislativo, ha originado un profundo debate en torno a su repercusión sobre los principios que informan el ordenamiento jurídico tributario. La incidencia de la modificación se manifiesta, en particular, sobre el principio constitucional de seguridad jurídica, pues la figura de la prescripción encuentra su fundamento en este principio, que garantiza que, finalizado el plazo de prescripción, las partes adquieran la certidumbre de que la deuda tributaria deviene firme.

De esta forma, la cuestión nuclear en este Capítulo será la determinación de hasta qué punto y con qué límite temporal puede ser comprobado un ejercicio prescrito con incidencia en uno no prescrito. En particular, los aspectos debatidos son dos[176]: por un lado, la posibilidad de que la Administración compruebe e investigue operaciones realizadas en ejercicios prescritos con efectos en ejercicios no

---

176 MARTÍNEZ GINER, L. A.: "La Seguridad Jurídica como límite a la potestad de comprobación de la Administración Tributaria: Doctrina de los actos propios y prescripción del fraude de ley", *Quincena Fiscal*, núm. 20, 2015. BIB 2015\17116. (Consultado en la base de datos Aranzadi Instituciones, con fecha 25/09/2017).

prescritos y, por otro lado, la extensión de la potestad de comprobación e investigación sobre tales operaciones, lo que conecta con la aplicación de la doctrina de los actos propios a los actos de la Administración tributaria.

2. LA COMPROBACIÓN E INVESTIGACIÓN DE BASES IMPONIBLES NEGATIVAS Y LA PRESCRIPCIÓN

Aceptada y afirmada legalmente la posibilidad de compensar bases negativas procedentes de periodos prescritos, esta trae consigo el problema de su comprobación, así como la extensión y los efectos que se debe otorgar a la misma[177]. Particularmente, en lo que a su ámbito temporal se refiere, este problema se puede plantear de distintas maneras. Por un lado, se puede entender que, al tratarse de bases negativas procedentes de periodos prescritos, compensadas en periodos no prescritos, será preciso *"determinar si la comprobación ha de realizarse en relación con la declaración en la que se determinan las bases imponibles negativas o con la declaración en la que se produce la compensación o, finalmente, si puede realizarse indistintamente en relación a ambas declaraciones"*[178]. Por otro lado, se puede discutir el mantenimiento de las potestades comprobadoras o investigadoras de la Administración en estos supuestos.

---

177   ÁLVAREZ BARBEITO, P.: "Nuevo plazo de prescripción para comprobar bases imponibles negativas. Análisis del art. 26.5 de la LIS", *Quincena Fiscal*, núm. 14, 2015. BIB 2015\2778. (Consultado en la base de datos Aranzadi Instituciones, con fecha 09/10/2017).

178   SANZ GADEA, E.: "Compensación de bases imponibles negativas", *Estudios financieros. Revista de Contabilidad y Tributación*, núm. 192, 1999, pág.15.

Esta cuestión ha obtenido diversas respuestas por parte de la doctrina administrativa, jurisprudencial y científica.

De una parte, la fundada en que la prescripción del derecho de la Administración a determinar la deuda tributaria supone que esta deviene inatacable, con lo que, si las bases negativas proceden de periodos para los que ya ha transcurrido el plazo de prescripción sin interrupción, la cantidad consignada en tales declaraciones deberá asumirse en aquella declaración en la que el contribuyente desee practicar la compensación, sin más competencias para la Administración que las de comprobar que tales bases negativas efectivamente se consignan en la declaración de la que traen causa.

De otra, la defendida por los órganos de la Administración con carácter general, que han considerado, con diferentes argumentos a los que nos referiremos en los epígrafes siguientes que, en estos supuestos, sus potestades se extienden más allá de la mera constatación de lo fijado en la declaración del ejercicio prescrito, alcanzando la comprobación de la corrección en la configuración de tales bases negativas.

Evidentemente, esta situación tendrá especial incidencia en aquellos impuestos, como el IS, en los que el plazo de compensación supera al de prescripción. No obstante, no se dará solo en estos casos, sino también en otros supuestos, en los que el plazo de prescripción y el plazo de compensación coinciden, como ocurre en el IRPF o en el IVA. Este sería el supuesto de un contribuyente que en el año 2017 obtiene una cuota deducible soportada de -100, que podrá deducir en los cuatro ejercicios siguientes. El contribuyente deduce esos 100 en el año 2020 y, posteriormente, en el año 2023, se inician actuaciones comprobadoras respecto a la declaración de 2020. En ese caso, incluso siendo ambos plazos coincidentes, la declaración de la que proviene la cantidad deducida está prescrita.

2.1. LA PROBLEMÁTICA DETERMINACIÓN DEL OBJETO DEL DERECHO A DETERMINAR LA DEUDA TRIBUTARIA CUANDO EXISTEN BASES IMPONIBLES NEGATIVAS

La primera cuestión que se plantea al abordar la problemática de la prescripción de la facultad de comprobar bases imponibles negativas procedentes de periodos prescritos e incorporadas como elemento de cuantificación en periodos no prescritos es si efectivamente esta puede quedar sometida a un plazo de prescripción, pues si, cuando se genera una base negativa, en cualquier tributo, no hay derecho de crédito que corresponda la Administración, esto es, no hay deuda tributaria, se podría concluir que no habría pretensión ejercitable, con lo que no cabría hablar de prescripción[179].

179 Como señala GARCÍA NOVOA, *"partiendo de la propia idea de que la obligación presupone un contenido positivo, se plantearía la cuestión de si cabe hablar de prescripción cuando tal contenido positivo no existe, porque, por ejemplo, se ha generado una base imponible negativa. Si la prescripción aparece ligada a las posibilidades de ejercicio de ciertas facultades, es evidente que el titular del crédito tributario solo puede llevar a cabo ese ejercicio si existe una pretensión ejercitable, lo que no ocurre en una base imponible negativa".* Vid. GARCÍA NOVOA, C.: *Iniciación, interrupción y cómputo del plazo de prescripción de los tributos,* ob. cit., pág. 40. En el mismo sentido, CAAMAÑO ANIDO, M. A. (Dir.): *Derecho y Práctica Tributaria,* 1ª. ed., Ciss, Valencia, 2013, pág. 368.

La cuestión dubitada, por tanto, es la determinación del objeto de la prescripción en estos supuestos[180]. La doctrina ha abordado profusamente este problema, ofreciendo diversas soluciones que conectan de manera directa con la potestad comprobadora e investigadora de la Administración, su autonomía y los límites para su ejercicio. Estas opiniones doctrinales reflejan la esencia del debate que se suscita alrededor de las facultades y los límites de la comprobación de las bases imponibles negativas procedentes de periodos prescritos.

Por un lado, autores como FALCÓN Y TELLA[181], parten de que la prescripción no extingue la obligación, sino que únicamente *"limita o excluye, según los casos, la posibilidad de la Administración de ejercitar sus potestades de autotutela declarativa y ejecutiva"*. Con base en este razonamiento, considera aceptable la comprobación de bases imponibles negativas de periodos prescritos en base su incidencia en periodos no prescritos, indicando que *"la prescripción opera indirectamente o de modo reflejo sobre las potestades de gestión tributaria, que no pueden ser ejercitadas en absoluto o en alguna de sus modalidades,*

---

180 Como señala CORDERO GONZÁLEZ que responder a la cuestión de la posibilidad de comprobación de bases imponibles negativas procedentes de periodos prescritos e incorporadas como elemento de cuantificación en periodos no prescritos es complejo y *"cuya resolución va ligada a la concepción que se adopte sobre el objeto de la prescripción en materia tributaria, tema controvertido ya en su primera regulación en la LGT de 1963"*. Vid. CORDERO GONZÁLEZ, E. M.: "Apuntes sobre el tratamiento de las bases imponibles negativas en los impuestos sobre la renta", *Estudios financieros. Revista de Contabilidad y Tributación*, núm. 285, 2006, pág. 21.

181 FALCÓN Y TELLA, R.: *La prescripción en materia tributaria*, ob. cit., pág. 201.

salvo que la investigación del periodos prescritos tenga trascendencia respecto a obligaciones aún no prescritas. Esto último es relevante, por ejemplo, en materia de incrementos y disminuciones de patrimonio o de pérdidas declaradas a compensar en los ejercicios siguientes".

Esta interpretación también ha sido asumida por TRIGO Y SIERRA[182], que parte en su argumentación del distinto fundamento de la prescripción tributaria y de la compensación de bases negativas, pues mientras que la base de la prescripción es la seguridad jurídica, la compensación de bases negativas se fundamenta en el principio de capacidad de pago. Añade que como la prescripción del derecho de la Administración a determinar la deuda tributaria afecta únicamente a tal derecho, a falta de deuda tributaria, tal y como ocurre en los supuestos en los que la base imponible en el IS es negativa, no existe ningún derecho de la Administración susceptible de prescribir. Sí existe una potestad de la Administración, de carácter imprescriptible, pero que puede ser sometido a plazo de caducidad, el cual es inexistente el ordenamiento tributario español, lo que permite concluir al autor que *"la facultad administrativa de comprobación de los hechos determinantes de las bases imponibles negativas no se ve afectada por los plazos de prescripción de la obligación tributaria y puede ejercerse más allá de los mismos".* No obstante, el autor matiza su afirmación concluyendo que, incluso sosteniendo esta tesis, sería beneficioso el establecimiento de un plazo de caducidad para el ejercicio de la potestad comprobadora.

---

182 TRIGO Y SERRA, L. F.: "El ejercicio de la potestad comprobadora de la Administración con relación a las bases imponibles negativas del Impuesto sobre Sociedades", *Quincena Fiscal*, núm. 17, 2000, págs. 23-24.

GARCÍA NOVOA[183] realiza un planteamiento similar, aunque con matices. Este autor parte del rechazo a la posibilidad de que la prescripción no afecte a las bases negativas, pues ello supondría un grave perjuicio para el principio de seguridad jurídica, si bien de su exposición se deriva que este autor tampoco considera que en estos casos la Administración pueda ejercer su derecho a liquidar, sino que, lo que la Administración mantendrá son *"unas facultades de comprobación que, si bien no van orientadas a determinar un crédito que no existe, sí son facultades de control"*. Estas facultades de comprobación estarán *"orientadas a verificar la correcta formación de la base negativa o el correcto surgimiento de la cuota a devolver, a efectos de su posible compensación en periodos futuros"*, añadiendo que *"nada puede llevarnos a pensar que, en ese supuesto, esas facultades, por razones de seguridad jurídica, no deban estar sujetas a un límite temporal"*, si bien no es claro si tal límite deberá ser de prescripción o de caducidad.

Como se puede observar, las opiniones defendidas por los autores referenciados avanzan, en cierta medida, lo que ha sido la reforma de la LIS y de la LGT en materia de comprobación de ejercicios prescritos, si bien se observan dos diferencias fundamentales. Por un lado, estos autores hablan de *"facultades"* o de *"potestades"* de comprobación, no de un *"derecho a la comprobación"*, y de sus opiniones tampoco se extrae que este tenga un carácter autónomo, tal y como lo han configurado la LGR y la LIS. Por otro, todos ellos convienen en que, en pro de la seguridad jurídica, estas

---

183   GARCÍA NOVOA, C.: *Iniciación, interrupción y cómputo del plazo de prescripción de los tributos*, ob. cit., pág. 41.

facultades deberán quedar sometidas a un plazo, circunstancia que en los textos legales referidos únicamente se establece para la comprobación de los denominados *"créditos fiscales"* inclinándose mayoritariamente, además, por la categorización de este plazo como de caducidad, circunstancia que tampoco se ha producido en la nueva regulación.

También en defensa del mantenimiento de las facultades comprobadoras de la Administración más allá del plazo de prescripción de cuatro años, pero con algunos matices respecto a los autores *supra* referenciados, se ha manifestado ALONSO ARCE[184], que establece una suerte de *"categorías"* en las facultades de la Administración. Para este autor la facultad de comprobación es una facultad *"accesoria o instrumental"*, al servicio de una *"facultad principal superior"*, que este autor identifica con la facultad de determinar la deuda tributaria del periodo no prescrito, reconociendo a la prescripción una eficacia limitada no extensible a las facultades de la Administración orientadas a la aplicación de los tributos. Señala a este respecto que *"hay que decir que la prescripción de las facultades liquidatorias de la Administración irá reduciendo el ámbito de eficacia de la comprobación, en la medida en que no podrá tener repercusiones en la liquidación de ejercicios prescritos, pero sí en las posteriores (...) la facultad de comprobar, aun relacionada con la facultad de liquidar, no sigue miméticamente su suerte, o por lo menos, la extinción de*

184 ALONSO ARCE, I.: *La Prescripción en los Procedimientos Tributarios y el Régimen de Concierto Económico con la Comunidad Autónoma del País Vasco*, 1ª ed., Aranzadi, Cizur Menor (Navarra), 2003, 129-135.

aquella se producirá solamente en el momento en que no pueda tener efectos su aplicación para ninguna actividad liquidatoria de la Administración". Esto es, este autor defiende la firmeza de las liquidaciones de ejercicios prescritos, pero rechaza el efecto extintivo de la prescripción sobre las facultades de comprobación, pues indica que la extinción de la facultad de comprobar únicamente se producirá en el momento en que su aplicación no afecte a ninguna actividad de la Administración tendente a la liquidación del tributo. Trasladar esta teoría a lo dispuesto en la LIS de 2014, que establece un plazo de compensación indefinido para las bases imponibles negativas, supone que la facultad de comprobación administrativa adquirirá el carácter de imprescriptible.

Por otro lado, MONTESINOS OLTRA[185] considera que el elemento esencial para resolver esta cuestión es la determinación del objeto de la prescripción, *"pues si esta proyectase directamente sus efectos sobre la obligación tributaria, difícilmente podríamos hablar de prescripción respecto a una base imponible negativa que, de haberse verificado, no habrá generado aisladamente obligación alguna"*. En la determinación de tal objeto, este autor concluye que es *"lógico que la Norma Tributaria preste atención, a la hora de regular la prescripción, a cada una de las potestades que la norma atribuye a quien ha de emitir un juicio de conocimiento con carácter definitivo, es decir, la Administración tributaria. Y, por tanto, puede y debe hablarse sin dificultad alguna de prescripción de la potestad*

---

185 MONTESINOS OLTRA, S.: *La Compensación de Bases Imponibles Negativas*, ob. cit., págs. 272-276.

de comprobar un periodo impositivo en el que, desde el punto de vista de la realidad ignota, y en un plano jurídicamente relevante, podría no haber nacido una obligación tributaria por no haberse verificado en ella el hecho al que la norma anuda su nacimiento, sin tener que referirse equívocamente a la prescripción de la obligación tributaria correspondiente a dicho periodo impositivo –que quizás no existió-, aunque solo sea en términos hipotéticos".

CORDERO GONZÁLEZ[186], en el estudio del objeto de la prescripción en estos supuestos, analiza los resultados derivados de la consideración de que el objeto sea la obligación tributaria o de que el objeto sea la potestad liquidadora. Si se considera que el objeto de la prescripción es la propia obligación tributaria, el derecho de crédito, será la prescripción de la obligación la que impida el ejercicio de las potestades. Si se aplica este planteamiento a la cuestión dubitada, *"parece lógico pensar que las potestades administrativas de comprobación sobre la base imponible negativa podrán extenderse en tanto que no prescriba la obligación tributaria a la que se incorporan. En el periodo en que se origina la pérdida nada puede prescribir, puesto que no existe obligación".* Por el contrario, si se considera que el objeto de la prescripción es la potestad liquidadora, sí sería factible *"mantener la prescripción de las potestades administrativas de comprobación de la base imponible negativa desde el fin del plazo para declararlas, aunque*

---

186   CORDERO GONZÁLEZ, E. M.: "Apuntes sobre el tratamiento de las bases imponibles negativas en los impuestos sobre la renta", ob. cit., págs. 22-23.

no hubiera existido obligación en dicho periodo y con independencia del régimen prescriptivo que siga la futura obligación a la que se incorporan".

Por su parte, SÁNCHEZ BLÁZQUEZ[187], partiendo de la consideración de que la prescripción del derecho a liquidar tiene por objeto la obligación tributaria principal, concluye que *"el único límite temporal con el que se encuentran las potestades administrativas dirigidas a comprobar y liquidar los hechos relevantes para la determinación de una base imponible negativa, es esta prescripción* –refiriéndose a la prescripción del derecho a liquidar-. *Tanto la relativa al periodo en que se ha determinado la base imponible negativa como la atinente al periodo impositivo en que se compensa dicha base imponible negativa".* En otro punto de su trabajo, este autor niega que la actividad de comprobación pueda producirse en todo momento porque esta facultad no se vea afectada por la prescripción, sin embargo, *"la peculiaridad de este supuesto"* permite a la Administración tributaria comprobar aquellos *"hechos relevantes para la liquidación de un tributo no prescrito", "lo que no es algo extraño a los hechos sobre los que recae la actividad de comprobación, que en diversas ocasiones son relevantes para la liquidación de una pluralidad de obligaciones tributarias, y no una única obligación"*[188].

---

187 SÁNCHEZ BLÁZQUEZ, V. M.: *La prescripción de las obligaciones tributarias*, ob. cit., pág. 104.

188 SÁNCHEZ BLÁZQUEZ, V. M.: *La prescripción de las obligaciones tributarias*, ob. cit., págs. 57-58.

SANZ GADEA[189], parte de una concepción distinta, pues no cuestiona la aplicación del plazo de cuatro años ni la eventual imprescriptibilidad del derecho a comprobar e investigar, sino que considera que el problema se debe examinar atendiendo al momento en que la comprobación se puede efectuar, para lo que caben tres posibilidades: el momento en que se consigna la base negativa, el momento en que se compensa o ambos. Partiendo de esta base niega que la potestad comprobadora de la Administración pueda pervivir más allá del plazo general de prescripción y la comprobación de bases imponibles negativas no puede realizarse respecto al ejercicio que se compensa, sino respecto al ejercicio en que se declaran, de modo que si la Administración no ejerce sus potestades en al plazo de cuatro años, esas bases imponibles negativas deben ser admitidas a tributación sin posibilidad de ser rechazadas por la Administración tributaria, aunque en las mismas existiera alguna irregularidad. Eso no significa que en cuanto se realice la compensación *"el sujeto pasivo pueda sin más, compensar la base imponible que se le antoje"*, sino que, para ello, deberá probar su existencia, pero tal actividad probatoria se limitará a la mera exhibición de la contabilidad[190].

---

189 SANZ GADEA, E.: "Compensación de bases imponibles negativas", ob. cit., págs.15-16. En el mismo sentido en SANZ GADEA, E.: *Impuesto sobre Sociedades (II). Comentarios y casos prácticos*, 1ª ed., Centro de Estudios Financieros, 2004, pág. 1516, donde señala que el artículo 25.4 de la LIS no se refiere a la actividad administrativa de comprobación, con lo que la comprobación de la base imponible negativa generada en un periodo debe encuadrarse en tal periodo

190 SANZ GADEA señala expresamente que *"no cabe que la Administración desarrolle una comprobación de la base negativa si estuviese prescrito el ejercicio en que se originaron, únicamente puede verificar si la contabilidad exhibida cumple los requisitos formales exigidos por la norma mercantil, sin*

Tras exponer las diferentes posturas doctrinales y, aun a riesgo de avanzar gran parte de nuestra consideración de las reformas acaecidas en esta materia, nuestra opinión al respecto es la siguiente. Partimos de que no aceptamos ni la consideración de que en los ejercicios en que se generan bases imponibles negativas, en tanto no hay derecho de crédito, no hay derecho de la Administración a determinar la deuda tributaria, como aquellas que, con base en el mismo argumento, consideran que siendo la potestad de comprobar e investigar, en virtud de tal cualidad de potestad, imprescriptible, esta puede pervivir de manera ilimitada en el tiempo. Ambas consideraciones contravienen las más elementales nociones asentadas por el principio de seguridad jurídica, al que tanto nos venimos refiriendo a lo largo de esta investigación.

El derecho a determinar la deuda tributaria que ostenta la Administración, está conformado por distintas potestades, entre ellas, la potestad para comprobar e investigar. No es correcto dotar de autonomía a esta *"potestad"* por medio de su calificación como *"derecho"*, pues es evidente que el ejercicio de las potestades comprobadora e investigadora por parte de la Administración tienen una única finalidad: determinar la deuda tributaria. Así, esa *"instrumentalidad"*[191] o dependencia de la potestad referida respecto al derecho a liquidar impide afirmar que pueda ejercerse sin sometimiento

---

que pueda entrar a verificar la veracidad de los hechos contables recogidos en la misma". Vid. SANZ GADEA, E.: "Compensación de bases imponibles negativas", ob. cit., pág. 15.

191 SÁNCHEZ BLÁZQUEZ, V. M.: *La prescripción de las obligaciones tributarias*, ob. cit., págs. 55-57.

a plazo temporal alguno, pues quedará sometida al plazo general de prescripción de cuatro años, dado que, si la Administración pierde su derecho a liquidar, ya no podrá hacer uso de las potestades que lo integran. Cosa distinta es que el legislador, por diferentes motivos, desgaje esa potestad comprobadora del derecho a liquidar y le otorgue un plazo extintivo propio, en cuyo caso, atendiendo a la concepción clásica de las potestades, aportada por SANTI ROMANO[192], este plazo deberá catalogarse como de caducidad.

Es innegable que esta "descomposición" del derecho a liquidar en las potestades que lo conforman es peligrosa, en tanto se corre el riesgo de vaciar de contenido a este derecho. No obstante, también es preciso conjugar la aplicación del derecho a liquidar con los problemas derivados de la práctica tributaria, particularmente los referentes a la compensación y comprobación de bases imponibles negativas más allá del plazo de prescripción. Aunque con toda lógica a este razonamiento se podría oponer que la Administración ya dispuso de un periodo de cuatro años para comprobar las declaraciones en que se consignaron esas bases y que no ejerció su derecho en plazo.

Si aun así, por eminentes razones prácticas, se entendiera que en estos casos en plazo para efectuar la comprobación deberá ser mayor, cabría admitir esa "escisión", si bien catalogando el plazo extintivo como de caducidad y estableciendo un plazo razonable para su ejercicio.

---

192   ROMANO, S.: *Fragmentos de un Diccionario jurídico*, Ediciones Jurídicas Europa-América, Buenos Aires, 1964, págs.343-344.

Otra opción, que evitaría la escisión de esta potestad, sería la ampliación del plazo de prescripción del derecho a determinar la deuda tributaria en aquellos casos en que se consignen *créditos fiscales* compensables en el futuro. No obstante, tampoco nos convence en exceso esta posibilidad, pues adolece de los mismos problemas que acabamos de exponer, ya que podría iniciar una senda en la que el plazo general de prescripción quede desvirtuado por el establecimiento de numerosos supuestos particulares. Además, consideramos que esta posibilidad no es viable jurídicamente, pues ¿qué ocurriría en los casos en los que el contribuyente consigna una base imponible negativa, que tras la oportuna liquidación, imaginemos, seis años después, resulte ser positiva?. En ese caso entendemos que, además de plantearse evidentes dudas sobre si tal liquidación se debería considerar prescrita, se produciría un evidente trato desfavorable para estos contribuyentes.

2.2. ORIGEN Y EVOLUCIÓN DEL RÉGIMEN JURÍDICO DE LA COMPROBACIÓN E INVESTIGACIÓN DE BASES IMPONIBLES NEGATIVAS

Aunque el estudio teórico en relación al objeto de la prescripción resulta esencial, como señala SÁNCHEZ BLÁZQUEZ[193], también resulta primordial *"situar la elaboración dogmática en conexión con problemas reales que suscita la aplicación del Derecho positivo, huyendo así, en la medida de lo posible, de conceptualismos vacíos de relevancia*

---

193 SÁNCHEZ BLÁZQUEZ, V. M.: *La prescripción de las obligaciones tributarias*, ob. cit., pág. 104.

jurídica alguna". Por ello, realizado el análisis conceptual del problema, en los siguientes apartados se expondrá la evolución del régimen legal para la comprobación e investigación de bases imponibles negativas u otras deducciones procedentes de periodos prescritos y aplicadas en periodos no prescritos, así como el tratamiento que la doctrina administrativa y jurisprudencial ha otorgado a esta cuestión. Esta exposición se hará desde la óptica de los dos textos legales que se han ocupado expresamente de esta cuestión: por un lado, los distintos textos de las leyes reguladoras de IS y, por otro, con carácter general, la propia LGT.

2.2.1. REGULACIÓN EN LA NORMATIVA DEL IMPUESTO SOBRE SOCIEDADES

A. LA COMPROBACIÓN E INVESTIGACIÓN DE BASES IMPONIBLES NEGATIVAS EN LA LEY 43/1995, DEL IMPUESTO SOBRE SOCIEDADES

La obligación de acreditar la procedencia y cuantía de las bases imponibles negativas, cualquiera que sea el ejercicio en que se generaron, cuya compensación se pretenda, fue introducida en el artículo 23.5 de la Ley 43/1995, del IS[194] por la Disposición adicional segunda de la Ley 40/1998, del IRPF[195], aplicable a los periodos impositivos iniciados a partir del 1 de enero de 1999. El referido precepto indicaba:

---

194 BOE núm. 310, de 28 de diciembre de 1995.

195 BOE núm. 295, de 10 de diciembre de 1998.

"El sujeto pasivo deberá acreditar, en su caso, mediante la exhibición de la contabilidad y los oportunos soportes documentales, la procedencia y cuantía de las bases imponibles negativas cuya compensación pretenda, cualquiera que sea el ejercicio en que se originaron".

Posteriormente, este precepto fue modificado por el artículo 2.Ocho de la Ley 24/2001, de 27 de diciembre, de Medidas Fiscales, Administrativas y de Orden Social[196], con efectos para los periodos impositivos iniciados a partir del 1 de enero de 2002. Tras la modificación, el artículo 23.5 de la Ley 43/19995 quedó como sigue:

"El sujeto pasivo deberá acreditar la procedencia y cuantía de las bases imponibles negativas cuya compensación pretenda, mediante la exhibición de la liquidación o autoliquidación, la contabilidad y los oportunos soportes documentales, cualquiera que sea el ejercicio en que se originaron".

La inclusión de estas disposiciones trajo consigo un problema que se ha arrastrado hasta la actualidad: la determinación de hasta dónde debe llegar la obligación del contribuyente en la acreditación de las bases imponibles negativas, en definitiva, la concreta extensión de los términos *"acreditar la procedencia y cuantía"* que recoge la Ley.

---

196 BOE núm. 313, de 31 de diciembre de 2001.

B. LA COMPROBACIÓN E INVESTIGACIÓN DE BASES IMPONIBLES NEGATIVAS EN EL REAL DECRETO LEGISLATIVO 4/2004, POR EL QUE SE APRUEBA EL TEXTO REFUNDIDO DE LA LEY DEL IMPUESTO SOBRE SOCIEDADES

El precedente inmediato de la regulación vigente se encuentra en el apartado quinto del artículo 25 del TRLIS[197], que a su vez recogió sin modificaciones lo indicado en el artículo 23.5 de la Ley 43/1995, del IS, en la redacción dada por la Ley 24/2001, sin mayor especificación o aclaración, por lo que los problemas aludidos en relación al alcance de la obligación de acreditación se mantuvieron.

C. LA COMPROBACIÓN E INVESTIGACIÓN DE BASES IMPONIBLES NEGATIVAS EN LA LEY 27/2014, DEL IMPUESTO SOBRE SOCIEDADES

La eliminación del plazo durante el que se puede efectuar la compensación no es la única novedad que introdujo la LIS en esta materia. A cambio de la supresión del plazo, el artículo 26.5 de la LIS modificó las previsiones referidas a la comprobación en investigación de bases imponibles negativas vigentes hasta ese momento, añadiendo una previsión específica que establece que:

"El derecho de la Administración para comprobar o investigar las bases imponibles

---

197   BOE núm. 61, de 11 de marzo de 2004.

*negativas pendientes de compensación <u>prescribirá</u>
<u>a los 10 años</u> a contar desde el día siguiente a aquel
en que finalice el plazo establecido para presentar
la declaración o autoliquidación correspondiente
al período impositivo en que se generó el derecho
a su compensación".*

Se trata del primer texto legal que reconoce el *"derecho
a comprobar e investigar"* –que, a nuestro parecer, no es
tal-, y le otorga un plazo de prescripción propio, distinto
del establecido con carácter general en la LGT. El artículo
26.5 fue modificado por la Disposición final sexta de la Ley
34/2015. Tras la reforma el precepto indica que:

*"El derecho de la Administración <u>para</u>
<u>iniciar el procedimiento de comprobación</u> de
las bases imponibles negativas compensadas <u>o</u>
<u>pendientes de compensación</u> prescribirá a los 10
años a contar desde el día siguiente a aquel en
que finalice el plazo establecido para presentar la
declaración o autoliquidación correspondiente al
período impositivo en que se generó el derecho a
su compensación".*

El objeto de esta modificación en la LIS, según
la Exposición de Motivos de la Ley 34/2015, es evitar
dudas interpretativas en relación con la realización de
las actuaciones de comprobación a desarrollar por los
órganos de la Administración Tributaria. A nuestro entender
este objetivo no se cumple, pues la principal duda que
se deriva del texto de la LIS de 2014 es la configuración
como derecho de lo que no es más que una potestad, y así

se venían refiriendo a ella la jurisprudencia y la doctrina científica. Con la primera de las modificaciones efectuadas, -la relativa al inicio del procedimiento-, el legislador logra el efecto opuesto al que describe en la Exposición de Motivos de la Ley, pues no aprovecha la reforma para retomar la terminología adecuada, al contrario, formaliza el arbitrio de la Administración tributaria para iniciar el procedimiento, lo que supone, en palabras de FERNÁNDEZ LÓPEZ[198], *"afirmar que la Administración, sin razones objetivas o debidamente justificadas que lo amparen, decide cuándo, cómo y a quién comprueba las bases imponibles negativas compensables o las deducciones aplicables"*.

La segunda de las modificaciones efectuadas –la que extiende el derecho a comprobar a las bases pendientes de compensación- tampoco logra aclarar duda interpretativa alguna, pues únicamente pretende ampliar el ámbito del derecho a comprobar de la Administración, que con la redacción previa se limitaba a las bases ya compensadas y, tras la modificación se extiende a aquellos supuestos en que la base aún no ha sido objeto de compensación.

El precepto recoge una previsión específica en relación al *dies a quo,* indicando que se contará desde el día siguiente a aquel en que finalice el plazo establecido para presentar la declaración o autoliquidación correspondiente al período impositivo en que se generó el derecho a su compensación[199].

---

198   FERNÁNDEZ LÓPEZ, R. I.: *La imprescriptibilidad de las deudas tributarias y la seguridad jurídica,* 1ª ed., Marcial Pons, Madrid, 2016, pág. 113.

199   Adoptando, de esta manera, el mismo criterio para la determinación del *dies a quo* que recoge el artículo 67 de la LGT para el derecho a determinar la deuda tributaria.

El artículo 26.5 de la LIS, *in fine* precisa que *"transcurrido dicho plazo, el contribuyente deberá acreditar las bases imponibles negativas cuya compensación pretenda mediante la exhibición de la liquidación o autoliquidación y la contabilidad, con acreditación de su depósito durante el citado plazo en el Registro Mercantil"*. Esto es, transcurrido el plazo de diez años, el contribuyente queda obligado únicamente a acreditar la procedencia de las bases imponibles negativas cuya compensación pretende, así como su cuantía, mediante la exhibición de la liquidación o autoliquidación correspondiente y de los soportes documentales oportunos, pero la Administración ya no podrá desplegar actuaciones comprobadoras de la corrección en la configuración de la base negativa.

Todo ello permite concluir que la LIS ya modifica *de facto* el régimen de la prescripción tributaria establecido en el artículo 66 de la LGT, tanto cuantitativamente, pues incrementa el plazo de prescripción general de cuatro años hasta diez-, como en cuanto al fondo, introduciendo en un cuerpo legal un nuevo derecho que plantea graves dudas en torno a su autonomía y a su calificación jurídica: el *"derecho a comprobar e investigar"*. Esta nueva regulación supone la extensión del plazo de compensación o deducción de determinados *"créditos fiscales"*, -en los términos de la propia Ley-, más allá de plazo general de prescripción, pero también permite a la Administración tributaria realizar comprobaciones e investigaciones respecto a tales *"créditos fiscales"* provenientes de periodos prescritos. A través de esas comprobaciones o investigaciones la Administración no puede modificar la deuda tributaria correspondiente al ejercicio prescrito, pero sí puede "corregir" la compensación o deducción, oponiéndose a la misma bien por razones formales –falta de concordancia entre la base imponible negativa declarada en el periodo prescrito con la que se pretende compensar-, bien por razones materiales relativas a la corrección jurídica de tales bases y a la aplicación de las reglas de cuantificación de las mismas en el periodo prescrito[200].

Este nuevo articulado y, en concreto, la desaparición de los límites temporales para efectuar la compensación, no solo no resuelve, sino que agrava, el problema de la comprobación por parte de la Administración de las bases negativas procedentes de periodos prescritos cuando se compruebe o inspeccione un periodo no prescrito, pero al que los periodos ya prescritos afectan. A ello se añade que, como señala CALVO VÉRGEZ[201], *"la Ley no entra a precisar si el plazo de 10 años para comprobar e investigar las bases negativas opera únicamente a efectos de su comprobación de cara a su aplicación en un ejercicio no prescrito (como parece ser) o si, por el contrario, dicho plazo lo será, no solo para comprobar, sino también para liquidar"*. Esta precisión es importante pues, si la comprobación se orienta a determinar si las bases negativas se han conformado de acuerdo a Derecho,

---

200 CALVO VÉRGEZ, J.: "Principales novedades del Impuesto de Sociedades para el ejercicio 2015", *Aranzadi digital*, núm. 1, 2016. BIB 2016\3287. (Consultado en la base de datos Aranzadi Instituciones, con fecha 10/10/2017).

201 CALVO VÉRGEZ, J.: "La compensación de bases imponibles negativas en el Impuesto sobre Sociedades", en, MERINO JARA, I. (Dir.): *La reforma del Impuesto sobre Sociedades*, 1ª. ed., Instituto de Estudios Fiscales, Madrid, 2016, pág. 421.

de no ser así, entendemos que la Administración elaborará una nueva liquidación, que sí sea jurídicamente correcta de acuerdo con sus criterios. Aunque la eventual deuda tributaria que se derive de tal liquidación ya no sea exigible, la Administración habrá ejercido su derecho a liquidar, de modo que el único derecho cuyo ejercicio le resulta vedado es el derecho a exigir el pago.

Además, la regulación de este mal denominado *"derecho a comprobar e investigar"* que recoge la LIS adolece de muchos problemas en su configuración, pues el legislador obvia prever causas de interrupción, siendo estas un elementos esencial en la configuración de cualquier plazo de prescripción, error que, como se indicará más adelante, reitera la Ley 34/2015.

2.2.2. LA COMPROBACIÓN E INVESTIGACIÓN DE BASES IMPONIBLES NEGATIVAS EN LA LEY GENERAL TRIBUTARIA DE 1963

La Ley General Tributaria ha tratado la cuestión de las potestades comprobadoras e investigadoras de la Administración tanto en el texto de 1963, como en el texto de 2003, si bien no con idéntico sentido. Mientras la alusión a tales potestades que realizaba el texto de 1963 es de carácter general, el texto vigente contiene previsiones expresas que focalizan el objeto de tales comprobaciones e investigaciones en aquellos casos en los que se han compensado créditos procedentes de periodos prescritos.

El marco legal considerado durante la vigencia de la LGT de 1963 para determinar el alcance de las comprobaciones e investigaciones que la Administración puede realizar se conformaba por tres preceptos.

El primero de ellos, el artículo 109, que en sus apartados uno y dos señala:

"Uno. La Administración comprobará e investigará los hechos, actos, situaciones, actividades, explotaciones y demás circunstancias que integren o condicionen el hecho imponible.

Dos. La comprobación podrá alcanzar a todos los actos, elementos y valoraciones consignados en las declaraciones tributarias, y podrá comprender la estimación de las bases imponibles, utilizando los medios a que se refiere el artículo cincuenta y dos de esta Ley".

En segundo término, el artículo 140, referido a las facultades de la Inspección de los Tributos, que indica:

"Uno. Corresponde a la Inspección de los Tributos:

a) La investigación de los hechos imponibles para el descubrimiento de los que sean ignorados por la Administración.

b) La integración definitiva de las bases tributarias, mediante las actuaciones de comprobación en los supuestos de estimación directa, y a través de las actuaciones inspectoras y de los estudios generales de actividades o profesiones en los supuestos de estimación objetiva o por Jurados.

c) Realizar, por propia iniciativa o a solicitud de los demás órganos de la Administración, aquellas actuaciones inquisitivas o de información que deban llevarse a efecto cerca de los particulares o de otros organismos y que directa o indirectamente conduzcan a la aplicación de los tributos".

Finalmente, el artículo 64.1 a. de la LGT que, como sabemos, establecía originariamente un plazo de prescripción de cinco años para el derecho de la Administración de determinar la deuda tributaria, plazo que tras la LDGC, se redujo a cuatro años.

Con este marco jurídico y, en aquellos supuestos referidos al IS, con la aportada por la normativa de este Impuesto, los órganos de la Administración y los órganos judiciales emitieron numerosas resoluciones a fin de resolver la problemática planteada en torno a la comprobación de bases imponibles negativas procedentes de periodos prescritos.

En relación a la doctrina administrativa, la mayoría de los pronunciamientos emitidos por el TEAC en referencia a esta cuestión asumen la tesis conforme la cual se considera que en los periodos prescritos no existe una obligación tributaria principal susceptible de prescribir, esto es, no hay un crédito tributario como tal. Tal inexistencia de objeto sustenta la argumentación que defiende la improcedencia de aplicación de la prescripción del derecho a liquidar, pues, la ausencia del derecho impide la prescripción del mismo. Esta línea argumental es seguida, entre otras, por las resoluciones de este órgano administrativo de 16 de mayo de 1989, de 19 de noviembre de 1999, de 7 de abril y 22 de diciembre del 2000, de 19 de enero de 2001, de 18 de julio de 2003, de 13 de febrero de 2004, de 30 de marzo, 20 de abril, 11 de octubre y 21 de diciembre de 2006, de 14 de septiembre y 20 de diciembre de 2007 y de 14 de febrero y 24 de septiembre de 2008. La resolución de 24 de septiembre de 2008, que resuelve un recurso extraordinario de alzada para la unificación de criterio, señala que *"el artículo 64 de la Ley 230/1963 establece la prescripción del derecho de la Administración para determinar la deuda tributaria mediante la oportuna liquidación por el transcurso de cuatro años. Si bien normalmente las actuaciones inspectoras de comprobación tienen como fin practicar una liquidación cuando la Administración encuentre motivos para ello, puede ocurrir que en el momento en que lleva a cabo dichas actuaciones haya prescrito ya su derecho a liquidar. En este caso, la facultad de comprobación continúa a pesar del transcurso del plazo de cuatro años, si bien la Administración no podrá exigir la deuda tributaria que pudiera resultar de esa comprobación en relación con los períodos prescritos. Es decir, lo que prescribe es el derecho de la Administración a liquidar deudas tributarias pero no su facultad de comprobar magnitudes o elementos tributarios que tengan efectos en períodos impositivos respecto de los cuales el derecho de la Administración a liquidar no haya prescrito"*.

De este modo el TEAC ha venido admitiendo la comprobación de la base negativa de un periodo prescrito con la argumentación de que lo que prescribe es el derecho de la Administración a determinar la deuda tributaria mediante la oportuna liquidación, así como la acción para exigir el pago de las deudas liquidadas y para sancionar, pero no la facultad comprobadora, la cual podrá alcanzar a todos los actos, elementos y valoraciones consignados en las declaraciones tributarias, así como las cuotas a devolver consignadas en ejercicios prescritos.

GARCÍA NOVOA[202] ha criticado la argumentación aplicada por el TEAC desde una óptica doble. En primer lugar, rechaza la diferenciación entre la facultad de liquidar y la facultad de comprobar, pues para este autor, *"la comprobación precede a la liquidación, y no tiene sentido una comprobación que no esté orientada a liquidar"*, de modo que, cuando la comprobación no tiene el fin de liquidar es dudoso que se trate de una verdadera comprobación. Relacionado con lo anterior, considera que la comprobación carece del carácter de potestad independiente y autónoma del

---

202 GARCÍA NOVOA, C.: *Iniciación, interrupción y cómputo del plazo de prescripción de los tributos,* ob. cit., pág. 41-49. En el mismo sentido, GIL CRUZ, que apunta que, *"en principio carece de toda lógica que perviva con carácter indefinido la posibilidad por parte de la Administración tributaria de solicitar datos que incidan sobre situaciones tributarias ya prescritas al generar al obligado tributario una importante inseguridad jurídica pues es, o al menos parece evidente, que si bien la ley prohíbe empeorar la situación del sujeto pasivo tampoco servirá para mejorarla".* Vid. GIL CRUZ, E. M.: "Imposibilidad de alterar las bases de ejercicios que no hayan prescrito y que se sustenten en ejercicios ya prescritos. Res. TEAC 24 de septiembre de 2008", *Quincena Fiscal,* núm. 11,2009. BIB 2009\643. (Consultado en la base de datos Aranzadi Instituciones, con fecha 03/09/2018).

que las resoluciones del TEAC la pretenden dotar, pues tal calificación según este autor es únicamente un *"recurso del TEAR para salvar la posibilidad de comprobar bases o cuotas negativas de ejercicios prescritos, amparándose en el alcance general de la atribución de la competencia administrativa para comprobar"*.

Según GARCÍA NOVOA, admitir la tesis del TEAC supondría, *de facto*, desvirtuar la prescripción del derecho a liquidar, admitiendo que, una vez transcurrido el plazo de prescripción y extinguido el derecho, este puede *"rehabilitarse"* por la mera inclusión del resultado del periodo prescrito en otro no prescrito como elemento cuantificador.

Compartimos la opinión de este autor, pues el razonamiento seguido por el TEAC no es más que un recurso alegado por este órgano administrativo para permitir la comprobación de periodos prescritos, carente de fundamento legal. No cabe desgajar la facultad de comprobar del derecho a determinar la deuda con estos argumentos, porque las actividades desplegadas por la Administración para comprobar están eminentemente orientadas a efectuar la liquidación. ¿Posee la actividad comprobadora de la Administración algún otro objeto?. Ninguno, a nuestro modo de ver[203].

Finalmente, cabe añadir que, si bien de manera mayoritaria las resoluciones del TEAC coinciden en defender la imprescriptibilidad de la potestad de comprobación referida

---

203   En este sentido CAAMAÑO ANIDO, M. A. (Dir.): *Derecho y Práctica Tributaria*, ob. cit., págs. 369-370.

a periodos prescritos con incidencia en otros no prescritos, su sentido no ha sido siempre unánime. Existen algunas resoluciones que rechazan la potestad de la Administración de comprobar tales periodos, aunque las bases imponibles negativas generadas en los mismos repercutan en un periodo no prescrito objeto de comprobación y, menos aún, la extensión de tal potestad a la declaración en fraude de ley de hechos, actos o negocios realizados en periodos prescritos. Tal es el caso de las resoluciones de 22 de septiembre de 1999 y de 22 de febrero de 2002, en las que el órgano administrativo defiende que una vez que la base negativa adquiere firmeza por el transcurso del plazo de prescripción, la Administración *"no puede extender a los ejercicios que quedan fuera del plazo de cinco años los efectos de la comprobación"*, pues *"la Ley atribuye a la Administración tributaria la facultad de comprobar el valor de las rentas y demás elementos del hecho imponible, todo ello dentro del plazo legal de prescripción"*.

Respecto a la doctrina jurisprudencial, pesar de que el criterio administrativo mayoritario apostaba por no someter la facultad comprobadora de bases imponibles negativas originadas en periodos prescritos al plazo general de prescripción, el Tribunal Supremo rechazó esta teoría, negando a la Administración la posibilidad de extender sus facultades comprobadoras a periodos prescritos. Así se manifestó en las Sentencias de 25 de marzo de 1991, de 17 de marzo de 2008, de 25 de enero y 8 de julio de 2010, de 2 de febrero de 2012, de 29 de marzo de 2012 y de 22 de mayo de 2012[204]. La referida Sentencia de 29 de marzo

---

204 *Tol 1.551.609, Tol 1.292.724, Tol 1.918.016, Tol 1.918.016, Tol 2.509.257 y Tol 2.550.580,* respectivamente.

de 2012, dictada en recurso de casación para la unificación de doctrina, señalaba taxativamente que *"únicamente, con base en la jurisprudencia elaborada en relación con la Ley anterior, sin que necesariamente sea proyectable a las referidas previsiones de la LGT/2003, ha de considerarse que la cantidad consignada en la declaración del año 1985 ha adquirido firmeza y, en consecuencia, dicha cantidad debe ser admitida por la Administración que debe permitir, por tratarse de bases imponibles negativas, que puedan ser utilizadas por el contribuyente en declaraciones de ejercicios posteriores. No pueden aceptarse los argumentos del Abogado del Estado cuando señala que "la prescripción relativa a determinado ejercicio no supone la aceptación por la Administración del contenido de las liquidaciones de ese ejercicio, sino simplemente la imposibilidad por imperativo legal de rectificar dicha liquidación". Por el contrario, declarada la prescripción con relación a la declaración del ejercicio 1985, esta ha ganado firmeza y, por ende, los datos que en ella se declararon, de tal forma que no cabe su modificación por parte de la Administración tributaria ni en ese ejercicio ni en otro posterior sobre el que pudiese, eventualmente, proyectar sus efectos, tal como sucede en el supuesto de compensación de bases imponibles negativas procedentes de ejercicios prescritos".* Pero añade algo más, pues apostilla que *"esta misma doctrina debe aplicarse aunque los ejercicios anteriores no estuvieran prescritos, en aquellos casos en que la entidad, habiendo presentado las correspondientes autoliquidaciones con bases imponibles negativas pendientes de compensar, no hayan sido objeto de comprobación, ante la presunción de certeza de las declaraciones tributarias* que establecía el art. 116 de la ley General Tributaria, *lo que obligaba a la*

Administración para modificar el resultado de las mismas a realizar la oportuna comprobación de acuerdo con lo dispuesto en el art. 120 y siguientes de la misma Ley". Esto es, el Tribunal, en un ejercicio eminentemente garantista y en pro de la preservación de la seguridad jurídica, otorga a las autoliquidaciones presentadas por el obligado tributario una firmeza que se extiende tanto a los periodos prescritos, como a los no prescritos, cuando la autoliquidación en la que se consigna la base negativa no ha sido comprobada, en virtud de la presunción de certeza de las declaraciones tributarias establecido en el artículo 116 de la LGT. El Tribunal considera que la comprobación del ejercicio en que se consignó la base negativa no puede efectuarse en el marco del procedimiento en que se comprueba el ejercicio en que esta se compensa, sino que es necesario un procedimiento de comprobación específico referido al periodo en que se generó la base imponible negativa. Este razonamiento muestra en el órgano jurisdiccional una postura prudente y ceñida a la legalidad, pues, respetando los derechos de la Administración para comprobar las bases negativas de periodos prescritos, limita esa facultad de comprobación al plazo de prescripción legalmente estipulado, evitando extensiones artificiosas que sobrepasaran el texto de la norma, al declarar que los elementos correspondientes a periodos impositivos prescritos, como la base imponible negativa, no podrán ser modificados a consecuencia de una comprobación de un ejercicio posterior.

Además en estas Sentencias se defiende la autonomía de la obligación tributaria nacida en el periodo prescrito respecto a la obligación tributaria cuya compensación se pretende. Frente a los que argumentaban que el ejercicio del derecho de compensación podría entenderse como una actividad interruptiva de la prescripción, el Tribunal Supremo es claro al negar esa posibilidad, pues *"iría en contra de las propias previsiones legales en materia de compensación de pérdidas y supondría que el plazo de prescripción del derecho a comprobar la declaración en 1979 duraría diez años, en lugar de cinco, por el arrastre de las pretendidas interrupciones sucesivas, lo que sería arbitrario y contrario al principio de seguridad jurídica"*. Este razonamiento es extensible al deber de acreditar esas bases, al que, en ningún caso, se le puede otorgar efecto interruptivo del plazo.

La doctrina establecida por el Tribunal Supremo fue acogida inicialmente por el TEAC en resolución de 24 de septiembre de 2008, pero posteriormente matizada en su resolución de 13 de mayo de 2009. En esta última el TEAC señala que, aunque acoge la doctrina legal emanada del Tribunal Supremo, su aplicación debe restringirse al ámbito temporal y legislativo de los supuestos fácticos enjuiciados por el alto Tribunal, por lo que rechaza que esta pueda extenderse a las actuaciones realizadas bajo la vigencia de la LGT de 2003, al considerar que este texto legal ha cambiado radicalmente la normativa anterior en cuanto a las facultades de comprobación de las bases imponibles negativas de ejercicios prescritos cuando estas se compensan en ejercicios no prescritos. Así, el TEAC admite lo inadecuado del criterio que venía aplicando, pero de modo tardío y ya con escasa relevancia en la práctica, pues sostiene su mantenimiento bajo la LGT de 2003, cuyas previsiones en esta materia expondremos a continuación.

2.3. TRATAMIENTO DE LA COMPROBACIÓN DE BASES IMPONIBLES NEGATIVAS EN EL TEXTO DE LEY GENERAL TRIBUTARIA DE 2003 ANTERIOR A LA LEY 34/2015

La LGT de 2003 modifica la regulación de las facultades comprobadoras de la Administración a través de los artículos 70.3 y 106.4 del mencionado texto normativo, confirmando asimismo lo establecido en la LIS tras la reforma efectuada por la Ley 40/1998[205]. Así el artículo 70.3 de la LGT de 2003 señala expresamente que:

"La obligación de justificar la procedencia de los datos que tengan su origen en operaciones realizadas en períodos impositivos prescritos se mantendrá durante el plazo de prescripción del derecho para determinar las deudas tributarias afectadas por la operación correspondiente".

El artículo 106.4 de la LGT, por su parte, indicaba que:

"En aquellos supuestos en que las bases o cuotas compensadas o pendientes de compensación o las deducciones aplicadas o

---

205 Como señala ESCRIBANO LÓPEZ, la conexión entre ambos preceptos es *"el artilugio mediante el que se afrontaban los problemas derivados de aquellas situaciones en las que se permitía proyectar en el tiempo derechos que tenían su origen en periodos prescritos"*. Vid. ESCRIBANO LÓPEZ, F.: "Sobre el Proyecto de Ley de Modificación Parcial de la LGT", *Revista Española de Derecho Financiero*, núm. 166, 2015. (Consultado en la base de datos Aranzadi Proview, con fecha 15/12/2017).

*pendientes de aplicación tuviesen su origen en
ejercicios prescritos, la procedencia y cuantía de las
mismas deberá acreditarse mediante la exhibición
de las liquidaciones o autoliquidaciones en que
se incluyeron la contabilidad y los oportunos
soportes documentales".*

Tras la modificación de la LGT por el Real Decreto-ley 20/2011, de medidas urgentes en materia presupuestaria, tributaria y financiera para la corrección del déficit público[206], y la inclusión del apartado en el artículo 106, el apartado 4 pasó a ser el 5, sin variación de su contenido.

Este precepto presenta muchos problemas. Uno de los más evidentes es su falta de claridad, porque, aunque en el IS el resultado contable es el punto de partida para calcular la base imponible, no se puede decir que la contabilidad *"se incluya"* en la liquidación o autoliquidación; por otro lado, *"no queda claro si han de exhibirse las declaraciones en que se incluyeron las bases o cuotas pendientes o las declaraciones o autoliquidaciones en que se generaron tales bases o cuotas a partir de ciertos datos contables"*[207]. Bajo este problema subyace otro al que ya nos hemos referido: la determinación de la extensión de las facultades de comprobación, en definitiva, el alcance que se debe otorgar a la obligación de justificar la procedencia de las bases negativas procedentes de periodos prescritos.

---

206 BOE núm. 315, de 31 de diciembre de 2011.

207 CAAMAÑO ANIDO, M. A. (Dir.): *Derecho y Práctica Tributaria*, ob. cit., pág. 370.

En relación a la extensión de las facultades comprobadoras de la Administración referidas a periodos prescritos y, en concreto, a la posibilidad de valorar jurídicamente la operación que genera la base imponible negativa, tanto los pronunciamientos del Tribunal Supremo, como las opiniones doctrinales, son muy variadas. Las posibilidades fundamentalmente son tres: bien otorgar plenas facultades comprobadoras a la Administración, bien limitar la extensión máxima de la comprobación a la corrección de errores de cálculo o contables, o bien proscribir totalmente cualquier comprobación referida a periodos prescritos. No obstante, antes de exponer con detalle la doctrina administrativa y la jurisprudencia referida a esta cuestión, es necesario realizar unas puntualizaciones previas.

El término *"procedencia"*, según el diccionario de la RAE, posee varias acepciones. En lo que aquí interesa cabe citar dos. La primera de ellas, señala que la procedencia es el *"origen o principio, de donde se deriva o nace algo"*, mientras que la tercera indica que es la *"conformidad con la moral, la razón o el Derecho"*. De esta manera, la primera de las acepciones se aproxima a una categorización de este término que se puede calificar como *"limitada"*, pues únicamente se refiere al origen de, en este caso, las bases imponibles negativas compensadas, con lo que para su acreditación bastaría con la aportación de la contabilidad o los soportes documentales que justifiquen que tales bases fueron las que efectivamente se declararon en el periodo prescrito. Sin embargo, si se adopta la tercera acepción la acreditación va más allá de una mera exhibición documental, pues en ella se hace referencia a la conformidad a Derecho, de modo que para justificar las bases imponibles negativas compensadas no bastará con la aportación de la documentación que las respalde, sino que será necesario que la obtención de tales cuantías se haya realizado conforme a Derecho, lo que aproxima el término *"procedencia"* no al concepto de *"origen"*, sino al concepto de *"corrección"* en términos jurídicos. Ello ofrece una doble posibilidad en relación a la actuación de la Administración, pues dotar al término *"procedencia"* de un carácter limitado únicamente otorgaría a los órganos de la Administración de las potestades necesarias para una mera constatación de la adecuación de las cuantías declaradas en el periodo prescrito con las compensadas, mientras que la adopción de la acepción más amplia supondría dotar a la Administración de unas facultades mucho más extensas, que alcanzarían la propia comprobación de la adecuación a Derecho de las operaciones que dieron lugar a las bases imponibles negativas y la posibilidad de declarar en fraude de ley aquellas operaciones correspondientes a ejercicios prescritos que no cumplan tales extremos[208].

Entendemos que, desde la óptica de la seguridad jurídica, y considerando que los periodos sobre los que recae tal obligación de acreditación han prescrito, se deberá optar por la acepción *"limitada"*, de modo que la extensión del término *"procedencia"* en este contexto se circunscriba a

---

208   Alcanza la misma conclusión LOZANO SERRANO, tras realizar un estudio de los artículos 70.3 y 106.5 de la LGT atendiendo tanto al sentido propio de sus palabras, como a sus antecedentes históricos y legislativos, a su contexto y al espíritu y finalidad de las normas. Vid. LOZANO SERRANO, C.: "La comprobación de partidas compensables de periodos prescritos", *Quincena Fiscal*, núm. 11, 2014. BIB 2014\1694. (Consultado en la base de datos Aranzadi Instituciones, con fecha 15/10/2014).

la obligación para el interesado de conservación de la contabilidad y de los soportes documentales que justifiquen la correlación entre la base negativa generada en el periodo prescrito y la compensada en el periodo no prescrito, excluyendo la potestad de comprobar la adecuación a Derecho de tales bases imponibles, ya que la actividad probatoria, como señala PITA GRANDAL[209], afecta a los hechos, no a su comprobación jurídica, pues, *"la prueba alude, en la distinción que apuntaba SENTIS MELENDO, a las fuentes de prueba, a los elementos en que se fundamenta la afirmación o negación respecto a un derecho o pretensión. A esta concepción responde la LGT al regular la comprobación junto a la investigación, mientras que en una sección separada regula la prueba"*. Sin embargo, este no ha sido el parecer de la Administración tributaria ni de parte de la doctrina jurisprudencial, que han considerado que la Administración posee amplísimas potestades en la verificación de lo declarado en un ejercicio prescrito con efectos en otro no prescrito.

Esta equiparación del concepto de *"procedencia"* al de *"corrección jurídica"* en relación a los ejercicios prescritos parece que excede de manera evidente lo previsto por la norma, vaciando en cierta manera de contenido a la propia institución de la prescripción[210]. En este sentido, apunta

---

209   PITA GRANDAL, A. M.: "Introducción al estudio de la prueba en el procedimiento de gestión tributaria", *Revista Española de Derecho Financiero*, núm. 54, 1987, pág. 273. En el mismo sentido, LOZANO SERRANO, C.: "La comprobación de partidas compensables de periodos prescritos", ob. cit., BIB 2014\1694. (Consultado en la base de datos Aranzadi Instituciones, con fecha 15/10/2014).

210   Resulta sumamente atinada la opinión de LOZANO SERRANO, y procede recogerla en su totalidad, cuando señala que no es lógico *"que exhibida*

CALVO VÉRGEZ[211] que, "*dada esta facultad de comprobación plena de las partidas a pesar de que el ejercicio en el que se*

---

la documentación que el precepto exige y considera suficiente, concluya el Tribunal que «hay que reconocer» a la inspección «facultades de comprobación, que son las mismas que tenía en su momento respecto de los ejercicios prescritos», pues eso significa:

- *Abrir un debate probatorio no sobre el medio de prueba exigido al sujeto, como se deriva del art. 106.5, sino con aportación de otras pruebas por las partes, al admitir la amplitud de la comprobación a la Inspección para demostrar la realidad y legalidad de las bases negativas, lo que debe permitir, por equilibrio procesal, que el sujeto pueda aportar otras en contra. Debate y amplitud de medios probatorios al amparo del art. 105.1 LGT, pero que no deriva del art. 23.5 LIS ni de sus sucesores y que los hace superfluos en su finalidad de acotar el debate fijando un medio tasado.*

- *Entender la obligación del sujeto de los arts. 106.5 y 70.3 LGT de «acreditar» y «justificar» las bases como obligación de fundamentar jurídicamente su «procedencia». Debate aplicativo de las normas que nunca puede ser objeto de la prueba ni derivarse de preceptos que solo regulan la prueba.*

- *Admitir los dos debates anteriores aun cuando el sujeto «exhiba» una liquidación, incluso dictada en ejecución de Sentencia judicial firme, pues el precepto contempla en identidad de términos, sin distinción alguna, la liquidación y la autoliquidación. El absurdo, en estos casos, de arrumbar el carácter firme y consentido de la liquidación, incluso la cosa juzgada en su caso, admitiendo debate probatorio y controversia jurídica sobre lo resuelto por una y otra, muestra que no puede interpretarse así el precepto.*

- *Entender que la comprobación tributaria no es ejercicio del derecho de la Administración a liquidar, puesto que este se extingue por la prescripción que, en cambio, no afectaría a aquélla, escindiendo, pues, la prescripción del derecho de la de su acción.*

- *Exigir a la Administración el inicio de unas actuaciones y procedimientos de comprobación a sabiendas de que –contra el art. 115.1 LGT– los hechos y «demás circunstancias determinantes de la obligación tributaria» no van a serlo, pues esta es inmodificable por la prescripción. Ni podrá la Administración concluirlos dictando sus actos resolutorios".*

Vid. LOZANO SERRANO, C.: "La comprobación de partidas compensables en ejercicios prescritos", ob. cit., BIB 2014\1694. (Consultado en la base de datos Aranzadi Instituciones, con fecha 15/10/2014).

211 CALVO VÉRGEZ, J.: "La comprobación de bases imponibles negativas correspondientes a ejercicios prescritos en el Impuesto sobre Sociedades y su tratamiento en la reforma tributaria", *Revista Aranzadi doctrinal*, núm. extra 11, 2014, págs. 157-189.

originaron estuviese prescrito, cabría la posibilidad de entrar a corregir las bases o partidas a compensar o deducir que no hubiesen sido acreditadas por la contabilidad e incluso por la aplicación de las normas tributarias".

Antes de iniciar el análisis pormenorizado de las resoluciones administrativas y jurisprudenciales recaídas en torno a esta cuestión, resulta necesario avanzar, por su relevancia, la gran inseguridad jurídica que se desprende del estudio de las mismas, pues el número de pronunciamientos en relación a la potestad comprobadora de la Administración tributaria de bases imponibles negativas originadas en periodos prescritos emitidos en un corto periodo de tiempo, tanto entre distintos órganos, como dentro de un mismo órgano, es elevado, y su sentido, en muchos casos, contradictorio. Esta situación incluso ha dado lugar, como en su momento se expondrá, al hecho insólito de que un órgano administrativo, como el TEAC, desoyera la doctrina del Tribunal Supremo en algún supuesto. La situación originada con todo ello es sumamente indeseable y, el resultado de ello es que el legislador ha pretendido poner fin a este "caos" jurídico a través de distintas modificaciones legislativas, las cuales recogen, en gran medida, parte de la doctrina previamente emitida por los Tribunales, tal y como se expondrá en el apartado siguiente.

2.3.1. DOCTRINA ADMINISTRATIVA

La doctrina administrativa ha mantenido la línea, generalmente unitaria defendida en relación al texto de la LGT de 1963. Así, el órgano administrativo ha sostenido que la Administración puede comprobar e investigar ejercicios prescritos si estos despliegan sus efectos en ejercicios no prescritos. Donde sí aparecen divergencias es en relación a la extensión de esa comprobación. Así, en diferentes resoluciones ha defendido que esa facultad comprobadora no se limita a la verificación de la realidad de tales bases imponibles, sino que se extiende a la determinación de su corrección jurídica. Aunque ese es el sentido mayoritario de las resoluciones emitidas por este órgano administrativo, es posible encontrar algunas se apartan de esta línea general, debido, en parte, a los sucesivos cambios legislativos, pero también a los propios cambios de criterio del TEAC.

A. LA EXTENSIÓN DE LAS FACULTADES DE COMPROBACIÓN DE LA ADMINISTRACIÓN A LA DECLARACIÓN DEL FRAUDE DE LEY

El grueso de las resoluciones del TEAC han avalado la posibilidad de que los órganos de la Administración recalifiquen jurídicamente las operaciones realizadas en periodos prescritos con incidencia en periodos no prescritos. Así, entre otras, las resoluciones de 24 de abril y 27 de junio de 2013 o de 11 de septiembre de 2014.

Resulta especialmente curioso lo ocurrido en la resolución del TEAC de 11 de septiembre de 2014, en la que la controversia versa sobre la posibilidad de declarar en fraude de ley actos o negocios realizados en periodos prescritos. El TEAC rechaza que en este caso resulte de aplicación la doctrina de los actos propios, por considerar que no existe voluntad alguna exteriorizada tácitamente a través de actos concluyentes e inequívocos[212].

---

212 Concretamente, el TEAC analiza un supuesto de deducibilidad de unos gastos financieros por adquisiciones de participaciones con endeudamiento intra-grupo. El TEAC indica, en relación a los requisitos necesarios para la apreciación del fraude de ley que su apreciación requiere, la concurrencia de tres elementos:

1. La existencia del propósito de eludir el pago del tributo.

2. Una norma de cobertura (tributaria o no) en la que se amparan los actos efectuados eludiendo la aplicación de una Norma Tributaria.

3. Que los resultados que materializan los hechos ejecutados por el particular, acogidos a la ley de cobertura, sean equivalente al derivado del hecho imponible de la norma eludida.

El TEAC concluye determinando que es posible comprobar si los actos o negocios realizados en periodos prescritos se efectuaron incumpliendo el ordenamiento jurídico, aludiendo incluso a que, si las operaciones desarrolladas por la entidad, no responden a una lógica empresarial, la finalidad elusoria resulta evidente, lo que permitiría probar la existencia de un propósito elusorio del impuesto, reconocido como requisito constitutivo del fraude de ley. De las muchas cuestiones que se pueden plantear ante este razonamiento del TEAC, la primera y más evidente es qué debe entenderse por la aludida *"lógica empresarial"* y, en particular, cuando un órgano administrativo puede determinar que las operaciones realizadas por una entidad responden o no a esa *"lógica empresarial"*. Considera el TEAC que una operativa *"compleja"* y. a su juicio *"innecesaria y contraria a la eficiencia económica"*, solo puede responder al objetivo de obtener una ventaja fiscal, estableciendo, de este modo, una presunción en torno a las actuaciones del sujeto pasivo, pero sin especificar qué parámetros emplea para llegar a esa presunción, ni a partir de que límites se considera que una operativa es "compleja e innecesaria", dejando a su arbitrio tal determinación. Por otra parte, aunque la operativa de la entidad sea compleja, y, a juicio, de la Administración, innecesaria, y destinada a soportar una menor tributación, ello no significa que los actos realizados por la entidad sean contrarios al ordenamiento fiscal, pues, buscar una tributación menor en ningún caso se puede considerar como sinónimo de infringir la legislación. Con el razonamiento ofrecido por el TEAC parece desprenderse que todo sujeto pasivo que realice operaciones tendentes a disminuir su factura fiscal, sin considerar si estas se ajustan o no a las posibilidades que le ofrece Ley, busca, por tanto, obtener una ventaja fiscal, circunstancia que se equipara a una incorrecta aplicación de las normas. O, *a sensu contrario*, que para evitar que la Administración presuma que las operaciones de una entidad tienen una finalidad elusoria, el sujeto pasivo debe buscar aquellos mecanismos que maximicen su tributación.

Lo más relevante de esta resolución, a los efectos que aquí nos ocupan, es que se emitió con posterioridad a la Sentencia del Tribunal Supremo de 4 de julio de 2014, en la que, como se desgranará el epígrafe dedicado a tal cuestión, el Tribunal rechaza la posibilidad de declarar en fraude de ley actos o negocios realizados en periodos prescritos[213]. El TEAC, sorprendentemente, desoye esta jurisprudencia y se acoge a la doctrina previa, recogida en varias Sentencias del Tribunal Supremo del año 2013[214]. Resulta sumamente llamativa la argumentación ofrecida por el Tribunal para obviar la aplicación de la jurisprudencia más reciente del Alto Tribunal, pues fundamenta su posición en la existencia de procedimientos pendientes de resolución por el Supremo con idéntica temática[215]. El empleo de esa argumentación, resulta, cuanto menos, sorprendente, como señala MARTÍNEZ GINER[216], *"teniendo en cuenta que la aplicación del criterio del Tribunal Supremo perjudicaría a la propia Administración"*. También muestra su extrañeza

---

213   BAS SORIA, J.: "Declaración de fraude de ley de una operación realizada en un periodo prescrito", *Estudios financieros. Revista de Contabilidad y Tributación*, núm. 380, 2014, pág. 147.

214   SOTO BERNABEU, L.: "La comprobación de ejercicios prescritos y la seguridad jurídica", *Documentos – Instituto de Estudios Fiscales*, núm. 13, 2016, pág. 249.

215   BLASCO DELGADO, C.: "La nueva configuración de la prescripción y el derecho a comprobar e investigar", en MERINO JARA, I. (Dir.), CALVO VÉRGEZ, J. (Coord.): *Estudios sobre la reforma de la Ley General Tributaria*, 1ª ed., Huygens, Barcelona, 2016, pág. 71.

216   MARTÍNEZ GINER, L. A.: "La Seguridad Jurídica como límite a la potestad de comprobación de la Administración Tributaria: Doctrina de los actos propios y prescripción del fraude de ley", ob. cit. BIB 2015\17116. (Consultado en la base de datos Aranzadi Instituciones, con fecha 25/09/2017).

por esta actuación administrativa JIMÉNEZ JIMÉNEZ[217], que señala que en muy escasas ocasiones se produce esta situación en la que un órgano administrativo no aplica la doctrina del Tribunal Supremo justificándolo en que solo hay una Sentencia y la Administración tiene muchos asuntos similares en los Tribunales, optando, eso sí, por el criterio más beneficioso para la Administración.

B. LA FIRMEZA DE LA BASE IMPONIBLE NEGATIVA DECLARADA DE UN PERIODO PRESCRITO

A pesar de que la doctrina mayoritaria del TEAC es clara en cuanto a dotar de una extensión amplia a las potestades comprobadoras, es posible encontrar algunas resoluciones que tratan tales potestades con un carácter más restrictivo.

Esta doctrina recogida, entre otras, en las resoluciones de 19 de enero de 2005, de 10 de mayo de 2011, de 18 de julio de 2013, y de 15 de febrero de 2017, en las que se defiende la firmeza de la base o cuota negativa de un periodo prescrito, lo que determina la imposibilidad de comprobar tal periodo, ni de forma directa ni indirecta. Esto es, la Administración puede comprobar los datos declarados por el contribuyente a fin de constatar la realidad de la base negativa, pero no puede modificar su cuantía, pues ello supondría extender la comprobación más allá de los límites

---

217 JIMÉNEZ JIMÉNEZ, C.: "Últimos (y contradictorios) pronunciamientos jurisprudenciales y doctrinales en materia de comprobación de ejercicios prescritos", *Diario La Ley*, núm. 8403, 2014, pág. 16.

de la prescripción. El contribuyente, por su parte, conforme al artículo 70.3 de la LGT tiene el deber de acreditar las bases negativas, pero únicamente mediante la exhibición de las declaraciones y autoliquidaciones en sus respectivos soportes. En la mencionada resolución de 15 de febrero de 2017, el TEAC reconoce la imprescriptibilidad del derecho de la Administración a la investigación o comprobación de hechos realizados en ejercicios anteriores que estén prescritos pero que tienen relevancia para liquidar hechos imponibles no prescritos, añadiendo que, conforme a su criterio, debe reconocerse a la Administración la posibilidad de comprobar lo sucedido en ejercicios prescritos, aun cuando no pueda regularizarlos, siempre que sea necesario para poder regularizar un ejercicio no prescrito, ya que la operación en concreto surte efectos en periodos no prescritos. No obstante, la misma resolución, aludiendo al principio de seguridad jurídica, niega la posibilidad de que la Administración revise los saldos de periodos prescritos que recaen sobre periodos no prescritos, entrando a conocer y regularizando las operaciones llevadas a cabo para determinar un nuevo saldo a compensar, pero *"sí podrá examinar si se han declarado incorrectamente los saldos pendientes de compensación en el periodo no prescrito, o si en su caso, ya se han compensado en periodos precedentes o la corrección de los errores contables o documentales que no pueden arrastrarse a períodos no prescritos"*. El TEAC indica que la Administración *"no puede regularizar la situación jurídico-tributaria del sujeto pasivo en el período prescrito, y si ello no es posible no puede tener en cuenta el resultado de una regularización ya efectuada y que ha sido declarada prescrita por un órgano revisor, ya sea económico-administrativo (...) o por un órgano de la jurisdicción contencioso-administrativa. No se puede tener en cuenta el resultado de esa regularización aun cuando tenga trascendencia sobre ejercicios posteriores, como sucede cuando el resultado es a compensar puesto que, como venimos señalando, este resultado es inherente al ejercicio de la actividad comprobadora de la Administración (regularizando las operaciones que se han producido en el período prescrito) que se anula en cuanto la Administración no puede regularizar ya la situación del sujeto pasivo. La institución de la prescripción y el principio de seguridad jurídica impiden la traslación de los efectos de esta regularización ya anulada sobre períodos posteriores no prescritos".* En relación al Impuesto sobre el Valor Añadido (en adelante, IVA) también se manifestó el TEAC en la mencionada resolución de 24 de septiembre de 2008, señalando que *"en aplicación de dicho criterio, el TEAC ha confirmado la posibilidad de comprobar, en el ámbito del Impuesto sobre el Valor Añadido, la corrección de los saldos a compensar generados en períodos prescritos, con ocasión de las actuaciones tendentes a la regularización de períodos no prescritos en que dichos saldos son objeto de compensación"*, pero la referida comprobación de la corrección se refiere únicamente a una comprobación de tipo formal, no a un examen de la corrección jurídica de lo declarado en el periodo prescrito.

En opinión de GARCÍA NOVOA[218], estas resoluciones del TEAC merecen una valoración más positiva, al moderar su interpretación hacia una postura más garantista de la seguridad jurídica.

---

218 GARCÍA NOVOA, C.: *Iniciación, interrupción y cómputo del plazo de prescripción de los tributos*, ob. cit., págs. 51-55.

2.3.2. DOCTRINA JURISPRUDENCIAL: EL OSCILANTE CRITERIO DEL TRIBUNAL SUPREMO

En el apartado precedente, referido a la LGT de 1963, se recogían diversas Sentencias recaídas al efecto que establecían el criterio seguido por el Tribunal Supremo que, en este punto, era claro: las bases imponibles negativas correspondientes a un ejercicio prescrito eran firmes y no podían ser comprobadas por la Administración. Sin embargo, este criterio distó mucho de ser definitivo, pues subyacían diversos problemas, a los que nos venimos refiriendo[219].

Por ello, tras la entrada en vigor de la LGT de 2003 una serie de pronunciamientos modificaron esta doctrina, aproximándola a las tesis mantenidas por el TEAC y separándose del criterio defendido por la Audiencia Nacional[220]. Los aspectos esenciales sobre los que versaran estos pronunciamientos serán dos:

1. Por un lado, si la Administración mantiene el derecho a comprobar periodos prescritos con incidencia en periodos no prescitos, esto es, la pretendida

---

219 MARÍN BENITEZ, G., y ASENSIO GIMÉNEZ, S.: "La prescripción en el ámbito tributario y el derecho de la Administración tributaria a comprobar e investigar", *Actualidad jurídica Uría Menéndez*, núm. 42, 2016, págs. 109-110.

220 La Audiencia Nacional mantenía una línea firme, negando que la Administración pueda recalificar jurídicamente las bases imponibles negativas procedentes de periodos prescritos. Así lo señala, entre otras, en Sentencias de 23 de diciembre de 2010 (*Tol 2.015.115*), 2 de febrero, 26 de mayo y 21 de julio de 2011 (*Tol 2.042.323, Tol 2.139.473 y Tol 2.205.492*, respectivamente) y 24 de mayo de 2012 (*Tol 2.558.849*).

imprescriptibilidad del derecho a comprobar e investigar de la Administración.

2. Por otro lado, en caso de que efectivamente la Administración pueda comprobar tales periodos prescritos, la extensión de las facultades de comprobación.

En relación a ambas cuestiones la jurisprudencia es vacilante[221], tanto respecto a su resolución, como a la interpretación otorgada a los preceptos discutidos en cada uno de los casos, por lo que se realizará una exposición cronológica de las Sentencias más relevantes, a fin de facilitar la comprensión del sentido de las mismas y de los cambios de criterios que se han producido en el seno de este órgano jurisdiccional.

A. LA SENTENCIA DE 20 DE SEPTIEMBRE DE 2012

El inicio del cambio aparece en la Sentencia de 20 de septiembre de 2012[222], si bien ciertamente son dos Sentencias de la misma fecha, en la que el Tribunal Supremo precisa los límites del artículo 23.5 de la LIS de 1995, tras la modificación efectuada por la Disposición adicional segunda de la Ley 40/1998.

---

221   BLASCO DELGADO, C.: "La nueva configuración de la prescripción y el derecho a comprobar e investigar", en MERINO JARA, I. (Dir.), CALVO VÉRGEZ, J. (Coord.): *Estudios sobre la reforma de la Ley General Tributaria*, ob. cit., págs. 72-73.

222   *Tol 2.654.826* y *Tol 2.654.792*, respectivamente.

Estas Sentencias, particularmente una de ellas, merecen especial atención porque suponen en origen del futuro cambio en la doctrina del Alto Tribunal. En estas Sentencias el Tribunal Supremo parte de un supuesto de hecho en el que una entidad había compensado, en los ejercicios 2001 y 2002 bases imponibles negativas, procedentes las compensadas en 2001 de los ejercicios 1993 a 1997, y las compensadas en 2002 de los ejercicios 1997 a 1999[223]. Cada una de estas liquidaciones fue recurrida por la entidad: la de 2001, en casación, y la de 2002, en casación para la unificación de doctrina.

---

223   A consecuencia de la falta de acreditación de la procedencia y cuantía de tales bases negativas, la Inspección tributaria efectúa una nueva liquidación, a la que se suma la correspondiente sanción, ascendiendo la deuda total de la entidad a 262.643,66 euros. Contra los acuerdos de liquidación y sanción la sociedad formuló reclamación económico-administrativa ante el TEAC, en la que alega la improcedencia de la regularización practicada por cuanto que ha prescrito el derecho de la Administración a comprobar las bases imponibles negativas generadas en los ejercicios 1993 a 1999, dado que son firmes y no se pueden modificar. El TEAC desestima la reclamación por medio de resolución de 14 de mayo de 2008, y tal resolución es recurrida ante la Sala de lo Contencioso Administrativo de la Audiencia Nacional, que dictó Sentencia con fecha 28 de junio de 2010 (*Tol 1.900.058*), en la que señalaba que "*esta facultad de "comprobación" se ha de entender como constatación de la veracidad de lo declarado por el sujeto pasivo. En este sentido, esta actividad inspectora puede producirse en todo momento, sin que pueda sujetársele a plazo alguno. Sin embargo, su eficacia no puede traspasar el plazo de prescripción recogido en el art. 64 de la citada Ley, de forma que, si bien la Administración puede comprobar los datos declarados por el sujeto pasivo, configurando los elementos que condicionan las sucesivas declaraciones, lo que no puede hacer es extender a los ejercicios que quedan fuera del plazo de los cinco años los efectos de la comprobación, si bien puede fijar, tras la comprobación, los hechos, actos o elementos que determinan lo consignado en las declaraciones que, al quedar dentro del ámbito temporal del art. 64 LGT, si pueden ser objeto de investigación, y cuyo resultado podría ser el de la práctica de nueva liquidación por parte de la Administración. Es decir, la actividad que prescribe es el derecho de la Administración a determinar la deuda tributaria mediante la liquidación, y la acción para exigir el pago de las deudas liquidadas, no la actividad de comprobación, que se ha de sujetar al contenido legal de tal facultad*".

El recurso de casación para la unificación de doctrina es inadmitido, pero no así el recurso de casación, dando lugar a la resolución que verdaderamente modifica la doctrina vigente hasta ese momento. Y es que, en esta Sentencia el Tribunal establece el alcance del artículo 23.5 de la LIS de 1995 y extiende su vigencia a todos los periodos en los que se compensen bases imponibles negativas con posterioridad a su entrada en vigor, independientemente del ejercicio en que esas bases se hubieran generado. El obligado tributario, a tenor de tal consideración, debe justificar a través de los documentos contables y mercantiles pertinentes la procedencia de tales bases negativas.

La Sentencia realiza importantes apuntes en torno a la irretroactividad de las normas tributarias que, en suma, permiten al Tribunal justificar la aplicación de la necesidad de acreditar la procedencia de las bases imponibles negativas incluso si estas proceden de periodos prescritos, siempre que se compensen en un periodo no prescrito que sea objeto de comprobación. Señala el Tribunal que *"no puede ser más claro el precepto últimamente transcrito en cuanto a la obligación de justificar documentalmente las bases negativas, cualquiera que sea el ejercicio en que se originaron y por tanto resulta de aplicación tanto a las generadas con anterioridad a 1 de enero de 1999 como a las surgidas con posterioridad"*. Con base en esta interpretación, el Alto Tribunal desestima los dos primeros motivos casacionales.

En relación a la posible aplicación por la Administración tributaria del método de estimación indirecta, la Sala también rechaza esta opción, pues, *"la Ley, ya lo hemos apuntado en el anterior Fundamento de Derecho, no permite la comprobación de autoliquidaciones correspondientes a ejercicios prescritos y, en consecuencia, la alteración de las bases imponibles declaradas.* Solo requiere que se justifique la procedencia y cuantía de las bases imponibles negativas a efectos de su compensación con bases imponibles positivas". Pero, yendo más allá de la desestimación de este motivo, que por otra parte resulta lógica a nuestro modo de ver, el Tribunal señala expresamente que, al margen de que el obligado tributario deba justificar la procedencia, en los términos establecidos en el artículo 23.5 de la LIS, de las bases imponibles negativas procedentes de periodos prescritos compensadas en periodos no prescritos, la Administración no puede comprobar tales autoliquidaciones, alterando la base imponible del periodo prescrito. Sin embargo, en la referida Sentencia se avala una nueva liquidación practicada en el ejercicio 2001 con base a la no acreditación, o a la insuficiencia en la misma, de las bases imponibles negativas declaradas en los ejercicios 1993 a 1997. Si bien en este caso no se realiza de manera directa una nueva liquidación de los periodos prescritos, parece dudoso hasta qué punto, dejar sin efecto lo declarado en los mismos, de manera indirecta, no altera o modifica esas autoliquidaciones prescritas, al menos en cuanto a sus efectos.

En conclusión, tras las reformas legislativas referentes a la comprobación de los ejercicios prescritos, tanto en la LIS, como en la LGT, el Tribunal Supremo concluye en esta Sentencia que[224]:

---

224 SÁNCHEZ PEDROCHE, J. A.: "Artículo 26. Compensación de bases imponibles negativas", en SÁNCHEZ PEDROCHE, J. A. (Dir.): *Comentarios a la Ley del Impuesto sobre Sociedades y su normativa reglamentaria*, 1ª ed., Tirant lo Blanch, Valencia, 2017, págs. 800-801.

1. La Administración tributaria puede comprobar bases imponibles negativas procedentes de ejercicios prescritos compensados en periodos no prescritos.

2. No es suficiente con que el obligado tributario alegue que el periodo del que provienen tales bases imponibles negativas está prescrito, sino que, dado que la Administración puede comprobar esos periodos, el obligado debe acreditar documentalmente las bases negativas.

3. Una vez que el obligado ha cumplido con la exhibición de la liquidación, la contabilidad y los soportes documentales, la carga de la prueba para demostrar la corrección o no de esas bases imponibles negativas recae en la Administración.

Este resumen detallado se justifica en la especial atención que, a nuestro modo de ver, merece esta Sentencia, porque no solo marca el inicio de una nueva línea doctrinal en esta materia, que posteriormente se consagrará, sino que, yendo más allá, representa el origen del cambio legislativo en la institución de la prescripción efectuado, en primer término, por la LIS de 2014, y consolidado y expandido por la Ley 34/2015, a pesar de las numerosas modificaciones de criterio que se produjeron con posterioridad a esta Sentencia y que a continuación se expondrán.

B. LAS SENTENCIAS DE 4 DE NOVIEMBRE DE 2013 Y DE 6 DE MARZO DE 2014

La doctrina del Tribunal Supremo emanada de las Sentencias de 4 de noviembre de 2013[225] –ASUNTO EBROMYL- y del 6 de marzo de 2014[226] –ASUNTO KUTXABANK- ponen coto a la facultad de comprobación de la Administración referida a periodos prescritos, en aquellos casos en los que la Administración ya ha realizado una comprobación previa[227].

En el asunto EBROMYL, el Tribunal confirma la Sentencia de la Audiencia Nacional, de 24 de julio de 2012[228], en la que se estima el recurso interpuesto por la sociedad EBROMYL contra la declaración en fraude de ley de la adquisición de unas acciones de entidades vinculadas, pertenecientes al mismo grupo empresarial internacional, financiándose dicha compra mediante créditos concertados con otras empresas del mismo grupo. Esos mismos hechos fueron comprobados con anterioridad, no siendo declarados en fraude de ley[229].

---

225 *Tol 4.014.936.*

226 *Tol 4.144.865.*

227 La Sentencia de 15 de enero de 2015 también se refiere a los efectos preclusivos de las comprobaciones previas en idéntico sentido pero en un supuesto que no se refería al fraude de ley.

228 *Tol 2.599.877.*

229 La Audiencia Nacional estima el recurso y anula las referidas actuaciones, empleando para ello la doctrina de los actos propios.

La antedicha Sentencia es recurrida en casación ante la Sala de lo Contencioso Administrativo del Tribunal Supremo que, en Sentencia de 4 de noviembre de 2013, no hace sino confirmar lo declarado por la Audiencia Nacional. Pero el Tribunal va más allá, pues no limita exclusivamente la restricción a la facultad de comprobación de aquellos supuestos en los que ya existía comprobación previa, sino que, a nuestro modo de ver, extiende esa restricción también a aquellos supuestos en los que no se ha producido comprobación previa. Lo verdaderamente relevante para el Tribunal es que los actos sean *"inequívocos y definitivos"*, pero, siendo así, pueden ser expresos, presuntos o tácitos, *"estos actos pueden ser expresos, mediante los que la voluntad se manifiesta explícitamente, presuntos, cuando funciona la ficción del silencio en los casos previstos por el legislador, o tácitos, en los que la declaración de voluntad se encuentra implícita en la actuación administrativa de que se trate"*. De este modo, la *"no actuación"* de la Administración que suponga el transcurso del plazo y la consolidación de la prescripción también obliga a la Administración a observar hacia futuro la conducta que siguió en actos pasados, pues *"el dato decisivo radica en que, <u>cualquiera que fuere el modo en que se exteriorice, la voluntad aparezca inequívoca y definitiva</u>, de manera que, dada la seguridad que debe presidir el tráfico jurídico (artículo 9.3 de la Constitución) y en aras del principio de buena fe, enderezado a proteger a quienes actuaron creyendo que tal era el criterio de la Administración, esta última queda constreñida a desenvolver la conducta que aquellos actos anteriores hacían prever, no pudiendo realizar otros que los contradigan, desmientan o rectifiquen"*.

Continúa su argumentación enlazando lo señalado con los principios de buena fe y confianza legítima que, según el Tribunal, *"constituyen pautas de comportamiento a las que, al servicio de la seguridad jurídica, las Administraciones públicas, todas sin excepción, deben ajustar su actuación (...) sin que después puedan alterarla de manera arbitraria"*.

Con ello, en esta Sentencia de 4 de noviembre de 2013 el Tribunal rechaza la posibilidad de que la facultad de comprobación se extienda a la declaración en fraude de ley de negocios jurídicos realizados en periodos prescritos, confirmando lo declarado en la Sentencia de la Audiencia Nacional con base en la doctrina de los actos propios. El Tribunal no extiende únicamente esa limitación a los supuestos en los que exista una comprobación previa, sino también a aquellos en los que la Inspección no ha actuado, porque tanto unos como otros constituyen actos propios que no pueden ser modificados y porque la Administración debe ajustar su actuación a los principios de confianza legítima y seguridad jurídica.

En nuestra opinión, los argumentos ofrecidos por el Alto Tribunal son acertados, pues toman en cuenta en primer término la salvaguarda del principio de seguridad jurídica como fundamento de la prescripción tributaria. El respeto a este principio, como se desprende de las referidas Sentencias, no supone otra cosa que la consideración de los derechos y garantías de los contribuyentes, pues la pretendida recalificación de unos hechos ya prescritos y que, por tanto, han generado en el contribuyente la confianza de su firmeza contraviene el principio de confianza legítima y se opone a la propia doctrina de los actos propios y, en suma, al principio de seguridad jurídica[230].

PALAO TABOADA[231] no valora positivamente esta Sentencia, por entender que el Tribunal Supremo no aplica correctamente la doctrina de los actos propios al otorgarle un sentido excesivamente amplio, ya que *"el hecho de no haber calificado como fraude de ley en las inspecciones realizadas a EBROMYL, SA y AMYLUM IBERICA SA, las operaciones que generaron los gastos financieros cuya deducción se discute no era motivo para crear en la primera la confianza legítima en que esa calificación no se produciría cuando fue objeto de una nueva inspección en calidad de dominante del grupo de consolidación".* No estamos de acuerdo totalmente con el referido autor pues entendemos que su interpretación otorga a la doctrina de los actos propios un alcance parcial. Siguiendo su argumentación parece concluirse que la Administración solo quedará vinculada a sus actos propios cuando esta, en el ejercicio de su función comprobadora,

---

230 En este punto, recordamos las palabras de DÍEZ-PICAZO en las que al definir la seguridad jurídica destaca la estrecha conexión entre esta y el principio de confianza legítima. Según este autor, la seguridad jurídica *"es la posibilidad en cada individuo se puede encontrar de considerar que serán ciertas en el futuro determinadas circunstancias que debamos considerar como de indubitada producción. De este modo, la certeza o certidumbre enlaza inmediatamente con la idea de confianza: puesto que se tiene certeza, se puede y se debe confiar en que en el futuro determinados hechos respecto de los cuales los individuos pueden tener un especial interés, se producirán o no".* Vid. DÍEZ-PICAZO, L.: *La Seguridad Jurídica y otros Ensayos,* 1ª ed., Civitas, Cizur Menor (Navarra), 2014, págs. 13-14.

231 PALAO TABOADA, C.: "Doctrina de los actos propios, comprobación de ejercicios anteriores y fraude de ley (Comentario a la STC de 4 de noviembre de 2013, rec. núm. 28/2010)", *Estudios financieros. Revista de Contabilidad y Tributación,* núm. 376, 2014, pág. 38.

determine que una actuación del obligado tributario se ha producido en fraude de ley, pero no cuando alcance la conclusión de que tal fraude de ley no existe, o cuando, tras comprobar unas operaciones, que precisamente son las que dan origen a tal fraude de ley –como ocurre en el caso enjuiciado-, no se pronuncie en relación a este extremo. En definitiva, esta interpretación restrictiva, a nuestro modo de ver, equivaldría a afirmar que la doctrina de los actos propios solo se aplica cuando la Administración aprecie actos no ajustados a Derecho, pero no cuando determina, expresa o tácitamente, que el acto es legal. Además, este autor reconoce que la aplicación de la doctrina de los actos propios es híper garantista con el principio de seguridad jurídica, punto en el que sí coincidimos y, precisamente por eso nos parece adecuada[232].

---

232   HERRERO DE EGAÑA ESPINOSA DE LOS MONTEROS, en comentario a esta Sentencia, señala que *"resulta indudable que la seguridad jurídica padece cuando la Administración tributaria ha comprobado la actuación del obligado tributario, la ha considerado correcta y, con posterioridad, al comprobar los efectos de esa operación en otros ejercicios tributarios, revisa la operación inicial y pretende calificarla como fraudulenta"*. Hasta este punto estamos de acuerdo con el autor, pero a partir de ahí añade que *"es cierto que en esos casos la seguridad jurídica padece –y padece mucho– pero el debate no es ese o, mejor dicho, no es solamente ese. El debate es si, sobre esa seguridad jurídica, debe primar la legalidad. Y ese debate lo ha resuelto la Sala Tercera de lo Contencioso-Administrativo del Tribunal Supremo dando primacía al principio de legalidad sobre la vinculación al acto propio. En ese estado de cosas podríamos preguntarnos: ¿la Sección 2ª de esa Sala Tercera de lo Contencioso-Administrativo del Tribunal Supremo debía de haberse considerado vinculada por esos actos propios de la Sala Tercera del Tribunal Supremo o la independencia judicial le autorizaba a resolver de una manera diferente?"*. Esta última parte de la valoración parece contradictoria con la Sentencia comentada, tal y como también apunta PALAO TABOADA. Vid. HERRERO DE EGAÑA ESPINOSA DE LOS MONTEROS, J. M.: "La vinculación de la Administración tributaria a los actos propios en su función de comprobación. Comentario a la Sentencia del Tribunal Supremo de 4

La Sentencia KUTXABANK, por su parte, reitera la argumentación desarrollada en la Sentencia EBROMYL, concluyendo, igualmente, que la Administración carece de facultades para declarar que actos o negocios realizados en periodos prescritos puedan ser recalificados jurídicamente por la Administración, aun produciendo efectos en ejercicios no prescritos.

C. LAS SENTENCIAS DE 9 DE FEBRERO DE 2013 Y DE 4 DE JULIO DE 2014

En estas Sentencias el Tribunal Supremo excluye de las facultades de comprobación en relación a los ejercicios prescritos la aplicación del fraude de ley o del conflicto de aplicación de la norma. En la Sentencia de 9 de febrero de 2013[233] el Tribunal tajante, ofreciendo un crisol de argumentos que defienden que otorgar a los órganos de la Administración la capacidad examinar la legalidad de las operaciones realizadas en periodos prescritos sobrepasa con mucho el sentido del artículo 23.5 de la LIS, y supone la quiebra del instituto de la prescripción. Señala la Sala que *"debe convenirse que dicha tesis altera absoluta y sustancialmente el régimen jurídico de la prescripción, institución vinculada -sobre todo- a un principio esencial que debe presidir las relaciones jurídicas (incluidas, obvio es*

---

de noviembre de 2013", *Quincena Fiscal*, núm. 7, 2014, págs. 109-116 y PALAO TABOADA, C.: "Doctrina de los actos propios, comprobación de ejercicios anteriores y fraude de ley (Comentario a la STC de 4 de noviembre de 2013, rec. núm. 28/2010)", ob. cit., pág. 38.

233 *Tol 4.062.915.*

decirlo, las que se desenvuelven entre la Administración y sus ciudadanos): el de seguridad jurídica, que reclama evitar la incertidumbre en el desenvolvimiento temporal de aquellas relaciones, penalizando el abandono que del ejercicio de su derecho realiza su titular con la pérdida del derecho mismo, que ya no podrá ejercitarse en modo alguno. Dicho de otra forma, la prescripción consolida definitivamente la situación jurídica correspondiente, impidiendo -por el transcurso del tiempo unido a la falta de ejercicio de la acción- que tal situación pueda alterarse en el futuro", a lo que añade que "no es necesario efectuar especiales esfuerzos hermenéuticos para colegir que la interpretación propuesta por la Administración supone una verdadera quiebra de la finalidad del instituto prescriptorio: si el transcurso del plazo legal no permite a la Inspección revisar los datos consignados por el contribuyente en la declaración-liquidación de un determinado ejercicio, tal prohibición solo puede significar que aquellos datos han ganado firmeza y que, por tanto, devienen intangibles. Entender que las facultades de comprobación desplegadas en relación con un ejercicio posterior (no prescrito) pueden extenderse a la legalidad o conformidad a derecho de unos datos anteriores no revisables sería tanto como decir que el instituto de la prescripción no ha producido el efecto que le es propio, el de la firmeza de una declaración que ya no puede ser en modo alguno comprobada (...) La tesis sostenida por el Abogado del Estado permitiría reabrir en cualquier momento, de manera indirecta y sin limitación temporal alguna, la comprobación de operaciones realizadas en ejercicios prescritos --y cuyos datos y magnitudes han adquirido firmeza-- para alterar su régimen tributario, al margen del más elemental principio de seguridad jurídica y en abierta contradicción con el instituto de la prescripción y de sus efectos propios".

En opinión del Tribunal, para extender los efectos del artículo 23.5 en el sentido de afectar a la calificación legal de los negocios jurídicos llevados a cabo en periodos prescritos y, en concreto, a la compensación de bases imponibles negativas, hubiera necesitado una modificación de la propia institución de la prescripción, y esta modificación no se efectúa por medio del nombrado artículo 23.5, pues, hasta su ubicación sistemática -en el Título *"La base imponible"*- aleja tal interpretación. Finalmente, la Sentencia alude a la quiebra del principio de igualdad, pues "si, *efectivamente, las facultades de comprobación pudieran soslayar el plazo de prescripción, se colocaría a la Administración en una clara situación de privilegio respecto del contribuyente. La Inspección podría, en efecto, comprobar la legalidad de una operación, dato o declaración más allá del plazo prescriptorio (concretamente, hasta que transcurra el lapso temporal en el que puede efectuarse la compensación); el sujeto pasivo, sin embargo, no estaría habilitado para corregir los errores detectados en las declaraciones correspondientes a ejercicios prescritos, aunque dichos errores pudieran proyectarse a los créditos compensables en el futuro".*

Posteriormente, en la Sentencia de 4 de julio de 2014[234] (ASUNTO HEWLETT-PACKARD), el Tribunal Supremo apuesta de manera clara por esta línea argumental limitativa de las potestades de comprobación en ejercicios prescritos y por el mantenimiento de la firmeza de las operaciones

---

234 *Tol 4.438.093.*

prescritas con base en el principio de seguridad jurídica. En esta Sentencia la controversia es clara y queda reflejada en sus Fundamentos Jurídicos Cuarto y Quinto: *"la cuestión nuclear del presente recurso se centra en dilucidar si la Administración Tributaria puede o no declarar la existencia de fraude de ley respecto de operaciones realizadas en ejercicios prescritos -ejercicio 1998- aunque tales operaciones (por ejemplo, los gastos financieros) pudieran proyectar sus efectos en ejercicios no prescritos (ejercicios 2002 a 2004, objeto de comprobación) (...) la incógnita a despejar consiste en sí, con ocasión de esa acreditación, le está permitido a la Administración tributaria comprobar el ejercicio prescrito en el que las bases negativas se generaron y, cuando sea menester, proceder a su rectificación o eliminación y, en su caso, con qué alcance"*.

En este caso, el TEAC y la Abogacía del Estado defendían que la facultad de declarar la existencia de fraude de ley no prescribe y se extiende a cualquier periodo impositivo en el que hayan tenido lugar los hechos o en el que consten datos con proyección a efectos fiscales en ejercicios no prescritos. Es más, sostienen *"que estas facultades no se limitan a la mera determinación de la existencia de tales hechos o datos, sino que se extienden a la valoración de los negocios concertados en 1998 para poder, en consecuencia, tratarlos como si fueran objeto de Inspección bajo el pretexto de que producen efectos en ejercicios no prescritos"*.

Ambos fueron muy criticados por el Tribunal, por considerar que la declaración en fraude de ley de actos o negocios realizados en periodos prescritos ataca de manera flagrante el principio de seguridad jurídica y, contraviniendo este, como fundamento de la prescripción tributaria, vulnera esta última, aplicando la misma argumentación que en la referida sentencia de 9 de febrero de 2013.

De esta manera el Tribunal Supremo se opone con claridad a la posibilidad de declarar en fraude de ley actos o negocios jurídicos realizados en periodos prescritos, interpretando que los artículos 70.3 y 106.5 de la LGT de 2003 no permiten que al Administración revise una declaración firme y que el sentido del término "procedencia" no puede suponer para el obligado tributario una carga que vaya más allá de la conservación de la contabilidad y los soportes documentales que constaten la existencia de la base imponible negativa correspondiente al periodo prescrito.

D. LAS SENTENCIAS DE 6 Y 14 DE NOVIEMBRE DE 2013 Y 9 DE DICIEMBRE DE 2013

Antes de iniciar la exposición del contenido de estas Sentencias, es preciso indicar que la rotundidad de sus argumentos y su oposición a las Sentencias referenciadas en el apartado precedente, de manera coetánea en el tiempo, provocó una situación sumamente indeseable por la profunda inseguridad jurídica generada.

En la Sentencia de 6 de noviembre de 2013[235], el Tribunal Supremo equipara el término *"procedencia"* al término *"corrección"* desde un punto de vista material,

---

235 *Tol 4.030.831.*

indicando que *"el precepto que ahora se examina consagra un deber de acreditamiento (una carga) que pesa sobre quien pretenda la compensación de bases negativas; un medio de acreditamiento, que no es otro que la exhibición de la contabilidad y los oportunos soportes documentales; y, finalmente, el alcance de la carga probatoria "procedencia" y "cuantía" de las bases negativas cuya compensación se pretenda"*.

El Tribunal Supremo confirma su criterio en las Sentencias del 14 de noviembre de 2013 y de 9 de diciembre de 2013[236], en las que señala que *"no tendría sentido el artículo 23.5 de la LIS, en la redacción aquí aplicable, limitado solo a presentar soportes documentales o autoliquidaciones de los que se derivaran bases imponibles negativas, sino se autorizara a la Inspección a llevar a cabo actos de comprobación para constatar que los datos reflejados en unos y otras se ajustaban a la realidad y resultaban conforme con el ordenamiento jurídico"*

De esta forma, cuando alude a la *"conformidad con el ordenamiento jurídico"*, el Tribunal admite la posibilidad de declarar el fraude de ley o el conflicto en la aplicación de la norma también para la actividad o las actividades que dieron lugar a la base imponible negativa compensada posteriormente. A tal efecto, el Tribunal Supremo extiende los límites de la acreditación de la procedencia a la *"conformidad a Derecho"*, adoptando la posición defendida por las Administración y ampliando las potestades comprobadoras de los órganos de Inspección, hasta el punto de dotar a tales

---

236   *Tol 4.031.136* y *Tol 4.062.915*, respectivamente.

órganos de plenas facultades para la declaración en fraude de ley de una operación realizada en un periodo prescrito con efectos en un periodo no prescrito.

Más aún, a tales efectos, en estos pronunciamientos se dota a los órganos de la Administración tributaria de las mismas facultades de comprobación en los ejercicios prescritos que los que posee en los ejercicios no prescritos, y así se señala expresamente en la *supra* mencionada Sentencia de 14 de noviembre de 2013, cuando indica que *"la carga queda cumplida por parte del obligado con la exhibición de la documentación indicada, y a partir de entonces surge para la Inspección la de demostrar que las bases negativas no se ajustan a la realidad o son contrarias al ordenamiento jurídico, para lo cual hay que reconocer a aquella, facultades de comprobación, que son las mismas que tenía en su momento respecto de los ejercicios prescritos, y que en absoluto afectan a la firmeza del resultado de la autoliquidación no comprobada y firme, pero si a aquél otro ejercicio en el que el derecho eventual o la expectativa de compensación tiene la posibilidad de convertirse en derecho adquirido al surgir bases positivas susceptibles de compensación"*.

De esta forma, la Sala justifica su conclusión en una interpretación extensísima del artículo 23.5 de la LIS, en la versión dada por la Ley 40/2001. Sin embargo, tal interpretación excede con mucho lo indicado en el texto legal y, a resultas de eso, quiebra el propio instituto jurídico de la prescripción pues anula sus efectos.

Estas Sentencias también realizan importantes apreciaciones en relación a la carga de la prueba. La

Administración pretendía que tal carga probatoria recayera sobre el contribuyente, petición rechazada por el Tribunal Supremo, que en la Sentencia de 9 de diciembre de 2013 determina que "*a pesar del empeño de la Administración y su representante procesal por convencer a la Sala de que con tales expresiones se impone al sujeto pasivo la carga de demostrar que sus bases imponibles negativas son (o eran) ajustadas a las previsiones legales, entendemos que dichas exigencias son muchísimo más limitadas: el interesado solo debe conservar los soportes documentales o contables correspondientes para que la Administración (en la comprobación de los ejercicios no prescritos) pueda constatar la existencia misma del crédito*". En el mismo sentido, la Sentencia de 6 de noviembre de 2013, que indica que "*demostrada por el sujeto pasivo la concordancia de las bases imponibles que se pretenden compensar en el ejercicio "no prescrito", con las consignadas en el "prescrito" si la Administración sostiene que la deducción es improcedente, tanto por razones fácticas como jurídicas, es a ella a quien corresponde acreditar cumplidamente la ausencia de justificación de la discrepancia*", y la Sentencia de 14 de noviembre de 2013, que reproduce el fragmento *supra* transcrito.

Llegados a este punto, compartimos la opinión de GONZÁLEZ MARTÍNEZ[237], cuando indica que si bien la consideración de que el artículo 23.5 de la Ley 43/1995 es un precepto sobre la prueba cuyo destinatario es el sujeto pasivo, pero que la actividad probatoria de este debe quedar limitada a la acreditación de la cuantía y procedencia de

---

237 GONZÁLEZ MARTÍNEZ, M. T.: *La crisis de la prescripción tributaria*, 1ª ed., Francis Lefebvre, Madrid, 2016, pág. 78.

las partidas que pretende compensar, *"la discrepancia llega cuando el Alto Tribunal interpreta el término "procedencia", pues en lugar de utilizarlo en su acepción de "origen", especifica que con dicho término se está haciendo referencia a la "corrección" de las bases que se pretenden compensar".*

También se muestra crítico GOROSPE OVIEDO[238], que apunta que *"la tesis de la Administración contraviene los principios de seguridad jurídica y de eficacia administrativa, al obviar el instituto de la prescripción en operaciones de uso frecuente en el ámbito empresarial que producen efectos a lo largo de periodos de tiempo muy amplios, quebrando la certeza del tráfico económico y jurídico que debe guiar estas actividades".*

A mayor abundamiento, cabe apuntar que lo defendido por estas Sentencias choca de manera frontal con los argumentos en torno a la desvirtualización de la institución de la prescripción que tal interpretación supone, ofrecidos por las Sentencias de 9 de diciembre de 2013 y 4 de julio de 2014 y dan lugar a una situación que podíamos tildar de "kafkiana" si no fuera por las importantes consecuencias que comporta en materia de seguridad jurídica. Y es que estos pronunciamientos originan la quiebra de la seguridad jurídica desde una doble vertiente: por un lado, jurisprudencial, derivada del sentido contrario de las resoluciones dictadas por el mismo órgano jurisdiccional de manera coetánea y,

---

238 GOROSPE OVIEDO, J. I.: "La prescripción del fraude de ley con consecuencias en periodos no prescritos y la reforma de la LGT y de la LIS. Análisis de la STS de 4 de julio de 2014, rec. Núm. 581/2013", *Estudios financieros. Revista de Contabilidad y Tributación*, núm. 379, 2014., pág. 163.

por otro legal, pues aquellas que otorgan plenas potestades comprobadoras a la Administración en los periodos prescritos no hacen sino vulnerar los propios efectos de la prescripción, eliminando toda seguridad jurídica para el contribuyente en cuanto a estos.

Además, el desacuerdo con el criterio sostenido por la Audiencia Nacional ha provocado que algunos autores, como JIMÉNEZ JIMÉNEZ[239], incluso mencionaran un claro enfrentamiento entre sendos órganos jurisdiccionales, lo que, al margen de otras cuestiones, redunda nuevamente en un incremento de la inseguridad jurídica.

E. LAS SENTENCIAS DE 5 DE FEBRERO, 19 DE FEBRERO, 26 DE FEBRERO Y 23 DE MARZO DE 2015

Estas Sentencias suponen la consolidación de la doctrina jurisprudencial en relación a las potestades comprobadoras de la Administración y el rechazo al criterio mantenido en las referidas Sentencias de 9 de febrero de 2013 y de 4 de julio de 2014. En estas Sentencias del año 2015 el Alto Tribunal se manifiesta rotundamente a favor de la posibilidad de declarar en fraude de ley actos o negocios realizados en ejercicios prescritos pero con efectos en ejercicios no prescritos, cuestión que, como hemos visto, ya venía avanzando cierta jurisprudencia. Además de por suponer un cambio respecto a la doctrina mantenida hasta

---

239   JIMÉNEZ JIMÉNEZ, C.: "Últimos (y contradictorios) pronunciamientos jurisprudenciales y doctrinales en materia de comprobación de ejercicios prescritos", ob. cit., pág. 13.

el momento, estas Sentencias destacan por la rotundidad con la que el Tribunal avala la extensión de las facultades de comprobación de la Administración al examen de la corrección jurídica de los actos o negocios realizados en periodos prescritos y por la consecuente rotación argumental que ofrecen.

No obstante, a pesar de la mencionada rotundidad en su postura, cabe destacar que la opinión de la Sala no fue unánime, pues en dos de las Sentencias[240] –la de 5 de febrero y la de 23 de marzo- uno de los Magistrados, el Sr. Joaquín Huelín Martínez de Velasco, emitió sendos votos particulares en los que cuestionaba varios aspectos de las Sentencias.

El giro inicial se produce en la Sentencia de 5 de febrero de 2015 (ASUNTO COTY SPAIN)[241]. El asunto versa sobre un supuesto de endeudamiento intragrupo y deducibilidad de gastos financieros, cuestionando la posibilidad de declarar en fraude de ley una operación realizada en un ejercicio prescrito, pero que despliega sus efectos sobre un ejercicio no prescrito[242].

---

240   En la Sentencia de 26 de febrero de 2015 el referido Magistrado no emitió voto particular, pero, con una curiosa fórmula, en el voto particular de la Sentencia del 23 de marzo de 2015, expresó su voluntad de hacer extensiva la argumentación contenida en tal voto particular a la Sentencia de 26 de febrero.

241   Tol 4.777.554

242   En cuanto a la controversia, señala el Tribunal que "*se enjuicia la posibilidad de declarar en fraude de ley, sin límite temporal alguno, una operación de financiación que tuvo lugar en un ejercicio prescrito, pero que despliega efectos en periodos no prescritos (...) En el presente caso la discusión versa sobre el alcance de la potestad comprobadora de la Administración respecto de actos, hechos, negocios u operaciones realizadas en periodos afectados por*

El Tribunal avala la extensión de las potestades de comprobación a la declaración en fraude de ley de actos o negocios realizados en periodos prescritos, fundamentando su decisión en dos argumentos[243]: por un lado, en una interpretación extensiva de la potestad de comprobación de la Administración; por otro, en el recurso a la preeminencia del principio de legalidad.

En relación al primer argumento, el Tribunal establece que *"la comprobación e investigación de la situación tributaria, aunque necesaria para liquidar la deuda tributaria, no estaba sometida a plazo de prescripción o caducidad alguno y ello porque se trata de un poder de la Administración distinto del de liquidar, que siempre ha estado regulado en un precepto propio (art. 115 de la LGT 2003 y 109 de la LGT 1963) y respecto del cual la legislación nunca ha establecido expresamente que su ejercicio esté sometido a plazo. El artículo 115 de la LGT 2003 califica a dicho poder de potestad. Estamos por tanto ante una potestad administrativa puesta al servicio de la Administración para poder liquidar un tributo pero que, salvo que la Ley diga otra cosa, es imprescriptible como todas las potestades administrativas. El artículo 115 de*

---

el instituto de la prescripción cuando se proyectan fiscalmente en ejercicios no prescritos o, dicho de otro modo, se trata de determinar qué ocurre cuando la Administración Tributaria pretende regularizar los efectos, en un ejercicio no prescrito, de aquellos negocios que, celebrados en un ejercicio prescrito, se considera que lo fueron en fraude de ley y por ello sus efectos en los ejercicios susceptibles de comprobación pueden regularizarse".

243   MARTÍNEZ GINER, L. A.: "La Seguridad Jurídica como límite a la potestad de comprobación de la Administración Tributaria: Doctrina de los actos propios y prescripción del fraude de ley", ob. cit., BIB 2015\17116. (Consultado en la base de datos Aranzadi Instituciones, con fecha 25/09/2017).

la LGT 2003 (art. 109 LGT 1963) no somete a plazo el ejercicio de las potestades de comprobación e investigación y el artículo 66 de la misma Ley tampoco las incluye dentro de los derechos de la Administración llamados a prescribir". Con ello, el Tribunal Supremo deslinda el derecho a liquidar de la potestad de comprobar, y señala que esta última, como potestad, es imprescriptible. La Administración puede emplear esa potestad para comprobar periodos prescritos, con efectos en periodos no prescritos, y liquidar estos últimos. Esta argumentación ataca de manera evidente la seguridad jurídica, pues permite a la Administración volver contra sus actos, modificando *de facto* aquello que ya está prescrito, y que por tanto, es inmutable, y variando sus efectos. La argumentación del Tribunal supone borrar la firmeza que presumiblemente poseen las liquidaciones efectuadas en ejercicios prescritos y hace que la propia institución de la prescripción tributaria pierda su razón de ser, pues permite la recalificación jurídica de los actos desarrollados en periodos prescritos, por tanto, ya consolidados y firmes.

De este modo el Tribunal establece la preeminencia de los efectos de los actos sobre la propia prescripción de los mismos; no obstante más allá de eso, la propia separación entre la potestad de comprobación y el derecho a liquidar no posee la nitidez que el Tribunal le pretende otorgar, pues la comprobación, con los caracteres que le otorga la Sentencia, permite una recalificación[244] de una operación realizada en

---

244 MARTÍNEZ GINER, L. A.: "La Seguridad Jurídica como límite a la potestad de comprobación de la Administración Tributaria: Doctrina de los actos propios y prescripción del fraude de ley", ob. cit., BIB 2015\17116. (Consultado en la base de datos Aranzadi Instituciones, con fecha 25/09/2017).

un periodo prescrito, y tales funciones tradicionalmente corresponden a la liquidación, pero, en ningún caso –hasta ahora- a la comprobación.

Por otro lado, respecto a la pretendida "imprescriptiblidad" de las facultades de comprobación, suscribimos lo señalado por FALCÓN Y TELLA[245] cuando apunta que *"esta «imprescriptibilidad» de las potestades (incluidas las facultades de comprobación e investigación) no quiere decir que las mismas carezcan de límites. Es evidente que la Administración no puede ir en contra de sus propios actos, en perjuicio del contribuyente, sino que debe respetar las exigencias de la buena fe y la confianza legítima"*. Esto es, que las potestades sean imprescriptibles no significa que no tengan límites, y sus límites vienen impuestos por la propia doctrina de los actos propios y por el plazo de prescripción del derecho a determinar la deuda tributaria. Si la Administración no actuó en tiempo, generando en el obligado tributario la creencia de que lo declarado en un determinado periodo, por transcurso del tiempo y la inactividad de las partes, deviene firme, por tanto, inatacable, no parece lógico que la Administración vuelva sobre sus actos, ya firmes, para modificar lo que era inmutable para el contribuyente. Cosa distinta es que la Administración pueda verificar lo que se declaró en el ejercicio prescrito, pero dando al concepto *"verificar"* un significado que no vaya más allá de constatar lo declarado en tal ejercicio, sin entrar en la

---

245   FALCÓN Y TELLA, R.: "La imprescriptibilidad del derecho a comprobar e investigar (que no es un derecho sino una potestad) y los límites derivados de la buena fe y la confianza legítima", ob. cit., BIB 2014\4013. (Consultado en la base de datos Aranzadi Instituciones, con fecha 16/03/2017).

corrección jurídica de lo mismo, pues para ello ya dispuso del correspondiente plazo de prescripción.

En relación a la pretendida preeminencia del principio de legalidad, señala el Tribunal Supremo que "*lo que se pretende es evitar que no se pueda actuar frente a la ilegalidad porque en un ejercicio prescrito la Administración no actuó frente a ella, pues ello equivaldría a consagrar en el ordenamiento tributario una suerte de principio de "igualdad fuera de la ley", "igualdad en la ilegalidad" o "igualdad contra la ley*". No se entiende muy bien el recurso al principio de legalidad en este contexto, pues precisamente lo que el Tribunal pretende con su Sentencia ataca de manera flagrante tanto la legalidad establecida por los artículos 66 y siguientes de la LGT, como el propio principio de seguridad jurídica. No se hace referencia a este último, a pesar de ser el fundamento esencial del instituto de la prescripción, lo que resulta sumamente llamativo. Obviamente, con ello, tampoco se plantea una ponderación entre ambos principios a fin de determinar su peso en esta institución jurídica. Con ello, parece que el Tribunal pretende obviar todo aquel argumento que desacredite su postura, más que realizar un ejercicio de confrontación entre unos y otros argumentos. Además el recurso a este principio en este contexto entendemos que es erróneo, pues, aunque el principio de seguridad jurídica no puede justificar la vulneración del principio de legalidad, también hay que considerar la actuación de la Administración ante esa ilegalidad, de modo que cuando "*la ilegalidad viene acompañada de una inactividad administrativa manifestada en una falta de comprobación o de declaración de fraude de ley cuando se estaba en condiciones de hacerlo, es obvio que en la balanza de los principios puede, y en mi opinión debe pesar más la seguridad jurídica y la confianza que una determinada actuación de la Administración, tácita o expresa, ha generado"*[246], opinión que compartimos.

En el voto particular a la Sentencia de 5 febrero de 2015 el Magistrado Sr. Joaquín Huelín Martínez de Velasco se mueve en esta línea crítica, precisando el contenido de la facultad de comprobación y distinguiendo dos situaciones: por un lado, la comprobación de bases imponibles negativas generadas en periodos prescritos y compensadas en periodos no prescritos y, por otro, la adecuación a Derecho de los gastos generados en un periodo prescrito con efectos en un periodo no prescrito, cuando tales gastos traen causa de negocios jurídicos realizados en fraude de ley. Señala el Ponente, cuyas palabras suscribimos, que *"la discusión no versa, sin más, sobre «el alcance de la potestad comprobadora de la Administración respecto de actos, hechos, negocios u operaciones realizadas en periodos afectados por el instituto de la prescripción cuando se proyectan fiscalmente en ejercicio prescritos» (...) se trata de determinar qué ocurre cuando la Administración tributaria pretende regularizar los efectos, en un ejercicio no prescrito, de aquellos negocios que, celebrados en un ejercicio prescrito, se considera que lo fueron en fraude de ley y por ello sus efectos en los ejercicios susceptibles de comprobación pueden regularizarse»"*. El Ponente incide en

---

246 MARTÍNEZ GINER, L. A.: "La Seguridad Jurídica como límite a la potestad de comprobación de la Administración Tributaria: Doctrina de los actos propios y prescripción del fraude de ley", ob. cit., BIB 2015\17116. (Consultado en la base de datos Aranzadi Instituciones, con fecha 25/09/2017).

lo necesario de los actos de la Administración respeten los plazos de prescripción, pues, con estos pronunciamientos *"se abre la posibilidad de invocar el fraude de ley de cualquier operación mercantil (o el conflicto en la aplicación de la Norma Tributaria) que produzca efecto final al cabo de décadas, sin sometimiento a plazo alguno"*.

Asimismo, en relación a la pretendida distinción entre el derecho a liquidar y la potestad de comprobar señala que *"la potestad siempre está ahí, mientras quiera el legislador, pero su ejercicio solo es posible si el derecho (en realidad no es un "derecho" de la Administración, sino un "deber-facultad" al servicio del interés general tributario plasmado en el artículo 31 de la Constitución) no ha prescrito"*. Destaca especialmente lo indicado en relación al principio de seguridad jurídica y a los límites en las potestades administrativas *"para fijar la deuda tributaria de un impuesto respecto del que el derecho a liquidar no se ha extinguido aún, le cabe a la Inspección constatar la realidad de lo acontecido más allá del plazo de prescripción y obtener las consecuencias pertinentes, pero no le es dable embarcarse en calificaciones y análisis jurídicos de ese pasado, sobre el que, por así haberlo querido el legislador, ya carece de facultades para intervenir en uso de las potestades que el propio legislador le ha atribuido. La seguridad jurídica, que es uno de los pilares sobre los que se asienta nuestro sistema de convivencia (artículo 9.3 de la Constitución), así lo reclama (...) Parece razonable concluir que la Inspección de los Tributos pueda asomarse al "pasado prescrito" para, sin operar sobre él y como mero espectador, tomar buena cuenta y obtener las oportunas consecuencias en orden a liquidar tributos respecto de los que, por no haber transcurrido el plazo fijado en la ley, conserva vivo aún su derecho a hacerlo e intactas sus facultades al respecto. Pero, si la seguridad jurídica es suma equilibrada de certeza y legalidad, jerarquía y publicidad, irretroactividad de lo no favorable e interdicción de la arbitrariedad, creo que atenta contra los cimientos de este principio basilar de nuestro ordenamiento jurídico permitir a una organización servicial, sometida radicalmente a la ley y al derecho, operar sobre ese pasado para recalificarlo jurídicamente, con el fin de justificar una liquidación que no habría tenido lugar sin esa previa manipulación. En mi opinión, constituye un auténtico fraude, una burla a nuestro sistema constitucional, atribuyendo a la Administración un poder que nunca estuvo en la voluntad de nuestros constituyentes ni, por supuesto, en la del legislador ordinario".* Sostiene, además, el Ponente que *"la legalidad aparente de los negocios celebrados en fraude de ley debe prevalecer sobre la ilegalidad subyacente de los mismos, cuando el fraude de ley no haya sido declarado dentro del plazo de prescripción, porque lo demanda el respeto de la seguridad jurídica. No cabe olvidar en esta particular situación, como entiendo han hecho mis colegas, el viejo aforismo: summun ius summa iniuiria".*

Este Magistrado reitera sus opiniones en un trabajo posterior en el que destaca el papel de la potestad de comprobación e investigación como herramienta al servicio del derecho a liquidar[247]. Si bien resulta innegable, siguiendo

---

247 HUELÍN MARTÍNEZ DE VELASCO, J.: "El derecho a comprobar e investigar", en VARIOS: *Comentarios a la Ley General Tributaria al hilo de su reforma*, 1ª ed., Wolters Kluwer – AEDAF, Madrid, 2016, págs. 68-69. Señala este autor que *"para hacer efectivo el mandato que incorpora el*

la teoría civil clásica, que las potestades son imprescriptibles, no se puede olvidar tampoco que la potestad comprobadora, en el marco del procedimiento tributario, está orientada en exclusiva al ejercicio de un derecho para el que el legislador sí ha previsto un plazo de prescripción: el derecho a determinar la deuda tributaria. La concepción que defiende el Tribunal Supremo supone la ruptura del molde básico que configura derechos y potestades, pues otorga a una potestad inserta en un derecho una pervivencia superior al mismo. Con ello, *"de nada o casi nada sirve decir que la potestad de comprobar e investigar no prescribe, si lo que se extingue por haberlo así señalado el legislador son los derechos, facultades o funciones enderezadas a liquidar los tributos"*[248].

También ha manifestado lo erróneo de este recurso al principio de legalidad GOROSPE OVIEDO[249], pues señala que el principio de seguridad jurídica *"requiere que la Administración actúe con objetividad en aras del interés*

---

artículo 31.1 de la Constitución de 1978, esto es, para proceder a la aplicación de los tributos (en la terminología del artículo 83 LGT/2003), en particular, para fijar la deuda tributaria mediante la correspondiente liquidación, dicha Ley ha atribuido a la Administración una potestad, la de comprobar e investigar, integrada por un haz de facultades enderezadas a la fijación de los hechos, actos y demás elementos determinantes de la obligación tributaria (...) se atribuye a la Administración tributaria la potestad de comprobación e investigación para que liquide los tributos, pero el legislador ha querido que esta tarea, la de liquidar, se lleve a cabo en cuatro años(...)".

248 HUELÍN MARTÍNEZ DE VELASCO, J.: "El derecho a comprobar e investigar", en VARIOS: *Comentarios a la Ley General Tributaria al hilo de su reforma*, ob. cit., pág. 69.

249 GOROSPE OVIEDO, J. I.: "La prescripción del fraude de ley con consecuencias en periodos no prescritos y la reforma de la LGT y de la LIS. Análisis de la STS de 4 de julio de 2014, rec. Núm. 581/2013", ob. cit., pág. 165.

general, con sometimiento pleno a la ley y al derecho. La inexistencia de un plazo prescriptorio en el ámbito de la comprobación e investigación puede quedar extramuros de este mandato constitucional".

Las posteriores Sentencias de 19 de febrero, 26 de febrero y 23 de marzo de 2015, en el mismo sentido, no hacen sino consolidar esta jurisprudencia iniciada con la referida Sentencia de 5 de febrero de 2015:

- En la Sentencia de 19 de febrero de 2015[250], el Alto Tribunal señala que la Administración tributaria podrá corregir tanto errores de cálculo, como errores en la calificación de los hechos o una aplicación indebida de la norma jurídica, consagrando las plenas facultades comprobadoras de la Administración.

- En la Sentencia del 26 de febrero del mismo año (ASUNTO GLAXOSMITHKLINE, S.A.)[251] destaca el esfuerzo que realiza el Tribunal por diferenciar gastos deducibles de compensación de bases imponibles negativas.

- La Sentencia de 23 de marzo de 2015 (ASUNTO HANSON PIONEER ESPAÑA, S.L.U)[252], por su parte, se acoge sin mayores cuestiones a la doctrina establecida en las Sentencias previas de 5 y 26 de febrero de 2015.

---

250   *Tol 4.748.404.*
251   *Tol 4.777.807.*
252   *Tol 4.799.296.*

Posteriormente, el Tribunal Supremo ha reiterado esta doctrina en las Sentencias de 16 de marzo, de 20 de mayo y 22 de diciembre de 2016[253], entre otras. En línea con estos pronunciamientos, y rompiendo la doctrina mantenida hasta el momento, la Audiencia Nacional también se pronunció en ese sentido, entre otras, en las Sentencias de 14 de marzo y de 16 de julio de 2016[254].

En definitiva, lo que el Tribunal parece hacer con estas Sentencias en configurar la potestad de comprobación como si de un derecho de liquidación atenuado se tratase, pero sin los límites temporales en materia de prescripción establecidos para el derecho a liquidar, que permite a la Administración volver sobre periodos prescritos, revisar y recalificar las operaciones en ellos realizados y determinar su corrección jurídica, para desplegar sus efectos sobre ejercicios no prescritos. Estas Sentencias, desde nuestro punto de vista, presentan una argumentación deficitaria y parcial, pues omiten referencias tan importantes como al propio principio de seguridad jurídica, fundamento de la prescripción, y caracterizan esta institución de un modo que se aleja totalmente de la naturaleza que le es propia. Sin embargo, la configuración de la potestad de comprobación como un pseudo-derecho imprescriptible que se efectúa en estas Sentencias no hizo sino avanzar la posterior modificación legislativa que vino a configurar la *"potestad de comprobación"*, como un *"derecho de comprobación"* de carácter imprescriptible.

---

253 *Tol 5.673.666, Tol 5.733.357* y *Tol 5.920.370*, respectivamente.
254 *Tol 5.685.246* y *Tol 5.814.998*, respectivamente.

2.4. EL DERECHO A COMPROBAR E INVESTIGAR TRAS LA LEY 34/2015 Y LA INTRODUCCIÓN DEL ARTÍCULO 66 bis. EN LA LEY GENERAL TRIBUTARIA DE 2003

La evolución jurisprudencial y legal que se viene exponiendo constituye el preludio de la gran modificación de la LGT que se produce en el año 2015 por medio de la mencionada Ley 34/2015, de 21 de septiembre. Esta Ley supone la reforma más importante efectuada en nuestra Norma Tributaria básica en los últimos años. Si bien las reformas introducidas por esta Ley afectan a diversos ámbitos, uno de los más afectados, como se ha señalado, es la prescripción tributaria. La Ley 34/2015 acoge el criterio establecido en la LIS, pero con mayor amplitud, pues reconoce la imprescriptibilidad del derecho a comprobar e investigar, con carácter general. Establece un límite de diez años en algunos casos, pero mientras que la LIS se refería únicamente a la compensación de bases imponibles negativas en este impuesto, la LGT extiende su aplicación a todos los tributos y a otros conceptos como deducciones o amortizaciones. Adelantando alguna conclusión, la consecuencia de estas modificaciones, en concreto en lo que respecta a la inclusión en el artículo 66 bis. de la LGT del nuevo derecho a comprobar e investigar, y su extensión, recogida en el artículo 115 de la LGT, supone la vulneración del principio de seguridad jurídica o, al menos, un cambio en su configuración que bajo nuestro punto de vista no hace sino privarle de los efectos que le son propios.

Respecto al régimen legal de la prescripción tributaria establecido en los artículos 66 a 70 de la LGT, son tres los aspectos modificados por este texto normativo:

1. En primer lugar, destaca la introducción del artículo 66 bis., que consagra el derecho de la Administración a comprobar e investigar, dotándole de un carácter imprescriptible, con carácter general. En relación con este precepto se modifica el artículo 115 de la LGT, en concreto sus apartados 1 y 2, que se refieren específicamente a la extensión temporal y funcional de las funciones de comprobación e investigación, y también el artículo 70.3 de la LGT.

2. Por otro lado, se introduce, en el artículo 67.1 de la LGT una especialidad referida al cómputo de los tributos en los supuestos de cobro periódico o por recibo, indicando que el comienzo del cómputo del plazo de prescripción se sitúa en el momento del devengo de dicho tributo, ya que es a partir de ese momento cuando la Administración gestora puede realizar las actuaciones dirigidas en última instancia a la liquidación del tributo.

3. Finalmente, en materia de obligaciones conexas, se introduce el artículo 68.9, que establece el régimen de interrupción de la prescripción de las mismas derivado de la interrupción del plazo de prescripción del derecho a liquidar la obligación con la que estén relacionadas.

Si bien todas estas modificaciones son de gran calado, el presente apartado se centrará en el estudio de la relativa a la introducción del derecho a comprobar e investigar y su extensión, aunque las restantes modificaciones serán tratadas en los Capítulos correspondientes a su ubicación sistemática.

2.4.1. LOS INFORMES Y RECOMENDACIONES PREVIOS A LA APROBACIÓN DE LA LEY

Los preceptos fundamentales en relación al *"derecho a comprobar e investigar"* son el nuevo artículo 66 bis. y el artículo 115, del que se modifican los apartados 1 y 2.

La inclusión de estos preceptos en el Anteproyecto de Ley ya fue criticada por los evidentes peligros que suponía, en especial, en materia de seguridad jurídica. Sin embargo, estas advertencias no provocaron efecto alguno en el legislador.

Especialmente duro, pero, a nuestro parecer, sumamente certero, fue el Consejo General del Poder Judicial (en adelante, CGPJ), que en su Informe de 30 de septiembre de 2014[255] señala que *"las modificaciones que se proponen en la LGT reconfiguran el instituto de la prescripción"*, destacando que esa *"reconfiguración"* no es positiva, pues *"las reglas que se introducen no tienden a definir de forma clara la operatividad y funcionalidad de la misma,*

---

255   Págs. 8 y 9. Accesible en el siguiente enlace: http://www.poderjudicial.es/cgpj/es/Poder-Judicial/Consejo-General-del-Poder-Judicial/Actividad-del-CGPJ/Informes/Informe-al-Anteproyecto-de-la-Ley-de-modificacion-parcial-de-la-Ley-58-2003--de-17-de-diciembre--General-Tributaria (Consultado con fecha 5/03/2017)

sino que parece que el prelegislador se ocupa de establecer mecanismos para impedir "a toda costa" que la prescripción llegue efectivamente a producirse, bien otorgando poderes exorbitantes a la Administración tributaria, bien incrementando las causas interruptivas".

Por su parte, el Consejo de Estado, en su Dictamen de 9 de abril de 2015[256] también evidenció las deficiencias que manifestaba el nuevo texto legal, en particular en materia de seguridad jurídica, destacando que el efecto de la reforma no era sino la imprescriptibilidad de las potestades de calificación de los negocios jurídicos celebrados en periodos prescritos, imprescriptibilidad *"que está justamente en relación con una nueva calificación de las realidades sometidas en su día a una actuación tributaria".*

Por el contrario, la Dirección General de Tributos (en adelante, DGT), en la Memoria del Análisis del Impacto Normativo de la Ley 34/2015[257], justifica la reforma por considerar que con la misma *"se garantiza el derecho de la Administración a realizar comprobaciones e investigaciones, y se asegura el del obligado tributario a beneficiarse de los créditos fiscales, así como el correcto ejercicio de otros derechos, como por ejemplo, el de rectificación de sus autoliquidaciones cuando en la comprobación de la procedencia de la rectificación la Administración deba*

---

256 Págs. 45-59. Accesible en el siguiente enlace: http://www.congreso.es/docu/docum/ddocum/dosieres/sleg/legislatura_10/spl_93/pdfs/3.pdf (Consultado con fecha 5/03/2017).

257 Pág. 7. Accesible en el siguiente enlace: http://www.congreso.es/docu/docum/ddocum/dosieres/sleg/legislatura_10/spl_93/pdfs/2.pdf (Consultado con fecha 5/03/2017).

verificar aspectos vinculados a ejercicios respecto de los que se produjo la prescripción del derecho a liquidar", afirmaciones que la Exposición de Motivos de la Ley 34/2015 reiteró. Sin embargo, la realidad de la reforma no puede estar más lejos de lo indicado por este órgano administrativo, pues en nada representa una finalidad garantista para los derechos del contribuyente. Antes al contrario, la modificación supone desvirtuar el instituto de la prescripción tributaria, tal y como advirtió el Consejo de Estado, y dotar únicamente a la Administración de un derecho del que el obligado tributario carece. Esos pretendidos beneficios para el contribuyente no se observan en la práctica pues, tal y como indica SÁNCHEZ PEDROCHE[258], puestos a desvirtuar la naturaleza del instituto de la prescripción, el legislador podría haber aclarado la posibilidad de que el obligado pudiera presentar declaraciones o autoliquidaciones referentes a un ejercicio prescrito susceptible de surtir efectos por compensación en otro no prescrito, sin embargo, no se le ofrece esta posibilidad.

Resulta llamativa la alusión que realiza la DGT en la referida memoria a las Sentencias del Tribunal Constitucional 157/1990, de 18 de octubre y 70/2001, de 17 de marzo[259], en las que se vincula de manera directa prescripción tributaria y seguridad jurídica. Es cierto que el Tribunal Constitucional es explícito respecto a la relación directa entre seguridad jurídica y prescripción tributaria, sin embargo, la DGT trata de justificar la deformación del instituto prescriptivo en base

---

258 SÁNCHEZ PEDROCHE, J. A.: "Artículo 26. Compensación de bases imponibles negativas", en SÁNCHEZ PEDROCHE, J. A. (Dir.): *Comentarios a la Ley del Impuesto sobre Sociedades y su normativa reglamentaria*, ob. cit., pág. 810.

259 *Tol 81.835* y *Tol 81.441*, respectivamente.

a la jurisprudencia del propio órgano que debe garantizar su fundamento. Así, señala que *"la regulación en proyecto se ajusta a la doctrina del Tribunal Constitucional sobre la regulación de la prescripción (véanse las Sentencias 157/1990, de 18 de Octubre y 70/2001, de 17 de marzo), en relación con la inexistencia de límite material constitucional para el libre establecimiento por el legislador de la regulación de la figura de la prescripción, siendo a este al que corresponde determinar el su régimen jurídico conforme a los criterios que considere idóneos en cada caso concreto. En esa línea, la norma en proyecto anuda, y limita, la pervivencia del derecho a comprobar operaciones a la existencia de efectos jurídicos de las mismas en relación con obligaciones tributarias futuras respecto de las que no se ha producido la prescripción del derecho a liquidar".*

No cabe duda de que el establecimiento del régimen jurídico de la prescripción corresponde al legislador, pero este no puede escudarse en esa habilitación para establecer un régimen legal que, *de facto*, vacíe la institución y borre los efectos que le son propios, que es lo que se produce con la reforma efectuada por la Ley 34/2015. Con ello, el legislador, que debía ser garante de la institución y del interés general que esta salvaguarda, olvida tal función protectora para poner la prescripción tributaria exclusivamente al servicio de los intereses de la Administración tributaria. La referencia a las Sentencias del Tribunal Constitucional como mecanismo para dar una pátina de constitucionalidad a lo que, bajo nuestro punto de vista, no lo es, parece más bien una broma de mal gusto de la DGT[260]. Respecto a esta referencia a la doctrina constitucional el Consejo de Estado, en el antedicho Dictamen[261], se pronuncia de forma tajante, pues las Sentencias aludidas se refieren a supuestos del ordenamiento penal, donde, en algunos casos – delitos de lesa humanidad y de genocidio, los delitos contra las personas y bienes protegidos en caso de conflicto armado y los delitos de terrorismo, si hubieren causado la muerte de una persona-[262] se admite la imprescriptibilidad del delito[263]. Es solo en estos supuestos, de especialísima gravedad, en los que el legislador, hasta ese momento, había previsto la imprescriptibilidad. La libertad del legislador para establecer plazos de prescripción, a la que alude la DGT, equipara las facultades de comprobación de la Administración a la persecución de estos delitos por lo que a su régimen prescriptivo se refiere, lo que, a nuestro parecer, evidencia el exceso materializado a través de la Ley 34/2015.

---

260   La misma referencia a la doctrina constitucional empleada por la DGT ha sido referida por algunos autores que consideran adecuada a Derecho el sentido de la reforma. Entre ellos, GÓMEZ JIMÉNEZ, MARTÍNEZ LOZANO, RAMIRO ARCAS y VÍRSEDA MORENO. No consideramos que la referencia jurisprudencial que realizan estos autores sea adecuada, pues para ello deberían haber examinado su contenido y marco aplicativo. En ese caso probablemente habrían concluido que la imprescriptibilidad a la que se refiere la doctrina constitucional nada tiene que ver con la imprescriptibilidad que sostienen: la de una potestad administrativa. Vid. GÓMEZ JIMÉNEZ, C., MARTÍNEZ LOZANO, J. M., RAMIRO ARCAS, M., VÍRSEDA MORENO, M. J.: *Guía de la reforma de la Ley General Tributaria*, 1ª ed., Wolters Kluwer, Madrid, 2015, pág. 22.

261   Pág. 55.

262   Artículo 131.3 del Código Penal.

263   En el mismo sentido, el *supra* aludido informe del CGPJ (pág. 9), que señala que *"resulta ciertamente sorprendente esta declaración de imprescriptibilidad, que carece de parangón en nuestro ordenamiento jurídico, más allá la referida a delitos de especial gravedad previstos en el Código Penal como crímenes contra la humanidad"*.

De ahí que, en palabras del Consejo de Estado, la reforma *"no respete los límites propios del ordenamiento jurídico"* en su configuración.

2.4.2. LA INNECESARIEDAD DE LA REFORMA

Además del grave perjuicio en materia de seguridad jurídica que supone la reforma efectuada por el legislador, cabe plantearse si, considerando la regulación de la comprobación de bases imponibles negativas establecida en la LGT antes de la reforma, era esta necesaria o la Administración ya disponía de suficientes herramientas para ejercer sus potestades comprobadoras. Nuestra respuesta es negativa. Entendemos que la reforma innecesaria, pues los artículos 106.5 y 70.3 de la LGT ya otorgaban a la Administración tributaria la posibilidad de comprobar las bases negativas imponibles de los ejercicios prescritos. En este sentido, coincidimos plenamente con FALCÓN Y TELLA[264] cuando afirma que *"la obligación de probar, y la consiguiente facultad de comprobar e investigar, las cantidades pendientes de compensación o deducción, aunque provengan de ejercicios prescritos, ya está claramente reflejada en la Ley General Tributaria y reconocida por la jurisprudencia más reciente"*. También ESEVERRI[265], que destaca que, bajo el mandato de los referidos preceptos *"la llamada imprescriptibilidad de las actuaciones de*

---

264 FALCÓN Y TELLA, R.: "La imprescriptibilidad del derecho a comprobar e investigar (que no es un derecho sino una potestad) y los límites derivados de la buena fe y la confianza legítima", ob. cit., BIB 2014\4013 (Consultado en la base de datos Aranzadi Instituciones, con fecha 16/03/2017).

265 ESEVERRI, E.: "La prescripción tributaria: nueva regulación", *Documentos - Instituto de Estudios fiscales*, núm. 13, 2016, pág. 73.

comprobación e investigación tributaria ha constituido una constante en el desarrollo de las funciones administrativas de comprobación tributaria". En el mismo sentido, CALVO VÉRGEZ[266], que señala que *"ciertamente el artículo 106.5 de la LGT permite que la Administración tributaria pueda entrar a comprobar ejercicios prescritos en la medida en que en los mismos se generen bases imponibles negativas que sean objeto de aplicación en ejercicios no prescritos, debiendo acreditar su procedencia y cuantía mediante la exhibición de las liquidaciones o autoliquidaciones en que se hicieron constar, así como la contabilidad y los oportunos soportes documentales. Ahora bien cabría estimar a este respectos que, una vez prescrito el ejercicio de generación de la base imponible negativa sin que la Administración lo haya comprobado, aquella ya solo podrá comprobar su veracidad, no alcanzando en consecuencia la facultad de comprobación, como defiende la Administración, también la conformidad a Derecho de la base negativa".*

Siguiendo con los evidentes motivos apuntados por este último autor, entendemos que lo que la Administración pretende evitar son los límites de esa comprobación y, particularmente, blindar la posibilidad de recalificar jurídicamente actos o negocios realizados en periodos prescritos. Esa, a nuestro parecer, es la finalidad última de la modificación efectuada por la Ley 34/2015 en sede de prescripción, y no garantizar o incrementar la seguridad jurídica como promulgaba la DGT y el propio texto de la Ley.

---

266   CALVO VÉRGEZ, J.: "Principales novedades del Impuesto de Sociedades para el ejercicio 2015", ob. cit., BIB 2016\3287. (Consultado en la base de datos Aranzadi Instituciones, con fecha 10/10/2017).

2.4.3. EL TEXTO DE LOS ARTÍCULOS 66 bis. Y 115 DE LA LEY GENERAL TRIBUTARIA TRAS LA ENTRADA EN VIGOR DE LA LEY 34/2015

Con fecha de 21 de septiembre de 2015, se aprobaba la reforma de la LGT a través de la Ley 34/2015, que entró en vigor el 12 de octubre del mismo año. El legislador apenas modificó el texto del Anteproyecto, amparándose en lo que autores como BLASCO DELGADO[267] han definido como "*la sensibilidad social respecto a la defraudación tributaria más sofisticada*", ha sacado adelante una reforma que, a nuestro parecer, desvirtúa la esencia de la prescripción tributaria.

En los siguientes apartados reproduciremos el texto íntegro de los artículos 66 bis. y 115 de la LGT antes de analizar su contenido.

- **Artículo 66 bis.**

"*1. La prescripción de derechos establecida en el artículo 66 de esta Ley no afectará al derecho de la Administración para realizar comprobaciones e investigaciones conforme al artículo 115 de esta Ley, salvo lo dispuesto en el apartado siguiente.*

2. El derecho de la Administración para iniciar el procedimiento de comprobación de las bases o cuotas compensadas o pendientes de compensación o de deducciones aplicadas o

---

267 BLASCO DELGADO, C.: "La nueva configuración de la prescripción y el derecho a comprobar e investigar", en MERINO JARA, I. (Dir.), CALVO VÉRGEZ, J. (Coord.): *Estudios sobre la reforma de la Ley General Tributaria*, ob. cit., pág. 63.

pendientes de aplicación, prescribirá a los diez años a contar desde el día siguiente a aquel en que finalice el plazo reglamentario establecido para presentar la declaración o autoliquidación correspondiente al ejercicio o periodo impositivo en que se generó el derecho a compensar dichas bases o cuotas o a aplicar dichas deducciones.

En los procedimientos de inspección de alcance general a que se refiere el artículo 148 de esta Ley, respecto de obligaciones tributarias y periodos cuyo derecho a liquidar no se encuentre prescrito, se entenderá incluida, en todo caso, la comprobación de la totalidad de las bases o cuotas pendientes de compensación o de las deducciones pendientes de aplicación, cuyo derecho a comprobar no haya prescrito de acuerdo con lo dispuesto en el párrafo anterior. En otro caso, deberá hacerse expresa mención a la inclusión, en el objeto del procedimiento, de la comprobación a que se refiere este apartado, con indicación de los ejercicios o periodos impositivos en que se generó el derecho a compensar las bases o cuotas o a aplicar las deducciones que van a ser objeto de comprobación.

La comprobación a que se refiere este apartado y, en su caso, la corrección o regularización de bases o cuotas compensadas o pendientes de compensación o deducciones aplicadas o pendientes de aplicación respecto de las que no se hubiese producido la prescripción establecida en el párrafo primero, solo podrá realizarse en el curso de procedimientos de comprobación relativos a obligaciones tributarias y periodos cuyo derecho a liquidar no se encuentre prescrito.

3. Salvo que la normativa propia de cada tributo establezca otra cosa, la limitación del derecho a comprobar a que se refiere el apartado anterior no afectará a la obligación de aportación de las liquidaciones o autoliquidaciones en que se incluyeron las bases, cuotas o deducciones y la contabilidad con ocasión de procedimientos de comprobación e investigación de ejercicios no prescritos en los que se produjeron las compensaciones o aplicaciones señaladas en dicho apartado."[268]

- **Artículo 115, apartados 1 y 2.**

    "1. La Administración Tributaria podrá comprobar e investigar los hechos, actos, elementos, actividades, explotaciones, negocios, valores y demás circunstancias determinantes de la obligación tributaria para verificar el correcto cumplimiento de las normas aplicables.

    Dichas comprobación e investigación se podrán realizar aún en el caso de que las mismas

---

268 El texto definitivo del artículo 66 bis. resultó modificado respecto a la previsión contenida en el Anteproyecto de Ley, atendiendo fundamentalmente a lo recogido en el artículo 26.5 de la LIS. El texto previsto en el Anteproyecto para el artículo 66 bis. es el que sigue: *"no prescribirá el derecho de la Administración para realizar comprobaciones e investigaciones conforme al artículo 115 de esta ley".*

afecten a ejercicios o periodos y conceptos tributarios respecto de los que se hubiese producido la prescripción regulada en el artículo 66.a) de esta Ley, siempre que tal comprobación o investigación resulte precisa en relación con la de alguno de los derechos a los que se refiere el artículo 66 de esta Ley que no hubiesen prescrito, salvo en los supuestos a los que se refiere el artículo 66 bis.2 de esta Ley, en los que resultará de aplicación el límite en el mismo establecido.

En particular, dichas comprobaciones e investigaciones podrán extenderse a hechos, actos, actividades, explotaciones y negocios que, acontecidos, realizados, desarrollados o formalizados en ejercicios o periodos tributarios respecto de los que se hubiese producido la prescripción regulada en el artículo 66.a) citado en el párrafo anterior, hubieran de surtir efectos fiscales en ejercicios o periodos en los que dicha prescripción no se hubiese producido.

2. En el desarrollo de las funciones de comprobación e investigación a que se refiere este artículo, la Administración Tributaria podrá calificar los hechos, actos, actividades, explotaciones y negocios realizados por el obligado tributario con independencia de la previa calificación que este último hubiera dado a los mismos y del ejercicio o periodo en el que la realizó, resultando de aplicación, en su caso, lo dispuesto en los artículos 13, 15 y 16 de esta Ley.

La calificación realizada por la

Administración Tributaria en los procedimientos de comprobación e investigación en aplicación de lo dispuesto en este apartado extenderá sus efectos respecto de la obligación tributaria objeto de aquellos y, en su caso, respecto de aquellas otras respecto de las que no se hubiese producido la prescripción regulada en el artículo 66.a) de esta Ley."[269]

---

269 El texto propuesto el Anteproyecto de Ley era el siguiente: "*1. La Administración tributaria podrá comprobar e investigar los hechos, actos, elementos, actividades, explotaciones, valores y demás circunstancias determinantes de la obligación tributaria para verificar el correcto cumplimiento de las normas aplicables, a cuyo efecto dicha comprobación e investigación se podrá realizar aún en el caso de que la misma afecte a periodos y conceptos tributarios respecto de los que se hubiese producido la prescripción regulada en el artículo 66.a) de esta ley, siempre que tal comprobación o investigación resulte precisa en relación con la de alguno de los derechos a los que se refiere el artículo 66 de esta ley que no hubiesen prescrito. 2. En el desarrollo de las funciones de comprobación o investigación, la Administración tributaria calificará los hechos, actos o negocios realizados por el obligado tributario con independencia de la previa calificación que este hubiera dado a los mismos y del ejercicio o periodo en el que la realizó*". El texto finalmente aprobado, aunque incluye la previsión limitadora referida al artículo 66 bis.2 de la LGT, amplía o precisa en mayor medida la extensión de las facultades comprobadoras de la Administración, entendemos que con el objeto de no dejar duda alguna sobre la posibilidad de recalificar negocios jurídicos realizados en periodos prescritos, así como sobre los efectos expansivos de tal calificación sobre otras obligaciones distintas de la comprobada.

2.4.4. LA IMPRESCRIPTIBILIDAD DEL DERECHO A COMPROBAR E INVESTIGAR DEL ARTÍCULO 66 bis.

El nuevo artículo 66 bis. de la LGT sustituye al artículo 106.5 del mismo texto normativo, que se suprime. Este artículo se estructura en tres apartados, cuyo contenido *supra* reproducido, se comentará a continuación.

A. ARTÍCULO 66 bis. 1

El primer apartado del artículo 66 bis. consagra el carácter independiente del derecho a comprobar e investigar respecto al derecho a liquidar. Mientras que la LGT, en su versión anterior a la reforma, no reconocía este derecho de la Administración a realizar comprobaciones e investigaciones, tras la modificación este derecho se reconoce y regula expresamente, dotándole de autonomía respecto al derecho a liquidar. La Exposición de Motivos de la Ley 34/2015 señala a este respecto que "*la reforma incorpora una aclaración de carácter trascendente, explicitando en el texto positivo la interpretación del conjunto normativo que regula el derecho a comprobar e investigar por parte de la Administración, enfatizando el distingo conceptual que existe entre este derecho y el derecho a liquidar, con la finalidad de superar los problemas interpretativos que esta materia ha suscitado, focalizados, tradicionalmente, en el ámbito de la comprobación de la corrección de determinados créditos fiscales y en la legalidad de la compensación, deducción o aplicación de los mismos*". Así, el legislador fundamenta la introducción de este precepto en el objetivo de resolver los problemas interpretativos derivados de los pronunciamientos jurisprudenciales contradictorios habidos en esta materia, optando por la línea establecida, entre otras, en las referidas Sentencias del Tribunal Supremo de febrero de 2015. Sin embargo, no se puede decir que la solución empleada por el legislador sea la misma que ofreció en su día el Alto Tribunal. Recordemos que para este órgano jurisdiccional lo que prescribe es el derecho de la Administración para determinar la deuda tributaria mediante liquidación, pero la potestad de comprobación e investigación no está sometida a plazo alguno de caducidad o prescripción, precisamente por esa condición de potestad que se le atribuye. Por tanto, conforme a esta argumentación, la potestad de comprobar es imprescriptible al igual que todas las potestades, salvo que el legislador diga lo contrario y, como en este caso no había dicho nada, el Tribunal concluía que era imprescriptible.

Como señalábamos al analizar esta jurisprudencia, determinar que la potestad de comprobar e investigar es imprescriptible por no tener un plazo particular para su ejercicio es erróneo, pues la comprobación o investigación no es sino una herramienta al servicio del derecho a liquidar, que encuentra su fundamento en el ejercicio de este derecho para el que el legislador sí ha previsto un plazo de prescripción de cuatro años. Extinguido el derecho a liquidar por el transcurso de cuatro años tras la finalización el plazo para presentar la declaración o autoliquidación, también se extinguen las facultades o potestades integradas en el mismo.

Sin embargo, el legislador va más allá, y califica lo que eminentemente es una potestad como derecho. Con ello, parece querer mostrar que, cambiando la denominación, también se modifique su naturaleza pues, en definitiva, su calificación como derecho o protestad supone que el plazo para su ejercicio se califique como de prescripción –en el caso de los derechos– o de caducidad –en el supuesto de las potestades–[270]. Pero, al contrario de lo que parece manifestar el legislador con sus actuaciones, jurídicamente un cambio en la denominación de una institución o un elemento jurídico no modifica su naturaleza. Las facultades de comprobación no son derechos, y el propio legislador así lo reconoce tanto en la regulación de las actuaciones de gestión tributaria (artículo 117 de la LGT), como en la regulación de las funciones de la inspección tributaria (artículo 141 de la LGT). Con ello, se pone en evidencia la contradicción en la que incurre la LGT al regular como derecho autónomo e imprescriptible aquello que, en otros preceptos, califica como mera función administrativa, insertada en los procedimientos de que dispone la Administración para la liquidación de la deuda

---

270 En este sentido, señala LOZANO SERRANO que *"no cabe dar a un precepto aislado, como el primero citado, la significación ni más ni menos que de cambiar la naturaleza jurídica y la configuración normativa de potestades y funciones administrativas por un derecho, contra el resto de normas que siguen calificándolas y regulándolas como potestades"*. A mayor abundamiento, alude este autor a la doctrina del Tribunal Constitucional, indicando *"como recordó a otros efectos la STC 185/1995, los institutos jurídicos son lo que son como resultado de su configuración normativa, sin que un voluntarismo nominalista del legislador sea suficiente para cambiar su contenido y su naturaleza"*. Vid. LOZANO SERRANO, C.: "La comprobación tributaria ante la prescripción", *Revista Española de Derecho Financiero*, núm. 171, 2015. (Consultado en la base de datos Aranzadi Proview, con fecha 13/10/2017).

tributaria[271]. El legislador opta por dotar a estas funciones de comprobación e inspección de la cualidad de derecho, exclusivo de la Administración, en un intento de equipar este *"derecho"* en cuanto a tal cualidad a los restantes cuatro derechos ya reconocidos por la LGT[272]. Más aun, el propio artículo 115 de la LGT, modificado a consecuencia de la introducción del artículo 66 bis., continúa haciendo referencia a *"potestades y funciones de comprobación e investigación"*, lo que abunda en el error del establecimiento de un plazo de prescripción a lo que, por definición, es imprescriptible.

---

271 En palabras de SANZ GADEA, *"la comprobación es la actividad administrativa, legalmente encomendada a la Inspección de los Tributos por el artículo 141 de la Ley General Tributaria, que tiene por objeto contrastar la veracidad de lo declarado por el sujeto pasivo. La comprobación es una actividad que la Inspección de los Tributos desempeña en el ejercicio de una potestad, de la que, como resultado más característico, se deriva "La integración definitiva de las bases tributarias (...)"*. Vid. SANZ GADEA, E.: "Compensación de bases imponibles negativas", ob. cit., pág.15.

272 Como apunta el CGPJ en su Informe de 30 de septiembre de 2014 (pág. 9), *"también queremos destacar que resulta poco riguroso desde un punto de vista conceptual que se predique la imprescriptibilidad respecto de las facultades de la Administración para realizar comprobaciones e investigaciones. Aun cuando la propia norma se refiera al "derecho de la Administración para realizar comprobaciones e investigaciones", parece evidente que no estamos en presencia de un derecho propiamente dicho, tal como además se deduce del propio artículo 144 LGT que señala que la "inspección tributaria consiste en el ejercicio de las funciones administrativas dirigidas a (...)"*.

FALCÓN Y TELLA[273] también pone de manifiesto el error en la calificación otorgada por el legislador, señalando que "*en este contexto resulta absurdo decir que el "derecho a comprobar e investigar es imprescriptible. Y ello porque no se trata de un derecho, sino de facultades integrantes de la potestad liquidatoria, respecto a las que carece de sentido alguno hablar de prescripción*".

A pesar de que las opiniones doctrinales mayoritarias rechazan la reforma efectuada, algún autor como MONTERO

---

273   FALCÓN Y TELLA, R.: "La imprescriptibilidad del derecho a comprobar e investigar (que no es un derecho sino una potestad) y los límites derivados de la buena fe y la confianza legítima", ob. cit., BIB 2014\4013. (Consultado en la base de datos Aranzadi Instituciones, con fecha 16/03/2017). DE JUAN CASADEVALL ofrece una visión distinta, señalando que "*en rigor, no nos hallamos ante un derecho a comprobar o investigar, sino ante una potestad administrativa que, abundando en el confusionismo que se arrastra desde la redacción originaria de los art. 66 de la LGT de 2003, se califica impropiamente de derecho, pese a la voluntad declarada en la Exposición de Motivos de establecer su «distingo conceptual» respecto del llamado derecho a liquidar. A nuestro juicio, como ya hemos apuntado más arriba, la disociación formal entre el mal llamado derecho a comprobar e investigar, que es una auténtica potestad administrativa, y el derecho a liquidar, que debemos configurar como un derecho subjetivo, es una distinción correcta, que se compadece con la Teoría general del Derecho. Se trata de dos institutos jurídicos distintos, la potestad y el derecho subjetivo, pese a su común pertenencia al genus de las situaciones jurídicas activas, que despliegan una diferente funcionalidad operativa al servicio de la autotutela declarativa de la Administración (...) Tanto la Ley 34/2015 como la Ley 27/2014 hablan impropiamente de prescripción de esta novedosa potestad de comprobación, siendo así que, en rigor, y como acertadamente señalan algunas de las Sentencias del TS (...) las potestades administrativas son imprescriptibles, como imprescriptible es el interés público al que sirven*". Vid. DE JUAN CASADEVALL, J.: "La comprobación de créditos fiscales de ejercicios prescritos tras la Ley 34/2015, de reforma de la Ley General Tributaria", *Quincena Fiscal*, núm. 10, 2016. BIB 2016\2586. (Consultado en la base de datos Aranzadi Instituciones, con fecha 16/10/2017).

DOMÍNGUEZ[274], no dudan en cuanto al carácter de derecho, indicando que la modificación *"permite constatar una realidad jurídica preexistente: la diferencia que existe entre el derecho a liquidar y el derecho a comprobar"*.

Esta calificación como derecho en principio supondría que el legislador, al igual que ocurre con los restantes derechos susceptibles de prescribir, deba dotar a este nuevo derecho de un plazo de prescripción, pues es ese uno de los requisitos fundamentales para que funcione este mecanismo extintivo: transcurso del plazo de tiempo legalmente establecido e inactividad de las partes. Sin embargo, el nuevo artículo 66 bis. de la LGT no establece plazo alguno, sino que determina la imprescriptibilidad, con carácter general, del derecho a comprobar e investigar de la Administración a todos los tributos.

Por otro lado, la doctrina también se ha manifestado en relación a la naturaleza de estas facultades comprobadoras, entre otros, PITA GRANDAL[275], que señala que *"los órganos de la Inspección de los tributos tienen atribuida la comprobación como conjunto de actuaciones, incluidas las propias de investigación, dirigidas a verificar la situación de los sujetos pasivos en relación con todas sus obligaciones frente a la Hacienda Pública. Serían estos órganos los que podrían verificar la situación global, la situación tributaria*

---

274 MONTERO DOMÍNGUEZ, A.: "Sinopsis del Anteproyecto de Ley de modificación de la Ley 58/2003, de 17 de diciembre, General Tributaria", *Carta Tributaria. Monografías*, núm. 9, 2014, pág. 4.

275 PITA GRANDAL, A. M.: "La atribución de competencias en materia de comprobación e investigación tributaria", *Revista Española de Derecho Financiero*, núm. 92, 1996, pág. 634.

en sentido genérico, de los contribuyentes, teniendo además competencia para proceder a la regularización, que en su caso pueda corresponder en relación con uno o más tributos. A los órganos de gestión se les atribuye la comprobación formal y se plantea de esta forma la necesidad de delimitar este concepto". Al hilo de lo indicado por esta autora, surge otra cuestión planteable a la regulación efectuada por la Ley 34/2015, pues este texto legal trata la comprobación y la investigación como si fueran una misma cosa, un todo, cuando ya se ha puesto de manifiesto por la doctrina, que son dos facultades diferenciables. En este sentido, PITA GRANDAL[276] apunta que *"la comprobación se configura como verificación de lo declarado y la investigación como*

---

[276] PITA GRANDAL, A. M.: "La atribución de competencias en materia de comprobación e investigación tributaria", ob. cit., pág. 625. LOZANO SERRANO, por el contrario, parece englobar dentro de la función comprobadora ambas funciones, cuando señala que en esta se incluyen *"facultades o potestades de alcance probatorio junto con otras calificadoras y de alcance jurídico".* No obstante, a pesar de esa afirmación, sí establece distinciones en el régimen aplicable a estas funciones, pues añade que *"debe precisarse que las primeras no se sujetan a plazo, como no lo hace la carga de la prueba, ni antes ni después de la reforma, por lo que siempre podrá exigirse al obligado o permitir a la Administración la aportación de prueba y su correspondiente comprobación formal respecto de los hechos y circunstancias determinantes de la obligación, como expresamente prevén los nuevos arts. 70.3 y 66 bis.3LGT para los supuestos de compensación. No así, por el contrario, para las calificaciones jurídicas (...)En tanto supuesto especial, habrá de expresarse en estos casos qué derechos no prescritos van a ejercerse y por qué resulta precisa ("necesaria o indispensable", según la RAE), la comprobación de circunstancias determinantes de obligaciones prescritas, motivando la concurrencia en el caso de esa suerte de concepto jurídico indeterminado previsto por la ley e incluyéndolo, por supuesto, en el objeto del procedimiento relativo a la primera obligación".* Vid. LOZANO SERRANO, C.: "La comprobación tributaria ante la prescripción", ob. cit., (Consultado en la base de datos Aranzadi Proview, con fecha 13/10/2017).

actividad dirigida a "descubrir" las pruebas relativas a la realización de un hecho imponible o de alguno de sus componentes". Por lo tanto, siguiendo esta configuración, lo verdaderamente novedoso de la regulación no es que la Administración tenga potestades comprobadoras que se extiendan más allá del plazo de prescripción, pues ya las tenía conforme al derogado artículo 106.5 de la LGT, es que esas potestades también son investigadoras, y son estas últimas las que otorgan facultades a la Administración para valorar la adecuación a Derecho de las actuaciones del obligado tributario.

En definitiva, el desatino del legislador no queda en la inclusión de este nuevo *"derecho"*. El pernicioso efecto sobre la seguridad jurídica sería menor si, a pesar de la incorrección jurídica, el legislador, al igual que ocurre con los restantes derechos susceptibles de prescribir, hubiese dotado a este nuevo derecho de un plazo de prescripción razonable –o, preferiblemente, de caducidad– que, como indicamos en el Capítulo Primero, se deberá establecer atendiendo a las dificultades de la Administración en su actuación. Sin embargo, el nuevo artículo 66 bis. no establece plazo alguno, sino que determina la imprescriptibilidad del derecho a comprobar e investigar de la Administración a todos los tributos con carácter general, a salvo de la excepción recogida en el apartado siguiente.

B. ARTÍCULO 66 bis. 2

El artículo 66 bis. 2 fija una serie de particularidades en relación a la comprobación de bases o cuotas compensadas o pendientes de compensar, o de deducciones aplicadas o pendientes de aplicación, fijando un límite temporal de diez años para el inicio de la comprobación en estos supuestos. Como se puede observar, esta nueva regulación de las bases imponibles compensadas o pendientes de compensación, y de las deducciones, resulta mucho más exhaustiva que la vigente hasta el momento –artículos 70.3 y 106.5 de la LGT-, pues recordemos que el texto de la LGT previo a la reforma solo recogía en relación a la compensación de bases o cuotas y a las deducciones procedentes de periodos prescritos, la obligación para el sujeto pasivo de acreditar la procedencia y cuantía de las mismas mediante la exhibición de las liquidaciones o autoliquidaciones en que se incluyeron la contabilidad y los oportunos soportes documentales.

El límite temporal que establece este artículo se encuentra en línea con lo que estableció el artículo 26.5 de la LIS en el 2014. Este precepto, aunque ya consagró legalmente en el año 2014 ese derecho a comprobar e investigar que la LGT aún no recogía, no le dotó de un carácter imprescriptible, sino que establecía un límite de diez años. Este límite se respetó en la reforma de la LGT, pero solo para ese concreto supuesto de compensación de bases imponibles negativas, porque para los restantes supuestos se establece la imprescriptibilidad, por tanto la LGT va mucho más allá de lo que en principio fue la LIS. De ahí que autores como ÁLVAREZ BARBEITO[277],

---

277   ÁLVAREZ BARBEITO, P.: "Nuevo plazo de prescripción para comprobar bases imponibles negativas. Análisis del art. 26.5 de la LIS", ob. cit., BIB

hayan afirmado que el plazo de diez años fijado en el artículo 26.5 de la LIS, si bien inicialmente se valoró negativamente por suponer una excepción al plazo general de cuatro años, a la postre *"acabaría siendo un precepto restrictivo de la "no prescripción" del derecho a comprobar e investigar"*:

Nos preguntamos si el establecimiento del plazo de diez años para la comprobación de bases imponibles negativas y otros *créditos fiscales* supone un límite a la imprescriptibilidad del derecho a comprobar e investigar. Esta cuestión debe ser contestada afirmativamente, pues el propio apartado primero del artículo 66 bis. de la LGT excluye de su ámbito de aplicación la disposición del apartado segundo, señalando, *in fine*, *"salvo lo dispuesto en el apartado siguiente"*. Entendemos que esta exclusión es clara y se deriva tanto del precepto reproducido como de lo establecido en el artículo 115.1 de la LGT. Esta es también la opinión mayoritaria de la doctrina científica, que consideran, como indica HUELÍN MARTÍNEZ DE VELASCO[278], que el plazo de diez años constituye una *"barrera infranqueable"*, más allá de la cual no podrá ejercer sus potestades investigadoras y comprobadoras. Por tanto, cuando algunos autores, como BLASCO DELGADO[279], afirman que el plazo de prescripción

---

2015\2778. (Consultado en la base de datos Aranzadi Instituciones, con fecha 09/10/2017)

278 HUELÍN MARTÍNEZ DE VELASCO, J.: "El derecho a comprobar e investigar", en VARIOS: *Comentarios a la Ley General Tributaria al hilo de su reforma*, ob. cit., pág. 75. También, entre otros, RODRÍGUEZ OTERO, L. E.: "La reforma de la Ley General Tributaria", *Actualidad Jurídica Aranzadi*, núm. 907, 2015, pág. 7.

279 BLASCO DELGADO, C.: "La nueva configuración de la prescripción y el derecho a comprobar e investigar", en MERINO JARA, I. (Dir.), CALVO VÉRGEZ, J. (Coord.): *Estudios sobre la reforma de la Ley General*

de diez años no resulta incompatible con la imprescriptibilidad del derecho a comprobar e investigar que puede afectar a estas situaciones, esta afirmación debe entenderse como la aceptación de que la Administración puede comprobar bases negativas más allá del plazo decenal, pero los límites de tal comprobación quedarán constreñidos a la mera acreditación formal de las bases negativas declaradas, en los términos del artículo 70.3 de la LGT[280].

Por otro lado, aunque el legislador dota a este nuevo *"derecho"* de un plazo de prescripción de diez años, en los supuestos referenciados, comete el mismo error que ya aparecía en la LIS, pues no se prevén causas de interrupción de este plazo. Estas son un elemento esencial en la configuración de cualquier plazo de prescripción y su ausencia supone asumir que no se puede romper el *"silencio de la relación jurídica"*. Ante esta laguna legal caben dos posibles opciones: aplicar analógicamente los supuestos de interrupción previstos en el artículo 68.1 a) de la LGT para el derecho a determinar la deuda tributaria o bien, asumir que se trata de una laguna legal insalvable y que el plazo de diez años no es susceptible de interrupción. La primera opción debe ser desechada, pues el mandato del artículo 8. f) de la LGT es claro, previendo que las causas de interrupción del plazo de prescripción se deben establecer, en todo caso, en una norma de rango legal. Esta especial previsión supone que las causas de interrupción del plazo de prescripción

---

Tributaria, ob. cit., pág. 63.

280 Aceptar que, una vez transcurrido el plazo decenal la Administración puede comprobar e investigar con base en la habilitación que le ofrece el artículo 66 bis. 1 no solo contraviene el propio texto de la Ley, sino que la deja sin contenido.

deben *"ser objeto de una interpretación estricta, sin que quepa su aplicación analógica"*[281], máxime cuando el propio legislador ha fundamentado la modificación legal efectuada en la independencia y autonomía del denominado *"derecho a comprobar e investigar"* respecto al derecho a liquidar. Con ello, de acuerdo con lo manifestado por el legislador, la única posibilidad factible de las dos planteadas es aceptar que el plazo de diez años no admite interrupción alguna, independientemente de las actuaciones que desarrolle la Administración tributaria o el administrado. El único plazo que es susceptible de interrupción, insertado en esos diez años, es el de los cuatro primeros años iniciales, y el derecho interrumpido no sería, en puridad, el de comprobar e investigar, sino el de liquidar, en su conjunto[282].

A mayor abundamiento y, enlazando con lo indicado en párrafos superiores en relación a lo incorrecto de la configuración de la potestad de comprobar como derecho

---

281 HUELÍN MARTÍNEZ DE VELASCO, J.: "El derecho a comprobar e investigar", en VARIOS: *Comentarios a la Ley General Tributaria al hilo de su reforma*, ob. cit., pág. 76.

282 ARIAS ABELLÁN alcanza una conclusión similar. Esta autora considera que las causas de interrupción del artículo 68.1 a) de la LGT sí son aplicables, pero únicamente durante el plazo de cuatro años en el que se puede ejercer el derecho a liquidar. Señala esta autora que las referidas causas de interrupción *"son aplicables en los términos previstos en este artículo –en referencia al artículo 66 bis. 2-, lo que ocurre es que los preceptos a cuyo contenido me estoy refiriendo no regulan prescripción alguna y, por tanto, no cabe tampoco hablar de su interrupción (...) La obligación tributaria prescribe en cuatro años contados de acuerdo con el artículo 67. Por lo tanto, el ejercicio de la potestad de comprobación e investigación, para que pueda ser considerada causa de interrupción en los términos del artículo 68, debe iniciarse, por medio del procedimiento establecido, en ese plazo"*. Vid. ARIAS ABELLÁN, M. D.: "La reforma de la Ley General Tributaria: algunas cuestiones relativas a la prescripción", *Nueva Fiscalidad*, núm. 5, 2016, págs. 39-40.

y del establecimiento de un plazo de prescripción, la no previsión de causas interruptivas y la imposibilidad de que el *"silencio de la relación jurídica"* se rompa, aunque se inicie el procedimiento de comprobación en el margen temporal de diez años, representa otra evidente señal del error en la calificación del plazo que, tal y como aparece configurado, resulta evidente que debería haberse calificado como plazo de caducidad.

El artículo 66 bis.2, en su párrafo segundo, se ocupa de la incidencia en el procedimiento inspector de la inclusión de este nuevo derecho a comprobar e investigar, estableciendo una regla general y una regla especial:

- La regla general supone que, en los procedimientos inspectores de alcance general, se entenderá incluida, en todo caso, la comprobación de la totalidad de las bases o cuotas pendientes de compensación o de las deducciones pendientes de aplicación, cuyo derecho a comprobar no haya prescrito por el transcurso de diez años. Esta precisión relativa a la inclusión de la comprobación de las bases imponibles negativas en el marco del procedimiento inspector, pone fin a la cuestión que se puede plantear derivada de lo establecido en el párrafo primero del referido artículo 66 bis. 2 de la LGT. En el primer párrafo de este precepto se hace referencia específica al derecho de la Administración para iniciar el procedimiento de comprobación de bases imponibles negativas y esta especificidad puede dar lugar a la cuestión de si resulta necesario el inicio de un procedimiento distinto de comprobación para efectuar la regularización, a tenor del apartado tercero del mismo artículo. Sin embargo, el referido alcance general del procedimiento inspector establecido expresamente en el precepto permite concluir que la comprobación se realiza dentro del procedimiento inspector para la regularización de la situación tributaria del sujeto pasivo[283].

- La regla especial establece que, en los supuestos en los que en el curso del procedimiento inspector solo se vayan a comprobar algunos de los diez ejercicios o periodos, en el objeto del procedimiento se deberá indicar expresamente los ejercicios o periodos impositivos en que se generó el derecho a compensar las bases o cuotas o a aplicar las deducciones que van a ser objeto de comprobación[284]. De este precepto se

---

283 FORTUNY ZAFORTEZA, M., SOTELO TASIS, C.: *La reforma de la Ley General Tributaria*, 2015, 1ª ed., Francis Lefebvre, Madrid, 2015, pág. 16.

284 A modo de ejemplo, una sociedad en el ejercicio 2016 declara una base imponible negativa, que no compensa en los ejercicios posteriores puesto que también obtiene bases imponibles negativas, sino que va incrementando el saldo de bases imponibles negativas en las correspondientes autoliquidaciones del IS. En cuanto al inicio del cómputo del plazo de prescripción, teniendo en cuenta la fecha en la que usualmente finaliza el plazo de presentación del Impuesto es el 25 de julio del ejercicio siguiente al que se declara, en este caso el plazo de prescripción de diez años para la comprobación del ejercicio 2016 se iniciará el 26 de julio del 2017, finalizando el 26 de julio del ejercicio 2027. Si antes de esa fecha la Administración inicia un procedimiento de inspección de alcance general, por ejemplo, el 20 de julio de 2017, ese procedimiento comprenderá la comprobación de las bases imponibles negativas que se hayan declarado en los periodos 2016 a 2025 sin necesidad de declaración expresa. Sin embargo, si se quiere excluir algún periodo de la comprobación de las bases imponibles negativas, por ejemplo, si solo se quieren comprobar los ejercicios 2018 a 2021, se debe mencionar expresamente en la notificación de inicio del procedimiento inspector.

infiere la obligación para la Administración, so pena de nulidad, de comunicar al obligado tributario, al inicio de las actuaciones, con carácter expreso, los ejercicios a los que afecta la interrupción de la prescripción, pero también a qué otros periodos, en los que se originó el derecho a la compensación, podrían resultar afectados por la comprobación[285].

Como apunta FERNÁNDEZ LÓPEZ[286], este precepto, desde el punto de vista formal, *"impide la incoación de un procedimiento comprobador independiente sobre hechos y circunstancias ajenos a periodos impositivos o conceptos tributarios respecto de los cuales se haya consumado la prescripción cuatrienal del derecho a determinar la deuda tributaria (...) esta prohibición legal de que las obligaciones tributarias y periodos impositivos cuya prescripción se haya consumado pueda ser objeto de un procedimiento autónomo corrobora y abunda en la idea anterior de la necesidad de identificar expresamente, al iniciarse una comprobación e investigación o en el curso de la misma, los concretos ejercicios económicos a los que se dirigirá esta última y en que se generaron los derechos a compensar o deducir"*.

El artículo 66 bis.2., *in fine*, se ocupa de aclarar las dudas sobre los ejercicios que pueden ser objeto de regularización,

---

285 FERNÁNDEZ LÓPEZ, R. I.: *La imprescriptibilidad de las deudas tributarias y la seguridad jurídica*, ob. cit., pág. 141.

286 FERNÁNDEZ LÓPEZ, R. I.: *La imprescriptibilidad de las deudas tributarias y la seguridad jurídica*, ob. cit., pág. 142.

estableciendo que la corrección o regularización de bases o cuotas compensadas o pendientes de compensación o deducciones aplicadas o pendientes de aplicación respecto de las que no se hubiese producido la prescripción establecida en el párrafo primero, solo podrá realizarse en el curso de procedimientos de comprobación relativos a obligaciones tributarias y periodos cuyo derecho a liquidar no se encuentre prescrito[287].

C. ARTÍCULO 66 bis. 3

El último apartado del artículo 66 bis. de la LGT añade una precisión al plazo de prescripción de diez años previsto en el apartado previo, señalando que, salvo que la normativa propia de cada tributo establezca otra cosa, el plazo de diez años no afectará a las obligaciones de aportación de las liquidaciones o autoliquidaciones en que se incluyeron las bases, cuotas o deducciones y la contabilidad con ocasión de procedimientos de comprobación e investigación de ejercicios

---

287 Un ejemplo claro sería un supuesto en el que una sociedad, en el año 2016, declara una base imponible negativa de 50.000, y no procede a su compensación hasta el ejercicio 2019, esto es, el tercer ejercicio después de su consignación en la autoliquidación en el IS el periodo en que se generó. Para el ejercicio 2016 el cómputo del plazo de prescripción se inició el 26 de julio de 2017, de modo que el plazo de prescripción para la comprobación se extenderá hasta el 26 de julio de 2027. El 20 de julio de 2027 se inicia un procedimiento de inspección para los periodos para los que no ha prescrito el derecho a liquidar, que serían los ejercicios 2022 a 2025. Aunque la inspección incluya la comprobación de las bases imponibles negativas generadas en los ejercicios 2016 y siguientes, y concluyera que esa base generada en 2016 y compensada en 2019 es incorrecta, no podrá practicar esa regularización porque el derecho de la Administración para liquidar el ejercicio 2016 está prescrito. Sin embargo, si esa compensación se hubiera producido en el ejercicio 2022 la regularización sí procedería.

no prescritos, en los que se produjeron las compensaciones o aplicaciones.

Este artículo se complementa con lo establecido en el artículo 70.3 de la LGT, desplegando su eficacia en el ámbito de la prueba de las bases imponibles negativas una vez transcurrido el plazo decenal, cuestión de la que nos ocuparemos específicamente en un epígrafe posterior referido a la carga de la prueba.

D. COMENTARIO GENERAL

Junto a los comentarios particulares que hemos realizado al hilo de cada uno de los apartado que componen el artículo 66 bis. de la LGT, se pueden efectuar otros de carácter general. Uno de los primeros es la inadecuación de ubicación sistemática de este precepto, pues no parece lógico que, ocupándose el artículo 66 de la LGT del plazo de prescripción de los distintos derechos susceptibles de prescribir, se escinda de su texto la introducción de un nuevo derecho para la Administración. Parecería más lógico, desde un punto de vista puramente sistemático, la introducción de este nuevo precepto como un segundo apartado del artículo 66, que no separarlo del mismo empleando la fórmula del "bis". Por otro lado, si bien el artículo 66 se titula *"Plazos de prescripción"*, el 66 bis. obvia la cuestión del plazo y lleva por nombre *"Derecho a comprobar e investigar"*, sin referencia a plazo alguno. No solo la denominación del artículo adolece de una evidente falta de precisión, sino que su contenido también manifiesta una clara imprecisión técnica, circunstancia especialmente llamativa tanto por el carácter eminentemente didáctico de la LGT, como por la impericia del legislador *"a la hora de manejar algunos conceptos perfilados y acuñados por la dogmática jurídica"*[288].

La segunda, y a la que ya nos hemos referido con anterioridad, es que en este artículo el legislador pretende desgajar el derecho a comprobar e investigar del derecho a liquidar, asumiendo los postulados defendidos por los órganos de la Administración tributaria. Como ya reflejamos cuando tuvimos ocasión de analizar la doctrina administrativa y jurisprudencial recaída en torno a esta cuestión, separar las facultades de comprobación del derecho a determinar la deuda tributaria no es más que un burdo recurso empleado para justificar la imprescriptibilidad del primero, pero que carece de sustento legal alguno. Efectuar esta distinción es innecesario, pues no cabe duda de que las facultades comprobadoras se insertan dentro del derecho de

---

288 Estas deficiencias también son puestas de manifiesto por FALCÓN Y TELLA, R.: "La imprescriptibilidad del derecho a comprobar e investigar (que no es un derecho sino una potestad) y los límites derivados de la buena fe y la confianza legítima", ob. cit., BIB 2014\4013. (Consultado en la base de datos Aranzadi Instituciones, con fecha 16/03/2017); DE JUAN CASADEVALL, J.: "La comprobación de créditos fiscales de ejercicios prescritos tras la Ley 34/2015, de reforma de la Ley General Tributaria", ob. cit., BIB 2016\2586. (Consultado en la base de datos Aranzadi Instituciones, con fecha 16/10/2017) y MARTÍNEZ GINER, L. A.: "La Seguridad Jurídica como límite a la potestad de comprobación de la Administración Tributaria: Doctrina de los actos propios y prescripción del fraude de ley", ob. cit., BIB 2015\17116. (Consultado en la base de datos Aranzadi Instituciones, con fecha 25/09/2017).

la Administración a determinar la deuda tributaria, ya que tales comprobaciones no poseen otra finalidad[289].

Esto no significa que la potestad para comprobar e investigar de la Administración deba quedar sometida, en todo caso, al plazo de prescripción de cuatro años. Es posible establecer un plazo superior, y no negamos que en el caso de la comprobación de bases imponibles negativas procedentes de periodos prescritos tal incremento en el plazo pueda ser recomendable, pero tal plazo no puede ser de prescripción. Las potestades, atendiendo a su configuración clásica, son imprescriptibles, pero pueden ser sometidas a un plazo de caducidad, tal y como ha defendido la doctrina mayoritaria, representada por autores como FALCÓN Y TELLA[290],

---

289 Como acertadamente apunta SÁNCHEZ BLÁZQUEZ, la comprobación es una actividad instrumental al servido de la liquidación tributaria, *"instrumentalidad que se manifiesta tanto desde un punto de vista procedimental como desde una perspectiva que podríamos llamar lógico interna"*. Según indica este autor, desde la perspectiva procedimental *"la actividad de comprobación, se manifieste o no en un acto de comprobación autónomo, se inserta en un concreto y específico procedimiento de liquidación individualizada y fuera de él carece de sentido"*. Desde la perspectiva lógico interna, con las actividades comprobadoras *"se realiza la determinación de los hechos relevantes para la liquidación del tributo, en su existencia, calificación jurídica y cuantía o valoración"*. Vid. SÁNCHEZ BLÁZQUEZ, V. M.: *La prescripción de las obligaciones tributarias*, ob. cit., pág. 56. En el mismo sentido LOZANO SERRANO, C.: "La comprobación tributaria ante la prescripción", ob. cit., (Consultado en la base de datos Aranzadi Proview, con fecha 13/10/2017) y DE JUAN CASADEVALL, J.: "La comprobación de créditos fiscales de ejercicios prescritos tras la Ley 34/2015, de reforma de la Ley General Tributaria", ob. cit., BIB 2016\2586. (Consultado en la base de datos Aranzadi Instituciones, con fecha 16/10/2017).

290 FALCÓN Y TELLA, R.: "La imprescriptibilidad del derecho a comprobar e investigar (que no es un derecho sino una potestad) y los límites derivados de la buena fe y la confianza legítima", ob. cit., BIB 2014\4013. (Consultado en la base de datos Aranzadi Instituciones, con fecha 16/03/2017).

SANZ CLAVIJO[291], CÁLVO VÉRGEZ[292] o FERNÁNDEZ LÓPEZ[293]. Con ello, de separar la facultad de comprobar del derecho a liquidar se debe hacer en estos términos, esto es, respetando su naturaleza. No se puede crear un nuevo derecho donde jurídicamente solo existe una facultad, dependiente, o al servicio, de un derecho. Por ello, coincidimos con los autores referenciados en que el plazo para ejercer la facultad de comprobación y de investigación deberá catalogarse como

---

291 Refiriéndose este autor particularmente a las facultades comprobadoras e investigadoras de la Administración desarrolladas en el marco del procedimiento de inspección. Vid. SANZ CLAVIJO, A.: *La caducidad del procedimiento. Su aplicación en el ámbito administrativo y tributario*, 1ª ed., La Ley, Madrid, 2009, págs. 345-348.

292 CALVO VÉRGEZ, J.: "Principales novedades del Impuesto de Sociedades para el ejercicio 2015", ob. cit., BIB 2016\3287. (Consultado en la base de datos Aranzadi Instituciones, con fecha 10/10/2017). Señala este autor que, *"en tanto en cuanto el citado plazo de diez años no constituye un plazo de caducidad tiene lugar su configuración como un plazo máximo para iniciar (no para terminar) las actuaciones de comprobación o investigación)"*.

293 FERNÁNDEZ LÓPEZ, R. I.: *La imprescriptibilidad de las deudas tributarias y la seguridad jurídica*, ob. cit., págs. 112-113. Consideramos especialmente acertadas las palabras de este autor cuando indica que *"si la potestad administrativa de comprobación tributaria se quiere sujetar a un plazo máximo de ejercicio que exceda la prescripción cuatrienal para liquidar, quizá podría haberse sometido a un plazo de caducidad –máxime teniendo en cuenta que tras la Ley 34/2015 las causas de interrupción solo siguen afectando a la prescripción de los derechos enumerado en el artículo 66 LGT/2003, evitando así desvirtuar el significado propio de una institución jurídica con el único propósito de someterla a un plazo de prescripción. Es más, desde nuestro punto de vista, los diez años de plazo a que se refieren los mencionados preceptos de la LIS/2014, o por mejor decir, lo seis años que no sean coincidentes con los cuatro de prescripción del derecho a liquidar-, constituyen en la práctica un plazo de caducidad dentro del cual la Administración deberá activar formalmente su facultad de comprobación e investigación, so pena de perderla definitivamente –sin posibilidad de reanudar un nuevo cómputo- si no lo hace en ese margen temporal, por lo que carece de sentido que dicha Ley califique tal periodo decenal como plazo de prescripción"*.

de caducidad y, solo así configurado, se le podrá otorgar un término superior al plazo general de prescripción de cuatro años, pero, en ningún caso, carácter imprescriptible. En cuanto a la extensión de este plazo, entendemos que debería alcanzar, como máximo, los diez años que establece el artículo 66 bis. 2 de la LGT.

Además, la imprescriptibilidad no se puede justificar en la supresión del plazo para efectuar la compensación, pues sus efectos jurídicos son muy distintos. Que el legislador establezca un plazo indefinido para compensar bases imponibles negativas no quiebra el principio de seguridad jurídica, porque el fundamento de la compensación más allá del periodo de generación no se encuentra en este principio, sino en el de capacidad económica, pero que establezca la imprescriptibilidad del mal denominado derecho a comprobar e investigar sí provoca la quiebra de la seguridad jurídica –y también del principio de capacidad económica, por cuanto este también sustenta el instituto de la prescripción–.

E. LA EXTENSIÓN DE LAS FACULTADES DE COMPROBACIÓN E INVESTIGACIÓN: LA DOCTRINA DE LOS ACTOS PROPIOS Y SU APLICACIÓN TRAS LA REFORMA DE LA LEY GENERAL TRIBUTARIA

La Ley 34/2015 también modificó los apartados 1 y 2 del artículo 115 de la LGT. La Exposición de Motivos de la Ley 34/2015 justifica la reforma señalando, entre otras cosas, que *"resulta fundamental, de nuevo para evitar dudas interpretativas, el reconocimiento explícito que se realiza respecto de las facultades de calificación que atribuidas a la*

Administración en relación con hechos, actos, actividades, explotaciones y negocios que, acontecidos, realizados, desarrollados o formalizados en periodos tributarios respecto de los que se hubiese producido la prescripción del derecho a liquidar, hubieran de surtir efectos fiscales en ejercicios o periodos en los que dicha prescripción no se hubiese producido".

El legislador emplea el mismo argumento que ya utilizó para justificar la inclusión del artículo 66 bis., esto es, evitar dudas interpretativas, a tenor de la jurisprudencia previa emitida por los Tribunales en sentido contradictorio, optando por la línea argumental establecida en las referidas Sentencias de febrero y marzo de 2015. A este argumento se añaden algunos posibles *"beneficios"* para el sujeto pasivo, si bien será preciso analizar la virtualidad práctica de esos pretendidos beneficios y la ponderación entre los mismos y la institución de un nuevo derecho para la Administración configurado de manera tan extensa.

La modificación de los dos apartados del artículo 115 supone el cierre a la modificación introducida en la LGT por el artículo 66 bis. y adopta el sentido que se expondrá a continuación:

- El apartado primero precisa lo ya indicado en el artículo 66 bis. 1, reiterando que la prescripción del derecho a liquidar del artículo 66.a) de la LGT no afecta al derecho a comprobar e investigar y estableciendo que la Administración tributaria podrá comprobar e investigar los hechos, actos, elementos, actividades explotaciones, negocios, valores y demás circunstancias determinantes de la obligación tributaria con origen en ejercicios prescritos, en la medida que los mismos tengan efectos fiscales en ejercicios en los que no hubiera prescrito el derecho de la Administración a liquidar. Asimismo, se menciona expresamente el supuesto especial contemplado en el artículo 66 bis. 2 de la LGT, relativo a la comprobación de bases o cuotas compensadas o pendientes de compensación o de deducciones aplicadas o pendientes de aplicación[294].

- El segundo apartado, por su parte, se ocupa de la extensión de los efectos de la calificación realizada por la Administración tributaria. Según este precepto la podrá calificar los hechos, actos, actividades, explotaciones y negocios realizados por el obligado tributario con independencia de la previa calificación que este último hubiera dado a los mismos y del ejercicio o periodo en el que la realizó. Con ello, la calificación dada por el obligado tributario a una operación realizada en un ejercicio prescrito no vincula a la Administración, pudiendo esta recalificarla conforme a lo indicado en el artículo 13 de la LGT, o declarar el conflicto en la aplicación de la norma tributaria previsto en el artículo 15 de la LGT o la simulación, recogida en el artículo 16 del referido texto normativo.

---

294 Apuntan GÓMEZ JIMÉNEZ, MARTÍNEZ LOZANO, RAMIRO ARCAS y VÍRSEDA MORENO que la referencia al artículo 66 no hubiera sido necesaria *"porque la realización de comprobaciones o investigaciones no dirigidas al ejercicio de derechos a los que se refiere el artículo 66 LGT hubiera significado que tales actuaciones se calificaran de arbitrarias"*, pero que la referencia expresa se fundamenta *"en el sentido pedagógico que desde su origen persigue la LGT"*. Vid. GÓMEZ JIMÉNEZ, C., MARTÍNEZ LOZANO, J. M., RAMIRO ARCAS, M., VÍRSEDA MORENO, M. J.: *Guía de la reforma de la Ley General Tributaria*, ob. cit., pág. 24.

El único límite para la potestad de recalificar negocios jurídicos realizados en periodos prescritos lo encontramos en el último párrafo del precepto, que hace referencia a la vinculación de la Administración a sus actos propios, indicando que la calificación realizada por la Administración tributaria en los procedimientos de comprobación e investigación extenderá sus efectos respecto de la obligación tributaria objeto de aquellos y, en su caso, respecto de aquellas otras respecto de las que no se hubiese producido la prescripción del derecho a liquidar. Esta referencia a la doctrina de los actos propios supone una gran diferencia respecto a la regulación anterior, en el que el texto legal no se refería expresamente ni regulaba la aplicación de esta doctrina.

No obstante, aunque el legislador hace referencia en este punto a la doctrina de los actos propios, esta referencia debe calificarse como "limitada", pues precisamente una aplicación estricta de la referida doctrina iría contra la propia regulación de la prescripción que el nuevo texto plantea, y así lo señala el Tribunal Supremo en las Sentencias de 4 de noviembre de 2013 y de 6 de marzo de 2014, cuyo contenido ya ha sido expuesto.

Tras la reforma de la LGT y, en particular, del artículo 115.2, se plantean fundamentalmente dos supuestos para la aplicación de esta doctrina[295]: por un lado, aquellos en los que la Administración tributaria ha aplicado un criterio distinto en una regularización previa y, por otro, aquellos

---

295 FORTUNY ZAFORTEZA, M., SOTELO TASIS, C.: *La reforma de la Ley General Tributaria 2015*, ob. cit., págs. 17-18.

en los que el criterio empleado por el obligado tributario ha ganado firmeza por el transcurso del plazo de prescripción.

E.1. SITUACIONES EN LAS QUE LA ADMINISTRACIÓN TRIBUTARIA HA APLICADO UN CRITERIO DISTINTO EN UNA REGULARIZACIÓN PREVIA

Es el supuesto que contempla el artículo 115.2 de la LGT, señalando que, en estos casos, la Administración deberá mantener su criterio en las regularizaciones que realice en ejercicios posteriores.

A pesar de la aparente claridad de la redacción del precepto, su aplicación práctica puede plantear distintos interrogantes, pues, como se indicó en el apartado precedente, esta referencia puede calificarse como limitada y general. Por ello, la nueva redacción del artículo 115.2 de la LGT no deja claro qué ocurre en aquellos supuestos en los que, después de la regularización de la Administración, tiene lugar una modificación legal que declara ilegal el criterio, un cambio en la doctrina jurisprudencial o las circunstancias del caso no son exactamente las mismas que las presentes en el periodo regularizado. En este caso, una interpretación extensiva del artículo 115.2 de la LGT supondría el mantenimiento del criterio de la Administración, a pesar de ser ilegal o erróneo en el momento de la nueva regularización, mientras que una interpretación más limitada supondría considerar el nuevo marco legal, jurisprudencial o circunstancial que se produzca en el caso, sin atenerse al criterio establecido en la regulación anterior[296].

Para encontrar una posible solución a esta cuestión, en primer lugar habría que atender al momento en que se produjeron los hechos objeto de regularización. Así, aquellos que se hayan producido con anterioridad al cambio legal o jurisprudencial y se adecúen al criterio establecido por la Administración en su regularización previa, suponen que el contribuyente no solo ha actuado conforme a lo establecido por la Administración, sino que habría actuado conforme al orden legal y jurisprudencial establecido en el momento en que realzó su liquidación, de modo que, aunque los criterios aplicables se modifiquen *a posteriori*, antes de finalizar el plazo de prescripción, la Administración deberá aplicar la doctrina de los actos propios y no regularizar nuevamente, conforme a un nuevo criterio, aquello que el contribuyente realizó conforme al criterio de la Administración en el momento en que presentó su liquidación. Lo contrario supondría aplicación retroactiva, *in peius*, y una evidente vulneración del principio de seguridad jurídica, pues crea una situación en la que el sujeto pasivo, cuando realiza la

---

296 Como señala HUELÍN MARTÍNEZ DE VELASCO, *"no puede admitirse que, a través de la presentación de estas liquidaciones, la Administración tributaria tenga la potestad de calificar operaciones y negocios de forma distinta a como lo hizo en el procedimiento que terminó con su aprobación. Lo impiden los principio de confianza legítima y el que impide actuar contra los propios actos, manifestaciones ambas del principio de seguridad jurídica"*. Esta afirmación se encuentra sustentada por las Sentencias del Tribunal Supremo de 4 de noviembre de 2013 y 6 de marzo de 2014 (ASUNTOS EBROMYL y KUTXABANK), a las que ya nos hemos referido. Vid. HUELÍN MARTÍNEZ DE VELASCO, J.: "El derecho a comprobar e investigar", en VARIOS: *Comentarios a la Ley General Tributaria al hilo de su reforma*, ob. cit., págs. 74-75.

liquidación del Impuesto, aplicando los criterios establecidos por la propia Administración, desconoce si en un futuro esos criterios pueden ser modificados y si su liquidación puede ser regularizada nuevamente aplicando esos nuevos criterios desconocidos en el momento en que efectuó la liquidación.

Caso distinto es aquel en el que se mantenga la aplicación del criterio de la Administración después de una modificación legal o jurisprudencial que establezca otro criterio o lo declare ilegal, pues en ese supuesto, por claro que fuera el criterio de la Administración, el contribuyente debería haber estado a lo establecido por el legislador y los órganos jurisprudenciales. En estos casos se puede dar una peculiar situación que ilustraremos con dos ejemplos:

a. En el primer supuesto, un contribuyente aplica en su liquidación el criterio establecido por la Administración en una regularización previa. A pesar de existir una modificación jurisprudencial que modifica tal criterio, la Administración lo mantiene. De esta forma, ante una eventual comprobación o inspección posterior, si la Administración continúa manteniendo el criterio, la liquidación no sería regularizada en lo relativo a la aplicación de ese criterio.

b. Sin embargo, si en el mismo supuesto, el contribuyente aplica el nuevo criterio jurisprudencial, mientras que la Administración tributaria mantiene el criterio aplicado en la regularización previa, una comprobación o inspección supondría una nueva regularización para el sujeto pasivo, que se vería obligado, para oponerse a ella, a acudir a los órganos jurisdiccionales que serían los que aplicasen el criterio establecido por los mismos. Esto es, esta situación supondría para el contribuyente la "carga de recurrir" los actos de la Administración, como única vía de evitar la firmeza de la nueva liquidación y, en su caso, la eventual sanción que lleve aparejada, redundando, nuevamente, en pro de un incremento de la inseguridad jurídica.

El supuesto más complejo es aquel en el que lo que se produce es un cambio en las circunstancias del caso, pues la duda sería hasta qué punto, o de qué entidad deben ser esas modificaciones para que la Administración se pueda alejar de sus propios actos. La indeterminación del precepto no ofrece respuesta a este interrogante, lo que perjudica de manera evidente al contribuyente, pues deja en manos de la Administración tributaria en exclusiva la determinación de cuándo el cambio en las circunstancias es de entidad suficiente.

E.2. SITUACIONES EN LAS QUE EL CRITERIO APLICADO POR EL SUJETO PASIVO HA GANADO FIRMEZA POR TRANSCURSO DEL PLAZO DE PRESCRIPCIÓN

Este caso concreto o se refiere a aquellas situaciones en los que el contribuyente ha venido aplicando un criterio a lo largo de varios ejercicios, algunos de los cuales ya han prescrito, de modo que se plantea la cuestión de si la Administración tributaria queda vinculada para ejercicios posteriores por ese criterio aplicado por el contribuyente en el ejercicio prescrito y que, por tanto, ya ha ganado firmeza. Esto es, se trata de una situación que presenta especial incidencia en aquellos supuestos en los que una actuación del sujeto pasivo tiene influencia en distintos periodos impositivos, habiendo prescrito el derecho de la Administración a liquidar alguno de ellos, pero permaneciendo para los últimos[297]. En estos casos, la inactividad de la Administración puede haber generado en el contribuyente la confianza de que los criterios aplicados, deviniendo firmes, resultan inatacables.

Consideramos que en este caso nuevamente el problema no es otro que los límites de la doctrina de los actos propios, pues la pregunta que surge en este punto es si se puede considerar como acto propio de la Administración el transcurso del plazo prescriptorio y la consiguiente firmeza de la liquidación efectuada por el sujeto pasivo y de los criterios en ella aplicados.

La solución de esta cuestión requiere considerar tanto la extensión de la doctrina de los actos propios como el propio principio de legalidad. En relación a los límites de la doctrina de los actos propios, de la doctrina del Tribunal Supremo plasmada en las referidas Sentencias de 4 de noviembre de 2013 y de 6 de marzo de 2014, se infiere que los actos propios que delimitan las actuaciones de la Administración son los realizados por sus órganos, no los de un tercero. El principio de legalidad, por su parte, en

---

297 Ejemplo de estas operaciones con incidencia en distintos periodos son las operaciones de tracto sucesivo, la amortización por depreciación de un bien del inmovilizado o las dotaciones a las provisiones.

palabras de GARCÍA DE ENTRERRÍA[298], supone *"que todo órgano público (del Rey abajo) ejerce el poder que la Ley ha definido previamente, en la medida tasada por la Ley, mediante el procedimiento y las condiciones que la propia Ley establece"*, en definitiva, que la Administración, en sus actuaciones, queda sometida al imperio de la Ley. Si por el transcurso del plazo de prescripción se consolidan periodos impositivos y actuaciones del obligado tributario que no se ajustan a la ley, la Administración ya no podrá volver sobre esos hechos, pero ello no le tiene que impedir que determine la ilegalidad del criterio aplicado en aquellos periodos no prescritos en los que aún mantiene sus derechos.

Con todo lo indicado se concluye que los criterios aplicados por el Administrado en un periodo prescrito no vinculan a la Administración en la regularización de otros ejercicios no prescritos, independientemente de que la liquidación realizada en el ejercicio prescrito haya ganado firmeza y con ella los criterios aplicados por el contribuyente. Entendemos que la interpretación contraria supondría una evidente vulneración de principio de legalidad y tampoco se ajustaría a la doctrina de los actos propios, pues el criterio que aparentemente ha ganado firmeza no proviene de una acto que se pueda considerar como propio de la Administración, ya que, en todo caso, lo único que la Administración ha manifestado es una inactividad que ha permitido la culminación del plazo de prescripción.

Tampoco creemos oponible el hecho de que la

---

298 GARCÍA DE ENTERRÍA, E.: *La lengua de los Derechos. La formación del Derecho Público europeo tras la Revolución Francesa*, 1ª ed., Aranzadi, Pamplona, 2009, pág. 150.

inactividad de la Administración haya generado en el contribuyente la confianza de la corrección en la aplicación de unos determinados criterios, porque el transcurso del plazo de prescripción sí da lugar a la firmeza de la liquidación prescrita, pero esta firmeza solo debe generar en el sujeto pasivo la confianza de que esa liquidación prescrita deviene inmutable y no puede ser comprobada, independientemente de la corrección o legalidad de los criterios en ella aplicados, pero, en ningún caso, el transcurso del tiempo puede dotar de legalidad o corrección a unos criterios que no la tienen en origen.

Por ello, en nuestra opinión, la respuesta a la pregunta planteada al inicio en relación a si la inactividad de la Administración que da lugar a la prescripción del derecho a liquidar consagra los criterios aplicados por el obligado tributario, es negativa. En estos supuestos, incluso existiendo liquidaciones previas prescritas en las que el contribuyente aplica un determinado criterio, la Administración podrá regularizar aquellas liquidaciones correspondientes a periodos no prescritos, sin sujeción a los criterios aplicados por el contribuyente en periodos prescritos.

3. INCIDENCIA DE LA REFORMA SOBRE EL PRINCIPIO DE SEGURIDAD JURÍDICA

Señalaba WINDSCHEID[299] que *"el tiempo es un poder al cual ningún ser humano puede sustraerse; lo que ha existido largo tiempo, nos aparece solo por eso como algo firme e inconmovible y es un mal defraudar las expectativas que crea"*. Tomaremos esta reflexión como punto de partida para la exposición que queremos realizar, pues encierra el problema, y la solución, de la situación creada por el legislador tras la modificación de la LGT.

La seguridad jurídica, en palabras de CASANA MERINO[300], se configura como el límite en el que valorar la adecuación de las actuaciones comprobadoras de la Administración tributaria, y el principio de confianza legítima, concretado en la doctrina de los actos propios. En la prescripción, como indica ASOREY[301], *"la certeza aparece dando fundamento a dicha forma de extinción de la obligación tributaria"*.

Antes de analizar esta cuestión, consideramos que es necesario partir de una idea primordial: la seguridad jurídica no debe equipararse a la inmutabilidad de los textos legales,

---

299 WINDSCHEID, B.: en la traducción aportada por DÍEZ-PICAZO Y PONCE DE LEÓN, L.: *Fundamentos de Derecho Civil Patrimonial*, Tomo III, Aranzadi, 2008, pág. 7901.

300 CASANA MERINO, R.: "La compensación de bases, cuotas, o deducciones provenientes de ejercicios prescritos", *Quincena Fiscal*, núm. 20, 2014, pág. 66.

301 ASOREY, R. O.: "El principio de seguridad jurídica en el Derecho Tributario", *Revista Española de Derecho Financiero*, núm. 66, 1990, pág. 178

pues su evolución y adaptación es necesaria, de modo que si se partiera de esa máxima, cualquier modificación legal contravendría este principio constitucional[302]. El objeto del examen de la adecuación de la reforma al principio de seguridad jurídica no se debe realizar desde ese prisma, sino que debe ahondar en su contenido y en sus efectos y, desde esa óptica, determinar si la situación creada tras la nueva regulación contribuye a reforzar la seguridad jurídica o, por el contrario, supone una merma en su apreciación respecto a la situación previa.

Si bien a lo largo del presente trabajo ya se han avanzado algunas cuestiones en relación a la incidencia de la reforma de la prescripción tributaria, en lo relativo a la articulación del derecho a comprobar e investigar en la LGT, cabe realizar algunos apuntes finales, derivados de esta estrecha relación entre el principio de seguridad jurídica y prescripción tributaria, y de cómo este principio se ve afectado por la reforma de la prescripción efectuada por la

---

302 Como acertadamente apunta SOTO BERNABEU, *"a pesar del carácter básico que se reconoce al principio de seguridad jurídica en nuestro ordenamiento jurídico, puede decirse que se ha llegado a la conclusión de que no es posible garantizar la seguridad jurídica de manera absoluta y plena4, ya que en la actualidad, suelen anteponerse otros valores y principios constitucionales a la misma. Es por ello que resulta conveniente apuntar que posiblemente hoy en día, el objetivo del Derecho no es tanto garantizar la seguridad jurídica en las relaciones jurídicas públicas o privadas, sino más bien procurar actuar en la mayor medida posible, de la manera más acorde con la misma".* Vid. SOTO BERNABEU, L.: "La comprobación de ejercicios prescritos y la seguridad jurídica, ob. cit., pág. 250, con referencia a HERRERO DE EGAÑA ESPINOSA DE LOS MONTEROS, J. M.: "La vinculación de la Administración Tributaria a los actos propios en su función de comprobación. Comentario a la STS de 4 de noviembre de 2013", ob. cit., págs. 109-116.

Ley 34/205, cuestión que, a nuestro parecer, es de la mayor gravedad.

Esta vinculación entre prescripción tributaria y seguridad jurídica también ha sido aquilatada por los órganos jurisdiccionales. El Tribunal Constitucional, en la referida Sentencia 147/1986, de 25 de noviembre, hace alusión expresa a la misma, pues, en aras de la segunda, se pueden consolidar situaciones que, en origen, pudieran no ajustarse a la legalidad. El Tribunal Supremo, por su parte, en la Sentencia de 21 de diciembre de 1950 señala que el instituto de la prescripción tributaria deriva necesariamente del principio constitucional de seguridad jurídica, pues *"se apoya en la necesidad de conceder una estabilidad a las situaciones jurídicas existentes dando, de esta manera, claridad al tráfico jurídico"*. Sin embargo, como se puede derivar de la exposición jurisprudencial que se ha llevado a cabo en el presente Capítulo, este órgano jurisdiccional ha olvidado en muchos momentos lo indicado en esta Sentencia.

Recordando las palabras de SAINZ DE BUJANDA[303] el principio de seguridad jurídica *"constituye uno de los bienes jurídicos amparados explícitamente por el moderno constitucionalismo. En nuestras leyes fundamentales se consagra directamente como un derecho (...) Si todos esos enunciados, a través de los cuales se actúa la seguridad jurídica, hubieran de ser sintetizados en una sola proposición fundamental, podría decirse que esta: el derecho de los españoles a la seguridad jurídica consiste en la certidumbre*

---

303 SAINZ DE BUJANDA, F.: *Hacienda y Derecho*, Volumen III, ob. cit., págs. 422-423.

del Derecho y en la eliminación de la arbitrariedad". Partiendo de esta afirmación, la pregunta que nos debemos plantear es ¿contribuye la reforma a lograr la certidumbre del derecho y la eliminación de la arbitrariedad?. Parece que no. Y es que, tal y como señala ESEVERRI[304], a pesar de que *"en el ámbito de los tributos el paso del tiempo no puede crear una barrera infranqueable a los órganos de la Administración para comprobar situaciones del pasado con trascendencia en el presente tributario (...) su condición de actuaciones ilimitadas en el tiempo, por una parte, han de entenderse habilitadas legalmente cuando su instrucción sea necesaria para constatar elementos de obligaciones tributarias no prescritas objeto de regularización tributaria; de otra, ha de criticarse que en el discurrir de las mismas, los órganos administrativos queden habilitados para efectuar operaciones de recalificación jurídica de un pasado que pudo ser objeto de investigación y no lo fue, permitiendo así que el transcurso del tiempo consolidara situaciones jurídicas que pueden resultar ilegales, irreales, o realizadas con abuso de derecho, pero sobre las que no es posible volver para rehacerlas por exigencias de la seguridad jurídica y de la confianza legítima"*. Conjugar el plazo de que dispone el sujeto pasivo para compensar sus *"créditos fiscales"* con el derecho de la Administración a determinar la deuda tributaria supone que esta pueda comprobar lo que el contribuyente declaró en un periodo prescrito, con influencia en uno no prescrito, pero esa comprobación debe quedar circunscrita a sus estrictos términos, y no puede suponer una recalificación

---

304 ESEVERRI, E.: "La prescripción tributaria: nueva regulación", ob. cit., págs. 73-74.

jurídica de los actos para los que ha transcurrido el plazo de prescripción, y que con ello, han generado en el contribuyente la confianza de su firmeza, a pesar de poder incurrir en una falta de legalidad o realidad.

La posibilidad de que la Administración tributaria comprobase, *"como mero espectador"* sin recalificar jurídicamente, actos o negocios, ocurridos en periodos prescritos pero con incidencia en periodos no prescritos ya la otorgaba el texto original de la LGT. La reforma no dota a la Administración de la posibilidad de comprobar, sino que amplia exacerbadamente esta facultad de la que ya disponía, pues el texto previo a la Ley 34/2015 no admitía expresamente que la comprobación de tales ejercicios prescritos alcanzara a la calificación jurídica de los mismos. Más, al contrario, el juego del artículo con el efecto del transcurso del plazo de prescripción, regulado en el artículo 69 de la LGT, impedía, en buena lógica, esa posibilidad, a salvo de interpretaciones forzadas como la realizada por la Administración y por el Tribunal Supremo en algunas de sus Sentencias.

El deseo de la Administración tributaria de *"operar"* sobre el pasado prescrito y no de únicamente *"asomarse"* al mismo[305], y la recepción de tal voluntad por el legislador, permitiendo a la Administración recalificar hechos, actos o negocios que han determinado la configuración de la base imponible de un periodo prescrito, supone obviar los efectos del transcurso del plazo de prescripción y, con ello, las consecuencias fiscales de tales hechos, actos o negocios.

---

305 HUELÍN MARTÍNEZ DE VELASCO, J.: "El derecho a comprobar e investigar", en VARIOS: *Comentarios a la Ley General Tributaria al hilo de su reforma*, ob. cit., pág. 72.

A mayor abundamiento, extender los límites de la comprobación más allá del ejercicio de una mera comprobación formal, como ocurre en la reforma, supone situar a la Administración tributaria en una situación de preminencia y desigualdad respecto al sujeto pasivo, en el sentido que indica el Tribunal Supremo en la referida Sentencia de 4 de julio de 2014. Coincidimos plenamente con ESEVERRI[306], cuando pone de manifiesto el desequilibrio entre las partes de la relación jurídico tributaria que se produce a consecuencia de la reforma, pues *"si la certeza del derecho obliga al contribuyente a estar y pasar por el contenido de obligaciones tributarias ilegales que han quedado firmes en razón a la seguridad jurídica, la fortaleza de este principio también obliga a la Administración a transigir con actuaciones de particulares efectuadas en claro abuso de derecho, por haber dejado transcurrir el tiempo de prescripción del derecho a regularizarlas sobre las que no puede volver para recalificarlas jurídicamente hablando"*.

En suma, y retomando la pregunta que se planteaba al inicio, con lo indicado parece claro que en poco contribuye la reforma a lograr la certidumbre del derecho y la eliminación de la arbitrariedad.

Además, de efectuar un ejercicio de ponderación entre el principio de seguridad jurídica y el principio de legalidad, consideramos que la balanza se decantaría del lado de la seguridad jurídica, porque, tal y como indica LOZANO

---

306 ESEVERRI, E.: "La prescripción tributaria: nueva regulación", ob. cit., pág. 74.

SERRANO[307], *"en la prescripción extintiva, lo que el instituto «sanciona» es la falta de diligencia del titular del derecho en su defensa, cuya legalidad no se discute, pero que se sacrifica por mor de la seguridad jurídica. En el ámbito tributario, con más énfasis, si cabe, dado que la ley la contempla como cuestión de orden público aplicable de oficio"*.

A mayor abundamiento, cabe indicar que pesar de que la Exposición de Motivos de la Ley 34/2015 alude reiteradamente a la disminución de los conflictos interpretativos y, con ello, a la seguridad jurídica, no parece lograr sus objetivos. Más aun, esta alusión, en palabras de MENENDEZ MORENO[308], es *"tan reiterada como incumplida por nuestro ordenamiento (...) y si como es sobradamente conocido, el fundamento de este instituto jurídico –la prescripción tributaria-, de procedencia inmemorial, es precisamente la seguridad jurídica, estas reformas van en sentido contrario a la misma"*. Como señala HUELÍN MARTÍNEZ DE VELASCO[309], en relación a los postulados que recoge la mencionada Exposición de Motivos, *"cabe interrogarse sobre la corrección dogmática de los presupuestos de los que parte el legislador y sobre las dificultades para encontrar acomodo a su opción en nuestro sistema constitucional"*. Coincidimos con este autor pues,

---

307 LOZANO SERRANO, C.: "La comprobación de partidas compensables en periodos prescritos", ob. cit., BIB 2014\1694. (Consultado en la base de datos Aranzadi Instituciones, con fecha 15/10/2014).

308 MENÉNDEZ MORENO, A.: "La modificación parcial de la Ley General Tributaria", *Quincena Fiscal*, núm. 14, 2014, págs. 13-16.

309 HUELÍN MARTÍNEZ DE VELASCO, J.: "El derecho a comprobar e investigar", en VARIOS: *Comentarios a la Ley General Tributaria al hilo de su reforma*, ob. cit., pág. 68.

como hemos venido desgranando a lo largo de este Capítulo, tales postulados –concepción de lo que es una potestad como derecho, otorgamiento de carácter imprescriptible, etc.– vulneran flagrantemente el fundamento objetivo de la prescripción tributaria.

MARTÍNEZ GINER[310], por su parte, aunque admite que la Administración tributaria debe tener facultades para *"asomarse al pasado prescrito"* –adoptando los términos empleados en el voto particular a las Sentencias de febrero de 2015- rechaza el contenido de la reforma en cuanto a la posibilidad de la Administración de recalificar jurídicamente actos y negocios realizados en periodos prescitos, pues tal recalificación *"supone un salto cualitativo de difícil encaje y acogimiento con el principio de seguridad jurídica"*. JIMÉNEZ y MATA[311] también manifiestan el grave perjuicio que esta nueva regulación despliega sobre el principio de seguridad jurídica, adoptando para ello una visión que destaca la evolución del derecho y de los criterios administrativos y jurisprudenciales, así como de la propia legislación. Señalan que *"la seguridad jurídica se ve afectada porque creer que 20, 30 o más años después de generar una BIN es posible enjuiciar su corrección jurídica es irreal. Ignorar que la interpretación cambia y evoluciona es atentar claramente contra la seguridad jurídica. Al menos, creemos que se deberían definir cuáles*

---

310 MARTÍNEZ GINER, L. A.: "La Seguridad Jurídica como límite a la potestad de comprobación de la Administración Tributaria: Doctrina de los actos propios y prescripción del fraude de ley", ob. cit., BIB 2015\17116. (Consultado en la base de datos Aranzadi Instituciones, con fecha 25/09/2017).

311 JIMÉNEZ, C., MATA, A.: "Compensación de bases imponibles negativas: una buena y una mala noticia", *Iuris&Lex*, núm. 113, 2014, pág. 9.

serán los criterios aplicables –los vigentes en el momento de generar la BIN, de aplicarla, de inspeccionarla...- porque si no, la inseguridad jurídica es evidente".

No les falta razón a estos autores, si bien entendemos que, a tenor del texto del artículo 66 bis. 2 de la LGT, el análisis referido a la corrección jurídica de las bases imponibles compensadas procedentes de periodos prescritos quedará acotada al marco temporal de diez años. Donde sí encontramos plenamente aplicables estos razonamientos es en el marco del artículo 66 bis. 1 de la LGT que, en conjunción con el referido artículo 115.2 de la LGT establece esta posibilidad de comprobación, extendida a la determinación de la corrección legal, sin término.

En el mismo sentido, SOTO BERNABEU[312], que apunta que parece innegable que, tanto la doctrina jurisprudencial previa, como el contenido de la reforma, suponen que *"la seguridad jurídica se resiente"*. Coincidimos con esta autora que, no obstante, precisa que considera acertado *"otorgar a la Administración la facultad de comprobar e investigar unos negocios jurídicos que aunque fueron realizados en ejercicios prescritos proyectan sus efectos a otros ejercicios que no lo están, siempre y cuando la Administración no se hubiera pronunciado previamente sobre tales negocios ya que de lo contrario se vulneraría el principio de seguridad jurídica y la doctrina de los actos propios".* También coincidimos con esta afirmación, pero introduciendo un matiz pues, si bien entendemos procedente que la Administración pueda

---

312 SOTO BERNABEU, L.: "La comprobación de ejercicios prescritos y la seguridad jurídica", ob. cit., pág. 257.

comprobar esos periodos prescritos con influencia en periodos no prescritos, también creemos imprescindible que el límite temporal y material de esa comprobación se establezca con claridad. En este punto, creemos que el plazo de diez años que establece el artículo 66 bis. 2 de la LGT puede ser adecuado, tal y como hemos manifestado, pero siempre que se suprima la denominación como *"derecho"* de lo que es una potestad, y se califique tal plazo como de caducidad. Más allá de ese margen temporal de diez años, en los que la Administración sí podrá valorar la adecuación a Derecho de tales bases imponibles procedentes de periodos prescritos, -si bien ya no podrá liquidar aquellas para las que haya transcurrido el plazo de prescripción de cuatro años aplicable al derecho del artículo 66.1 de la LGT-, los órganos de la Hacienda Pública únicamente podrán efectuar la comprobación de su origen, -en los términos del artículo 66 bis.3.- pero no de su corrección jurídica.

También CALVO VÉRGEZ[313], que señala que *"cabe plantearse hasta qué punto respeta el principio de seguridad jurídica el hecho de que se mantengan en vigor unas bases imponibles negativas que generan la apariencia de créditos fiscales, pero que en cualquier momento se puedan revisar, sin importar de cuando procedan, ya que dichos activos fiscales presentes en los balances tendrán siempre la calificación de provisionales, pudiendo Hacienda entrar a su rectificación si los considerara improcedentes"*.

---

313 CALVO VÉRGEZ, J.: "Principales novedades del Impuesto de Sociedades para el ejercicio 2015", ob. cit., BIB 2016\3287. (Consultado en la base de datos Aranzadi Instituciones, con fecha 10/10/2017).

Muy crítica también se ha mostrado JIMÉNEZ JIMÉNEZ[314], pues, a juicio de esta autora *"el hecho de que un ejercicio salga a ingresar o a devolver no debe ser óbice alguno para que el mismo sea objeto de comprobación durante idéntico plazo de prescripción. Es comprensible que la Administración en aras de una mayor eficacia pretenda comprobar las BINs (o en general los créditos tributarios) en el momento de hacerse efectivos los mismos y reducir la tributación de un ejercicio no prescrito, pero tal deseo (loable) de eficacia no puede conseguirse a cambio de una modificación normativa que afecta instituciones como las tantas veces mencionadas en las líneas precedentes: seguridad jurídica, prescripción y una clara equiparación de esta institución entre Administración y contribuyentes".*

A pesar de que las opiniones mayoritarias doctrinales, algunas de las cuales hemos reflejado, coinciden calificar la modificación de la LGT muy negativamente desde la óptica de la seguridad jurídica, algunos autores, también desde este prisma, han considerado la reforma favorable a este principio. Este es el caso de BLASCO DELGADO[315] que, aun reconociendo que la reforma supone una merma para los derechos y garantías de los contribuyentes, afirma que *"se refuerza la seguridad jurídica legalizando lo que hasta*

---

314 JIMÉNEZ JIMÉNEZ, C.: "Últimos (y contradictorios) pronunciamientos jurisprudenciales y doctrinales en materia de comprobación de ejercicios prescritos", ob. cit., pág. 17.

315 BLASCO DELGADO, C.: "La nueva configuración de la prescripción y el derecho a comprobar e investigar", en MERINO JARA, I. (Dir.), CALVO VÉRGEZ, J. (Coord.): *Estudios sobre la reforma de la Ley General Tributaria*, ob. cit., pág. 86-88.

ahora quedaba al albur de los tribunales". Consideramos que esta opinión es matizable ya que, si bien la comprobación de las bases imponibles negativas procedentes de periodos prescritos es una cuestión que, innegablemente, ha dado lugar a una profunda inestabilidad jurisprudencial, ello no justifica que cualquier reforma habida en este sentido deba calificarse favorablemente, porque ello supondría, en este y en otros ámbitos, otorgar "carta blanca" al legislador para justificar, con base en el principio de seguridad jurídica, cualquier reforma legal sobre cuestiones discutidas, por nefasta que sea, máxime cuando el legislador pudo optar por otras posibilidades menos dañosas con este principio para aclarar la cuestión de la comprobación de las bases imponibles negativas. Esta autora justifica la imprescriptibilidad que consagra el artículo 66 bis. de la LGT, en la evitar *"que se consoliden situaciones ilegales que justifican y avalan defraudaciones futuras"*. Como ya señalamos en apartados precedentes, el interés por evitar o reducir aquellas actuaciones elusorias subyace en la base de esta reforma, pero, al hilo de esta cuestión, cabría preguntarse si, precisamente, para que la Administración pueda desempeñar esa función, no se ha establecido ya un plazo de prescripción de cuatro años, durante el cual la Administración puede comprobar esas liquidaciones que dieron lugar a las bases negativas que se compensaron en periodos posteriores. A ello se puede objetar que, en ese plazo, la Administración quizá no disponga de tiempo para comprobar todas las bases imponibles negativas consignadas en liquidaciones, pero ¿no ocurre eso también en otras figuras tributarias? ¿la Administración comprueba todas las autoliquidaciones y liquidaciones, de todos los tributos, presentadas por los contribuyentes?. Evidentemente, no. La Administración, haciendo uso de su discrecionalidad, dispone de un plazo de cuatro años para comprobar aquellas liquidaciones o autoliquidaciones que considere, a fin de determinar su corrección y, en su caso, liquidar en tributo, pues, en definitiva, ese es el objeto de la comprobación. Este es otro de los riesgos que se deriva de la ruptura de la institución de la prescripción, pues cabe que la nueva normativa *"sirva de base para proceder a una nueva liquidación, como si el derecho a comprobar pudiera extenderse más allá del plazo de prescripción"*[316].

En nuestra opinión, acudir al argumento basado en evitar la defraudación fiscal, y extrapolarlo a otras situaciones, es peligroso, pues conduciría a justificar cualquier tipo de actuación de la Administración tendente a este fin, por ilegal o injusta que fuera, pues como acertadamente apunta SÁNCHEZ GARCÍA[317], *"existe también una "moral tributaria" que establece un gran reproche ético a las conductas defraudatorias, y que permite justificar casi toda la producción normativa, bajo el paraguas de la persecución del fraude fiscal"*. No decimos que el fraude fiscal no sea merecedor de persecución y de la adopción de medidas para mitigarlo, pero siempre con el límite infranqueable del respeto

---

316 GOROSPE OVIEDO, J. I.: "La prescripción del fraude de ley con consecuencias en periodos no prescritos y la reforma de la LGT y de la LIS. Análisis de la STS de 4 de julio de 2014, rec. Núm. 581/2013", ob. cit., pág. 164.

317 SÁNCHEZ GARCÍA, J. A.: "El control tributario de la producción normativa en materia tributaria de los principios generales del derecho y la seguridad jurídica", ob. cit., págs. 49-50

a los derechos y garantías de los contribuyentes –aunque este concepto ya parezca olvidado- y, particularmente, a la seguridad jurídica imprescindible en cualquier sistema jurídico solvente.

Además, tanto en las actuaciones de la Administración, como en los pronunciamientos que las avalan, parece subyacer un sustrato común: la consideración del contribuyente como un "sujeto defraudador". Parece que, en muchas ocasiones, la presunción de la que parte la Administración en sus relaciónes con los contribuyentes es la de que estos actúan con una evidente intención de eludir el pago de los tributos, y debe ser el propio obligado el que demuestre que no es así. Empleando un simil propio del ámbito punitivo, la Administración parece haber olvidado la "presunción de inocencia" de los contribuyentes, partiendo, en muchas ocasiones, de una más que evidente "presunción de culpabilidad". Aunque las consecuencias de esta situación, presente en la práctica tributaria, son tan extensas que exceden el ámbito de esta investigación, la modificación efectuada en materia de prescripción es clara muestra de ello.

También se manifiestan a favor de la reforma GÓMEZ JIMÉNEZ, MARTÍNEZ LOZANO, RAMIRO ARCAS y VÍRSEDA MORENO[318]. Estos autores señalan en referencia a la posición de la Administración respecto a la posibilidad de comprobar periodos prescritos para los órganos administrativos que *"negar el derecho a comprobar hechos,*

---

318 GÓMEZ JIMÉNEZ, C., MARTÍNEZ LOZANO, J. M., RAMIRO ARCAS, M., VÍRSEDA MORENO, M. J.: *Guía de la reforma de la Ley General Tributaria*, ob. cit., pág. 22.

actos o negocios jurídicos ocurridos en un ejercicio prescrito pero con efectos en otros vivos supondría una atadura sin paliativos a las propias funciones de comprobación que tiene la Administración tributaria". Con ello, parecen olvidar que la Administración ya dispuso de un plazo de cuatro años para comprobar los periodos que, tras un plazo indeterminado de tiempo considera que puede volver no solo a comprobar, más aun, a recalificar jurídicamente aquello que ya está extinto. En nuestra opinión, la *"atadura sin paliativos"* a la que aluden se produce, pero precisamente a cuenta de la reforma, recayendo de manera directa sobre el principio de seguridad jurídica, que es el que resulta ensogado.

Consideramos, a tenor de lo expuesto, que resulta evidente la poca adecuación de la reforma planteada al principio constitucional de seguridad jurídica, pues parece que, lejos de responder al propósito reflejado en su Exposición de Motivos -la disminución de las dudas interpretativas y la conflictividad jurisdiccional-, contribuye a incrementar la incertidumbre del contribuyente en relación a las actuaciones de la Administración tributaria. La posibilidad de recalificar negocios jurídicos realizados en periodos prescritos supone que la prescripción tributaria pierda su principal efecto, la firmeza de lo prescrito, y coloca en una situación de evidente desigualdad en relación a los derechos ejercitables por una y otra parte, debido a las amplias facultades de las que dota a la Administración tributaria. Pues, tal y como indica GARCÍA NOVOA[319], *"cualquier regulación normativa tendente a evitar la consumación de la prescripción es claramente contraria al principio de seguridad jurídica".*

---

319 GARCÍA NOVOA, C.: *El principio de seguridad jurídica en materia tributaria*, 1ª ed., Marcial Pons, Madrid, 2000, pág. 219.

En este punto, siendo indubitados los dañosos efectos de la reforma, cabe plantearse qué opciones dispone el obligado tributario para atenuar el grave impacto de la modificación de la LGT sobre la seguridad jurídica. La doctrina ha apuntado dos vías. La primera de ellas es la del recurso de inconstitucionalidad. Esta es la línea que apuntó GARCÍA NOVOA[320], si bien no en relación a esta reforma, aunque entendemos trasladable su razonamiento a este punto. Según este autor, la dimensión constitucional de la prescripción y la vulneración del principio de seguridad jurídica derivado de la reforma podría conducir a que el Tribunal Constitucional se pronuncie sobre la adecuación al texto constitucional de la imprescriptibilidad de las obligaciones tributarias. Esta opción, si bien parece lejana en la práctica, sería idónea atendiendo al propio fundamento de la prescripción tributaria

Otra opción, desarrollada por LOZANO SERRANO[321], sería interpretar estos artículos de forma que se lograra una modulación de su impacto sobre el principio de seguridad jurídica. Entiende este autor que la imprescriptibilidad a la que se refiere el artículo 66 bis.1, con la extensión de que le dota el artículo 115 de la LGT, solo podrá ser aplicada en casos excepcionales, *"y supeditada a*

---

320 GARCÍA NOVOA, C.: "Comentario a la Ley 7/2012 de modificación de la normativa tributaria y presupuestaria y de adecuación de la normativa financiera para la intensificación de las actuaciones en la prevención y lucha contra el fraude. Infracciones y sanciones", en VARIOS: *Comentarios a la Ley 7/2012*, 1ª ed., Aranzadi, Pamplona, 2013, pág. 208.

321 LOZANO SERRANO, C.: "La comprobación tributaria ante la prescripción", ob. cit., (Consultado en la base de datos Aranzadi Proview, con fecha 13/10/2017).

una doble necesidad: que "resulte precisa" y a que los hechos de períodos prescritos "hubieran de surtir efectos fiscales" en los no prescritos", rechazando, de esta forma una aplicación general de los preceptos enunciados. Corresponderá a los órganos jurisprudenciales determinar si, en cada caso concreto, concurren las circunstancias que justifiquen el recurso a estos preceptos, para lo que considera que, con carácter general, deberá *"acreditarse por la Administración algún indicio de entorpecimiento grave o imposibilidad de la función comprobadora e investigadora ordinaria (...) de modo similar a los presupuestos de hecho que exige la propia LGT para autorizar la estimación indirecta de bases como subsidiaria de los otros métodos"*. No obstante, a pesar de ser una interpretación que debe ser valorada positivamente, pues entendemos que ofrece una interpretación más respetuosa con la seguridad jurídica, en la práctica administrativa y jurisprudencial la aplicación de la imprescriptibilidad no se ha entendido como excepcional, sino más bien como la norma general.

4. OTRAS CUESTIONES ABIERTAS TRAS LA REFORMA DE LA LEY GENERAL TRIBUTARIA

4.1. PROBLEMAS DE DERECHO TRANSITORIO

La cuestión de la retroactividad o irretroactividad de las normas tributarias, así como de la especial incidencia que muestran las normas de Derecho transitorio en todas aquellas modificaciones que afectan a los plazos de prescripción, ya ha sido abordada con carácter general en el Capítulo Primero de la presente investigación, cuando expusimos los problemas de transitoriedad derivados de la reducción del plazo general de prescripción de cinco años a cuatro.

Aludíamos en ese punto, cono normas que delimitaban el marco legal de referencia en esta cuestión, a los artículos 9 de la Constitución y 2.3 del Código Civil, pues en el momento en que se produjo la referida modificación del plazo de prescripción, la LGT vigente era la de 1963, que no preveía disposiciones en relación a la retroactividad de las normas tributarias.

La LGT de 2003, sin embargo, sí incluyó una previsión expresa en este sentido, pues el artículo 10.2 establece expresamente la irretroactividad de las normas tributarias, salvo disposición en contrario. De la excepción se excluyen las normas que regulen el régimen de infracciones y sanciones tributarias y el de los recargos, que solo tendrán efectos retroactivos respecto de los actos que no sean firmes cuando su aplicación resulte más favorable para el interesado, en consonancia con lo establecido en el artículo 9 de la Constitución. Tampoco contradice este precepto lo dispuesto en el artículo 2.3 del Código Civil, por lo que resultan trasladables a este punto las apreciaciones que realizamos en el apartado referenciado.

De esta forma, la regla general es la irretroactividad de las normas tributarias, que solo será exceptuada cuando la ley expresamente lo prevea. Esta excepción no resulta infrecuente, a pesar de que, tal y como señala GARCÍA

FRIAS[322], *"la retroactividad es la excepción y no la regla, y solo deberá admitirse excepcionalmente cuando resulte plenamente justificada"*.

Los problemas de Derecho transitorio derivados de la nueva regulación contenida en la LGT y en la LIS, en materia de compensación de bases imponibles negativas y de prescripción, son dos fundamentalmente. El primero, la determinación del régimen legal a aplicar en el momento en que se efectúe la comprobación. El segundo, que guarda estrecha relación con el primero, la determinación de la posible aplicación retroactiva del plazo de diez años para la comprobación de bases imponibles negativas establecido en los artículos 66 bis. 2 de la LGT y 26.5 de la LIS.

4.1.1. EL RÉGIMEN LEGAL APLICABLE PARA EFECTUAR LA COMPENSACIÓN

Los cambios en los requisitos para efectuar la compensación de bases imponibles negativas han originado la cuestión de cuál es el régimen jurídico a aplicar cuando se efectúa la compensación. La doctrina del Tribunal Supremo es clara en este sentido, manifestada en la Sentencia de 22 de noviembre de 2012[323], que viene a indicar que la generación de una base imponible negativa no otorga un *"derecho adquirido"* a futuro para el contribuyente, sino

---

322 GARCÍA FRÍAS, M. A.: "La retroactividad de la Ley Tributaria y sus límites constitucionales", en VARIOS: *Tratado sobre la Ley General Tributaria: Homenaje a Álvaro Rodríguez Bereijo*, ob. cit., pág. 357.

323 Tol 2.709.806.

que únicamente este tendrá una *"posibilidad"*[324] de efectuar la compensación, con lo que, sin mayores dudas, el régimen jurídico aplicable será el vigente en el momento en que se produzca la compensación[325].

4.1.2. LA RETROACTIVIDAD DEL DERECHO A COMPROBAR E INVESTIGAR DE LA ADMINISTRACIÓN

Tanto la LIS, como la Ley 34/2015, incluyen previsiones relativas a la transitoriedad de la norma y a su posible aplicación retroactiva. El apartado 2 de la Disposición transitoria única de la Ley 34/2015, señala que:

"Lo dispuesto en el artículo 66 bis., en los apartados 1 y 2 del artículo 115, y en el apartado 3 del artículo 70, en las redacciones dadas por esta Ley, resultará de aplicación en los procedimientos

---

324   La configuración de la compensación de bases imponibles negativas como posibilidad futura o facultad del obligado tributario se encuentra en la línea defendida por el TEAC en resoluciones de 14 de abril de 2017 (donde señala que la compensación es una "opción" del contribuyente, que se ejercita por la presentación de la declaración. Por aplicación del régimen previsto para las opciones tributarias (artículo 19.3 de la LGT: *"las opciones que según la normativa tributaria se deban ejercitar, solicitar o renunciar con la presentación de una declaración no podrán rectificarse con posterioridad a ese momento, salvo que la rectificación se presente en el período reglamentario de declaración"*), niega a este la posibilidad de rectificar una autoliquidación en la que se hayan compensado bases negativas, más allá del periodo de declaración del impuesto.

325   CORDERO GONZÁLEZ, E. M.: "El derecho a comprobar e investigar BIN, créditos fiscales y demás elementos originados en periodos prescritos tras la reforma de la LGT", *Estudios financieros. Revista de contabilidad y tributación*, núm. 396, 2016, págs. 37-38.

de comprobación e investigación ya iniciados a la entrada en vigor de la misma en los que, a dicha fecha, no se hubiese formalizado propuesta de liquidación".

La LIS, en su Disposición adicional décima, establece una previsión en el mismo sentido[326]. En ambos textos se observa el enfoque eminentemente procedimental con que el legislador ha querido abordar la aplicación de la nueva normativa.

Por tanto, a la fecha de entrada en vigor de estas normas son tres las posibles situaciones que se podían producir:

- La primera, que en esa fecha existieran periodos no prescritos y no comprobados en los que se hubiesen compensado bases imponibles negativas procedentes de periodos prescritos. En este caso aparece el problema de que la ampliación del plazo de prescripción para comprobar hasta los diez años supone que, para que tales bases imponibles negativas puedan ser compensadas válidamente, las cuentas anuales han de estar depositadas en el Registro Mercantil, tal y como establece el artículo 26.5 *in fine*, de la LIS[327]. Sin embargo, el plazo de diez años puede

---

326 Esta Disposición establece que *"lo dispuesto en los apartados 5 del artículo 26, 7 del artículo 31, 8 del artículo 32, 6 del artículo 39 y 2 del artículo 120 de esta Ley, resultará de aplicación en los procedimientos de comprobación e investigación ya iniciados a la entrada en vigor de la misma en los que, a dicha fecha, no se hubiese formalizado propuesta de liquidación".* Aunque sea un error formal, entendemos que esta disposición debería haberse incluido entre las Disposiciones transitorias, no como Disposición adicional.

327 La versión inicial de la LIS exigía la acreditación del depósito de la contabilidad, pero esta exigencia pue modificada por la Disposición final sexta

provocar que la norma en vigor a la fecha en que se autoliquidaran tales bases negativas no exigiera el depósito de las cuentas en el Registro Mercantil. Dado que, como se ha indicado en el apartado precedente, el Tribunal Supremo considera que las normas aplicables para efectuar la compensación deben ser las vigentes en el momento en que esta se realiza, no las vigentes en el momento en que se generó esa base imponible negativa, entendemos que la Administración, aunque amplíe el ámbito de su comprobación, deberá atender a la regulación vigente en el momento en se efectuó la compensación, no a la vigente en el momento en que se realiza la comprobación.

En este sentido, nos parece muy acertado lo indicado por CORDERO GONZÁLEZ[328], que se muestra crítica en este punto, pues considera que si la Administración opta por eliminar las bases imponibles negativas por no cumplir el requisito del depósito de la contabilidad, inexistente en el momento en que esas bases negativas se generaron, ello *"supondría exigir una deuda inexistente en el momento del devengo del periodo en que se produjo su compensación, en contra de la doctrina constitucional"*. Por eso creemos que la Administración, teniendo en cuenta la evolución normativa experimentada en este punto, debería

---

de la Ley 34/2015, según la cual se exigirá solo la acreditación del depósito de las cuentas anuales.

328   CORDERO GONZÁLEZ, E. M.: "El derecho a comprobar e investigar BIN, créditos fiscales y demás elementos originados en periodos prescritos tras la reforma de la LGT", ob. cit., pág. 40.

flexibilizar los criterios para la comprobación, pues una aplicación estricta supondría exigir a los contribuyentes un medio de prueba de las bases negativas compensadas inexistente hasta la entrada en vigor de la Ley[329].

- La segunda, que en la fecha de entrada en vigor de la norma existiera un procedimiento de comprobación no finalizado de un ejercicio en el que se compensaron bases imponibles procedentes de periodos prescritos. En este caso, la Disposición transitoria reproducida, faculta a la Administración para "ampliar" el ámbito de la comprobación en curso, entendemos que a través de una comunicación al obligado tributario en la que se precise el alcance de tal "ampliación". Consideramos que esta actuación perjudica gravemente la seguridad jurídica, por varios motivos. El primero, porque vulnera de manera flagrante los derechos y garantías de contribuyente en el marco del procedimiento, pues el artículo 34.1 ñ) de la LGT es claro al indicar que el obligado tributario tiene *"derecho a ser informado, al inicio de las actuaciones de comprobación o inspección sobre la naturaleza y alcance de las mismas, así como de sus derechos y obligaciones en el curso de tales actuaciones y a que las mismas se desarrollen en los plazos previstos en esta ley"*. Este precepto establece, de manera expresa, que el obligado deberá ser informado sobre la naturaleza y alcance de las actuaciones desarrolladas en el marco del procedimiento tributario al inicio del mismo, evidenciando que una modificación

---

329 FERNÁNDEZ LÓPEZ, R. I.: *La imprescriptibilidad de las deudas tributarias y la seguridad jurídica*, ob. cit., pág. 129.

posterior del alcance de estas actuaciones vulnera de manera clara esta disposición. Además, el principio de conservación de los actos administrativos supone que estos procedimientos iniciados con unas determinadas reglas, deban finalizarse con las mismas reglas[330]. Finalmente, tanto este motivo como el anterior desembocan en una patente vulneración del principio de confianza legítima para el contribuyente derivado de la modificación de las normas aplicables al procedimiento una vez iniciado.

La modificación del ámbito temporal y sustantivo de la comprobación, cuando está en curso, supone la quiebra total del principio de seguridad jurídica, para el sujeto inspeccionado, tal y como acertadamente ha manifestado FERNÁNDEZ LÓPEZ[331]. Entiende este autor que el régimen transitorio previsto, particularmente en la LIS, aunque sus apreciaciones son aplicables a lo dispuesto en la Ley 34/2015, supone una retroactividad absoluta o de grado máximo, cuya aplicación es de carácter muy restringido, limitado a supuestos excepcionales, tal y como ha dejado sentado en distintas oportunidades el Tribunal Constitucional[332]. Este órgano ha señalado

---

330 FABRA VALLS, M.: "Entrada en vigor y disposiciones transitorias de la nueva Ley General Tributaria", *Tribuna Fiscal,* 163, 2004, pág. 57.

331 FERNÁNDEZ LÓPEZ, R. I.: *La imprescriptibilidad de las deudas tributarias y la seguridad jurídica,* ob. cit., págs. 128-129.

332 Entre otras, en la Sentencias 197/1992, de 19 de noviembre (*Tol 81.977*); en la Sentencia 192/1997, de 11 de noviembre (*Tol 80.815*); en la Sentencia 116/2009, de 18 de mayo (*Tol 1.523.198*) y en la Sentencia 176/2011, de 8 de noviembre (*Tol 2.288.713*).

que la retroactividad en grado máximo solo podrá aplicarse cuando concurran exigencias cualificadas del bien común, circunstancias que a juicio de este autor, cuyas conclusiones compartimos, no concurren en este caso[333].

Por ello, entendemos que la norma transitoria prevista por el legislador podría ser objeto de control constitucional, particularmente por sus efectos en el supuesto que acabamos de exponer, si bien a la fecha esta posibilidad no se ha materializado. Esta no sería la primera vez que el Alto Tribunal examina una cuestión de este tipo, pues, por ejemplo, en la Sentencia 234/2011, de 13 de diciembre[334] ya declaró inconstitucional una Norma Tributaria que establecía un supuesto de irretroactividad auténtica no fundamentada en ningún interés general que justificara el perjuicio al principio de seguridad jurídica[335], y por tanto, contraria a la doctrina constitucional expuesta.

---

333 En el mismo sentido GONZÁLEZ MARTÍNEZ, M. T.: "Dudas en los primeros compases de la reforma de la LGT", *Estudios financieros. Revista de Contabilidad y Tributación*, núm. 400, 2016, pág. 54.

334 *Tol 81.620.* Señala el Tribunal Constitucional que *"es evidente que nos encontramos en presencia de un supuesto de retroactividad auténtica que, según veremos, no se fundamenta en exigencia alguna de interés general que justifique la subordinación del principio de seguridad jurídica frente a otros bienes o derechos constitucionalmente protegidos (STC 182/1997, de 28 de octubre), como sería, por ejemplo, la existencia de una situación económica excepcional o cualquiera otra justificación razonable".*

335 PULIDO QUECEDO, M.: "Irretroactividad de las normas (tributarias) y seguridad jurídica", *Repertorio Aranzadi del Tribunal Constitucional*, núm. 19, 2001. BIB 2002\30. (Consultado en la base de datos Aranzadi Instituciones, con fecha 23/11/2017).

- La tercera, que a la fecha de entrada en vigor existan bases imponibles negativas de periodos prescritos pero estas aún no hayan sido compensadas. En este caso, siguiendo a CORDERO GONZÁLEZ[336], el nuevo régimen legal resultará más favorable para las bases generadas hace más de diez años que para aquellas que cuentan con menos de diez años desde su generación, pues estas quedarán sometidas al ámbito de la comprobación establecida en el artículo 26.5 de la LIS y 66 bis.2 de la LGT. Aunque en este supuesto no aparecerá el problema que reflejábamos en el apartado previo, pues la eventual comprobación que se realice a estos contribuyentes ya se efectuará, desde el inicio, con las reglas establecidas en la normativa vigente, sí puede aparecer un problema al que aludíamos con anterioridad en los supuestos en que se compensen bases imponibles negativas de periodos en los que no existía el deber de depósito de las cuentas anuales en el Registro Mercantil. Reiteramos, por ello, la idea *supra* manifestada, en el sentido de que en estos casos será necesaria una interpretación flexible por parte de la Administración.

---

336 CORDERO GONZÁLEZ, E. M.: "El derecho a comprobar e investigar BIN, *créditos fiscales* y demás elementos originados en periodos prescritos tras la reforma de la LGT", ob. cit., págs. 39-40.

4.2. EL CONCEPTO JURÍDICO INDETERMINADO "CRÉDITO FISCAL"

La Exposición de Motivos de la Ley 34/2015, se refiere en distintos momentos al concepto de *"crédito fiscal"*[337]. El término *"crédito fiscal"* no aparece recogido en la LGT; por su parte, la Ley 34/2015 tampoco se ocupa de definir expresamente este término, con lo que queda a la intuición de los operadores jurídicos determinar su concreto alcance y contenido[338]. De ahí que proceda afirmar que se trata de un concepto jurídico indeterminado.

Partiendo de una aproximación puramente léxica, el concepto *"crédito fiscal"* debe ser entendido como un derecho –*"crédito"*- que una de las partes de la relación jurídico-tributaria –*"fiscal"*- tiene frente a la otra. Siguiendo esta línea, el diccionario jurídico de la RAE define el *"crédito fiscal"*, como el *"incentivo fiscal consistente en bonificaciones o deducciones que minoran directamente la cuantía de la cuota a satisfacer por el tributo que se trate"*. Desde esta

---

337 En la referida Exposición de Motivos se alude, hasta tres veces, a los denominados *"créditos fiscales"*.

338 La Administración también utiliza este concepto de *"crédito fiscal"*. Por ejemplo, el Plan estratégico de la Agencia Tributaria 2020-2023, señala *"el peso de los créditos fiscales pendientes de aplicar procedentes de ejercicios anteriores ha aumentado exponencialmente en los últimos años. Por tanto, las 25 regularizaciones de bases imponibles negativas, de créditos fiscales en base o cuota pendientes de aplicar o de cuotas a compensar, aunque no se traduzcan en liquidaciones a ingresar o en minoraciones de devoluciones, constituyen una actividad de control indispensable"* (el subrayado es nuestro). Accesible en el siguiente enlace: https://www.agenciatributaria.es/static_files/AEAT/Contenidos_Comunes/La_Agencia_Tributaria/Planificacion/PlanEstrategico2020_2023/PlanEstrategico2020.pdf (Consultado 31 de enero de 2020).

óptica, el *"crédito fiscal"* se configura como un derecho a favor del obligado tributario, sin embargo, no tiene por qué ser así, pues tal derecho de crédito puede ser también a favor de la Administración. De hecho, esta es la configuración que han adoptado ordenamientos extranjeros, como el mejicano, en los que sí se define expresamente este concepto de *"crédito fiscal"*. Así, el artículo 4 del Código Fiscal de la Federación[339] señala:

> *"Son créditos fiscales los que tenga derecho a percibir el Estado o sus organismos descentralizados que provengan de contribuciones, de sus accesorios o de aprovechamientos, incluyendo los que deriven de responsabilidades que el Estado tenga derecho a exigir de sus funcionarios o empleados o de los particulares, así como aquellos a los que las leyes les den ese carácter y el Estado tenga derecho a percibir por cuenta ajena".*

Como se puede observar, el precepto reproducido otorga el derecho de crédito a la Administración tributaria, no al obligado tributario.

Sin embargo, del contexto en el que se emplea el concepto de *"crédito fiscal"* en la Ley 34/2015, entendemos que este derecho de crédito lo ostenta el administrado, en tanto señala que el obligado tributario se podrá beneficiar de tales *"créditos fiscales"*. Consideramos que el concepto de *"crédito fiscal"* que emplea el legislador puede aproximarse

---

339   Publicado en el Diario Oficial de la Federación el 31 de diciembre de 1981.

a lo que en contabilidad se denomina *"activos por impuesto diferido"*. Estos activos se recogen dentro de la Norma de Registro y Valoración 13ª del Plan General de Contabilidad, que señala que este tipo de activos se reconocerán en tres supuestos:

a) Por las diferencias temporarias deducibles[340];

b) Por el derecho a compensar en ejercicios posteriores las pérdidas fiscales;

c) Por las deducciones y otras ventajas fiscales no utilizadas, que queden pendientes de aplicar fiscalmente

---

340   Según indica el Plan General de Contabilidad, las diferencias temporarias, con carácter general, son aquéllas derivadas de la diferente valoración, contable y fiscal, atribuida a los activos, pasivos y determinados instrumentos de patrimonio propio de la empresa, en la medida en que tengan incidencia en la carga fiscal futura. Normalmente, se producen por la existencia de diferencias temporales entre la base imponible y el resultado contable antes de impuestos, cuyo origen se encuentra en los diferentes criterios temporales de imputación empleados para determinar ambas magnitudes y que, por tanto, revierten en periodos subsiguientes, aunque también se pueden generar por otros motivos, como el derecho a compensar en ejercicios posteriores las pérdidas fiscales o por las deducciones y otras ventajas fiscales no utilizadas, que queden pendientes de aplicar fiscalmente. Las diferencias temporarias pueden ser imponibles o deducibles. Estas últimas son aquellas que darán lugar a menores cantidades a pagar o mayores cantidades a devolver por impuestos en ejercicios futuros, normalmente a medida que se recuperen los activos o se liquiden los pasivos de los que se derivan. Para mayor información, se recomienda consultar "Impuesto sobre beneficios", en AMADOR FERNÁNDEZ, S., ROMANO APARICIO, J.: *Manual del nuevo Plan General Contable*, 2ª ed., Centro de Estudios Financieros, Madrid, 2013. (Consultado en la base de datos CEF Legal, con fecha 18/05/2018).

Estos conceptos se vinculan de manera directa con créditos ejercitables en un futuro de los que dispone el contribuyente. Esta concepción se refuerza con lo dispuesto en el Plan General Contable en relación a su reconocimiento, pues se señala que, de acuerdo con el principio de prudencia, *"solo se reconocerán activos por impuesto diferido en la medida en que resulte probable que la empresa disponga de ganancias fiscales futuras que permitan la aplicación de estos activos"*, vinculando así estos *"créditos fiscales"* a la obtención de bases imponibles positivas en los ejercicios siguientes.

No obstante, entendemos que esta concepción del *"crédito fiscal"* resulta muy parcial, pues está eminentemente enfocada a su aplicación en el IS, y este no es el único tributo en el que el contribuyente puede gozar de tales *"créditos fiscales"*. Por ello, para evitar estas dudas interpretativas y garantizar la seguridad jurídica, sería recomendable que el legislador, si en futuras ocasiones continúa haciendo referencia a este concepto, defina con claridad su contenido.

4.3. LA POSIBILIDAD DE RECTIFICACIÓN DE LAS AUTOLIQUIDACIONES QUE CONTIENEN BASES IMPONIBLES NEGATIVAS

El marco temporal establecido por los artículos 66 bis. 2 de la LGT y 26.5 de la LIS para que la Administración ejerza su *"derecho"* a comprobar e investigar, conduce a plantear la cuestión de la procedencia de que, en ese marco temporal, el obligado tributario pueda solicitar la rectificación de sus autoliquidaciones, siempre que no se produzca una comprobación previa. Esta posibilidad se encuentra avalada expresamente por lo indicado en la propia Exposición de Motivos tanto de la Ley 34/2015, como de la LIS, que aluden a que estas modificaciones contribuyen a que el obligado tributario se beneficie de los *"créditos fiscales"*, -de cuya conceptualización nos ocupamos en el epígrafe previo-, *"así como el correcto ejercicio de otros derechos, como por ejemplo, el de rectificación de sus autoliquidaciones cuando en la comprobación de la procedencia de la rectificación la Administración deba verificar aspectos vinculados a ejercicios respecto de los que se produjo la prescripción del derecho a liquidar"*. Esta misma referencia a la posibilidad de que el obligado tributario rectifique sus autoliquidaciones también se encuentra en la Exposición de Motivos de la Ley 27/2014[341]. De esta forma, el legislador parece avalar que el plazo de diez años también esté a disposición del obligado tributario, para que rectifique sus autoliquidaciones que contienen bases imponibles negativas, si así lo estima conveniente.

Sin embargo, esta previsión del legislador no solo no encuentra desarrollo en el texto de la Ley[342], sino que la única

---

341 No obstante, GONZÁLEZ MARTÍNEZ entiende que esa referencia en las Exposiciones de Motivos de las citadas normas *"parecen referirse a la rectificación de los créditos por parte de la Administración como consecuencia de un procedimiento de comprobación o inspección"*, aunque en los términos en que está redactado consideramos que no queda clara la intención del legislador, resultando factibles ambas interpretaciones. Vid. GONZÁLEZ MARTÍNEZ, M. T.: *La crisis de la prescripción tributaria*, ob. cit., pág. 116. En el mismo sentido CALVO VÉRGEZ, J.: "Principales novedades del Impuesto de Sociedades para el ejercicio 2015", ob. cit., BIB 2016\3287. (Consultado en la base de datos Aranzadi Instituciones, con fecha 10/10/2017).

342 CORDERO GONZÁLEZ, E. M.: "El derecho a comprobar e investigar

disposición que guarda alguna relación con esta cuestión adopta un sentido contrario, pues la Ley 34/2015 introduce un apartado 4 en el artículo 119 de la LGT con el siguiente tenor literal:

> *"En la liquidación resultante de un procedimiento de aplicación de los tributos podrán aplicarse las cantidades que el obligado tributario tuviera pendientes de compensación o deducción, <u>sin que a estos efectos sea posible</u> modificar tales cantidades pendientes mediante la presentación de declaraciones complementarias o solicitudes de rectificación después del inicio del procedimiento de aplicación de los tributos".*

A pesar de ello, algunos autores han planteado la viabilidad de efectuar estas rectificaciones. En este sentido, CORDERO GONZÁLEZ[343] que, con base en un informe de la AEDAF en el que se alude al principio de regularización íntegra, *"que impone el deber a la Administración de incluir en los procedimientos la comprobación de todos los aspectos "favorables y desfavorables" para el contribuyente"*, considera que la rectificación o autoliquidación espontanea debe de ser una opción factible, siempre que el procedimiento de aplicación de los tributos no se hubiera iniciado.

BIN, créditos fiscales y demás elementos originados en periodos prescritos tras la reforma de la LGT", ob. cit., págs. 35-36.

343   CORDERO GONZÁLEZ, E. M.: "El derecho a comprobar e investigar BIN, créditos fiscales y demás elementos originados en periodos prescritos tras la reforma de la LGT", ob. cit., pág. 36.

También participa de esta opinión SÁNCHEZ BLÁZQUEZ[344], que considera que, no admitir estas solicitudes de rectificación supone la ruptura del principio general en estos supuestos, según el cual *"la prescripción del derecho a liquidar de los periodos prescritos en que se compensa la base imponible no se ve afectada por el hecho de que se trate de bases imponibles negativas correspondientes a ejercicios prescritos"*. Si tal principio sustenta el desarrollo de actividades comprobadoras más allá del plazo general de prescripción, también debería ser aplicable para admitir las solicitudes de rectificación de autoliquidaciones no comprobadas.

Consideramos que, para dar cabida a esta posibilidad de rectificación en el plazo de diez años, el precepto que debería haber sido modificado es el artículo 126.2 del RGAPGIT, que señala que la solicitud de rectificación de autoliquidaciones *"solo podrá hacerse una vez presentada la correspondiente autoliquidación y antes de que la Administración tributaria haya practicado la liquidación definitiva o, en su defecto, antes de que haya prescrito el derecho de la Administración tributaria para determinar la deuda tributaria mediante la liquidación o el derecho a solicitar la devolución correspondiente"*. En base a este precepto y, particularmente, a la referencia expresa al derecho a liquidar, la jurisprudencia menor, -y con esta expresión nos referimos a aquella emanada de órganos

---

344 SÁNCHEZ BLÁZQUEZ, V. M.: *La prescripción de las obligaciones tributarias*, ob. cit., pág. 208.   En el mismo sentido GONZÁLEZ MARTÍNEZ, que fundamenta el apoyo a esta posibilidad en el principio de capacidad económica. Vid. GONZÁLEZ MARTÍNEZ, M. T.: *La crisis de la prescripción tributaria*, ob. cit., pág. 115.

jurisdiccionales nacionales distintos al Tribunal Supremo y al Tribunal Constitucional-, viene rechazando la posibilidad de que la rectificación se pueda efectuar en el plazo de diez años al que se refiere el artículo 66 bis. 2 de la LGT. Por ello, atendiendo a las intenciones manifestadas por el legislador en la referida Exposición de Motivos y, especialmente, al privilegio que supone para la Administración el plazo de diez años, sin contrapartida para el contribuyente, entendemos que el precepto reproducido debería ampliarse, recogiendo expresamente que la regularización se podrá realizar mientras se mantenga *"la potestad*[345] *para comprobar e investigar las bases o cuotas compensadas o pendientes de compensación o deducciones aplicadas o pendientes de aplicación"*.

4.4. *CARGA DE LA PRUEBA Y ALCANCE DE LOS DISTINTOS MEDIOS DE PRUEBA EN EL PLAZO DECENAL*

4.4.1. LA PRUEBA EN EL PLAZO DECENAL

A tenor de lo indicado en los artículos 66 bis. 2. y 115 de la LGT, si el procedimiento de comprobación se inicia antes de la conclusión del plazo de diez años, el contribuyente quedará obligado a la aportación no solo de las liquidaciones

---

345　Hacemos referencia a la *"potestad"* y no al *"derecho"*, aun recogiéndose así en la LGT, pues, como hemos justificado a lo largo de este trabajo, entendemos que tal denominación como derecho es incorrecta, así como la calificación del plazo como de prescripción. En nuestra opinión, el plazo de diez años que establece el artículo 66 bis. 2 de la LGT es de caducidad, y afecta a la potestad de comprobar e investigar, de ahí el sentido de la modificación propuesta.

o autoliquidaciones donde se consignaron las bases o cuotas compensadas, también de la documentación que justifique la procedencia de tales cantidades compensables.

Lo dispuesto en el artículo 70.3 de la LGT aquilata esta obligación de aportación de la documentación referida, cuando señala que *"la obligación de justificar la procedencia de los datos que tengan su origen en operaciones realizadas en períodos impositivos prescritos se mantendrá durante el plazo de prescripción del derecho para determinar las deudas tributarias afectadas por la operación correspondiente y, en todo caso, en los supuestos a que se refiere el artículo 66 bis. 2 y 3 de esta Ley"*.

Son varios los comentarios que se pueden efectuar a esta nueva regulación. El primero, que supone una nueva carga para el contribuyente respecto a la regulación previa, pues, como señala CALVO VÉRGEZ[346], con quien coincidimos, con esta nueva previsión *"se impone a los contribuyentes la obligación formal de tener que conservar y guardar sus*

---

346   CALVO VÉRGEZ, J.: "Principales novedades del Impuesto de Sociedades para el ejercicio 2015", ob. cit., BIB 2016\3287. (Consultado en la base de datos Aranzadi Instituciones, con fecha 10/10/2017). Además, señala este autor que *"se señala de forma expresa la no prescripción del derecho de la Administración tributaria a realizar comprobaciones e investigaciones en relación con esos créditos fiscales, con las mismas potestades que en la comprobación de ejercicios no prescritos, aclarándose además en la Ley 58/2003 que las normas sobre medios de prueba del crédito fiscal y su valoración son las generales, debiendo aportarse en todo caso la declaración o autoliquidación en que se incluyó. Ya no será en consecuencia la Hacienda Pública la que deba de entrar a comprobar las bases imponibles negativas dentro del plazo de prescripción, sino que habrá de ser el contribuyente el que deba probar en cualquier momento posterior la conformidad a Derecho de todos los datos y negocios que las generaron"*.

declaraciones, contabilidades y justificantes durante una gran cantidad de tiempo".

Además, entendemos que la exigencia de la aportación de las liquidaciones y autoliquidaciones contraviene lo dispuesto en la LGT, particularmente en relación a los derechos de los contribuyentes. Considerando lo indicado en el artículo 34.1 h) de la LGT, según el cual el contribuyente tiene *"derecho a no aportar aquellos documentos ya presentados por ellos mismos y que se encuentren en poder de la Administración actuante, siempre que el obligado tributario indique el día y procedimiento en el que los presentó"*, en el caso de las liquidaciones esta obligación de aportación carece de sentido, en tanto son documentos elaborados por la propia Administración tributaria que, por tanto, ya obran en su poder. Si bien en el caso de las autoliquidaciones esta obligación de aportación puede estar más justificada, ya que son elaboradas por el propio obligado, no estamos del todo de acuerdo, pues, aun siendo autoliquidaciones, estas, usualmente, se presentan ante la Administración tributaria, con lo que resultaría también de aplicación el artículo 34.1 h) de la LGT.

4.4.2. LA PRUEBA TRAS EL PLAZO DECENAL

Como indicábamos en el apartado dedicado al artículo 66 bis. 3 de la LGT, este precepto se complementa con el artículo 70.3 de la LGT y, a su vez, con el artículo 26.5 de la LIS, al que ya nos hemos referido. La conjunción de estos preceptos permite delimitar las reglas aplicables a la prueba de las bases imponibles negativas procedentes de periodos prescritos pero compensadas en un periodo no prescrito una vez transcurrido el plazo decenal.

Recordemos que el artículo 66 bis. 3 de la LGT establece que el transcurso del plazo de diez años al que se refiere el artículo 66 bis. 2 de la LGT no afectará a la obligación de aportación de las liquidaciones o autoliquidaciones que recogen las bases o cuotas compensadas en un periodo no prescrito. Como se puede observar, el artículo es claro en cuanto a la obligación probatoria del administrado: esta quedará limitada a la aportación de los soportes documentales en los que se consignó la obligación tributaria. Esta referencia a la mera *"aportación"* de las liquidaciones o autoliquidaciones excluye la posibilidad de que la Administración tributaria entre a valorar la adecuación a Derecho de la conformación de tales bases negativas, pudiendo comprobar solo que las bases consignadas en las referidas declaraciones o autoliquidaciones coinciden con las compensadas, esto es, podrá realizar únicamente comprobaciones de tipo aritmético[347].

Esta regulación de las obligaciones probatorias del sujeto una vez transcurrido el plazo decenal excluye expresamente la doctrina contenida en las Sentencias del Tribunal Supremo de 3 y 14 de noviembre de 2013 y de 9 de diciembre del mismo año que, como señalamos en el epígrafe correspondiente, otorgaban a la Administración

---

347 FORTUNY ZAFORTEZA, M., y SOTELO TASIS, C.: *La reforma de la Ley General Tributaria*, ob. cit., pág. 15.

la potestad de recalificar jurídicamente las liquidaciones o autoliquidaciones de periodos prescritos que contenían bases imponibles negativas compensadas en un ejercicio no prescrito, y supone, *de facto*, la aplicación del régimen previsto en el derogado artículo 106.5 de la LGT, si bien solo una vez que haya "caducado" la potestad de comprobación[348].

HUELÍN MARTÍNEZ DE VELASCO[349] aproxima este ejercicio comprobador de la Administración transcurrido el plazo de diez años a las facultades que puede desarrollar la Administración tributaria en el procedimiento de verificación de datos. No coincidimos plenamente con esta afirmación, pues, equiparar ambos supuestos puede conceder a la Administración la facultad de hacer aquello que expresamente se le veda: valorar la adecuación a Derecho del contenido de la documentación aportada. Ello es así porque, acudiendo al artículo 131 de la LGT, que establece los supuestos en los que la Administración tributaria puede iniciar el procedimiento de verificación de datos, se indica que estos son:

a) Cuando la declaración o autoliquidación del obligado tributario adolezca de defectos formales o incurra en errores aritméticos.

b) Cuando los datos declarados no coincidan con los

---

348   DE JUAN CASADEVALL, J.: "La comprobación de créditos fiscales de ejercicios prescritos tras la Ley 34/2015, de reforma de la Ley General Tributaria", ob. cit., BIB 2016\2586. (Consultado en la base de datos Aranzadi Instituciones, con fecha 16/10/2017).

349   HUELÍN MARTÍNEZ DE VELASCO, J.: "El derecho a comprobar e investigar", en VARIOS: *Comentarios a la Ley General Tributaria al hilo de su reforma*, ob. cit., pág. 78.

contenidos en otras declaraciones presentadas por el mismo obligado o con los que obren en poder de la Administración tributaria.

c) Cuando se aprecie una aplicación indebida de la normativa que resulte patente de la propia declaración o autoliquidación presentada o de los justificantes aportados con la misma.

d) Cuando se requiera la aclaración o justificación de algún dato relativo a la declaración o autoliquidación presentada, siempre que no se refiera al desarrollo de actividades económicas.

Como se puede observar, los apartados a) b) o, incluso d), si pueden encajar en el contenido de la comprobación efectuada transcurrido el plazo decenal, pero no así el c), que se relaciona directamente con la corrección jurídica de la liquidación presentada[350].

A pesar de esta discrepancia de criterio, sí coincidimos con el referido autor[351] –aunque con matices- en la apreciación que realiza en relación a la incorreción de la referencia que efectúa el artículo 66 bis. 3 de la LGT a que el obligado tributario deberá aportar *"las liquidaciones o*

---

350 A mayor abundamiento, las formas en que puede finalizar el procedimiento de verificación de datos, y, particularmente, la posibilidad de efectuar una nueva liquidación, justifican que no se deba acudir a esta equiparación.

351 HUELÍN MARTÍNEZ DE VELASCO, J.: "El derecho a comprobar e investigar", en VARIOS: *Comentarios a la Ley General Tributaria al hilo de su reforma*, ob. cit., pág. 78.

autoliquidaciones", por el mismo motivo que señalamos en el apartado anterior: la Administración no puede exigir al contribuyente algo que ya está en su poder.

De esta forma, el artículo 66 bis. 3 de la LGT únicamente adquirirá contenido en los supuesto en que el obligado tributario no haya presentado la autoliquidación del impuesto en un ejercicio, y en tal autoliquidación hubiese consignado una base imponible negativa. Sin embargo, cabría preguntarse si tiene en ese caso derecho a su compensación.

CAPÍTULO TERCERO

CÓMPUTO DEL PLAZO DE PRESCRIPCIÓN DE LOS DERECHOS DE LA ADMINISTRACIÓN CONFORME AL ARTÍCULO 67 DE LA LEY GENERAL TRIBUTARIA

1. EL TIEMPO EN LA RELACIÓN JURÍDICA Y SU CÓMPUTO

1.1. EL TIEMPO EN LA RELACIÓN JURÍDICA

El devenir temporal afecta a toda relación jurídica y se manifiesta con mayor intensidad en algunas instituciones legales. Tal es el caso de la prescripción extintiva que, como se ha indicado en Capítulos precedentes, requiere para su apreciación de la concurrencia de dos elementos: el transcurso de un plazo de tiempo marcado por la ley y la inactividad de las partes durante tal periodo, inactividad que ha sido calificada por la doctrina como el "*silencio de la relación jurídica*". Por tanto, a efectos de determinar cuándo se considera finalizado el plazo y, por tanto, ganada la prescripción, dos datos revisten carácter fundamental:

- El momento en que la prescripción se inicia, lo que se denomina el *dies a quo* y,

- Como consecuencia lógica de la existencia de un plazo inicial, un término en el que el plazo se considera cumplido. Este momento final, a partir del cual la prescripción despliega su efecto extintivo, se denomina *dies ad quem*.

De esta forma, estos dos conceptos, *dies a quo* y *dies ad quem*, van a delimitar el margen temporal que transcurre desde el nacimiento del derecho susceptible de prescripción hasta que finaliza dicho plazo.

1.2. EL CÓMPUTO DE LOS PLAZOS EN DERECHO

Siendo el plazo un elemento esencial en la configuración de la prescripción, resulta principal determinar la forma en que tal plazo se debe computar. La LGT, aunque sí se ocupa en su artículo 67 de fijar el momento en que se inicia el cómputo, no recoge en ningún precepto, ni en sede de prescripción ni en otra sede, las reglas para efectuar dicho cómputo.

Ello obliga al operador jurídico, en atención al mandato del artículo 7.2 de la LGT[352], a acudir a otros textos legales para determinar el modo en que se debe computar el plazo de prescripción de cuatro años. Para ello, las posibilidades de que se dispone son dos: acudir al texto del Código Civil, o acudir a la legislación general en materia de Derecho Administrativo.

---

352   Este precepto establece la supletoriedad de las disposiciones generales del Derecho Administrativo y los preceptos del Derecho Común.

1.2.1. RÉGIMEN CIVIL DEL CÓMPUTO DE LOS PLAZOS

La posibilidad de acudir prioritariamente al régimen del cómputo de plazos previsto en el Código Civil se justifica en que este texto legal, a diferencia de lo que ocurre en la Norma Administrativa, recoge específicamente la prescripción como mecanismo extintivo de derechos y acciones, con un régimen expreso para ello.

Del cómputo de los plazos se ocupa el artículo 5 del Código Civil, que establece que, a falta de previsión específica:

- En los plazos señalados por días, a contar desde uno determinado, el plazo se inicia al día siguiente de este.

- En los plazos fijados por meses o años, se computarán de fecha a fecha. Cuando en el mes del vencimiento no hubiera día equivalente al inicial del cómputo, se entenderá que el plazo expira el último del mes.

En ambos casos, esto es, tanto para los plazos fijados en días como para los plazos fijados en meses y años, no se excluyen los días inhábiles.

A favor de esta opción se han mostrado HERNÁNDEZ VERGARA y HERRERO DE EGAÑA ESPINOSA DE LOS MONTEROS[353] que, en este tema, remiten expresamente al artículo 5 del Código Civil.

---

353 HERNÁNDEZ VERGARA, A., HERRERO DE EGAÑA ESPINOSA DE LOS MONTEROS, J. M.: "Cómputo de los plazos de prescripción de la deuda tributaria", en VARIOS: *Comentarios a la Ley General Tributaria*, Aranzadi, 2008, BIB 2008\943. (Consultado en la base de datos Aranzadi Instituciones, con fecha 15/09/2018).

Conforme a esta tesis, el plazo de prescripción tributaria de cuatro años se contará, desde el *dies a quo*, de fecha a fecha, sin exclusión de los días inhábiles. Con este planteamiento, por ejemplo, si el plazo de prescripción se inicia el 3 de julio de 2018, finalizará el 3 de julio de 2022, pues aunque el *dies ad quem* es domingo, no se excluye del cómputo[354].

1.2.2. RÉGIMEN ADMINISTRATIVO DEL CÓMPUTO DE LOS PLAZOS

La aplicación preferencial de la Norma Administrativa sobre la Civil se justificará por el propio carácter del órgano que se ve afectado por el plazo de prescripción, la Administración tributaria, y por la naturaleza de la relación jurídica que se ve afectada por tal plazo de prescripción, que es una relación de carácter eminentemente público.

Aunque la Ley 39/2015 no regula específicamente la prescripción como mecanismo extintivo, sí contempla otros plazos, por lo que establece reglas generales de cómputo en su artículo 30.

Conforme a este precepto el cómputo de los plazos en Derecho Administrativo se realizará de la siguiente manera, salvo que por Ley o en el Derecho de la Unión Europea se disponga otro cómputo:

354　En algunos supuestos el Tribunal Supremo, en aplicación de la Norma Civil, ha considerado que, si el día final es inhábil, el final del cómputo del plazo se debe trasladar al siguiente día hábil, sin embargo, a pesar de esta interpretación, el Código Civil es claro en la exclusión de esta posibilidad.

- Cuando los plazos se señalen por horas, se contarán de hora en hora y de minuto en minuto desde la hora y minuto en que tenga lugar la notificación o publicación del acto de que se trate y no podrán tener una duración superior a veinticuatro horas, en cuyo caso se expresarán en días.

- Si los plazos se señalan por días, se entiende que estos son hábiles[355], excluyendo del cómputo los sábados, los domingos y los declarados festivos, y se contarán a partir del día siguiente a aquel en que tenga lugar la notificación o publicación del acto de que se trate, o desde el siguiente a aquel en que se produzca la estimación o la desestimación por silencio administrativo.

- Los plazos señalados por meses o años, se computarán a partir del día siguiente a aquel en que tenga lugar la notificación o publicación del acto de que se trate, o desde el siguiente a aquel en que se produzca la estimación o desestimación por silencio administrativo. El plazo concluirá el mismo día en que se produjo la notificación, publicación o silencio administrativo en el mes o el año de vencimiento. Si en el mes de vencimiento no hubiera día equivalente a aquel en que comienza el cómputo, se entenderá que el plazo expira el último día del mes[356].

---

355   Si fueran días naturales habría que hacerlo constar expresamente en la notificación que comunica el inicio del plazo.

356   Con este planteamiento del cómputo de los plazos por meses o años, la Ley 39/2015 acoge la doctrina jurisprudencial del Tribunal Supremo en la Sentencia de 8 de marzo de 2006 (*Tol 891.569*).

En definitiva, en el cómputo de los plazos mensuales o anuales *"se mantiene, en coherencia con la práctica procedimental administrativa, el régimen hasta ahora vigente resumiendo en la expresiva regla "de fecha a fecha""*, tal y como indica ARIAS APARICIO[357].

El precepto finaliza con dos previsiones relativas a sendos supuestos en los que el *dies ad quem* es inhábil. En estos casos, se entenderá prorrogado al primer día hábil siguiente. Cuando un día fuese hábil en el Municipio o Comunidad Autónoma en que residiese el interesado, e inhábil en la sede del órgano administrativo, o a la inversa, se considerará inhábil en todo caso.

Conforme a este planteamiento, empleando el mismo ejemplo que se refirió en el apartado anterior, si el plazo de prescripción se inicia el 3 de julio de 2018, finalizará el 4 de julio de 2022, no el 3 de julio de 2022, pues el 3 de julio, al ser domingo, es inhábil.

---

357   ARIAS APARICIO, F.: "A propósito de los plazos administrativos, su cómputo y las nuevas reglas fijadas en la Ley 39/2015, de 1 de octubre, de Procedimiento Administrativo Común de las Administraciones Públicas", *Revista General de Derecho Administrativo, Iustel,* núm. 42, 2016. Añade esta autora que *"la Ley 39/2015 introduce en este sentido una serie de mejoras en la redacción de la determinación del dies ad quem en el cómputo de los plazos así señalados, con el fin de resolver la problemática generada en torno a este asunto puesta de manifiesto por los profesionales del Derecho en el desempeño de sus labores y que ha trascendido hasta las esferas jurisdiccionales".*

1.2.3. RÉGIMEN TRIBUTARIO DEL CÓMPUTO DE LOS PLAZOS

En principio podría parecer que ambos métodos expuestos conducen al mismo resultado, pues en el caso del cómputo de los plazos por años, ambos concluyen que el cómputo se realzará de fecha a fecha. Sin embargo, esto solo se cumplirá en aquellos casos en los que el *dies ad quem* sea un día hábil, pues si es un día inhábil tal finalización del plazo diferirá en función del criterio que se aplique.

El Tribunal Supremo, al desarrollar esta cuestión en su Sentencia de 19 de mayo de 2010[358], ha justificado su conclusión tanto en la Norma Civil como en la Norma Administrativa. Este razonamiento podía tener cabida si se considera la Ley de Procedimiento Administrativo derogada; no obstante en la actualidad, el texto de la Ley 39/2015 hace inviable acudir a ese fundamento doble.

---

358   *Tol 1.891.741.* El Alto Tribunal acude a la Norma Civil y también a la Administrativa para determinar el *dies ad quem*, de la siguiente manera: *"si los plazos estuviesen fijados por meses se computarán de fecha a fecha, el cómputo de los meses se efectúa de fecha a fecha, quedando circunscritas las excepciones a los supuestos de que en el mes del vencimiento no exista día equivalente al inicial, en cuyo caso es aplicable lo dispuesto por los artículos 5.1 del Código civil y 60.2 de la Ley de Procedimiento Administrativo de 1958, reiterado este por el artículo 48.2 de la Ley 30/1992, de 26 de noviembre, de Régimen Jurídico de las Administraciones Públicas y Procedimiento Administrativo Común, y de que el último día del cómputo sea inhábil, en cuyo caso, se ha de entender prorrogado al primer día hábil siguiente, como establece el artículo 60.3 de la citada Ley de Procedimiento Administrativo de 1958, recogido también en el artículo 48.3 de la mencionada Ley 30/1992, de 26 de noviembre (Sentencias de 8 de marzo de 1982 y 20 de marzo de 1984), y se deduce también del artículo 5.2 del propio Código civil y de los artículos 185.2 de la Ley Orgánica del Poder Judicial y 305.2 de la Ley de Enjuiciamiento Civil".*

Tras exponer sendas posibilidades en el cómputo de los plazos, nos decantamos por la aplicación de las disposiciones de Derecho Administrativo, fundamentalmente porque, aunque no regula específicamente la figura de la prescripción, recoge los principios y normas que deben regir la actuación de todas las Administraciones públicas, también de la Administración tributaria[359]. Estos principios y normas cristalizan en el procedimiento administrativo, siendo el procedimiento de aplicación de los tributos una especialidad del mismo.

2. *DIES A QUO* EN EL CÓMPUTO DEL PLAZO DE PRESCRIPCIÓN DE LOS DERECHOS DE LA ADMINISTRACIÓN EN LA LEY GENERAL TRIBUTARIA DE 1963

2.1. *EL TEXTO ORIGINAL: LA APLICACIÓN DEL CRITERIO DEL DEVENGO*

La Ley 230/1963, en su artículo 65, señalaba que:

---

359   Cosa distinta es que la Ley 39/2015 no incluyera previsión alguna en relación al cómputo de plazos. En ese caso, entendemos que sería posible acudir al Código Civil para cubrir aquellas lagunas que ofrezca la LGT. Pero, no siendo así, consideramos prioritaria la aplicación de la Norma Administrativa.

"El plazo de prescripción comenzará a contarse en los distintos supuestos a que se refiere el artículo anterior, como sigue:

En el caso a), desde el día del devengo; en el caso b), desde la fecha en que finalice el plazo de pago voluntario (...)".

De esta forma, el texto original de la Ley adoptaba como *dies a quo* del derecho de la Administración para determinar la deuda tributaria el día del devengo del tributo de lugar al nacimiento de la obligación tributaria, mientras que, en el caso de la acción para exigir el pago, -en los términos de la LGT de 1963-, el día inicial del cómputo se sitúa en el momento en que finalice el periodo de pago voluntario del impuesto.

La adopción del criterio del devengo suponía no tanto un rechazo, como señalan algunos autores[360] como sí una aplicación parcial del principio *actio nata non praescribitur*, comúnmente *actio nata*, propio del Derecho Común y consagrado en el artículo 1.969 del Código Civil. Esta regla significa que, para que la prescripción se inicie, es necesario que la acción haya nacido y, en algunos tributos, en el momento en que se produce el devengo no nace la acción liquidatoria.

---

360 FALCÓN Y TELLA, R.: *La prescripción en materia tributaria*, ob. cit., pág. 96.

A pesar de que la determinación del *dies a quo* que efectuaba la LGT y, en particular, la aplicación del criterio del devengo, presenta ciertos aspectos positivos, especialmente su automaticidad[361], en la práctica originaba numerosos problemas que fueron puestos de manifiesto por la doctrina tempranamente[362]. La adopción de la fecha del devengo como *dies a quo* suponía, en algunos casos, que en ese momento la Administración tributaría aún no disponía de los elementos suficientes para liquidar el tributo[363] pues, en materia tributaria el momento en que la Administración pudo ejercitar su derecho a veces coincide con el devengo (p. ej. en el IBI, el IAE o las tasas), de modo que en estos tributos el criterio del devengo supone la adopción de la tesis de la *actio nata*, pero en otros casos no (p. ej. en el IRPF, IS, IVA, etc.), pues en este tipo de figuras se establece un periodo de liquidación o autoliquidación posterior al devengo. Además, a juicio de algunos autores, la aplicación del criterio del devengo otorgaba una posición ventajosa para aquellos contribuyentes que no efectuaban la declaración respecto a los que sí lo hacían[364].

---

361 GÉNOVA GALVÁN, A.: "La prescripción tributaria", ob. cit., pág. 45.

362 ALBIÑANA GARCÍA-QUINTANA, C.: "Presentación", *Crónica Tributaria*, núm. 19, 1976, págs. 18-20.

363 Por todas, las de ALBIÑANA, que pone de manifiesto que, en los casos en los que la Ley del tributo establezca un plazo de declaración del hecho imponible, no es hasta de ese momento cuando la Administración toma conocimiento del mismo y, con ello, puede liquidar el tributo. Vid. ALBIÑANA GARCÍA-QUINTANA, C.: *Derecho Financiero y Tributario*, Escuela de Inspección Financiera y Tributaria, Madrid, 1979, pág. 609.

364 FALCÓN Y TELLA, R.: *La prescripción en materia tributaria*, ob. cit., pág. 99.

Por otro lado, tal y como indica FALCÓN y TELLA[365], la aplicación del criterio del devengo en los tributos instantáneos de liquidación periódica, -por ejemplo, el IVA-, suponía que, como cada operación sujeta al impuesto se devengaba en un momento diferente, este devengo múltiple daba lugar a distintos plazos de prescripción, tantos como devengos se produjeran.

Además de estos problemas, la aprobación de la Ley General Presupuestaria, a través de la Ley 11/1977, de 4 de enero[366] y, particularmente, lo dispuesto en su artículo 40.1 a) de dicha Norma, introdujo algunas dudas interpretativas respecto a la dicción de este precepto, pues indicaba que:

> "*Salvo lo establecido por las Leyes reguladoras de los distintos recursos, prescribirá a los cinco años el derecho de la Hacienda Pública: a) A reconocer o liquidar créditos a su favor, contándose dicho plazo desde el día en que el derecho pudo ejercitarse (...)*".

Algunos autores, y también algún órgano administrativo[367], consideraron que este artículo era de aplicación prioritaria frente a lo dispuesto en el 65 de la LGT y suponía la instauración de la tesis de la *actio nata* en el ámbito tributario con carácter general[368]. Sin embargo, a

---

365   FALCÓN Y TELLA, R.: *La prescripción en materia tributaria*, ob. cit., pág. 99.

366   BOE núm. 7, de 8 de enero de 1977.

367   Así se indica en la Circular emitida por la Dirección General de Inspección Financiera y tributaria, de 13 de mayo de 1985.

368   MANTERO SÁENZ, A.: "La prescripción en el Derecho Tributario", *Hacienda Pública Española*, núm. 52, 1968, pág. 163.

pesar de las dudas iniciales, esta posibilidad debe rechazarse, pues, lo previsto en la Ley 47/2003, de 26 de noviembre, General Presupuestaria[369], en materia de prescripción solo es aplicable supletoriamente en el ámbito tributario, no pudiendo derogar este texto legal las previsiones de la LGT, por ser este texto la norma especial aplicable[370].

2.2. LA MODIFICACIÓN EFECTUADA POR LA LEY 10/1985

Los numerosos inconvenientes originados por la aplicación del criterio del devengo dieron lugar a la modificación del artículo 65 de la LGT de 1963, efectuada por la Ley 10/1985, de 26 de abril, de modificación parcial de la Ley General Tributaria[371]. Aunque esta Ley no posee Exposición de Motivos, su objetivo era claro: resolver los problemas aplicativos originados por el texto normativo del 63 y adecuarlo a la realidad jurídico-tributaria del momento.

La Ley 10/1985 sustituye el texto del apartado a) del artículo 65 que, a partir del 27 de abril de 1985 dispondrá:

> *"El plazo de prescripción comenzará a contarse en los distintos supuestos a que se refiere el artículo anterior como sigue:*

---

369   BOE núm. 284, de 27 de noviembre de 2003.

370   FALCÓN Y TELLA, R.: *La prescripción en materia tributaria*, ob. cit., pág. 97.

371   BOE núm. 101, de 27 de abril de 1985.

> *En el caso a), desde el día en que finalice el plazo reglamentario para presentar la correspondiente declaración (...)".*

De esta manera, este precepto adopta el criterio de la finalización del plazo de la presentación de la liquidación para la determinación del momento inicial del cómputo. La modificación del *dies a quo* fue valorada positivamente, pues no suponía otra cosa que la adopción expresa de la tesis de la *actio nata del* artículo 1.966 del Código Civil –afirmación que matizaremos-, según la cual la acción nacerá el día en que el derecho pudo ejercitarse eficazmente, circunstancia que, según indica el Tribunal Supremo se produce cuando *"la parte que propone el ejercicio de la acción disponga de los elementos fácticos y jurídicos idóneos para fundar una situación de aptitud plena para litigar"*[372]. Se dispone de esa actitud plena para litigar cuando se dan las *"causas o circunstancias tanto de naturaleza sustantiva como procesal e, incluso, de puro hecho, que son necesarias para la viabilidad de la acción a ejercitar"*[373].

¿Cómo se traslada la teoría de la *actio nata* al ámbito de la prescripción tributaria? Empleando la misma construcción, la acción nacerá el día en que la Administración disponga de todos los elementos fácticos y jurídicos que permitan

---

372 Entre otras, en Sentencias de 22 de octubre de 2009 (*Tol 1.726.752*), de 24 de mayo de 2010 (*Tol 1.881.578*), de 12 de diciembre de 2011 (*Tol 2.452.029*), de 2 de abril de 2014 (*Tol 4.183.848*) y de 14 de diciembre de 2015 (*Tol 5.616.073*).

373 Sentencias del Tribunal Supremo de 21 de abril de 1986 (*Tol 1.735.212* y *Tol 1.733.461*).

determinar la deuda tributaria objeto de prescripción[374]. La Administración dispondrá de esos elementos, o debería disponer de ellos, cuando finaliza el plazo que tiene el obligado tributario para presentar la correspondiente declaración o autoliquidación, circunstancia que se produce en todas aquellas figuras tributarias en las que la Ley o cualquier otro texto normativo prevé un periodo de presentación de tal liquidación o autoliquidación (p. ej. IRPF, IS, IVA, ISD, ITPAJD, etc.). Sin embargo, al igual que señalábamos que con la adopción del criterio del devengo en la LGT de 1963 se acogía la tesis de la *actio nata* parcialmente –únicamente para aquellos tributos en los que no se preveía un periodo de liquidación o autoliquidación-, el criterio adoptado por la LGT tras la reforma efectuada por la Ley 10/1985, tampoco se puede considerar que acoja plenamente el criterio de la *actio nata*, pues, así como se acaba de exponer, únicamente se acogerá en aquellos casos en los que la norma del tributo establezca un periodo de declaración o autoliquidación, pero no resultará de aplicación en aquellos tributos en los que no se prevé tal plazo. Por esto indicábamos al inicio que matizaríamos la afirmación de que la Ley 10/1985 supone la adopción del criterio de la *actio nata*, afirmación realizada por gran parte de la doctrina y que, como se acaba de exponer, es parcial.

---

374   En relación a la aplicación del principio de la *actio nata* en el ámbito de la prescripción del derecho a determinar la deuda tributaria señala ESEVERRI que *"la actio nata para el derecho a determinar deudas tributarias se produce cuando el órgano administrativo de comprobación tributaria conoce la realización del hecho imponible y sus elementos determinantes; en tanto que la actio nata para exigir la deuda tributaria se producirá cuando, una vez liquidada, sea susceptible de exigirse en el ejercicio del derecho de autotutela ejecutiva, o sea, cuando concluye el periodo voluntario de pago"*. Vid. ESEVERRI, E.: *La prescripción tributaria en la jurisprudencia del Tribunal Supremo*, ob. cit., pág. 53.-

Al margen de esta matización, el cambio de criterio adoptado por la Ley 10/1985 fue, generalmente, bien acogido por la doctrina, pues eliminaba los problemas de la aplicación exclusiva del criterio del devengo a los que nos referimos en el apartado anterior[375]. En este sentido, VEGA HERRERO[376] pone de manifiesto que la opción por el criterio de la *actio nata* *"elimina posibles interpretaciones divergentes, ya que es un momento concreto y fácilmente localizable"*. FALCÓN

---

375 No obstante, algunos autores también han cuestionado la reforma, apuntado algún aspecto negativo. Tal es el caso de CORRAL GUERRERO y de VEGA HERRERO, que aluden a que la determinación del *dies a quo* por referencia al momento el que finaliza el periodo para declarar supone deslegalizar la materia, en el sentido en que deja la determinación del momento inicial del cómputo a lo dispuesto en una norma reglamentaria. Vid. CORRAL GUERRERO, L.: *Comentarios a las Leyes Tributarias y Financieras*, Tomo II, ob. cit., pág. 90. FALCÓN Y TELLA muestra su desacuerdo con este argumento, indicando que *"no se trata de una habilitación en blanco al reglamento, sino que es la ley la que fija el dies a quo del plazo de prescripción, aunque sea indirectamente, a través de la remisión al plazo para declarar"*. Vid. FALCÓN Y TELLA, R.: *La prescripción en materia tributaria*, ob. cit., págs. 98-99. VEGA HERRERO apuntó otros dos problemas: el primero es la mayor dificultad para la Administración en el control del plazo; el segundo, que a algunos tributos, como las contribuciones especiales, no les afecte el plazo de prescripción, pues no existe obligación de declarar. No compartimos la primera reflexión por las extensas capacidades de control de que dispone en la actualidad la Administración tributaria, si bien, en el marco temporal en que se realizó esta apreciación por la autora podría estar justificada. Compartimos parcialmente la segunda reflexión, en el sentido de que, con ese razonamiento, en el caso de las contribuciones especiales, por las particularidades de su configuración, parece que no se iniciaría el plazo de prescripción del derecho a liquidar –afirmación que matizaremos en el apartado correspondiente de este Capítulo-, aunque sí se iniciaría el plazo de prescripción del derecho a exigir el pago. Vid. VEGA HERRERO, M.: *La prescripción de la obligación tributaria*, ob. cit., págs. 46-47.

376 VEGA HERRERO, M.: *La prescripción de la obligación tributaria*, ob. cit., pág. 46.

Y TELLA[377], inicialmente, destaca los efectos positivos de la utilización del último día del plazo como momento inicial del *dies a quo* desde el punto de vista de la equidad *"ya que, con anterioridad a la reforma, la prescripción se consumaba antes respecto a quien no presentaba declaración alguna que respecto a quien declaraba incorrectamente"*, favoreciendo de este modo a aquellos que llevaban a cabo comportamiento claramente elusorios. Sin embargo, recientemente, este autor rechazaba el principio de la *actio nata* y solicitaba el retorno a la regla del devengo, afirmando que el criterio del devengo ofrece mayor seguridad jurídica que el que acoge la LGT[378].

En cualquier caso, consideramos que, aun no recogiendo expresamente la regla del devengo, este continúa determinando el inicio del plazo de prescripción por dos motivos fundamentales:

- En primer lugar porque es en el momento del devengo cuando nace la obligación tributaria principal, componente esencial de la deuda tributaria susceptible de extinción por prescripción.

- En segundo lugar, porque, en los tributos en los que se prevé un periodo de liquidación o autoliquidación, este plazo generalmente se marca a partir del momento del devengo.

---

377 FALCÓN Y TELLA, R.: *La prescripción en materia tributaria*, ob. cit., pág. 99.

378 FALCÓN Y TELLA, R.: "El *dies a quo* en la prescripción del derecho a liquidar", *Quincena Fiscal*, núm. 11, 2015, págs. 11-14.

Por tanto, ya sea directa o indirectamente, el devengo va a marcar el inicio del plazo de prescripción, como acertadamente indicó SAINZ DE BUJANDA[379], cuando señala que los efectos típicos del devengo son *"la determinación exacta del momento del nacimiento de la obligación tributaria y, asociado al mismo, la determinación de la ley aplicable y la fijación del momento con referencia al cual deben valorarse los elementos de la base imponible, determinarse la capacidad de obrar de los sujetos pasivos y su domicilio fiscal, determinar las sanciones aplicables y establecer el momento inicial del cómputo de la prescripción"*.

Por otro lado, la nueva determinación del *dies a quo* acoge el principio civil *dies a quo non computatur in termino*, que significa que en el cómputo de los plazos el día inicial queda excluido[380].

Esta modificación legal tampoco está exenta de aspectos criticables. El primero y más directo es la que se deriva de cualquier cambio legislativo con incidencia temporal: la posible retroactividad del mismo. Ya se trató esta cuestión en el Capítulo Primero[381] cuando se analizaron las

---

379   SAINZ DE BUJANDA, F.: *Hacienda y Derecho*, Volumen IV, ob. cit., pág. 126.

380   La expresión completa es *dies a quo non computatur in termino, sed computatur dies ad quem*, ("el día desde el que se inicia el plazo no se computa, pero sí el día final"), aunque usualmente solo se emplea la parte inicial de la expresión. En este sentido, el Tribunal Supremo, en las Sentencias de 4 de julio de 2007 (*Tol 1.123.872*) y de 1 de abril de 2009 (*Tol 1.494.533*), indica que conforme al artículo 5.1 del Código Civil el día inicial queda excluido del cómputo.

381   Al cual nos remitimos en la explicación de las posibilidades en la aplicación retroactiva de las normas tributarias y en la exposición de los criterios jurisprudenciales al efecto.

dificultades surgidas tras el cambio del plazo de prescripción de cinco años a cuatro efectuado por la LDGC. Al igual que la modificación del plazo originaba muchas cuestiones en torno a la aplicación del nuevo plazo de prescripción, la variación del momento inicial de su cómputo también manifiesta una incidencia directa en la ejecutividad del instituto prescriptivo.

Es necesario recordar que, en el ámbito tributario, la retroactividad de las leyes no está vedada, y que esta puede presentar distintos grados. De la aplicación de alguno de los grados de retroactividad o de la irretroactividad en el cómputo del plazo de prescripción, se van a derivar un resultado distinto en cuanto a la determinación del plazo.

Ante la ausencia de previsiones expresas en la Ley a este respecto y de un régimen general que regulara la retroactividad en el ámbito tributario, se plantearon diversas opciones. FALCÓN Y TELLA[382], considerando lo indicado en la Orden de 24 de junio de 1964, defendía que la nueva Ley no poseía efecto retroactivo, pues salvo que se hubiera producido alguna actuación que interrumpa el plazo de prescripción con posterioridad a la entrada en vigor de la reforma, habrá que estar al texto derogado.

También niegan el efecto retroactivo de la nueva regulación VALDÉS SOLÍS y GARCÍA-BERNARDO[383], particularmente en relación al inicio del cómputo del plazo

---

382   FALCÓN Y TELLA, R.: *La prescripción en materia tributaria*, ob. cit., pág. 101.

383   VALDÉS SOLIS, I., GARCÍA-BERNARDO, F.: "Plazo de prescripción del Impuesto sobre sucesiones. Su cómputo", *Boletín de Información del Ilustre Colegio Notarial de Granada*, 1990, págs. 1083-1084.

de prescripción en el ISD y considerando la reducción del plazo que efectuó la Ley 29/1987. En el mismo sentido, pero con argumentos distintos, CARPIO MATEOS[384] que, señala que dotar de carácter retroactivo a lo dispuesto en la Ley 10/1985 vulnera el principio de seguridad jurídica, *"por la irretroactividad de las disposiciones sancionadoras no favorables"*-, el artículo 2 del Código Civil, -según el cual las normas no tienen efecto retroactivo salvo disposición en contrario-, así como la regla enunciada en el artículo 1. 939 del Código Civil.

En relación a esta cuestión se pronunció el Tribunal Supremo en distintas Sentencias. Inicialmente, la Sentencia de 1 de octubre de 1997[385] señala que la prescripción comenzada y no concluida no es un derecho adquirido, sino una mera expectativa de derecho por lo que declara que, siendo la modificación del art. 65 de la Ley General Tributaria, anterior a que fuera ganada la prescripción, el *dies a quo* para el comienzo del plazo de prescripción de los cinco años ha de ser el del final del plazo reglamentario para presentar la liquidación. Posteriormente, en las Sentencias de 6 de febrero de 1999 y de 13 de noviembre de 2000[386], el Tribunal fija como doctrina legal que *"la prescripción tributaria <u>ha de regirse por la legalidad vigente al tiempo en que deba ser apreciada</u>, no, salvo disposición expresa de la*

---

384 CARPIO MATEOS, F.: "Cómputo inicial de la prescripción de las acciones de la Hacienda Pública para liquidar los impuestos de Trasmisiones, Sucesiones y A.J.D.", *Boletín de Información del Ilustre Colegio Notarial de Granada*, 1986, pág. 355.

385 *Tol 5.143.264.*

386 *Tol 1.700.232* y *Tol 1.701.088*, respectivamente.

ley, por la en vigor en el momento de producirse el hecho imponible o el devengo". Por tanto, la interpretación del Tribunal Supremo otorga retroactividad a la modificación del *dies a quo*, limitada a aquellos supuestos en los que, a la fecha en que entró en vigor la modificación, no hubiese concluido el plazo de prescripción. Esta modificación supone, *de facto*, la ampliación del plazo de prescripción en aquellos tributos para los que se establecía un plazo de liquidación o autoliquidación posterior al devengo, pues *ab initio*, el *dies a quo* del plazo de prescripción era el del devengo, sin embargo, el *dies ad quem* no tendrá lugar cinco años después del devengo, sino cinco años a partir del fin del periodo de liquidación o autoliquidación.

3. *DIES A QUO* EN EL CÓMPUTO DEL PLAZO DE PRESCRIPCIÓN DE LOS DERECHOS DE LA ADMINISTRACIÓN CONFORME AL ARTÍCULO 67 DE LA LEY GENERAL TRIBUTARIA

La LGT de 2003 establece las reglas para el cómputo del plazo de prescripción en su artículo 67. En el apartado primero de este precepto se establece un trato diferenciado para cada uno de los derechos susceptibles de prescribir. Particularmente, de los derechos de la Administración que afectan a la obligación tributaria se ocupa el apartado 1 en sus subapartados a) y b), que indican[387]:

---

[387] Los subapartados c) y d) se ocupan, respectivamente, del cómputo del plazo de prescripción de los derechos del obligado tributario.

"1. El plazo de prescripción comenzará a contarse en los distintos casos a los que se refiere el artículo 66 de esta Ley conforme a las siguientes reglas:

En el caso a), desde el día siguiente a aquel en que finalice el plazo reglamentario para presentar la correspondiente declaración o autoliquidación.

En los tributos de cobro periódico por recibo, cuando para determinar la deuda tributaria mediante la oportuna liquidación no sea necesaria la presentación de declaración o autoliquidación, el plazo de prescripción comenzará el día de devengo del tributo.

En el caso b), desde el día siguiente a aquel en que finalice el plazo de pago en período voluntario, sin perjuicio de lo dispuesto en el apartado 2 de este artículo".

Finalmente, el apartado 2 del referido precepto recoge una previsión que afecta a otro derecho de la Administración, el derecho a exigir el pago a los responsables, que será objeto de un estudio separado en el presente Capítulo.

3.1. DIES A QUO DEL PLAZO DE PRESCRIPCIÓN DEL DERECHO A DETERMINAR LA DEUDA TRIBUTARIA

3.1.1. PLANTEAMIENTO DEL ARTÍCULO 67 DE LA LEY GENERAL TRIBUTARIA

El artículo 67 de la LGT, en su primer inciso, señala que el plazo de prescripción del derecho a liquidar de la Administración se inicia desde el día siguiente a aquel en que finalice el plazo reglamentario para presentar la correspondiente declaración o autoliquidación. Por tanto, independientemente de que la gestión del tributo deba realizarse a través de autoliquidación o a través de declaración, y de si el obligado tributario la presenta o no, el plazo de prescripción se iniciará al día siguiente de la finalización del plazo determinado para la presentación de tal declaración o autoliquidación.

De esta manera, el precepto mantiene el criterio de la *actio nata* instaurado por la Ley 10/1985. El mantenimiento de esta opción debe ser valorado positivamente y, en relación a su idoneidad, se ha manifestado el Tribunal Supremo, que ha indicado que *"es a partir de ese momento es cuanto la Administración tributaria está en disposición de conocer los hechos, actos, elementos, actividades, explotaciones, valores y demás circunstancias determinantes de la obligación tributaria (...) y, por consiguiente, de practicar la liquidación"*[388].

---

[388] Sentencia de 26 de mayo de 2015 (*Tol* 5.167.011).

La referencia expresa del artículo 67 a la finalización del plazo, elimina cualquier posible planteamiento tendente a situar el *dies a quo* en el momento en que el sujeto pasivo presente la autoliquidación del impuesto, en aquellos casos en los que este dispone de un margen temporal en el cual efectuar tal presentación. Obviamente el legislador ha optado por la posibilidad más efectiva en la práctica, al menos en cuanto al inicio del cómputo, fijando un plazo homogéneo para todos los contribuyentes del tributo de que se trate y evitando la existencia de un plazo particular para cada contribuyente en el mismo impuesto y ejercicio, al menos de inicio[389].

Esta forma general de determinar el día inicial en el cómputo del plazo de prescripción debe adecuarse a las particularidades en la aplicación de los distintos tipos de tributos, especialmente atendiendo a su temporalidad y a la previsión o no de un plazo para presentar la liquidación o autoliquidación.

En la mayoría de los tributos periódicos, como el IRPF, el IS o el IP, el legislador fija un determinado ejercicio o periodo impositivo, una fecha única de devengo, y un plazo para presentar la autoliquidación del impuesto, cuya finalización determina el inicio del plazo de prescripción. Así, en el IRPF, el artículo 12 de la LIRPF señala que el periodo impositivo será el año natural y que el impuesto se devengará el 1 de enero de cada año, salvo en los supuestos de fallecimiento del causante, en cuyo caso el devengo se produce el día del fallecimiento. No obstante, independientemente del devengo, el artículo

---

389   Cosa distinta es que, posteriormente, las eventuales interrupciones del plazo provoquen que este efectivamente, posea un carácter más "particular".

95.6 de la LGT establece que *"la declaración se efectuará en la forma, plazos e impresos que establezca el Ministro de Economía y Hacienda"*, con lo que será este organismo el que anualmente establezca los plazos de autoliquidación. Transcurrido el plazo de autoliquidación, se inicia al día siguiente de su finalización el plazo de prescripción[390].

390　Así, a modo de ejemplo, la Orden HAC/253/2020, de 3 de marzo, por la que se aprueban los modelos de declaración del Impuesto sobre la Renta de las Personas Físicas y del Impuesto sobre el Patrimonio, ejercicio 2019, se determinan el lugar, forma y plazos de presentación de los mismos, se establecen los procedimientos de obtención, modificación, confirmación y presentación del borrador de declaración del Impuesto sobre la Renta de las Personas Físicas, y se determinan las condiciones generales y el procedimiento para la presentación de ambos por medios telemáticos o telefónicos (BOE núm. 74, de 19 de marzo de 2020), establece en su artículo 8 los plazos para presentar la declaración o autoliquidación del IRPF del ejercicio 2019, señalando que *"el plazo de presentación del borrador de declaración y de las declaraciones del Impuesto sobre la Renta de las Personas Físicas, cualquiera que sea su resultado, será el comprendido entre los días 1 de abril y 30 de junio de 2020, ambos inclusive"*. Por tanto, el *dies a quo* en el cómputo del plazo de prescripción del derecho a liquidar la deuda resultante del IRPF del ejercicio 2019 será el 1 de julio de 2020. Si el plazo no es interrumpido, el derecho prescribirá el 1 de julio de 2024.

Por otra parte, es necesario indicar que la previsión de un plazo más reducido para aquellos sujetos pasivos que deseen optar por la domiciliación bancaria del pago de la deuda tributaria no altera el inicio del cómputo del plazo de prescripción, pues el artículo 67 de la LGT únicamente hace referencia a la finalización del plazo para presentar la declaración o autoliquidación, sin hacer distingos entre su modo de presentación. Por ello, a nuestro entender, habrá que considerar el plazo total, pues cuando finaliza el plazo reducido por causa de la opción por la domiciliación bancaria, el contribuyente aún dispone de unos días más para poder presentar la declaración o autoliquidación. Esto es, el final del periodo para ejercer esa opción no supone el final del periodo para declarar o autoliquidar, que es el que toma como referencia el artículo 67, pues el contribuyente aún podrá ejercer sus obligaciones en plazo en los días restantes, aunque no pueda optar por tal domiciliación bancaria.

Similar situación ocurre en el IP, en el que el que el artículo 29 de la Ley 19/1991, de 6 de junio, del Impuesto sobre el Patrimonio[391], es claro cuando señala que *"el Impuesto se devengará el 31 de diciembre de cada año y afectará al patrimonio del cual sea titular el sujeto pasivo en dicha fecha"*, y el artículo 36 indica que *"los sujetos pasivos están obligados a presentar declaración, a practicar autoliquidación y, en su caso, a ingresar la deuda tributaria en el lugar, forma y plazos que se determinen por el titular del Ministerio de Economía y Hacienda"*. Al igual que en el caso del IRPF, el plazo para presentar la autoliquidación del Impuesto sobre el Patrimonio vendrá determinado por una Orden Ministerial. Al día siguiente de la finalización del plazo se iniciará el plazo de prescripción del derecho de a determinar la deuda tributaria por la Administración[392].

En el IS, por su parte, no se sigue exactamente el mismo sistema que el IRPF y el IP, en cuanto a que la determinación del periodo de declaración o autoliquidación no queda supeditado a la emisión cada ejercicio de una Orden Ministerial que establezca estos extremos, sino que es

---

391   BOE núm. 136, de 7 de junio de 1991.

392   Para el ejercicio 2020 el referido plazo fue establecido por la misma Orden ministerial que fijo el plazo para el IRPF, la referida Orden HAC/253/2020, de 3 de marzo. El artículo 8.2 señala que *"el plazo de presentación de las declaraciones del Impuesto sobre el Patrimonio será el comprendido entre los días 1 de abril y 30 de junio de 2020, ambos inclusive, sin perjuicio del plazo específicamente establecido en el artículo 14.3 de esta orden, para la domiciliación bancaria del pago de las deudas tributarias resultantes de las mismas"*. Por tanto, el *dies a quo* del derecho a determinar la deuda tributaria en este impuesto coincidirá con el del IRPF, siendo trasladable asimismo lo indicado en relación al plazo reducido previsto para los supuestos de domiciliación bancaria.

la propia Ley del Impuesto la que fija tales plazos. El artículo 27 de la LIS establece que el periodo impositivo coincidirá con el ejercicio económico de la entidad, sin que pueda exceder de doce meses, previendo también algunas circunstancias que determinan la conclusión del periodo impositivo, como la extinción de la entidad. El artículo 28, por su parte, indica que el devengo se producirá el último día del periodo impositivo. Finalmente, el artículo 124 indica que *"la declaración se presentará en el plazo de los 25 días naturales siguientes a los 6 meses posteriores a la conclusión del período impositivo"*. De esta manera, es la fecha de finalización del periodo impositivo, que coincide con el devengo del impuesto, la que determina el plazo para que el sujeto pasivo presente la declaración del impuesto y, a su vez, de inicio al plazo de prescripción del derecho a liquidar de la Administración. Aunque generalmente el periodo impositivo de las entidades coincide con el año natural, con lo que el devengo se produce el 31 de diciembre del ejercicio de que se trate, no siempre es así, ya sea por la concurrencia de alguna de las circunstancias que determinan la conclusión del periodo impositivo, ya sea porque la propia entidad opta por un periodo impositivo inferior a doce meses. El cualquier caso, una vez finalizado el periodo impositivo, se inicia el cómputo del plazo de seis meses más veinticinco días que determinan la finalización del periodo voluntario de declaración y el inicio del plazo de prescripción[393].

---

393   Por ejemplo, una entidad que finalice su periodo impositivo el 31 de diciembre de 2018 debe presentar la autoliquidación del impuesto entre el 1 y el 25 de julio de 2019, iniciándose el plazo de prescripción el 26 de julio de 2019.

La posibilidad de realizar pagos fraccionados o pagos a cuenta, prevista en el IRPF o en el IS, tampoco dificulta la determinación del *dies a quo* en estos impuestos. Como defendimos en el Capítulo Primero de la presente investigación, las obligaciones a cuenta, como regla general, no dan origen al nacimiento de un plazo de prescripción propio, sino que su comprobación quedará subsumida en el plazo de prescripción que se inicie cuando finalice el plazo de presentación de la declaración o autoliquidación del impuesto. La única excepción a esta regla general la representan los supuestos en los que la obligación a cuenta la realiza un tercero, distinto del obligado principal, particularmente en el caso de la obligación de ingresar las cantidades retenidas. En estos supuestos entendemos que el inicio del plazo de prescripción de la Administración para liquidar y exigir el pago de estas retenciones se inicia una vez finalizado el plazo de que dispone el retenedor para presentar la autoliquidación de retenciones[394].

En los tributos instantáneos, como el IVA, el ISD o el ITPAJD, el legislador también suele fijar un plazo para presentar la declaración o autoliquidación. Por ejemplo, en

---

394 Por ejemplo, en el IRPF las autoliquidaciones de las retenciones practicadas pueden ser trimestrales y mensuales, en función de la entidad que realice la retención. Si son trimestrales, contendrán las cantidades retenidas e ingresos a cuenta del trimestre natural inmediato anterior y se presentarán entre el 1 y el 20 de abril, julio, octubre y enero, por lo que el plazo de prescripción se iniciaría el 21 del mes que se trate. La autoliquidación de retenciones mensual la deberán presentar los retenedores u obligados a ingresar a cuenta que sean grandes empresas y las Administraciones Públicas cuyo presupuesto anual sea superior a 6 millones de euros, por las cantidades retenidas y los ingresos a cuenta del mes anterior. El plazo de presentación se sitúa entre los días 1 20 de cada mes.

el caso del IVA, aun tratándose de un impuesto instantáneo, es de liquidación periódica, por lo que habrá que atender a los plazos establecidos para realizar tales liquidaciones periódicas, que serán los que determinen el inicio del plazo de prescripción.

En el ISD o en el ITPAJD, por citar solo algunos de los tributos instantáneos que recoge nuestro ordenamiento, no se prevé tal liquidación periódica, sino que el legislador ha optado por el establecimiento de un plazo en el cual el contribuyente debe realizar la autoliquidación o declaración del impuesto, contado a partir del devengo del mismo, con lo que será la finalización de tal periodo lo que determine el *dies a quo* del plazo de prescripción.

Por otro lado, en ocasiones el inicio del plazo para la presentación de la autoliquidación o declaración del tributo viene determinado por un concreto negocio jurídico traslativo, como una compraventa, cuya celebración da lugar al nacimiento de la obligación tributaria objeto de prescripción. La cuestión es que estos actos o contratos no deben ser necesariamente públicos, siendo válidos también cuando se formalizan de forma privada, lo que puede originar problemas en torno a la acreditación de que efectivamente el negocio jurídico se ha celebrado y de la fecha en la que se devenga el impuesto.

Por ello, a pesar de que este acercamiento general que hemos realizado puede conducir al lector a albergar la errónea idea de que la determinación del *dies a quo* no es una cuestión excesivamente compleja, un análisis más profundo, atendiendo a las particularidades en la configuración de cada uno de los tributos conduce a la conclusión contraria. Considerando esa problemática adaptación, para la fijación del *dies a quo* del plazo de prescripción será necesario el estudio de cada supuesto particular, atendiendo a la normativa propia del tributo afectado.

3.1.2. *DIES A QUO* EN EL CÓMPUTO DEL PLAZO DE PRESCRIPCIÓN PARA LOS TRIBUTOS DE COBRO PERIÓDICO POR RECIBO

La inclusión del artículo 66 bis. no fue la única modificación que efectuó la LGT en sede de prescripción. La mencionada reforma efectuada por la Ley 34/2015 en la LGT también afectó al inicio del cómputo del plazo de prescripción y, a consecuencia de la misma, se incluye en el artículo 67.1 una nueva precisión:

> *"En los tributos de cobro periódico por recibo, cuando para determinar la deuda tributaria mediante la oportuna liquidación no sea necesaria la presentación de declaración o autoliquidación, el plazo de prescripción comenzará el día de devengo del tributo".*

A diferencia de la valoración negativa de la que ha sido objeto la Ley 34/2015 en relación a la inclusión del artículo 66 bis., la precisión que incluye en sede del artículo 67 consideramos que debe ser valorada positivamente, pues contribuye a eliminar una laguna jurídica que presentaba la Ley en relación a este tipo de tributos[395].

Este criterio del devengo ya venía siendo aplicado en estos casos por la doctrina administrativa y la jurisprudencia[396]. Precisamente esta jurisprudencia coincide con lo indicado por gran parte de la doctrina, y en este sentido, FALCÓN Y TELLA[397] recuerda que "*el plazo de prescripción ha de*

---

395   El problema que se presentaba con la anterior redacción de este precepto lo identifica FALCÓN Y TELLA, que indica que "*el criterio de la finalización del plazo para declarar (...) ha generado un importante vacío en el caso de los tributos en que no existe obligación de declarar, como son los tributos locales de cobro periódico por recibo (IAE, IBI, etc.) en que el contribuyente solo está obligado a declarar el alta en un registro, padrón o matrícula, girándose de oficio por la Administración las liquidaciones correspondientes a los sucesivos períodos impositivos, sin necesidad de nueva declaración en tanto no se alteren las circunstancias de hecho determinantes de la aplicación del tributo. Es más, a menudo ni siquiera existe obligación de declarar el alta o determinadas modificaciones, ya que dicha obligación se sustituye por un deber de informar de los notarios o de otras personas o entidades*". Vid. FALCÓN Y TELLA, R.: "El *dies a quo* en la prescripción del derecho a liquidar", ob. cit., págs. 11-14.

396   Entre otras, en las Sentencias del Tribunal Superior de Justicia de Andalucía, de 16 de noviembre de 1998, del Tribunal Superior de Justicia de Madrid de 21 de enero de 2000, del Tribunal Superior de Justicia de Extremadura de 24 de marzo de 2015 (*Tol 4.832.231*), del Tribunal Superior de Justicia de Aragón de 13 de mayo de 2016 (*Tol 5.809.734*), del Tribunal Superior de Justicia de Castilla y León de 7 de noviembre de 2016 (*Tol 5.898.114*), de 25 de noviembre de 2016 (*Tol 5.911.399*), y de 10 de marzo de 2017 (*Tol 6.054.497*) y del Tribunal Superior de Justicia de Madrid, de 13 de junio de 2017 (*Tol 6.359.16*).

397   FALCÓN Y TELLA, R.: *La prescripción en materia tributaria*, ob. cit., pág. 112. En el mismo sentido, SÁNCHEZ BLÁZQUEZ, que indica que "*la aplicación de la regla de la actio nata del Código Civil a la que habría que acudir en defecto de previsión específica en la normativa tributaria, nos llevaría a situar el comienzo del cómputo del plazo de prescripción al momento del devengo de dichos tributos, que normalmente suele situarse al comienzo del período impositivo... Y es que, en efecto, es a partir de*

contarse a partir del devengo, que en los tributos citados coincide con el primer día del período impositivo (...) razones de seguridad jurídica impiden entender que a estos tributos no es aplicable la prescripción del derechos a liquidar, y optar por cualquier otro momento para iniciar el cómputo del plazo resultaría arbitrario". La reforma del artículo 67 de la LGT efectuado por la Ley 34/2015 supone aproximar más las normas para la determinación del *dies a quo* a la regla de la *actio nata* del artículo 1.969 del Código Civil.

La precisión incluida por la reforma efectuada en el año 2015 en este aspecto, en contraposición con lo que ocurre en relación al derecho a comprobar e investigar, sí favorece la seguridad jurídica en relación al cómputo de la prescripción en este tipo de tributos, y contribuye a aclarar posibles dudas interpretativas. Por ello, aunque con un vacío de treinta años, debe valorarse como positiva la inclusión de esta referencia para los tributos de este tipo[398].

---

ese momento cuando las Administraciones gestoras correspondientes, y según los trámites procedimentales a seguir en cada caso, pueden realizar las actuaciones dirigidas en última instancia a la liquidación del tributo, aunque la notificación de esta última no se realice en estos casos de forma personal e individualizada". Vid. SÁNCHEZ BLÁZQUEZ, V. M.: "La prescripción: Cuestiones cerradas y abiertas sobre el inicio de su cómputo en los derechos a liquidar y a exigir el pago", *Hacienda Canaria*, núm. 10, 2004, págs. 147-175.

398   En el mismo sentido SESMA SÁNCHEZ, B.: "La reforma de la LGT en materia de prescripción tributaria: cuestiones conflictivas", *Revista española de Derecho Financiero*, num.173, 2017, págs. 35-75 y ARANA LANDÍN, S.: "La regulación de la prescripción en la nueva modificación de la Ley General Tributaria 58/2003", en VARIOS: *Estudios sobre la Reforma de la Ley General Tributaria*, Huygens, Barcelona, 2016, págs. 91-117.

A pesar de lo adecuado de esta medida, pueden aparecen problemas de Derecho transitorio derivados de la concurrencia de dos momentos iniciales de cómputo. Si bien este problema puede aparecer, teniendo en cuenta lo recogido estrictamente por la Ley, su importancia puede verse atenuada por el criterio seguido por doctrina y jurisprudencia con carácter previo a la modificación de la LGT que, como hemos señalado, coincidía en situar el día inicial del cómputo de la prescripción en el momento de devengo.

3.2. DIES A QUO DEL PLAZO DE PRESCRIPCIÓN DEL DERECHO A EXIGIR EL PAGO DE LOS TRIBUTOS

El segundo inciso del artículo 67.1 señala que el cómputo del plazo de prescripción del derecho a exigir el pago se inicia *"desde el día siguiente a aquel en que finalice el plazo de pago en período voluntario, sin perjuicio de lo dispuesto en el apartado 2 de este artículo"*.

Para establecer en qué momento concluye el periodo voluntario de pago hay que acudir tanto a las normas de la LGT reguladoras de este mecanismo extintivo[399], como al Reglamento General de Recaudación[400] y a la normativa propia de cada tributo.

El artículo 62 de la LGT establece las reglas generales en cuanto al plazo de pago. Este precepto establece un criterio diferente en función de si la deuda a pagar se autoliquida o se liquida:

---

399   El pago se regula en los artículos 60 a 65 de la LGT, ambos inclusive.

400   El pago se regula en los artículos 33 a 55 del RGR, ambos inclusive.

- En el caso de deudas autoliquidadas por el contribuyente, habrá que acudir a la norma propia de cada tributo, pues será esta la que recoja los plazos de pago que dan inicio al periodo prescribible[401].

- En el caso de deudas liquidadas por la Administración, la LGT distingue en función de si la deuda es de notificación individual o colectiva:

o Si la deuda se notifica individualmente al interesado[402], el plazo de pago difiere en función del momento en que tal notificación se realice:

▪ Si la notificación de la liquidación se realiza entre los días 1 y 15 de cada mes, desde la fecha de recepción de la notificación hasta el día 20 del mes posterior o, si este no fuera hábil, hasta el inmediato hábil siguiente.

▪ Si la notificación de la liquidación se realiza entre los días 16 y último de cada mes, desde la fecha de recepción de la

---

401   A modo de ejemplo en el IRPF, el artículo 14.4 de la Orden HAC/253/2020 establece que *"la Agencia Estatal de Administración Tributaria comunicará la orden u órdenes de domiciliación bancaria del contribuyente a la entidad colaboradora señalada, la cual procederá, en su caso, el día 30 de junio de 2020 a cargar en cuenta el importe domiciliado, ya sea la totalidad de la deuda tributaria o el importe correspondiente al primer plazo, en el supuesto del Impuesto sobre la Renta de las Personas Físicas, ingresándolo en los plazos establecidos en la cuenta restringida de colaboración en la recaudación de los tributos"*. Por tanto, el plazo de prescripción del derecho a exigir el pago se iniciará el 1 de julio de 2020.

402   Por ejemplo, una liquidación provisional de IRPF, de IS o de IVA.

notificación hasta el día cinco del segundo mes posterior o, si este no fuera hábil, hasta el inmediato hábil siguiente.

o Si la deuda es de notificación colectiva y periódica, en primer lugar habrá que acudir al plazo establecido en sus normas especiales. Si tales normas no recogen un plazo específico, el pago deberá efectuarse en el período comprendido entre el día 1 de septiembre y el 20 de noviembre o, si este no fuera hábil, hasta el inmediato hábil siguiente. Además, habrá que tener en cuenta que la Administración tributaria competente podrá modificar este plazo siempre que no sea inferior a dos meses.

Además, el artículo 62.4 de la LGT contempla el supuesto especial de las deudas pagadas con efectos timbrados, señalando que el pago se efectuará *"en el momento de la realización del hecho imponible, si no se dispone otro plazo en su normativa específica"*.

Si se conjugan las indicaciones del artículo 62 de la LGT en relación al plazo, con el *dies a quo* del derecho a exigir el pago del artículo 67 de la LGT, resultan dos posibles escenarios[403]:

- Si la liquidación es realizada por la Administración habrá que estar a las normas *supra* referidas del artículo 62 de la LGT para estos supuestos.

---

403   MARTÍN QUERALT, J., LOZANO SERRANO, C., TEJERIZO LÓPEZ, J. M., CASADO OLLERO, G.: *Curso de Derecho Financiero y Tributario*, 25ª ed., Tecnos, Madrid, 2014, pág. 523.

- Si se trata de deudas para las que existe obligación de autoliquidación, el inicio del plazo de prescripción dependerá de si el contribuyente efectivamente ha realizado o no la autoliquidación, de modo que:

    o Si el contribuyente ha efectuado la autoliquidación pero no ha realizado el pago el inicio del plazo de prescripción vendrá determinado por la finalización del plazo voluntario de pago, establecido en la norma de cada tributo, tal y como indica el artículo 62 de la LGT en su primer inciso.

    o Si el contribuyente no ha presentado la autoliquidación, a falta de una deuda líquida y exigible, el plazo no se podrá iniciar hasta que, en su caso, la Administración efectúe la correspondiente liquidación.

De esta forma, la finalización del plazo de pago voluntario vendrá determinada por la norma de cada tributo, por su mecanismo de liquidación y por el cumplimiento del deudor de su obligación de autoliquidar, en su caso, y dará lugar de manera inmediata al inicio del plazo de prescripción del derecho de la Administración a exigir el pago de la deuda. Comparando la configuración del *dies a quo* en este caso, con la configuración del *dies a quo* prevista para el derecho a liquidar la deuda tributaria, se observa que, a menos que la finalización del plazo de liquidación o autoliquidación coincida con el plazo de pago, cada uno de estos derechos tendrá un *dies a quo* y, por tanto, un *dies ad quem*, distinto.

Para finalizar, un supuesto particular en la determinación del *dies a quo* del derecho a exigir el pago es la que se presenta en los casos de aplazamientos o fraccionamientos del pago. En estos casos habrá que estar al momento en que se solicita tal posibilidad por el contribuyente para determinar sus efectos en materia del inicio del derecho a exigir el pago. Si se solicita en periodo voluntario, la concesión del aplazamiento o fraccionamiento suponen que el inicio del periodo ejecutivo no se produzca hasta la finalización del plazo extraordinario, por lo que será en ese momento cuando se inicie el cómputo del plazo de prescripción. Si se solicita en periodo ejecutivo, el plazo de prescripción del derecho a exigir el pago ya se encuentra iniciado, con lo que se produciría la interrupción del plazo de prescripción, reiniciándose de manera inmediata de acuerdo a la regla recogida en el artículo 68.6 de la LGT.

4. *DIES A QUO* DEL PLAZO DE PRESCRIPCIÓN APLICABLE A LOS RESPONSABLES TRIBUTARIOS

La figura del responsable tributario ya fue abordada en el Capítulo Primero, en el que se expusieron, en líneas generales, los caracteres de cada una de las modalidades de responsabilidad previstas en los artículos 41 y siguientes de la LGT –responsabilidad solidaria y responsabilidad subsidiaria-, así como los presupuestos de hecho que daban lugar al nacimiento de la responsabilidad. Concluimos en ese Capítulo que los supuestos de responsabilidad tributaria deben quedar sometidos a un plazo de prescripción, que tendrá carácter autónomo respecto al plazo de prescripción al que queda sometido el obligado tributario principal y que, aunque la obligación del responsable se circunscribe al pago de la deuda, los derechos que puede ejercer la Administración en este caso son tanto el derecho a determinar la deuda tributaria, como el derecho a exigir su pago.

Partiendo de lo expuesto, es claro que será fundamental la determinación del momento en que tal plazo de prescripción se inicia. Puesto que, como acabamos de indicar, el plazo de prescripción para el responsable es diferente del plazo de prescripción para el sujeto principal, también deberíamos concluir que el inicio del plazo de prescripción deberá ser propio en cada uno de estos supuestos, cuestión que analizaremos en los epígrafes siguientes.

4.1. DIES A QUO DEL PLAZO DE PRESCRIPCIÓN DEL DERECHO A DETERMINAR LA DEUDA TRIBUTARIA A LOS RESPONSABLES

Como ya defendimos en el Capítulo Primero, el acto de derivación de responsabilidad desempeña unas funciones análogas a la liquidación tributaria, pues a través de este acto se determina la deuda tributaria cuyo pago se exigirá al responsable. Por ello, en este punto, se puede afirmar que el derecho a determinar la deuda a través de la correspondiente liquidación también se podría denominar *"derecho a derivar la responsabilidad"*, aunque este no se prevea como derecho autónomo, pues la Administración ejerce su potestad liquidatoria a través del acto de derivación de responsabilidad[404]. Reconocer este derecho supone que se le debe otorgar un plazo de prescripción y que, consecuentemente, es preciso determinar cuándo se inicia tal plazo. El problema que se plantea es que la LGT no establece ningún plazo máximo en el que la Administración pueda ejercer su derecho a derivar la responsabilidad ni tampoco prevé ninguna regla especial para la determinación del *dies a quo* del plazo de prescripción del derecho a determinar la deuda al responsable. Esta ausencia de previsiones específicas puede conducir a la conclusión de que se deberá aplicar la regla general del artículo 67.1 de la LGT: la prescripción se iniciará al día siguiente de la finalización del plazo para presentar la liquidación o autoliquidación[405]. En este sentido, la Sentencia del Tribunal Supremo de 19 de noviembre de 2015[406] que, si bien referida a la responsabilidad solidaria, concluye que *"el plazo de prescripción actúa exactamente igual, tanto para liquidar un hecho imponible como para declarar una responsabilidad, esto es, desde el vencimiento del plazo de autoliquidación y no desde que posteriormente*

---

404   FALCÓN Y TELLA, R.: "La prescripción de la obligación tributaria en relación al responsable: un problema mal planteado", ob. cit., págs. 7-8.

405   LOZANO SERRANO, que es uno de los autores que avala esta posibilidad, argumenta en relación al inicio del plazo que el derecho a determinar la deuda del responsable se iniciará en el mismo momento en que se inicia el derecho a determinar la deuda al deudor principal, mientras que el momento de inicio del derecho a exigir el pago dependerá de lo establecido en el artículo 67.2 de la LGT. Vid. LOZANO SERRANO, C.: "La prescripción de la responsabilidad tributaria", ob. cit., BIB 2012\2998. (Consultado en la base de datos Aranzadi Instituciones, con fecha 12/10/2017). Comparte su opinión MARTÍN FERNÁNDEZ, J.: *Tratado práctico de Derecho Tributario General Español. Una visión sistemática de la Ley General Tributaria*, 1ª ed., Tirant lo Blanch, Valencia, 2017, págs. 276-277.

406   *Tol 5.583.612.*

la Administración dicte la liquidación o la declaración de responsabilidad".

Sin embargo, no podemos compartir esta conclusión. Y ello porque, como indica GARCÍA NOVOA[407], *"aun siendo la obligación del responsable solidario o subsidiario una obligación tributaria, la misma no dispone de un plazo para presentar la declaración o autoliquidación, por lo que su dies a quo no puede situarse en el mismo instante en que se sitúa el del plazo para ejercitar el derecho a determinar la deuda mediante la oportuna liquidación".* A este argumento se puede oponer que, en otros tributos en los que no existe plazo para presentar la liquidación o autoliquidación, acudiendo a la regla de la *actio nata*, se toma como momento inicial del cómputo la fecha del devengo. Pero, ¿la figura del devengo es aplicable al responsable?. Y, de ser así, ¿resulta aplicable esta construcción?. Para ARIAS ABELLÁN[408] el devengo de la obligación del responsable se realiza en el momento en que se realiza el presupuesto de hecho de la responsabilidad. GARCÍA NOVOA[409] entiende que es este criterio el que debe entenderse aplicable para determinar el inicio del cómputo del plazo de prescripción, pues, *"al no existir obligación de*

---

407 GARCÍA NOVOA, C.: *Iniciación, interrupción y cómputo del plazo de prescripción de los tributos,* ob. cit., pág. 168. Este autor también se manifestó en este sentido en GARCÍA NOVOA, C.: "El procedimiento de derivación de responsabilidad de administradores y sociedades. Aspectos sustantivos y procedimentales", *Revista Técnica Tributaria,* núm. 57, 2002, págs.38-39.

408 ARIAS ABELLÁN, M. D.: "El régimen jurídico del responsable en la nueva Ley General Tributaria", *Revista Española de Derecho Financiero,* núm. 123, 2004, págs. 489 y ss.

409 GARCÍA NOVOA, C.: "El procedimiento de derivación de responsabilidad de administradores y sociedades. Aspectos sustantivos y procedimentales", ob. cit., pág. 39.

declarar ni plazo para ello, nunca podría referirse el dies a quo el último día del plazo", como ocurre en los tributos para los que se establece un plazo de declaración o autoliquidación.

No obstante, aun siendo la realización del presupuesto de hecho el único hecho cierto, consideramos que tomar este momento como *dies a quo* es un error, pues, como indica ARRANZ DE ANDRÉS[410], lo dispuesto en el artículo 174.1[411] de la LGT, *"impide considerar que el cómputo de la prescripción pueda iniciarse en todo caso en el momento de realización del presupuesto de hecho de la responsabilidad"*.

En nuestra opinión, a efectos prácticos tomar este momento como *dies a quo*, resulta sumamente inoperativo y supone, en muchos casos, dejar a la figura del responsable sin contenido, pues el presupuesto de hecho de la responsabilidad se puede producir en el momento mismo de inicio de la actividad del deudor principal. Este planteamiento conduciría a que, en algunos supuestos, transcurra el plazo de prescripción de cuatro años antes incluso de que se hubiera dado inicio a ningún procedimiento que pudiera declarar la responsabilidad[412]. Por ello, consideramos rechazable esta opción.

---

410 ARRANZ DE ANDRÉS, C.: "La prescripción de la obligación del responsable tributario", en VARIOS: *Estudios de Derecho Financiero y Tributario en homenaje al Profesor Calvo Ortega*, ob. cit., pág. 541.

411 Indica este precepto que *"la responsabilidad podrá ser declarada en cualquier momento posterior a la práctica de la liquidación o a la presentación de la autoliquidación"*.

412 También rechaza la aplicación del criterio del devengo RODRÍGUEZ MÁRQUEZ, J.: "La prescripción de la obligación del responsable en la nueva LGT", *Nueva Fiscalidad*, núm. 4, 2001, págs. 40-41.

Otra posibilidad apuntada por la doctrina y la jurisprudencia para fijar el *dies a quo* del derecho a determinar la deuda de los responsables es situar el inicio del cómputo en el momento en que se efectúa la notificación de la derivación de la responsabilidad, argumentando que esta regla es la que más de adecúa a la regla de la *actio nata* del artículo 1.969 del Código Civil. Este es el criterio adoptado por el Tribunal Supremo, entre otras, en las Sentencias de 26 de abril de 2012, de 10 de julio de 2012 o de 27 de septiembre de 2012[413]. En estos pronunciamientos el Alto Tribunal señala que *"debemos partir de que la derivación de la acción administrativa constituye una conditio iuris para la exigibilidad de la deuda, al margen de que la obligación ex lege del responsable surja con la realización del presupuesto de hecho establecido por la ley. De este modo el plazo de prescripción respecto de la obligación del responsable habrá de computarse desde que se pueda ejercitar la acción contra él en aplicación del principio de la actio nata y no desde la fecha en la que se hubiese devengado originariamente la liquidación que fija la obligación del sujeto pasivo. Cabe aludir así a la existencia de dos periodos diferentes, a saber: el que se refiere a la prescripción de las acciones frente al deudor principal, que abarca todo el tiempo que transcurra hasta la notificación de la derivación de responsabilidad y el que se abre con tal acto, siempre que la prescripción no se hubiese producido con anterioridad, que afecta a las acciones a ejercitar contra el responsable"*.

---

413   *Tol 2.542.461, Tol 2.597.081 y Tol 2.659.970*, respectivamente.

Este planteamiento también resulta rechazable pues presenta el grave problema de poder generar plazos de prescripción excesivamente largos para los responsables, llegando a suponer, a menos que se extinga la obligación del deudor principal, la imprescriptibilidad del derecho de la Administración a determinar la deuda respecto al responsable, efecto proscrito por el principio de seguridad jurídica[414]. Esta situación se aprecia particularmente cuando la responsabilidad es subsidiaria ya que, como veremos, el plazo de prescripción del derecho a exigir la deuda al responsable subsidiario se inicia a partir de la notificación de la última actuación recaudatoria practicada al deudor principal o a cualquiera de los responsables solidarios. Con ello, se pueden dar casos en los que el responsable subsidiario tenga que hacer frente al pago de una deuda tributaria, habiéndose producido el presupuesto que da origen a la responsabilidad muchos años antes.

RUIZ HIDALGO[415] rechaza expresamente la teoría del Tribunal Supremo, pues indica que este órgano ha obviado la realización de un análisis conjunto de los artículos 67.2

---

414   En este sentido RODRÍGUEZ MÁRQUEZ, J.: "La prescripción de la obligación del responsable en la nueva LGT", ob. cit., págs. 35-36. Este autor también hace hincapié en que aplicar este criterio supone dotar a la derivación de responsabilidad de un carácter constitutivo que le es ajeno. En el mismo sentido RUIZ HIDALGO, C.: "La declaración de responsabilidad del artículo 42.2.a) de la LGT y la prescripción: una interpretación integradora de la LGT", ob. cit. (Consultado en la base de datos de AEDAF, con fecha 13/10/2017).

415   RUIZ HIDALGO, C.: "La declaración de responsabilidad del artículo 42.2.a) de la LGT y la prescripción: una interpretación integradora de la LGT", ob. cit. (Consultado en la base de datos de AEDAF, con fecha 13/10/2017).

y 174 de la LGT, pues la declaración de responsabilidad no se puede realizar solo en el marco del procedimiento de recaudación al deudor principal, sino que se puede llevar a cabo *"en cualquier momento posterior a la práctica de la liquidación o la presentación de la autoliquidación, sin que la Administración tenga que esperar al inicio del procedimiento de recaudación al obligado principal"*. Añade esta autora que este planteamiento contradice otros preceptos que también regulan la prescripción tributaria, pues si el nacimiento del derecho a determinar la deuda tributaria al responsable nace en el momento en que se notifica la derivación de responsabilidad *"¿qué plazo de prescripción se interrumpe como consecuencia de las actuaciones que sigue la Administración en el inicio del procedimiento de declaración de responsabilidad de acuerdo con el artículo 175 de la LGT y 196 del RGGI?"*. En definitiva, admitir que el plazo no se inicia hasta que la declaración de responsabilidad se notifica supone dejar sin contenido el artículo 68.8 de la LGT, cuando señala que *"interrumpido el plazo de prescripción para un obligado tributario, dicho efecto se extiende a todos los demás obligados, incluidos los responsables"*. La interpretación ofrecida por el Tribunal Supremo es incoherente con lo indicado en el artículo 68 de la LGT, pues si no existe un plazo de prescripción previo al iniciado para exigir el pago la introducción de este precepto queda sin objeto, ya que si no hay plazo tampoco cabe su interrupción.

A mayor abundamiento, la tesis del Tribunal Supremo otorga carácter constitutivo a la declaración de responsabilidad, y tal carácter se opone frontalmente a su naturaleza, que es meramente declarativa. El responsable no pasa a serlo porque se efectúe la declaración de responsabilidad, sino que ya lo era desde el momento en que realizó el presupuesto de hecho de la responsabilidad[416].

Otra opción pasa por supeditar el inicio del plazo del derecho a determinar la deuda tributaria al inicio del plazo del derecho a exigir el pago, que es el que se regula expresamente en la LGT. Este texto dice que el derecho a exigir el pago a los responsables nacerá en un momento concreto, condicionado por el discurrir de la deuda determinada y exigida al deudor principal. El procedimiento de declaración de responsabilidad, que actúa como liquidación tributaria, se podrá iniciar antes, durante o después del momento marcado en la LGT como *dies a quo* para exigir el pago, pero nunca se podrá exigir transcurrido el plazo de prescripción de cuatro años que se inicia tras ese *dies a quo*. Sin embargo, este razonamiento parece conducir a que el *dies a quo* del derecho a exigir el pago y del derecho a determinar la deuda, -la declaración de responsabilidad- tengan que coincidir temporalmente, y en la práctica esto no será así, pues el procedimiento de declaración de responsabilidad se puede iniciar antes de la data establecida en la LGT como *dies a quo* del derecho a exigir el pago a los responsables y este planteamiento no resuelve la cuestión de en qué momento se inicia el cómputo del derecho a determinar la deuda. Cosa distinta es que, aunque no el inicio, el fin del plazo para determinar la deuda

---

416 Como señala RUIZ HIDALGO, la doctrina del Tribunal Supremo *"presupone que la obligación del responsable nace del acto por el que aquella se declara, confundiendo el devengo de la obligación del responsable con la exigibilidad"*. Vid. RUIZ HIDALGO, C.: "La declaración de responsabilidad del artículo 42.2.a) de la LGT y la prescripción: una interpretación integradora de la LGT", ob. cit. (Consultado en la base de datos de AEDAF, con fecha 13/10/2017).

sí venga determinado por ese *dies a quo* del derecho a exigir el pago y que, ello, unido a la particular condición de los responsables, permita concluir que el derecho a determinar la deuda queda supeditado, en cierta medida, al derecho a exigir el pago[417], pero, insistimos, eso no significa en modo alguno que el inicio del cómputo de ambos derechos deba coincidir temporalmente.

Las dificultades y lagunas legales que aparecen en este ámbito hacen necesaria una reforma y perfeccionamiento de su regulación, tanto de la responsabilidad tributaria en general como, específicamente, del plazo de prescripción para determinar la deuda a los responsables. Coincidimos con GARCÍA NOVOA[418] cuando indica que, en este caso *"la mencionada pretensión de paralelismo entre la prescripción del derecho a declarar la responsabilidad con la prescripción de la potestad liquidadora requiere algunas modulaciones"*.

Como propuestas que articulen la aplicación de la prescripción en estos casos destaca la de FALCÓN Y

---

417   Similar conclusión se puede extraer de lo indicado por ARRANZ DE ANDRÉS, cuando señala que *"podría entenderse se la prescripción adquirirá únicamente sentido en la práctica en relación con esta última acción –la de exigir el pago-, sin necesidad de tomar por ello en consideración la de mera declaración de responsabilidad. Sin duda, la posibilidad de que ambas actuaciones puedan producirse, como sucede en la práctica con habitualidad, en unidad de acto, contribuye a reforzar esta idea, a cuyo favor puede jugar igualmente el hecho de que la LGT haya dejado de lado la regulación de la prescripción en relación con la acción de declaración de responsabilidad"*. Vid. ARRANZ DE ANDRÉS, C.: "La prescripción de la obligación del responsable tributario", en VARIOS: *Estudios de Derecho Financiero y Tributario en homenaje al Profesor Calvo Ortega*, ob. cit., pág. 543.

418   GARCÍA NOVOA, C.: *Iniciación, interrupción y cómputo del plazo de prescripción de los tributos*, ob. cit., pág. 168.

TELLA[419] que señala que, de *"lege ferenda"*, *"hubiera sido preferible establecer de forma expresa y clara un plazo máximo para derivar la responsabilidad"*, plazo que, a juicio de este autor, debería ser de caducidad[420]. En ausencia de tal plazo serán de aplicación las reglas generales para el cómputo del plazo de prescripción en la LGT. Este autor considera que el *dies a quo* del derecho a derivar la responsabilidad se iniciará cuando finalicen todas las *"actuaciones previas interruptivas de la prescripción del derecho a liquidar"*, como, por ejemplo, la notificación de la liquidación al deudor principal. Compartimos la conclusión de este autor, también refrendada por GUERRA REGUERA[421] y por VARONA ALABERN[422], en el sentido de considerar que resulta esencial el establecimiento de un plazo máximo a lo largo del cual la Administración pueda derivar la responsabilidad, y con ello, exigir el pago. Este plazo, idóneamente, deberá ser de caducidad, para así salvaguardarse de las actuaciones interruptivas y evitar su prolongación excesiva.

---

419 FALCÓN Y TELLA, R.: "La prescripción de la obligación tributaria en relación al responsable: un problema mal planteado", ob. cit., pág. 7.

420 FALCÓN Y TELLA, R.: "La prescripción de la obligación tributaria en relación al responsable: un problema mal planteado", ob. cit., pág. 7.

421 GUERRA REGUERA, M.: *Prescripción de deudas tributarias*, 1ª ed., Aranzadi, Cizur Menor (Navarra), 2013, págs. 77-79.

422 VARONA ALABERN, J. E.: "En torno a la prescripción de la obligación tributaria del responsable subsidiario", *Legal Today*, septiembre, 2008. Accesible en: http://www.legaltoday.com/practica-juridica/fiscal/fiscal/en-torno-a-la-prescripcion-de-la-obligacion-tributaria-del-responsable-subsidiario (Consultado con fecha 23/11/2019)

Otra opción es la apuntada por RUIZ HIDALGO[423], que señala que *"el responsable debe tener la seguridad jurídica de que transcurrido el plazo de cuatro años no va a ser objeto de derivación de responsabilidad, ya que en otro caso, la Administración puede dirigirse al responsable en cualquier momento posterior a la finalización del periodo voluntario de pago del obligado principal (...) desde el momento en que el responsable forma parte de la relación tributaria ex lege, con la realización del presupuesto de hecho, la Administración debe declarar la responsabilidad para que a través de ese procedimiento, el responsable tenga una defensa efectiva para poder hacer valer sus derechos y, como en el caso que nos ocupa, la extinción de su obligación por prescripción pueda ser real"*.

El legislador dispuso de una excelente oportunidad para realizar estas reformas a través de la Ley 34/2015, sin embargo se ha desaprovechado esta oportunidad[424] para mejorar la regulación de la figura del responsable y de la prescripción aplicable en estos casos, quizá porque, como apunta CAYÓN GALIARDO[425] estas reformas *"vienen amparadas y justificadas fundamentalmente por la Administración tributaria"*, y no tanto por el interés de mejorar la seguridad jurídica en el ordenamiento fiscal

---

423 RUIZ HIDALGO, C.: "La declaración de responsabilidad del artículo 42.2.a) de la LGT y la prescripción: una interpretación integradora de la LGT", ob. cit. (Consultado en la base de datos de AEDAF, con fecha 13/10/2017).

424 RUIZ HIDALGO, C.: "La declaración de responsabilidad del artículo 42.2.a) de la LGT y la prescripción: una interpretación integradora de la LGT", ob. cit., (Consultado en la base de datos de AEDAF, con fecha 13/10/2017).

425 CAYÓN GALIARDO, A.: "Aspectos de la reforma de la Ley General Tributaria", ob. cit., pág. 14.

general ni de reforzar la protección a los derechos y garantías de los contribuyentes.

4.2. DIES A QUO DEL PLAZO DE PRESCRIPCIÓN DEL DERECHO A EXIGIR EL PAGO A LOS RESPONSABLES

Del establecimiento del *dies a quo* del derecho a exigir el pago en los supuestos de responsabilidad se ocupa el artículo 67.2 de la LGT, que fija un régimen diferenciado en función de si el responsable es solidario o subsidiario. Esta distinción ha sido valorada positivamente por algunos autores, como MARTÍN FERNÁNDEZ[426], por considerar que *"dota de seguridad a las relaciones entre el responsable y la Administración"*. Compartimos esta valoración positiva, pues los supuestos que dan origen a cada una de las modalidades de responsabilidad presentan unos caracteres lo suficientemente diversos como para justificar una regulación separada.

4.2.1. DIES A QUO DEL PLAZO DE PRESCRIPCIÓN DEL DERECHO A EXIGIR EL PAGO A LOS RESPONSABLES SUBSIDIARIOS

El artículo 67.2 de la LGT, *in fine*, establece una regla especial para la determinación del inicio del plazo de prescripción cuando la responsabilidad es subsidiaria,

---

426 MARTÍN FERNÁNDEZ, J.: *Tratado práctico de Derecho Tributario General Español. Una visión sistemática de la Ley General Tributaria*, ob. cit., pág. 276.

indicando a estos efectos que *"tratándose de responsables subsidiarios, el plazo de prescripción comenzará a computarse desde la notificación de la última actuación recaudatoria practicada al deudor principal o a cualquiera de los responsables solidarios".*

Esta disposición fue adoptada tras la entrada en vigor de la LGT de 2003. La LGT de 1963 no se pronunciaba a este respecto, lo que había originado numerosas dudas doctrinales y jurisprudenciales en relación a la fijación del *dies a quo* en estos supuestos, ante lo que se aportaron diferentes soluciones:

- Por un lado, algunas Sentencias del Tribunal Supremo[427] coincidían en situar el inicio del plazo de prescripción en la notificación del acuerdo de declaración de responsabilidad. Este planteamiento no resultaba adecuado ni se ajustaba al principio de la *actio nata*, pues no cabe duda alguna de que la Administración puede dirigir la acción de cobro contra el responsable, tal y como está configurada en la LGT, una vez producida la declaración de fallido, sin que sea necesario esperar al momento en que se notifique el acuerdo de declaración de responsabilidad. Esta argumentación solo supone un alargamiento del plazo con el único objetivo, entendemos, de favorecer a la Administración en el ejercicio de sus funciones.

---

427   Así, las Sentencias del Tribunal Supremo de 5 de julio de 1985 y de 15 de julio de 2000 (*Tol 1.701.111*).

- Un segundo criterio suponía la fijación del *dies a quo* en el momento en que finalice el plazo de pago en periodo voluntario para el responsable. Esta opción, aunque resulta más respetuosa con el principio de seguridad jurídica, tampoco es admisible, pues, como indica FALCÓN Y TELLA[428] supone plantear el problema desde la perspectiva de la acción recaudatoria, lo que no parece correcto, ya que *"la derivación de responsabilidad no es una mera actuación tendente al cobro de una cantidad ya liquidada, sino una verdadera y propia liquidación"*.

- Un tercer grupo se conformaba por aquellas posiciones que determinaban que el inicio del plazo de prescripción se debe situar en el momento en que se dicta el acto de derivación de responsabilidad[429]. Esta opción también encuentra motivos de reproche, por causas similares a las indicadas en el párrafo anterior, pues supone que la Administración disponga de un plazo indefinido para derivar la acción de responsabilidad.

- Otra posibilidad era fijar el *dies a quo* para el responsable en el momento en que nace el plazo de prescripción para el deudor principal, esto es, hacer coincidir el inicio del plazo de prescripción para ambos sujetos. Tampoco consideramos esta posición

---

428   FALCÓN Y TELLA, R.: "La prescripción de la obligación tributaria en relación con el responsable: un problema mal planteado", ob. cit., pág. 6. En el mismo sentido, CHECA GONZÁLEZ, C.: *Los responsables tributarios*, ob. cit., págs. 93-95.

429   Tal es el criterio mantenido por ATIENZA ALARCÓN, L.: "La prescripción de la responsabilidad tributaria", *El Fisco*, núm. 56, 2001, pág. 23.

es adecuada, pues en ese momento el responsable subsidiario aún no ha adquirido su condición de tal, y la obligación tributaria nacida no le corresponde a él, sino al deudor principal.

Tras la entrada en vigor de la LGT de 2003, en los supuestos de responsabilidad subsidiaria, que recordemos, será la regla general, el legislador parece adoptar la regla de la *actio nata* para determinar el momento de inicio del plazo de prescripción. Entiende el legislador que es a partir del momento en que se notifica la última actuación recaudatoria al deudor principal, o a los responsables solidarios, cuando la Administración puede ejercitar la acción contra el responsable subsidiario.

Aunque la inclusión de la previsión específica en relación al *dies a quo* en la LGT de 2003 y su fijación en el momento en que se notifique la última actuación recaudatoria al deudor principal o a los responsables solidarios debe valorarse positivamente desde la óptica de la seguridad jurídica, en comparación con la ausencia de previsión alguna en la LGT de 1963, existen ciertos aspectos criticables en su configuración. Precisamente estos aspectos son los que nos llevaban a afirmar previamente que el legislador *"parece adoptar el principio de la actio nata"*, puesto que, aunque su intención es evidente, no lo consigue. Para ello consideramos que tendría que haberse referido al momento en que se produce la declaración de fallido, no al momento en que se efectúa la última notificación al deudor principal o a los responsables solidarios. Es a partir de este momento cuando, efectivamente, nace el derecho de la Administración a exigir

el pago al responsable, no el momento en que se notifica la
última actuación. Como señala el Tribunal Supremo, en su
Sentencia de 17 de marzo de 2008[430], que ha reiterado en
posteriores Sentencias[431] "*el plazo de prescripción respecto
de la obligación del responsable ha de empezar a contar
desde que se pueda ejercitar la acción contra él, en aplicación
del principio de la actio nata*". Es claro que el criterio que
adopta el legislador en la vigente LGT no es este, pues, como
se viene indicando, el momento en que la Administración
puede ejercitar la acción contra el sujeto pasivo es el momento
en que se efectúa la declaración de fallido. El *dies a quo* que
fija la LGT para los responsables subsidiarios es previo a la
declaración de fallido, lo que, a efectos prácticos, supone
una reducción de la plazo de prescripción de que dispone
la Administración para exigir la deuda a este sujeto. En
definitiva, consideramos que para que la tesis de la *actio nata*
fuera acogida, el artículo 67.2 debería señalar que el plazo de
prescripción para los responsables subsidiarios se inicia en el
momento en que se produzca la declaración de fallido, lo que
no significa que entendamos que sea este el criterio que debe
acoger la LGT, como expondremos más adelante.

Otro aspecto criticable es que la fijación del *dies a quo*
que efectúa la LGT no resulta muy precisa. Por un lado, porque,
como señalan HERNÁNDEZ VERGARA y HERRERO DE
EGAÑA ESPINOSA DE LOS MONTEROS[432], identificar

---

430   *Tol 1.292.731.*

431   Entre otras, en las Sentencias de 10 de octubre de 2010 (*Tol 1.982.139*),
      de 25 de octubre de 2012 (*Tol 2.675.937*), de 10 de febrero de 2014 (*Tol
      4.108.843*) o de 21 de junio de 2016 (*Tol 5.761.634*).

432   HERNÁNDEZ VERGARA, A., HERRERO DE EGAÑA ESPINOSA DE

el dies a quo con el momento en que se produce la última notificación puede provocar sucesivos reinicios del cómputo del plazo, pues en algunos casos el discurrir del procedimiento de recaudación hace que, después de esa hipotética última actuación se efectúen otras nuevas notificaciones; esto ocurre, por ejemplo, en los supuestos en los que posteriormente *"se llegue a averiguar la existencia de bienes embargables"*. Entendemos que, en puridad, y de acuerdo con lo establecido en el artículo 67.2 de la LGT, en este caso no se produciría un reinicio, pues no contemplamos esta posibilidad en la configuración de la prescripción. El inicio del plazo de prescripción es único, no se prevén en esta institución sucesivos reinicios. Lo que sí se prevé es la posibilidad de que, una vez iniciado, el plazo de prescripción se interrumpa y, en esos casos sí, se reinicie el cómputo del plazo, pero en el supuesto expuesto consideramos que tal interrupción no se puede extender al responsable si, conforme al artículo 67.2 de la LGT, no ha nacido el plazo susceptible de interrupción. En definitiva, el inicio efectivo se situaría en el momento en que se realice la última actuación, independientemente de su objeto. El problema se puede plantear cuando, entre la que se consideraba que sería la última actuación, y la que efectivamente es la última actuación, se ha iniciado el procedimiento de declaración de responsabilidad y se ha emitido acto de derivación de responsabilidad. ¿Qué ocurriría en esta circunstancia? Y, en particular ¿qué efectos tiene en materia de prescripción tributaria?. Para responder a esta

---

LOS MONTEROS, J. M.: "Cómputo de los plazos de prescripción de la deuda tributaria", en VARIOS: *Comentarios a la Ley General Tributaria*, ob. cit., BIB 2008\943 (Consultado en la base de datos Aranzadi Instituciones, con fecha 15/09/2018).

pregunta es esencial determinar dos cuestiones: la primera, qué es un deudor fallido y, la segunda, que se relaciona con la primera, cuáles son los requisitos para emitir la declaración de fallido.

En relación al concepto de *"deudor fallido"* se pronuncia el artículo 61 del RGR, que señala que *"se considerarán fallidos aquellos obligados al pago respecto de los cuales se ignore la existencia de bienes o derechos embargables o realizables para el cobro del débito. En particular, se estimará que no existen bienes o derechos embargables cuando los poseídos por el obligado al pago no hubiesen sido adjudicados a la Hacienda pública de conformidad con lo que se establece en el artículo 109. Asimismo, se considerará fallido por insolvencia parcial el deudor cuyo patrimonio embargable o realizable conocido tan solo alcance a cubrir una parte de la deuda"*. Esta declaración de deudor fallido debe seguir unos cauces y cumplir unos requisitos, a cuyo respecto se ha pronunciado el TEAC en resolución de 30 de mayo de 2018, que resuelve un recurso de alzada para la unificación de criterio. El TEAC determina que para emitir la declaración de fallido no es necesario acreditar una ausencia total de bienes, sino la ausencia de bienes realizables[433]. Por

---

433 Los criterios establecidos por el TEAC en la mencionada resolución son los siguientes:
"- *La declaración de responsabilidad subsidiaria tiene, como presupuesto de hecho, la declaración de insolvencia que equivale a la declaración de fallido del deudor principal.*
- *La declaración de fallido consiste en la comprobación y acreditación de que el deudor principal no puede hacer frente a la deuda, en todo o en parte, por carecer de patrimonio suficiente. En este punto hay que destacar que no se trata de acreditar una ausencia total de bienes, sino la ausencia de bienes realizables.*

tanto, será la Administración la que deba determinar si el deudor dispone de bienes con los que hacer frente al pago de la deuda y, de ser así, si estos son realizables con carácter inmediato, *"sin perjuicio de que los órganos de recaudación de la Administración vigilen la posible solvencia sobrevenida de los obligados al pago declarados fallidos y se proceda a la rehabilitación de los créditos declarados incobrables si se diera tal circunstancia dentro del período de prescripción".* Esto es, nada impide que, emitida la declaración de fallido, posteriormente la Administración pueda efectuar nuevas averiguaciones en relación al patrimonio del deudor principal y efectuar nuevas actuaciones orientadas al cobro de la deuda, aun habiéndose declarado la responsabilidad.

Si la declaración de fallido no se emite cumpliendo los requisitos enunciados, el acto de derivación de responsabilidad quedara sin efecto, por ser inválido desde el inicio. Sin

---

- *La declaración de fallido se lleva a cabo de acuerdo con lo dispuesto en el Reglamento General de Recaudación que dispone que la comprobación de la insolvencia de los deudores principales y responsables solidarios, en su caso, se realizará en el curso del procedimiento de apremio. A estos efectos, se considerarán insolventes aquellos obligados al pago respecto de los cuales se ignore la existencia de bienes o derechos embargables o realizables para el cobro del crédito. Si el importe realizable tan solo alcanza a cubrir una parte de la deuda, se podrá proceder a la declaración de fallido por insolvencia parcial.*
- *Ninguna norma requiere que agoten todos los trámites del período ejecutivo con respecto de todas y cada una de las deudas puesto que la constatación de la insolvencia del deudor por la Administración puede obtenerse sin necesidad de agotar esa tramitación, fruto de las actuaciones ejecutivas y/o de comprobación e investigación realizadas con respecto de alguna de las deudas.*
- *La constatación de la situación de insolvencia puede ser discutida por los interesados y revisada por los Tribunales económico-administrativos, si bien requiere su acreditación por quién se oponga y no la mera alegación formal".*

embargo, si se ha seguido el procedimiento previsto para emitir la declaración de fallido no se puede afirmar que el acto de derivación de responsabilidad sea inválido. Al margen de ello, entendemos que la incidencia de que quede o no invalidado el acto de derivación de responsabilidad a efectos de determinar el inicio del plazo es nula, pues, conforme al artículo 67.2 de la LGT lo que no se produciría en ninguno de los dos supuestos es en inicio del plazo de prescripción. Este precepto únicamente se refiere a la última notificación efectuada, sin mayor precisión y, reiteramos, si se produce otra notificación posterior, habrá que estar a ella. Cosa distinta sería que el artículo 67.2 de la LGT señalara que el *dies a quo* se sitúa en el momento en que se produzca la declaración de fallido, o, aun manteniendo un criterio similar al actual, en el momento en que se produzca la última notificación al deudor principal o a los responsables solidarios previa a la declaración de fallido. Pero, atendiendo a la literalidad del texto actual no caben estas interpretaciones.

En relación con esta cuestión aparece otra, porque el propio afectado por la prescripción, el responsable subsidiario, desconoce su inicio, ya que no tendrá conocimiento de la notificación que da inicio al plazo, pues esta únicamente será notificada bien al deudor principal, bien al responsable solidario. Este problema tampoco se solventa tomando como *dies a quo* la declaración de fallido, pues este acto administrativo no se notifica ni al deudor principal, ni a los responsables solidarios o subsidiarios[434]. Aunque,

434 HERNÁNDEZ VERGARA, A., HERRERO DE EGAÑA ESPINOSA DE LOS MONTEROS, J. M.: "Cómputo de los plazos de prescripción de la deuda tributaria", en VARIOS: *Comentarios a la Ley General Tributaria*, ob. cit., BIB 2008\943 (Consultado en la base de datos Aranzadi Instituciones,

como señala GUERRA REGUERA[435], *"este inconveniente debe subsanarse con la pertinente consulta del expediente por el responsable"*, tal consulta únicamente se producirá cuando este tenga conocimiento de su responsabilidad a efectos tributarios. Lo idóneo desde el punto de vista de la seguridad jurídica sería que el responsable supiera, antes de que esta circunstancia se produjese, que la Administración puede dirigirse contra él en un plazo determinado, al igual que ocurre con los restantes obligados tributarios[436].

Decíamos en líneas superiores que aplicar la tesis de la *actio nata* supondría en este caso que el *dies a quo* se deba fijar en el momento en que se produce la declaración de fallido. Pero también avanzábamos que esto no significaba que considerásemos que esta sea la mejor opción en este caso. Hemos venido defendiendo a lo largo de este trabajo, en distintos puntos, que allí donde encontramos una laguna legal o interpretativa en la determinación del *dies a quo*, considerábamos idónea la aplicación del principio de la *actio nata* para su resolución. Esta, por tanto, es la regla de aplicación a la generalidad de los supuestos, por ser la que mejor se ajusta a la seguridad jurídica. Sin embargo,

---

con fecha 15/09/2018).

435   GUERRA REGUERA, M.: *Prescripción de deudas tributarias*, ob. cit., pág. 76.

436   ESEVERRI es claro en este punto, apuntando que *"la solución adoptada por el texto legal no deja de encerrar un cierto grado de indeterminación a propósito del dies a quo o inical del cómputo de la prescripción tanto para el responsable solidario como para el subsidiario, más si cabe en relación con este segundo deudor, en cuanto que iniciado el cómputo de la prescripción al siguiente día de la última actuación recaudadora seguida frente al deudor principal, coloca al responsable subsidiario en situación de indeterminación de esa fecha, siempre conocida por el órgano de recaudación pero no por el responsable subsidiario en el momento en que acontece"*. Vid. ESEVERRI, E.: *La prescripción tributaria en la jurisprudencia del Tribunal Supremo*, ob. cit., pág. 305.

en Derecho, toda regla general tiene alguna, o varias, excepciones. En la fijación del *dies a quo* del derecho a exigir el pago a los responsables encontramos una excepción, fundamentaba en el perjuicio al principio de seguridad jurídica que supondría la adopción de este criterio[437]. En este sentido, coincidimos con LOZANO SERRANO[438], cuando señala que la adopción de la declaración de fallido como momento inicial del cómputo supone un grave perjuicio para el principio de seguridad jurídica, tanto desde su dimensión subjetiva, pues *"no debe amparar que el responsable deba hacer frente a pretensiones que durante largos años desde su nacimiento no se le han exigido nunca y que, en ocasiones, ni siquiera sabía que se habían devengado a su cargo"*, como desde su dimensión objetiva, ya que este principio *"en cuanto exigencia de certeza de las situaciones jurídicas, ampara que el titular de un derecho de crédito que ha sido vulnerado pueda diferir de forma indeterminada o indefinida el dirigir sus acciones contra algunos de los deudores, aunque lo sean por una obligación de garantía de la deuda"*[439]. Ello, aunado a la particular naturaleza del responsable y a que la declaración de

---

437   Como señala GUERRA REGUERA, *"el artículo 9 de la Constitución no alude a la actio nata, y sí cita, sin embargo y de modo expreso el principio de seguridad jurídica obligándose a garantizarlo"*. Vid. GUERRA REGUERA, M.: *Prescripción de deudas tributarias*, ob. cit., pág. 77.

438   LOZANO SERRANO, C.: "La prescripción de la responsabilidad tributaria", ob. cit., BIB 2012\2998 (Consultado en la base de datos Aranzadi Instituciones, con fecha 12/10/2017). En el mismo sentido GARCÍA NOVOA, C.: *Iniciación, interrupción y cómputo del plazo de prescripción de los tributos*, ob. cit., pág. 171.

439   Además de al principio de seguridad jurídica, LOZANO SERRANO indica que también se verá vulnerado el principio de eficacia administrativa. Vid. LOZANO SERRANO, C.: "La prescripción de la responsabilidad tributaria", ob. cit., BIB 2012\2998 (Consultado en la base de datos Aranzadi Instituciones, con fecha 12/10/2017).

fallido tampoco es notificada a ningún obligado –ni principal, ni responsables solidarios o subsidiarios-, consideramos que son argumentos suficientes para sostener la excepción en este caso.

A mayor abundamiento, el Tribunal Supremo, en su Sentencia de 5 de febrero de 2008[440] también rechaza que la declaración de fallido del deudor principal, y con ello el inicio del plazo de prescripción del responsable subsidiario puedan coincidir en el tiempo.

Otro problema que se deriva de la tesis adoptada por la LGT, particularmente en relación al responsable subsidiario, es que, como el procedimiento de apremio no tiene plazo máximo de duración, sus actuaciones podrán extenderse hasta el plazo de prescripción del derecho de cobro[441], lo que supone que *"no se sanciona tampoco con la pérdida de la virtualidad interruptiva la inactividad del órgano recaudatorio"*[442]. Además, las sucesivas interrupciones del plazo de prescripción del derecho a determinar la deuda tributaria y del derecho a exigir el pago al deudor principal provocan que el inicio del cómputo del plazo de prescripción para el responsable se dilate excesivamente, lo que afecta de manera negativa al principio de seguridad jurídica, que garantiza que el plazo de que dispone la Administración para ejercer sus funciones debe ser razonable[443].

---

440 *Tol 1.272.489.*
441 Tal y como indica el artículo 104.1 de la LGT, *in fine*.
442 FALCÓN Y TELLA, R.: "La prescripción en el proyecto del Ley General Tributaria", ob. cit., pág. 6.
443 GUERRA REGUERA, M.: *Prescripción de deudas tributarias*, ob. cit., págs. 78-79. En este sentido, también, GALÁN RUIZ, que señala que la seguridad jurídica *"se ve mermada por la posibilidad que tienen la Administración*

Por ello, se concluye que la opción tomada por el legislador en la LGT de 2003, presenta puntos criticables que deberían ser objeto de reforma. Para ello se podría, por un lado, precisar o matizar en mayor medida el momento inicial del cómputo. Como ya señalamos, consideramos que el *dies a quo* en estos casos se podría reformular en el siguiente sentido: *"tratándose de responsables subsidiarios, el plazo de prescripción comenzará a computarse desde la notificación de la última actuación recaudatoria practicada al deudor principal o a cualquiera de los responsables solidarios previa a la declaración de fallido"*. Con esta precisión se resolvería el problema derivado de las posibles actuaciones realizadas por la Administración respecto al deudor principal o a los responsables solidarios, posteriores a la declaración de fallido, aunque subsistiría la problemática relativa a la existencia de un plazo muy prolongado en el que el la Administración puede ejercer sus potestades respecto al responsable.

Siendo esta la causa que afecta al principio de seguridad jurídica, consideramos que es la más importante y la que debe ser solventada en primer término. Ello requeriría que se reformule el régimen de la prescripción aplicable a los responsables subsidiarios, estableciendo un plazo máximo para que la Administración pueda ejercer su derecho que, a nuestro juicio, deberá ser de caducidad.

---

de mantener viva la deuda del responsable por un periodo muy elevado de años". Vid. GALÁN RUIZ, J.: *La responsabilidad tributaria*, 1ª ed., Aranzadi, Pamplona, 2005, pág. 259.

4.2.2. *DIES A QUO* DEL PLAZO DE PRESCRIPCIÓN DEL DERECHO A EXIGIR EL PAGO A LOS RESPONSABLES SOLIDARIOS

El artículo 67.2 de la LGT establece una segunda regla especial en relación al plazo de prescripción para exigir la obligación de pago: la prevista para los responsables solidarios. Señala el referido artículo que, cuando la responsabilidad es solidaria el plazo de prescripción *"comenzará a contarse desde el día siguiente a la finalización del plazo de pago en periodo voluntario del deudor principal"*.

Junto a esta excepción a la regla general el precepto añade otra excepción a la excepción: *"en el caso de que los hechos que constituyan el presupuesto de la responsabilidad se produzcan con posterioridad a la finalización del plazo de pago en periodo voluntario, dicho plazo de prescripción se iniciará a partir del momento en que tales hechos hubieran tenido lugar"*. Se observa que, en este caso, el régimen previsto por el legislador para la determinación del *dies a quo* difiere sustancialmente del previsto en relación al responsable subsidiario, divergencia que encuentra su fundamento en la propia distinción entre responsabilidad subsidiaria y responsabilidad solidaria[444].

---

444   Desarrolla esta cuestión ESEVERRI, que indica inicialmente que *"el diferente posicionamiento de las dos modalidades de responsables tributarios en relación con la exigibilidad de la deuda tributaria determina, asimismo, que el inicio del cómputo del plazo de prescripción sea distinto para el responsable solidario y para el responsable subsidiario"*. Vid. ESEVERRI, E.: *La prescripción tributaria en la jurisprudencia del Tribunal Supremo*, ob. cit., págs. 303 y ss.

De este artículo se deriva que son dos los momentos en los que se puede iniciar el cómputo del plazo de prescripción. La aplicación de uno u otro *dies a quo* vendrá determinada por el momento en que tenga lugar el presupuesto de hecho que da origen a la responsabilidad, con carácter general.

Al igual que pusimos de manifiesto cuando exponíamos el *dies a quo* del responsable subsidiario, de la determinación del *dies a quo* para el responsable solidario que realiza la LGT también se puede aducir la falta de conocimiento que tal responsable tiene respecto al momento inicial del cómputo. Este carácter común en la fijación del *dies a quo* en ambos tipos de responsabilidad pone de manifiesto el criterio seguido por el legislador: *"el inicio del cómputo de la prescripción toma como referencia el momento en que la Administración está en posición de romper el silencio de la relación jurídica, no desde el instante en que el responsable es conocedor, formalmente, de su posición deudora a través del acto declarativo de la responsabilidad"*[445]. Este criterio, como se ha indicado, encierra un cierto grado de inseguridad jurídica.

La primera previsión se refiere a los casos en los que el presupuesto de hecho que origina la responsabilidad se produce antes del que finalice el plazo de pago voluntario del deudor principal. En estos supuestos, finalizado tal plazo de pago voluntario, se inicia el plazo de prescripción del derecho a exigir el pago al responsable. Esta previsión es lógica teniendo en cuanta la configuración de la responsabilidad

---

445 ESEVERRI, E.: *La prescripción tributaria en la jurisprudencia del Tribunal Supremo*, ob. cit., pág. 305.

solidaria y, particularmente, lo establecido en el artículo 175 de la LGT

Situar el inicio del plazo de prescripción para el responsable solidario en un momento anterior supondría que el incumplimiento de lo establecido en la propia definición del concepto de responsable, cuando señala que este se situará *"junto al deudor principal"*. Si se otorga a la Administración la posibilidad de dirigirse contra el responsable solidario antes de que finalice el periodo de pago voluntario para el deudor principal sin que este haya satisfecho su deuda, se coloca al responsable *"por delante del deudor principal"*, en cuanto a su obligación de pago, situación a todas luces injusta.

Si el presupuesto de hecho que da origen a la responsabilidad se produce con posterioridad al momento en que finalizó el plazo de pago voluntario del deudor principal, la concurrencia de tal presupuesto de hecho dará lugar al inicio del plazo de prescripción.

Hasta la modificación de la LGT efectuada por la referida Ley 7/2012, de 29 de octubre, la dicción del precepto era otra[446], pues solo preveía el inicio del plazo de prescripción con posterioridad a la finalización del plazo de pago en periodo voluntario del deudor principal en los casos en los que el presupuesto de hecho que da origen a la

---

446   El párrafo segundo del artículo 67.2 de la LGT originalmente indicaba que *"no obstante lo dispuesto en el párrafo anterior, en el caso de los responsables solidarios previstos en el apartado 2 del artículo 42 de esta ley, dicho plazo de prescripción se iniciará en el momento en que ocurran los hechos que constituyan el presupuesto de la responsabilidad".*

responsabilidad fuera el regulado en el artículo 42.2 de la LGT[447]. Esta previsión especial encontraba su fundamento en la especial gravedad de los hechos que originaban el nacimiento de la responsabilidad en estos casos, *"puesto que se trata de actuaciones tendentes, en general, a dificultar o impedir las actuaciones de cobro de la Administración frente al deudor principal"*[448]. Tras la reforma efectuada por la Ley 7/2012 esa especialidad se suprime y se extiende a todos los responsables solidarios, independientemente de la conducta que haya dado origen a su responsabilidad, sin explicación expresa de su causa, pues la Exposición de Motivos de la referida Ley únicamente indica a este respecto que *"se mejora la redacción de la norma en la determinación del dies a quo del inicio del cómputo de los plazos de prescripción en aquellos supuestos de responsabilidad solidaria en que el hecho habilitante para apreciar la misma concurra con posterioridad al día siguiente a la finalización del periodo*

---

447 Los supuestos de responsabilidad solidaria que recoge este precepto son los siguientes:

"a) Las que sean causantes o colaboren en la ocultación o transmisión de bienes o derechos del obligado al pago con la finalidad de impedir la actuación de la Administración tributaria.

b) Las que, por culpa o negligencia, incumplan las órdenes de embargo.

c) Las que, con conocimiento del embargo, la medida cautelar o la constitución de la garantía, colaboren o consientan en el levantamiento de los bienes o derechos embargados, o de aquellos bienes o derechos sobre los que se hubiera constituido la medida cautelar o la garantía.

d) Las personas o entidades depositarias de los bienes del deudor que, una vez recibida la notificación del embargo, colaboren o consientan en el levantamiento de aquéllos".

448 ARRANZ DE ANDRÉS, C.: "La prescripción de la obligación del responsable tributario", en VARIOS: *Estudios de Derecho Financiero y Tributario en homenaje al Profesor Calvo Ortega*, ob. cit., pág. 546.

voluntario del deudor principal", lo que no justifica el sentido de la modificación efectuada.

Esta reforma supone que, a todos los responsables solidarios, independientemente del presupuesto de hecho que de origen a su responsabilidad, se les va a aplicar esta regla especial. Decíamos en líneas superiores que el trato diferenciado que recogía la LGT en su redacción inicial se sustentaba en la especial gravedad de los hechos que daban lugar al nacimiento de la responsabilidad solidaria en los supuestos recogidos en el artículo 42.2 de la LGT, de ahí que incluso algunos autores hayan considerado que tales situaciones *"deben ser más objeto de medidas penales que de estricta responsabilidad tributaria"*[449]. Tras la reforma este razonamiento queda sin efecto, pues el legislador parece ver esa *"especial gravedad"* en todos los supuestos que dan origen al nacimiento de la responsabilidad solidaria.

A pesar de ello, la modificación sí tiene un efecto positivo en relación a la anterior redacción, pues conforme a la literalidad de esta se podía entender que el plazo de prescripción se podía iniciar tanto antes como después de finalizado el periodo voluntario de pago del deudor principal. Si el presupuesto de hecho que da origen a la responsabilidad se producía antes surgía un problema evidente para la Administración, como lo es la reducción "fáctica" del plazo de prescripción. Ante este dilema, autores como FALCÓN Y TELLA[450], señalaron que esta previsión únicamente podría

---

449   GONZÁLEZ SÁNCHEZ, M.: "La extinción de la obligación tributaria", en, CALVO ORTEGA, R. (Dir.): *Comentarios a la Ley General Tributaria*, ob. cit., pág. 784.

450   FALCÓN Y TELLA, R.: "La prescripción en el proyecto del Ley General

aplicarse cuando suponía que el *dies a quo* se retrasara, pero en ningún caso para adelantarlo. Esta solución resultaba más adecuada que el propio texto de la Ley, de ahí que la precisión introducida por la Ley 7/2012 fuera en ese sentido.

Por tanto, si el presupuesto de hecho que da origen a la responsabilidad se produce con posterioridad a la finalización del periodo voluntario de pago del deudor principal, será ese momento el que determine el inicio del plazo de prescripción del derecho de la Administración a exigir el pago, que coincidirá en estos casos con el inicio del plazo de prescripción del derecho a determinar la deuda tributaria -a emitir el acto de derivación de responsabilidad-[451].

5. *DIES AD QUEM* EN EL CÓMPUTO DEL PLAZO DE PRESCRIPCIÓN

El *dies ad quem* es el día en que culmina el plazo de prescripción, a partir del cual esta despliega sus efectos extintivos. En relación a la determinación de este momento, son varios los requisitos a considerar:

1. El cómputo debe realizarse de fecha a fecha, con dos

Tributaria", ob. cit., pág. 6. En el mismo sentido ARRANZ DE ANDRÉS, C.: "La prescripción de la obligación del responsable tributario", en VARIOS: *Estudios de Derecho Financiero y Tributario en homenaje al Profesor Calvo Ortega*, ob. cit., pág. 546.

451　La opción tomada por el legislador en este punto ha sido valorada positivamente por, entre otros, GUERRA REGUERA, que destaca que el criterio seguido por la LGT es la tesis *"más sensata"*. Vid. GUERRA REGUERA, M.: *Prescripción de deudas tributarias*, ob. cit., págs. 74 y ss.

precisiones[452]:

> - Sin en el mes del vencimiento no hubiese día equivalente al inicial, se considerará que el plazo finaliza el último día del mes.
>
> - Si el día en que finaliza el plazo es inhábil, este se entenderá prorrogado hasta el siguiente día hábil.

2. En este ámbito rige el principio *dies ultimus pro completo habetur*, también denominado *dies ad quem computatur*, que significa que el último día del plazo debe considerarse completo[453].

Aludiremos en el siguiente Capítulo al plazo máximo de duración de los procedimientos tributarios y a la caducidad como efecto previsto en algunos de ellos cuanto ese plazo se sobrepasaba, incidiendo también en que, se produzca o no la caducidad, si el plazo máximo de duración del procedimiento se excede, su efecto fundamental en materia de prescripción es la pérdida de su efecto interruptor. Por ello, en la fijación del *dies ad quem* del plazo de prescripción desempeñará un papel esencial el momento en que se considera finalizado el procedimiento. La doctrina del Tribunal Supremo en este punto es clara[454]: el procedimiento finaliza cuando se produce la notificación al contribuyente de la liquidación

---

452   En este sentido es clara la ya referida Sentencia del Tribunal Supremo de 19 de mayo de 2010.

453   Principio referenciado en las Sentencias del Tribunal Supremo de 2 noviembre 1979 (*Tol* 966.707), de 30 de mayo de 1983 o de 4 de julio de 2007 (*Tol* 1.123.926), entre otras.

454   En este sentido, las Sentencias de 30 mayo 2008 (*Tol* 1.333.365), de 2 de febrero de 2012 (*Tol* 2.450.622), de 14 de febrero de 2013 (*Tol* 3.239.147) y de 22 noviembre 2013 (*Tol* 4.030.056), entre otras.

resultante de las actuaciones realizadas. Si esta notificación, y no ningún otro acto, se produce transcurrido el plazo máximo de duración del procedimiento, la interrupción del plazo de prescripción se tendrá por no producida, con lo que si el inicio del procedimiento estaba próximo en el tiempo a la finalización del plazo de prescripción, el *dies ad quem* podría haberse alcanzado antes de la notificación.

Idéntica situación ocurre en aquellos supuestos en los que la liquidación de un tributo corresponde a la Administración y es notificada al contribuyente transcurrido el plazo de prescripción. En nada afecta a la interrupción, ni varía el *dies ad quem* del plazo de prescripción, que con carácter previo a la notificación, y antes de que culminara el plazo, la Administración haya realizado actuaciones tendentes a la liquidación de la deuda, si la notificación de tal liquidación se produce transcurrido *dies ad quem* el derecho se considerará extinguido[455].

---

455   Así lo indica el Tribunal Supremo en la Sentencia de 6 noviembre 1993 (*Tol 5.125.073*), en la que señala que *"si el «dies a quo» del plazo citado es el del devengo o transmisión onerosa de la finca, materializado el 28-6-1982, el «dies ad quem», según el tenor del art. 66.a de la citada Ley General Tributaria («El plazo de prescripción a que se refiere la letra «a» del art. 64 se interrumpe por cualquier acción administrativa, realizada con conocimiento formal del sujeto pasivo, conducente al reconocimiento, regulación, inspección, aseguramiento, comprobación, liquidación y recaudación del Impuesto devengado por cada hecho imponible»), es el de la notificación al señor M. de la exacción, practicada el 14-7-1987, vencido ya el comentado plazo de los cinco años, pues del texto transcrito se infiere, evidentemente, que no basta que se efectúe la actuación administrativa, en el caso presente la de liquidación, sino que es preciso, además, que sea notificada o, en la forma que se prevea, puesta en conocimiento del sujeto afectado, de modo tal que, en consecuencia, será la notificación lo que habrá de producirse antes de finalizar el período de la prescripción para tener virtualidad interruptiva (circunstancia que aquí se materializó dieciséis días después de transcurrido el término citado)".*

CAPÍTULO CUARTO

LA INTERRUPCIÓN DEL PLAZO DE PRESCRIPCIÓN DE LOS DERECHOS DE LA ADMINISTRACIÓN TRIBUTARIA CONFORME AL ARTÍCULO 68 DE LA LEY GENERAL TRIBUTARIA

1. CONSIDERACIONES INICIALES

Si la prescripción se fundamenta en la el transcurso de un plazo de tiempo y en la inactividad de las partes, el referido *"silencio de la relación jurídica"*, es evidente que si alguna de las partes rompe tal silencio el requisito exigido decae, con el efecto de reiniciarse de nuevo el plazo de prescripción íntegramente[456]. Así, la interrupción de la prescripción obedece al propio fundamento de la institución, que radica en la ausencia de actuación por las partes que intervienen en la relación jurídica. Las partes, que en el marco de la relación jurídico-tributaria son la Administración tributaria y el

---

456   En palabras de MARTÍN CÁCERES, *"si la prescripción es el efecto jurídico que la ley anuda al silencio prolongado de la relación jurídica, consistente en la extinción o pérdida del derecho no ejercitado y/o reconocido, la interrupción del plazo de prescripción consiste, por el contrario, en el efecto jurídico derivado del ejercicio y/o reconocimiento del derecho antes de que expire el plazo de prescripción, lo que determina la inhabilitación del plazo transcurrido hasta la fecha en que tiene lugar dicho acto, debiéndose de computar de nuevo el plazo por entero"*. MARTÍN CÁCERES, A. F.: "Prescripción", en VARIOS: *Comentarios a la Ley General Tributaria y líneas para su reforma. Homenaje a Fernando Sainz de Bujanda*, Volumen II, 1ª ed., Instituto de Estudios Fiscales, Madrid, 1991, pág. 1029.

obligado tributario, pueden realizar actos que, al desvirtuar tal fundamento, provoquen efectos interruptivos.

La posibilidad de interrupción del plazo es uno de los principales elementos que distingue la prescripción de la caducidad. Precisamente que las sucesivas Leyes Generales Tributarias hayan recogido causas de interrupción en su regulación de la prescripción ha sido uno de los principales argumentos esgrimidos para justificar que el plazo regulado estos textos legales era de prescripción y no de caducidad.

La LGT establece causas interruptivas propias para cada uno de los derechos susceptibles de prescribir, tanto de la Administración, como del obligado tributario. Las causas interruptivas de la prescripción de los derechos de la Administración a liquidar el tributo y a exigir el pago aparecen tasadas en el artículo 68 de la LGT. De estos supuestos se puede decir que *"se trata de actos de índole muy diversa y heterogéneos desde el punto de vista de quién los realiza"*[457], pero no solo desde ese punto de vista, también en relación a su contenido.

Como se observará en diferentes puntos de este Capítulo, es innegable la influencia que la legislación Civil ha ejercido en la configuración de la prescripción tributaria. Esa incidencia se observa de manera directa en las causas de interrupción, que no suponen sino un traslado al ámbito tributario de los principios generales sobre interrupción de la prescripción establecidos en el artículo 1.973 del Código

---

457   VEGA HERRERO, M.: *La prescripción de la obligación tributaria*, ob. cit., pág. 66.

Civil pues, conforme a dicho precepto, la prescripción se interrumpe por el ejercicio de la acción ante los Tribunales, por cualquier reclamación extrajudicial del acreedor y por cualquier reconocimiento de deuda hecho al deudor[458]. Esta adopción no significa que las causas interruptivas de la prescripción en el ámbito iusprivatista y en la LGT sean las mismas, sino que el legislador tributario ha pretendido adaptar tales criterios a las particularidades propias de la obligación tributaria.

Estrechamente relacionado con la interrupción del plazo se encuentra la suspensión. En el Derecho Privado, la suspensión no se prevé en el Código Civil ni para la prescripción, -por haberse eliminado legislativamente los supuestos en los que esta se daba-, ni para la caducidad, -por su fundamento-. El legislador tributario tampoco ha previsto causas de suspensión del plazo de prescripción, sino que, como expondremos, ha optado por la interrupción duradera como alternativa a la regla general de la interrupción instantánea, lo que no obsta para que, en algunos supuestos, como en los que concurren causas de fuerza mayor, se pueda producir la suspensión del plazo.

---

458 En este sentido, DÍEZ-PICAZO pone de manifiesto que *"en términos generales, se puede decir que el espíritu de la ley coincide en ese punto con el principio general establecido en el artículo 1.973 del Código Civil"*. Vid. DÍEZ-PICAZO, L.: "La extinción de la deuda tributaria", *Revista de Derecho Financiero y Hacienda Pública*, núm. 54, 1964, pág. 480. En el mismo sentido, FERREIRO LAPATZA, J. J.: "La extinción de la obligación tributaria", ob. cit., pág. 1065 y VEGA HERRERO, M.: *La prescripción de la obligación tributaria*, ob. cit., pág. 66.

Para finalizar, antes de iniciar el estudio particular de la regulación a interrupción de la prescripción en la LGT, es preciso hacer notar que esta representa el aspecto de este instituto extintivo que ha sido objeto de más pronunciamientos administrativos y jurisprudenciales. Las abundantes resoluciones recaídas en torno a las causas interruptivas de la prescripción se deben a que la LGT regula unas causas generales de interrupción y sus efectos, pero la practica tributaria está compuesta de supuestos particulares, con lo que, en muchas ocasiones, han sido los órganos administrativos y jurisprudenciales los que han tenido que decidir qué supuestos particulares encajaban, y en caso afirmativo, cómo, en el régimen general establecido en la LGT.

2. LA INTERRUPCIÓN DE LA PRESCRIPCIÓN DEL DERECHO DE LA ADMINISTRACIÓN A DETERMINAR LA DEUDA TRIBUTARIA

La prescripción, ya sea en su configuración civil, ya sea en su configuración tributaria, es una institución de carácter netamente legal, en el que la voluntad de las partes no tiene cabida en el establecimiento de su régimen jurídico, por lo que la regulación de este mecanismo extintivo debe, en todo caso, efectuarse por el legislador. Puesto que hay determinados aspectos del régimen de la prescripción que, por desempeñar un papel esencial en el funcionamiento del esta institución, poseen una especial importancia, resulta lógico que, atendiendo a las posibilidades reguladoras de que dispone el legislador, se haya optado porque estos aspectos esenciales se regulen por Ley. Esta previsión se recoge el artículo 8. f) de la LGT que precisa que la reserva legal se aplicará a "*las causas de interrupción del cómputo de los plazos de prescripción*". Con ello, será únicamente un texto de rango legal el que pueda establecer las actuaciones interruptivas del plazo, quedando vedada esta posibilidad a la normativa de rango reglamentario e inferiores[459]. Por ello, la regulación de la interrupción de la prescripción se realiza exclusivamente en la LGT, de modo que, aunque subsista algún texto legal, de rango reglamentario y previo a la entrada en vigor de la LGT, que establezca causas de interrupción, estas deben entenderse tácitamente derogadas en todo lo que contradigan lo establecido en la LGT.

Al igual que ha ocurrido con los restantes elementos que configuran el régimen de la prescripción tributaria, la regulación de las causas interruptivas ha sufrido una evolución, materializada en diversas modificaciones de los textos legales referidos. Esta evolución se caracteriza por la mayor definición de las causas interruptivas, pues una de las características de la regulación de la interrupción de la prescripción en la LGT es su especificidad, en el sentido de que se establecen causas interruptivas particulares para cada uno de los derechos susceptibles de prescribir. Sin embargo, esto no ha sido siempre así, pues en la LGT de 1963 se establecían de manera conjunta las causas de interrupción del derecho de la Administración para determinar la deuda

---

459   Esta referencia expresa a las causas de interrupción no se recogía en el texto de 1963, por lo que, hasta la entrada en vigor del texto de 2003 sí es posible encontrar textos de rango reglamentario, como el Reglamento del ISD, que establecen causas de interrupción del plazo.

tributaria, de la acción para exigir el pago y de la acción para imponer sanciones tributarias. Así, señalaba el artículo 66.1 del referido texto legal:

"Los plazos de prescripción a que se refieren las letras a), b) y c) del artículo sesenta y cuatro se interrumpen:

a) Por cualquier acción administrativa, realizada con conocimiento formal del sujeto pasivo, conducente al reconocimiento, regulación, inspección, aseguramiento, comprobación, liquidación y recaudación del impuesto devengado por cada hecho imponible. A estos efectos se entenderán como realizadas directamente con el sujeto pasivo las actuaciones de Juntas y Comisiones, en el procedimiento de estimación global, para los que estuvieren debidamente representados.

b) Por la interposición de reclamaciones o recursos de cualquier clase.

c) Por cualquier actuación del sujeto pasivo conducente al pago o liquidación de la deuda".

El apartado a) del precepto transcrito fue modificado por el artículo 20 de la Ley 14/2000, de Medidas fiscales, administrativas y del orden social[460], a fin de adecuar su contenido a la LDCG. Tras la reforma, el apartado queda como sigue:

---

460 BOE núm. 313, de 30 de diciembre de 2000.

"*a) Por cualquier acción administrativa, realizada con conocimiento formal del sujeto pasivo, conducente al reconocimiento, regularización, inspección, aseguramiento, comprobación, liquidación y recaudación del tributo devengado por cada hecho imponible. Asimismo, los plazos de prescripción para la imposición de sanciones se interrumpirán, además de por las actuaciones mencionadas anteriormente, por la iniciación del correspondiente procedimiento sancionador*".

La doctrina realizó diferentes comentarios a esta regulación de la interrupción de la prescripción que recogía la LGT de 1963 que, fundamentalmente, se relacionaban con tres cuestiones: la amplitud en la definición de las causas interruptivas, su establecimiento conjunto para todos los supuestos de prescripción y la ausencia, al igual que ocurre en la Norma Civil, de supuestos de suspensión de la prescripción[461].

Tras la entrada en vigor de la LGT de 2003, el régimen de la interrupción de la prescripción sufrió una profunda modificación. La Exposición de Motivos de este texto legal justifica esta reforma en el objetivo de evitar dudas interpretativas, para lo que "*se establece una regulación más completa, con sistematización de las reglas de cómputo e interrupción del plazo de forma separada para cada derecho susceptible de prescripción*".

---

461 VEGA HERRERO, M.: *La prescripción de la obligación tributaria*, ob. cit., págs. 63-66.

El artículo 68 de la LGT recoge el régimen regulador de la interrupción de la prescripción tributaria. En relación a este precepto se puede afirmar que la regulación de la interrupción de la prescripción pasó a contemplarse no desde dos puntos de vista, sino, en palabras de DÍEZ-PICAZO[462], desde cuatro, conformados cada uno de ellos por los distintos derechos susceptibles de prescribir establecidos en el artículo 66 de la LGT.

Particularmente, en relación al derecho de la Administración a determinar la deuda tributaria el referido artículo 68, en su apartado 1, señala lo siguiente:

> *"El plazo de prescripción del derecho a que se refiere el párrafo a) del artículo 66 de esta Ley se interrumpe:*
>
> *a) Por cualquier acción de la Administración tributaria, realizada con conocimiento formal del obligado tributario, conducente al reconocimiento, regularización, comprobación, inspección, aseguramiento y liquidación de todos o parte de los elementos de la obligación tributaria que proceda, aunque la acción se dirija inicialmente a una obligación tributaria distinta como consecuencia de la incorrecta declaración del obligado tributario.*
>
> *b) Por la interposición de reclamaciones o recursos de cualquier clase, por las actuaciones realizadas con conocimiento*

---

462   DÍEZ-PICAZO, L.: "La extinción de la deuda tributaria", ob. cit., pág. 480.

formal del obligado tributario en el curso de dichas reclamaciones o recursos, por la remisión del tanto de culpa a la jurisdicción penal o por la presentación de denuncia ante el Ministerio Fiscal, así como por la recepción de la comunicación de un órgano jurisdiccional en la que se ordene la paralización del procedimiento administrativo en curso.

c) Por cualquier actuación fehaciente del obligado tributario conducente a la liquidación o autoliquidación de la deuda tributaria".

El texto reproducido es el vigente, que ha sufrido alguna variación respecto a su versión original. Concretamente, la ya referida Ley 7/2012 modificó el subapartado a) para introducir la expresión *"aunque la acción se dirija inicialmente a una obligación tributaria distinta como consecuencia de la incorrecta declaración del obligado tributario"*, cuyos efectos analizaremos en apartados posteriores.

Como se puede observar, el artículo se subdivide en tres subapartados, de los cuales el primero corresponde a actuaciones interruptivas susceptibles de ser desarrolladas por la Administración, el segundo a actuaciones que pueden ser desarrolladas por la Administración o por el obligado tributario y, el tercero, a actuaciones llevadas a cabo por el obligado tributario.

Esta nueva regulación de la interrupción de la prescripción fue valorada como *"muy casuística y específica"*, lo que, a juicio de GONZÁLEZ SÁNCHEZ[463], haría muy difícil encajar entre las causas de interrupción supuestos distintos a los previstos. Esta afirmación parece indicar que la regulación de las causas de interrupción de la prescripción posee carácter restrictivo, y que, con ello, no muchas actuaciones interrumpirán la prescripción. Sin embargo, resulta totalmente al contrario. Aunque es innegable que la LGT de 2003 realizó una eminente labor en pro de la concreción de las causas interruptivas, no lo es menos que la redacción de tales causas está dotada de un carácter plenamente amplio (*"cualquier actuación"*, *"cualquier acción"*), lo que, en la práctica, dará lugar a numerosas dudas interpretativas. Del análisis de algunas de ellas se ocuparán los siguientes apartados, para lo que se seguirá el mismo orden que adoptan los supuestos interruptivos establecidos en la LGT, desde un doble prisma: por un lado, la interrupción de la prescripción del derecho a determinar la deuda por actos de la Administración y, por otro, la interrupción de la prescripción del derecho a determinar la deuda por actos del obligado tributario.

---

463 GONZÁLEZ SÁNCHEZ, M.: "La extinción de la obligación tributaria", en, CALVO ORTEGA, R. (Dir.): *Comentarios a la Ley General Tributaria*, ob. cit., págs. 784-785. La precisión en la definición de las causas de interrupción permiten afirmar a este autor que *"solo las situaciones que guardan una relación directa con ellos produce la interrupción, cosa que no sucede cuando se trate de situaciones circunstanciales o que la relación es indirecta"*.

2.1. INTERRUPCIÓN DE LA PRESCRIPCIÓN DEL DERECHO A DETERMINAR LA DEUDA TRIBUTARIA POR ACTOS DE LA ADMINISTRACIÓN

2.1.1. REQUISITOS DE LA ACTIVIDAD ADMINISTRATIVA PARA QUE GOCE DE EFECTOS INTERRUPTIVOS DE LA PRESCRIPCIÓN

Siendo la Administración tributaria el sujeto acreedor de la deuda tributaria cuyo derecho a su determinación ostenta, no cabe duda de que sus actos podrán interrumpir el plazo de prescripción[464]. El artículo 68.1 a) de la LGT inicia su texto indicando que el plazo de prescripción se interrumpe *"por cualquier actuación de la Administración tributaria"*. Ello permite inferir la primera característica que se puede predicar de este precepto: su carácter abierto[465], pues, como se acaba de reflejar, se refiere a los actos interruptivos de la Administración en términos muy amplios,

---

464 Como apuntan CALVO ORTEGA y CALVO VÉRGEZ, la interrupción del plazo de prescripción por actos de la Administración *"es el supuesto normal, que consiste en una actividad de la Administración acreedora interesada en el mantenimiento de su derecho"*. Vid. CALVO ORTEGA, R., CALVO VÉRGEZ, J.: *Curso de Derecho Financiero*, ob. cit., pág. 192.

465 En este sentido señala MANTERO SÁENZ que la regulación de la interrupción en la LGT presenta *"una redacción amplísima, que viene a permitir cualquier forma de interrupción, siempre que se haga con conocimiento formal del sujeto pasivo"*. Vid. MANTERO SÁENZ, A.: "La prescripción en el Derecho Tributario", ob. cit., pág. 165. En el mismo sentido, FALCÓN Y TELLA, R.: *La prescripción en materia tributaria*, ob. cit., pág. 132 y BAYONA DE PEROGORDO, J. J., SOLER ROCH, M. T.: *Derecho financiero*, Volumen II, Compás, Alicante, 1989, pág. 206. Aunque estos comentarios se realizaron en relación al texto de la LGT de 1963, son extrapolables a la normativa actual.

que no solo comprenden el acto administrativo estrictamente considerado, *"sino también toda actuación que suponga el ejercicio del derecho en prescripción"*[466].

Pero ¿puede interrumpir el plazo de prescripción cualquier acto realizado por la Administración? Evidentemente no. A pesar de que es innegable que el artículo realiza una delimitación positiva de los actos con virtualidad interruptiva, también establece límites a esas actuaciones. El artículo 68.1 a) establece, inicialmente los requisitos que debe cumplir la actuación de la Administración para que tenga eficacia interruptiva. Estos requisitos son dos:

a. Que el obligado tributario tenga conocimiento formal de la actuación realizada.

b. Que la actuación esté destinada al reconocimiento, regularización, comprobación, inspección, aseguramiento y liquidación de todos o parte de los elementos de la obligación tributaria que proceda.

Esta previsión ha sido precisada por el Tribunal Supremo, entre otras, en las Sentencias de 11 de febrero de 2002, de 13 de febrero de 2007, de 17 de marzo de 2008, de 6 de abril de 2009 y de 17 de mayo y 29 de noviembre de 2012[467], en las que el Alto Tribunal ha dejado sentado que solo interrumpirá el plazo de prescripción la actividad

---

466 MARTÍN CÁCERES, A. F.: "Prescripción", en VARIOS.: *Comentarios a la Ley General Tributaria y líneas para su reforma. Homenaje a Fernando Sainz de Bujanda*. ob. cit., pág. 1030.

467 *Tol* 1.701.725, *Tol* 1.042.402, *Tol* 1.292.732, *Tol* .509.640, *Tol* 2.551.078 y *Tol* 2.709.740, respectivamente.

administrativa en la que se den las siguientes notas:

1. Que se trate de una actividad real dirigida a la finalidad de liquidación o recaudación de la deuda tributaria

2. Que sea una actividad jurídicamente válida.

3. Que la actuación se notifique al sujeto pasivo.

4. Que sea una actuación precisa en relación con el concepto impositivo de que se trata. Exigencia esta última que comprende el que la actuación administrativa se refiera al mismo impuesto y período.

A estos cuatro requisitos se añade un quinto recogido por la Ley y perfilado también por la doctrina[468], que conecta directamente con la necesidad de que el sujeto pasivo tenga conocimiento formal del acto: que la actividad se despliegue *"cerca"* del obligado tributario, lo que excluye todas aquellas actuaciones de carácter interno desarrolladas por la Administración.

Por tanto, además del conocimiento formal de la actuación por el sujeto pasivo, de cuyo estudio se ocupará el epígrafe siguiente, es necesario que los actos de la Administración reúnan unas determinadas condiciones para provocar la interrupción, que no se ciñen exclusivamente a que la actuación esté relacionada con la deuda tributaria,

---

468 MARTÍN CÁCERES, A. F.: "Prescripción", en VARIOS: *Comentarios a la Ley General Tributaria y líneas para su reforma. Homenaje a Fernando Sainz de Bujanda*, ob. cit., pág. 1032.

sino que exigen, además, que contribuya efectivamente a la liquidación de la deuda concreta a la que se refiera[469]. En este sentido se ha pronunciado el Tribunal Supremo, entre otras, en las Sentencias de 13 de enero de 2011, de 24 de abril de 2011, de 14 de enero de 2013 y de 9 de junio de 2014[470], en las que este órgano jurisdiccional evidencia que solo pueden interrumpir la prescripción los actos ordenados a iniciar o proseguir los respectivos procedimientos administrativos, pero no aquellas actuaciones que resulten puramente dilatorias.

También la doctrina, destacando en este punto a ESCRIBANO[471], que formuló el denominado *"principio de unicidad e independencia del procedimiento"*, que supone *"la afirmación de que cada procedimiento, es decir, cada concatenación de hechos con trascendencia jurídica dirigidos a la conformación de la voluntad de la Administración que, en cumplimiento del ordenamiento jurídico, desarrolla una función y determina la emanación de una acto administrativo, sigue una línea independiente en su regulación sin posibilidad de interferencia con hechos que las partes implicadas en el mismo pueden tener en otro procedimiento y esto incluso en*

---

469   Para SOLER ROCH y BAYONA DE PEROGORDO, los requisitos para que una actuación administrativa interrumpa el plazo de prescripción son tres: *"la relación del acto con los procedimientos de gestión tributaria (liquidación y recaudación), su conexión con cada obligación tributaria devengada y el conocimiento fehaciente del sujeto pasivo"*. Vid. BAYONA DE PEROGORDO, J. J., SOLER ROCH, M. T.: *Derecho financiero*, Volumen II, ob. cit., pág. 206.

470   *Tol 2.056.804.*

471   ESCRIBANO LÓPEZ, F.: "Procedimiento de liquidación: presupuestos metodológicos y consecuencias prácticas. Prescripción e interrupción de plazos", *Crónica Tributaria*, núm. 19, 1976, pág. 191.

aquellos casos en los que las acciones que se pretendan ejercitar tengan su origen en el procedimiento anterior". Trasladar esta construcción al ámbito de la prescripción tributaria supone admitir que solo interrumpirán la prescripción aquellos actos realizados en el marco del procedimiento tributario que tenga una relación directa con la finalidad del mismo y, por tanto, con la determinación de la deuda tributaria.

De esta forma, deberán excluirse todas aquellas actuaciones en las que no se aprecie esa finalidad tendente a efectuar la liquidación, de manera directa, tales como aquellas que se limitan a anunciar actuaciones futuras, a recoger la documentación presentada sin valorarla, a reiterar la solicitud de una documentación que ya se encuentra en el expediente, a dejar constancia de un hecho evidente o a recabar datos[472]. En definitiva, es abundante la jurisprudencia del Tribunal Supremo que priva de efectos interruptivos a aquellas actuaciones de la Administración efectuadas con la finalidad exclusiva de evitar la consumación del plazo de prescripción, en las que no se aprecie una actividad efectiva tendente a la liquidación de la deuda que genere la progresión del procedimiento. Estas actuaciones, denominadas *"diligencias argucia"*, han dado lugar a una abundantísima jurisprudencia, por lo que se tratarán en un epígrafe diferenciado, aunque baste este acercamiento inicial

---

472 Como indica GARCÍA NOVOA, *"las actuaciones llevadas a cabo por la Administración con virtualidad interruptiva deben ser serias y reales"*. Vid. GARCÍA NOVOA, C.: "La prescripción del tributo en la LGT/2003. Aspectos conceptuales y prácticos", en ARRIETA MARTÍNEZ DE PISÓN, J., COLLADO YURRITA, M. A. y ZORNOZA PÉREZ, J. (Dir.): *Tratado sobre la Ley General Tributaria*, Tomo I, 1ª ed., Aranzadi, Madrid, 2010, pág. 1293.

para efectuar una delimitación inicial de tipo de actividad administrativa que puede interrumpir la prescripción.

Otro de los requisitos enunciados alude a que sea una *"actuación precisa en relación con el concepto impositivo de que se trata"*. Esto supone que una actuación de la Administración no puede interrumpir el plazo de prescripción de todas las deudas que el obligado tributario tenga con la Hacienda Pública, sino solo aquel plazo con cuya deuda está relacionada tal actuación[473]. Así, por ejemplo, la comprobación de la ganancia patrimonial derivada de la venta de un inmueble, a efectos de IRPF, no interrumpirá el plazo de prescripción del IIVTNU. Esta previsión concuerda con el carácter independiente de cada una de las deudas del obligado tributario. Si las deudas tributarias, incluso correspondiendo al mismo sujeto, son independientes, carecería de toda lógica otorgar a las actuaciones de la Administración un efecto interruptivo general. Lo contrario, esto es, dotar a los actos de la Administración la capacidad de interrumpir el plazo de prescripción de deudas tributarias sobre las que no recaen, no solo no encajaría en la configuración de la deuda tributaria, sino que vulneraría flagrantemente el principio de seguridad jurídica. Sin embargo, aunque con carácter general el legislador mantiene esta previsión, esta máxima parece romperse con la regulación de la interrupción del plazo de prescripción de las obligaciones conexas que se introdujo en

---

473   Como señala FERREIRO LAPATZA, *"a esta idea hace referencia la LGT al decir que la acción de la Administración con efectos interruptivos ha de dirigirse a la determinación de todos o parte de los elementos de la "obligación tributaria" o a la efectiva recaudación de "la deuda tributaria", es decir, de "cada" obligación o deuda"*. Vid. FERREIRO LAPATZA, J. J.: *Instituciones de Derecho financiero*, ob. cit., pág. 317.

la LGT tras la reforma efectuada por la Ley 34/2015, cuestión sobre la que volveremos al final de este Capítulo.

Además, el efecto interruptivo no solo no se extiende a otras deudas del obligado tributario, ya que tampoco alcanza a otros derechos susceptibles de prescribir que recaigan sobre la misma deuda, sino solo al que está directamente vinculado con la actuación interruptiva, pues, como expusimos al abordar la cuestión de la independencia de los distintos derechos susceptibles de prescribir, uno de los elementos que sustenta esta independencia es que los actos interruptivos del derecho a liquidar no interrumpen del derecho a exigir el pago, y viceversa, de ahí que las causa de interrupción también se hayan establecido con carácter individual. Así, las actuaciones destinadas a liquidar el IRPF de un determinado ejercicio no interrumpirán el derecho a exigir el pago en concepto de ese impuesto y ejercicio, sino que únicamente desplegarán efecto interruptivo respecto al derecho a determinar la deuda tributaria del IRPF en el ejercicio de que se trate.

2.1.2. EL CONOCIMIENTO FORMAL DEL OBLIGADO TRIBUTARIO

Señalábamos en el apartado anterior que la LGT y la jurisprudencia coinciden en que, para que la actuación administrativa tenga virtualidad interruptiva, además de poseer una determinada finalidad, debe efectuarse con conocimiento formal del obligado tributario. De nada sirve a efectos de la interrupción del plazo de prescripción que la Administración desarrolle una actividad de la que no quepa duda alguna de que está orientada a la liquidación del tributo, si no se pone el conocimiento del sujeto por ella afectado, en definitiva, si la Administración no exterioriza su voluntad. Como señala el Tribunal Supremo en la Sentencia de 31 de octubre de 2012[474], *"por aplicación de la seguridad jurídica mínimamente exigible, <u>un acto administrativo no puede tener efectos sobre quien no lo conoce ni puede depender en su eficacia del arbitrio de quien lo dictó</u>. Las circunstancias interruptivas de la prescripción han de ser notificadas al sujeto pasivo para que tenga conocimiento formal de las mismas y, por tanto, tengan eficacia interruptiva del cómputo de la prescripción"*. La exigencia de conocimiento formal por parte del obligado tributario para que el acto administrativo tenga efectos interruptivos es una excepción a la regla general de la eficacia inmediata de los actos administrativos, consagrada en el artículo 39.1 de la Ley 39/2015, según el cual *"los actos de las Administraciones Públicas sujetos al Derecho Administrativo se presumirán válidos y producirán efectos desde la fecha en que se dicten, salvo que en ellos se disponga otra cosa"*. Sin embargo, precisa el apartado segundo de este precepto que *"la eficacia quedará demorada cuando así lo exija el contenido del acto o esté supeditada a su notificación, publicación o aprobación superior"*, tal y como exigen las normas sobre interrupción de la prescripción.

La necesidad de que la actuación sea conocida por el obligado tributario para que produzca efectos interruptivos excluye todas aquellas actuaciones realizadas en el ámbito interno de la Administración, de las que el sujeto pasivo no

---

474 *Tol* 2.694.572.

tiene conocimiento, pues, como señala ROSSY[475], *"quedaría frustrada la institución de la prescripción si bastará con que los funcionarios de la Administración pasaran de una oficina a otra un expediente, o pidieran datos o informaciones a terceros, para que el plazo de prescribir quedara interrumpido"*. En el mismo sentido, VEGA HERRERO[476], que apunta que *"el conocimiento formal supone que la actuación de la Administración ha de ser notificada al sujeto pasivo para que surta el efecto de interrumpir la prescripción, de forma que los actos realizados que queden en el ámbito interno de la Administración, sin trascender formalmente al sujeto pasivo, sin irrelevantes al fin indicado"*. Esta necesidad de conocimiento formal por parte del obligado tributario para que el acto Administrativo posea efecto interruptivo se deriva, con toda lógica, de la necesidad de que ambas partes intervinientes en la relación jurídica conozcan que se ha roto el *"silencio de la relación jurídica"* antes de la conclusión del plazo legal de prescripción[477].

475　ROSSY, H.: *Instituciones de Derecho Financiero*, ob. cit., pág. 563.

476　VEGA HERRERO, M: *La prescripción de la obligación tributaria*, ob. cit., pág. 72.

477　Desde la óptica de la prescripción tributaria este es el fundamento esencial de la exigencia de *"conocimiento formal"*, pero, ampliando un poco más la visión del fundamento de la exigencia de notificación de los actos administrativos, conecta *"con la universalización del recurso contra todo tipo de actos, sobre todo a través de la vía económico-administrativa"*. Vid. GARCÍA NOVOA, C.: *Las notificaciones tributarias*, 1ª ed., Aranzadi, Elcano (Navarra), 2001, pág. 27.

La jurisprudencia del Tribunal Supremo ha sido clara en la exclusión del efecto interrruptivo a las actuaciones de carácter interno y así lo indica en abundantes pronunciamientos. Sirvan de muestra la Sentencia de 8 de febrero de 2002[478], donde señala que *"es claro que las actuaciones internas de la Administración (...) no notificadas al recurrente, no interrumpen la prescripción"* y la Sentencia de 22 de octubre de 2012[479], que indica que *"las actuaciones de la Administración realizadas para la liquidación del impuesto o complementarias de aquéllas, debidamente conocidas por el contribuyente, interrumpen la prescripción, pero no son circunstancias interruptivas de la prescripción cualquier actuación de la Administración no conocida por el contribuyente o que no se dirija directamente a los fines antes enumerados"*, o la Sentencia de 31 de octubre de 2012[480], en la que se niega eficacia interruptiva a peticiones de información a otras Administraciones que no fueron notificadas al interesado, pues *"las circunstancias interruptivas de la prescripción han de ser notificadas al sujeto pasivo para que tenga conocimiento formal de las mismas y, por tanto, tengan eficacia interruptiva del cómputo de la prescripción. Al no aparecer en el expediente la notificación citada, hay que concluir, en el caso tratado, en la no producción de ningún acto interruptivo realizado con conocimiento del sujeto pasivo"*.

La cuestión que se plantea en este punto es evidente ¿cuándo se considera que el obligado tributario tiene

---

478   *Tol* 1.702.043.

479   *Tol* 2.676.047.

480   *Tol* 2.694.572.

conocimiento formal de la actuación realizada?. Responder a esta pregunta es esencial para determinar el momento en que se produce la interrupción y conecta de manera directa con los requisitos que deben cumplir las notificaciones tributarias para gozar de efectividad, pues, la ausencia de notificación, o que esta sea defectuosa provoca que la actuación administrativa pierda su eficacia para interrumpir la prescripción[481]. En definitiva, la referencia expresa al conocimiento *"formal"*, y no únicamente al conocimiento del obligado tributario, da a entender que lo que el legislador quiere no es solo que el sujeto conozca la actuación de la Administración, sino que la conozca a través del procedimiento previsto al efecto[482].

De esta manera, el cumplimiento de las formalidades establecidas en la LGT para la realización de la notificación, deviene en requisito esencial para garantizar que la comunicación del acto tiene lugar. Así lo ha indicado el Tribunal Supremo en abundantísima jurisprudencia, entre otras, en las Sentencias de 20 de abril de 2007, de 20 de

---

481 BAYONA DE PEROGORDO, J. J., SOLER ROCH, M. T.: *Derecho financiero,* Volumen II, ob. cit., pág. 207.

482 ESEVERRI hace referencia a la distinción entre el conocimiento *"formal"* y *"material",* indicando que la alusión al conocimiento *"formal"* supone que lo que se exige a la Administración no es que *"el obligado tributario llegue a tener conocimiento material del contenido de la actuación interruptora",* sino que, formalmente, esto es, de acuerdo con la legalidad establecida, realice la notificación *"cuidando con el procedimiento establecido para que la notificación pueda cobrar eficacia".* Vid. ESEVERRI, E.: *La prescripción tributaria en la jurisprudencia del Tribunal Supremo,* ob. cit., pág. 144. CORTÉS DOMÍNGUEZ, por su parte, indica que *"no es necesario que tenga un conocimiento sustancial y efectivo de estas actuaciones para que la prescripción pueda interrumpirse sino que es suficiente con el conocimiento formal y potencial".* Vid. CORTÉS DOMÍNGUEZ, M.: *Ordenamiento tributario español,* Volumen I., ob. cit., pág. 499.

octubre de 2010, de 15 de septiembre y de 13 de octubre de 2011.[483]

En definitiva, las notificaciones tributarias no poseen el efecto de validar el acto administrativo que comunican, sino que su efecto es puramente de garantía jurídica de que ningún acto no notificado surtirá efectos contra el administrado, pues, en palabras de BECERRA GUIBERT[484], *"estamos en el terreno de la eficacia de los actos, no en el de los derechos de los administrados"*.

Ello permite responder a otra cuestión que se puede plantear al hilo de estas afirmaciones ¿en qué momento se considera interrumpida la prescripción?. Obviamente, cuando se cumplen todas las formalidades previstas legalmente para que la notificación se entienda correctamente realizada, momento que, por regla general, coincidirá con el de recepción de la notificación por el obligado o por un tercero de los previstos en la Ley. La salida de la notificación de las oficinas de la Administración, la entrada en las oficinas de Correos, o cualquier otra circunstancia, aun siendo necesario que se produzca, no pueden interrumpir la prescripción. Cosa distinta es que, si la Administración respeta el procedimiento para que la notificación sea efectiva y esta no llega a ser recibida por causas no imputables a la Administración, se tenga igualmente por efectuada e interrumpa la prescripción, pues se ha realizado conforme al procedimiento establecido al efecto[485].

---

483 Tol 1.076.051, Tol 1.982.066, Tol 2.257.436 y Tol 2.278.805, respectivamente.

484 BECERRA GUIBERT, I.: *Las notificaciones tributarias*, 1ª ed., Aranzadi, Pamplona, 1982, pág. 19.

485 ESEVERRI, E.: *La prescripción tributaria en la jurisprudencia del Tribunal Supremo*, ob. cit., pág. 144.

El régimen legal aplicable a las notificaciones tributarias se establece en los artículos 109 a 112, ambos inclusive, de la LGT, desarrollados por los artículos 114, 115 y 115 bis del RGAPGIT. En estos preceptos se establecen los requisitos que se deben cumplir para que las notificaciones tributarias se entiendan efectivamente practicadas en cuanto a su lugar, sus receptores o a las reglas de la notificación por comparecencia.

Aplicar estas disposiciones da lugar a distintas situaciones en las que aparecen dudas en relación a si efectivamente se produce ese *"conocimiento formal"* por el obligado tributario y, con ello, se interrumpe el plazo de prescripción. La casuística es amplísima, por lo que analizaremos las disposiciones de los artículos 109 a 112 de la LGT desde este prisma, de manera separada.

A. LA FORMA DE LA NOTIFICACIÓN

El artículo 109 de la LGT remite, con carácter general, a las disposiciones reguladoras de las notificaciones en la normativa administrativa, que se encuentran en la Ley 39/2015. Este texto legal establece las normas sobre notificación en sus artículos 40 a 46, ambos inclusive. El recurso a estos preceptos para determinar el régimen de las notificaciones tributarias será habitual, pues la LGT solo regula determinados aspectos muy particulares.

En cuanto a las formas en que se puede realizar válidamente la notificación destacan dos: la notificación en papel y la notificación a través de medios electrónicos. Estas últimas, según el artículo 41.1 de la Ley 39/2015, serán el medio preferencial para la práctica de notificaciones, si bien en la actualidad se siguen empleando habitualmente las notificaciones en papel, particularmente cuando el obligado tributario es un particular. En cualquier caso, la doctrina del Tribunal Supremo en relación a la forma en que se debe efectuar la notificación es que se practique *"por cualquier medio que permita tener constancia de la recepción por el interesado o su representante"*, tal y como indican, entre otras, las Sentencias de 5 de mayo de 2011, de 14 de febrero de 2014 o de 11 de abril de 2019[486].

De la práctica de las notificaciones en papel se ocupa el artículo 42 de la Ley 39/2015. En cuanto a la forma en que se ejecutan, usualmente su envío se realizará utilizando los servicios postales estatales[487], aunque la norma tampoco impide que sean los propios funcionarios de la Administración tributaria los que entreguen la notificación, o que se contraten los servicios de alguna entidad privada que desempeñe estas funciones, siempre que se cumplan los requisitos para la recepción establecidos en el apartado segundo del artículo 42[488] de la Ley 39/2015.

---

486   *Tol 2.155.463, Tol 4.125.707* y *Tol 7.202.172,* respectivamente.

487   En torno a los problemas derivados de la prueba de la práctica de la notificación, particularmente en relación con la función del acuse de recibo como elemento que acredita la correcta práctica de la notificación se recomienda consultar: GARCÍA NOVOA, C.: *Las notificaciones tributarias,* ob. cit., págs. 40-44.

488   El apartado primero del artículo 42 establece que *"todas las notificaciones que se practiquen en papel deberán ser puestas a disposición del interesado en la sede electrónica de la Administración u Organismo actuante para que pueda acceder al contenido de las mismas de forma voluntaria".* Por tanto, entendemos que si antes de recibir la notificación en papel el interesado

Respecto a las notificaciones electrónicas, en la actualidad han adquirido una importancia destacada, especialmente tras la entrada en vigor del Real Decreto 1363/2010, de 29 de octubre, por el que se regulan supuestos de notificaciones y comunicaciones administrativas obligatorias por medios electrónicos en el ámbito de la Agencia Estatal de Administración Tributaria[489]. Este Real Decreto establece la obligatoriedad para algunos sujetos, particularmente personas jurídicas y entidades, de recibir por medios electrónicos las comunicaciones y notificaciones que efectúe la Administración tributaria[490]. En la generalidad de estos supuestos será el momento en que el sujeto acceda

---

accede a la notificación electrónica, será el momento en que se produce tal acceso el que determinará la interrupción del plazo de prescripción. La posterior recepción del mismo acto no volverá a interrumpir la prescripción, a nuestro entender, en tanto no se comunica al interesado ningún acto nuevo o distinto del que no tuviera conocimiento.

489   BOE núm. 277, de 16 de noviembre de 2010.

490   En el ámbito tributario se refiere expresamente a la forma de estas notificaciones el artículo 115 bis del RGAPGIT, que remite a la norma general en materia administrativa. La Ley 39/2015, se ocupa de esta cuestión en su artículo 43, que en su apartado primero señala que *"las notificaciones por medios electrónicos se practicarán mediante comparecencia en la sede electrónica de la Administración u Organismo actuante, a través de la dirección electrónica habilitada única o mediante ambos sistemas, según disponga cada Administración u Organismo. A los efectos previstos en este artículo, se entiende por comparecencia en la sede electrónica, el acceso por el interesado o su representante debidamente identificado al contenido de la notificación"*. En cuanto al momento en que se considera efectuada la notificación y, con ello, interrumpido el plazo de prescripción, el apartado segundo del referido precepto indica que *"las notificaciones por medios electrónicos se entenderán practicadas en el momento en que se produzca el acceso a su contenido. Cuando la notificación por medios electrónicos sea de carácter obligatorio, o haya sido expresamente elegida por el interesado, se entenderá rechazada cuando hayan transcurrido diez días naturales desde la puesta a disposición de la notificación sin que se acceda a su contenido"*.

al contenido de la notificación cuando se interrumpe la prescripción, salvo que no acceda en diez días naturales desde la puesta a disposición, en cuyo caso la interrupción se producirá una vez finalizado este plazo. No se puede objetar en este punto que el momento en que se produce la interrupción es el de puesta a disposición, en base a lo indicado en el apartado 3 del artículo 43 de la Ley 39/2015, que señala que "*se entenderá cumplida la obligación a la que se refiere el artículo 40.4 con la puesta a disposición de la notificación en la sede electrónica de la Administración u Organismo actuante o en la dirección electrónica habilitada única*", pues el artículo 40.4 de la Ley 39/2015 señala que la notificación se tendrá por efectuada en el momento de puesta a disposición pero "*a los solos efectos de entender cumplida la obligación de notificar dentro del plazo máximo de duración de los procedimientos*", no a efectos de interrumpir el plazo de prescripción.

Por tanto, la regla general para determinar el momento en que se interrumpe la prescripción cuando la notificación se produce a través de medios electrónicos, es el momento en que el destinatario de la notificación acceda a su contenido. Si el destinatario no accede, o rechaza la notificación, esta se entenderá efectuada y, con ello, interrumpido el plazo de prescripción, transcurridos diez días naturales desde la puesta a disposición de la notificación[491].

---

491 Esta previsión puede dar lugar a que el derecho prescriba, en aquellos casos en que el fin del plazo de prescripción esté muy próximo a la fecha en que se efectúa la notificación. Por ejemplo, si el plazo de prescripción finaliza el 1 de julio de 2019, la Administración tributaria notifica telemáticamente al obligado el 24 de junio y este no accede a la notificación, se considerará interrumpida la prescripción el 4 de julio (a los diez días naturales desde la

Respecto a los efectos interruptivos de las notificaciones edictales, cuyo su régimen jurídico se encuentra en el artículo 44 de la Ley 39/2015, habrá que considerar en primer término la caracterización de esta forma de notificación. Según ha señalado la jurisprudencia del Tribunal Constitucional – entre otras, en las Sentencias 48/1982, de 31 de mayo, y 54/2003, de 24 de marzo,[492]- y del Tribunal Supremo –pueden verse las Sentencias de 7 de julio de 1995, de 18 de octubre de 1996 y, de 20 de abril de 2007[493]- las notificaciones por edictos solo se permiten con carácter extraordinario y cuando los interesados en el procedimiento sean desconocidos o se ignore su domicilio.

El carácter excepcional de este tipo de notificación y los requisitos para que se efectúe válidamente, han provocado que la jurisprudencia del Tribunal Supremo sea tradicionalmente reticente a apreciar la interrupción de la prescripción por esta causa. Así, rechaza con carácter general la interrupción de la prescripción por la notificación de actuaciones administrativas mediante edictos en sus Sentencias de 28 de diciembre de 1996, de 13 de marzo de 1997 y de 16 de diciembre de 2015[494], en las que, incluso no negando toda posibilidad de que la notificación edictal interrumpa la prescripción, sí limita su eficacia a estos efectos a aquellas circunstancias en las que se aprecie con intensidad el requisito de la excepcionalidad.

---

notificación), lo que ya no es posible porque el derecho de la Administración ya ha prescrito.

492   *Tol 79.021* y *Tol 254.940*, respectivamente.

493   *Tol 1.675.650, Tol 5.142.970* y *Tol 1.076.051*, respectivamente.

494   *Tol 5.596.269.*

Finalmente, es preciso apuntar que hay que distinguir la notificación edictal de la notificación colectiva por edictos. Esta última, se regula en el artículo 102.3 de la LGT y, a diferencia de la notificación edictal, no tiene carácter supletorio respecto a la notificación personal[495]. Estas notificaciones colectivas por edictos, o a juicio de algunos autores, serían mejor denominadas *"publicaciones de una relación de contribuyentes perfectamente individualizados y determinados"*[496], en tanto cumplen las mismas funciones que una notificación individual, interrumpirán el plazo de prescripción, entendemos que con la fecha de su publicación. No obstante, para que cumplan esta función interruptiva, deben cumplir con los requisitos legales establecidos para que la notificación goce de validez[497]. En cualquier caso, aunque se entiendan cumplidos los requisitos formales para su empleo, su peculiar forma de publicación puede dar lugar a que se planteen dudas en relación a si, efectivamente, el obligado adquiere conocimiento de la actuación.

495 DELGADO GARCÍA, A. M.: *Las notificaciones tributarias en el ordenamiento jurídico español*, 1ª ed., Tirant lo Blanch, Valencia, 1997, pág. 66.

496 DELGADO GARCÍA, A. M.: *Las notificaciones tributarias en el ordenamiento jurídico español*, ob. cit., pág. 66. En el mismo sentido LÓPEZ MERINO, F.: *La notificación en el Ordenamiento Jurídico Español*, 1ª ed., Instituto de Estudios de Administración Local, Granada, 1987, pág. 109.

497 DELGADO GARCÍA, A. M.: *Las notificaciones tributarias en el ordenamiento jurídico español*, ob. cit., pág. 66.

B. EL LUGAR DE PRÁCTICA DE LA NOTIFICACIÓN

Señala el artículo 110.2 de la LGT que *"en los procedimientos iniciados de oficio, la notificación podrá practicarse en el domicilio fiscal del obligado tributario o su representante, en el centro de trabajo, en el lugar donde se desarrolle la actividad económica o en cualquier otro adecuado a tal fin"*.

Pocas variaciones se han producido respecto a la regulación precedente[498], manteniendo la disposición *"cualquier lugar adecuado a tal fin"*. Este concepto posee un carácter plenamente indeterminado, pues ¿a quién corresponde determinar que un lugar es adecuado? El Tribunal Supremo ha señalado en este sentido, entre otras, en la Sentencia de 7 de octubre de 2015[499], que *"en los procedimientos iniciados de oficio la notificación podrá practicarse en el domicilio fiscal del obligado tributario o su representante, en el centro de trabajo, en el lugar donde se desarrolle su actividad económica o en cualquier otro adecuado a tal fin. En este caso, queda en manos de la Administración la elección concreta de uno de los siguientes lugares para la práctica de la notificación, sin quedar sujeta a un orden de prelación determinado a diferencia de lo que ocurre cuando el procedimiento se inicia a instancia de parte: el domicilio fiscal del obligado o su representante, el lugar de*

---

498 La LGT de 1963, señalaba a este respecto en su artículo 105.4 que *"la notificación se practicará en el domicilio o lugar señalado a tal efecto por el interesado o su representante. Cuando ello no fuere posible, en cualquier lugar adecuado a tal fin, y por cualquier medio conforme a lo dispuesto en el apartado anterior"*.

499 *Tol 5.534.671.*

trabajo del interesado o el lugar donde desarrolla su actividad económica o bien cualquier otro lugar adecuado a tal fin".

De la interpretación que realiza el Tribunal Supremo se infiere la evidente intención de establecer un carácter abierto y dejar al arbitrio de la Administración, aquel lugar que considera más adecuado. A pesar de ello, se podría objetar que el domicilio fiscal ocupa un lugar preeminente como lugar en que efectuar la notificación. Sin embargo, el Tribunal Supremo matiza esta apreciación, indicando que *"si bien el domicilio fiscal no es el único lugar donde pueden practicarse las notificaciones tributarias, sigue ocupando un puesto destacado, aunque no preferente"*. Esta afirmación por parte del Alto Tribunal en relación a la ausencia de preferencia parece indicar que, aunque el domicilio fiscal es el lugar más habitual a efectos de practicar las notificaciones, estas surtirán la misma validez si se efectúan en otros lugares, aunque no se hayan intentado previamente en el domicilio fiscal, lo que, en definitiva, no hace sino reforzar el papel de la Administración para determinar este extremo.

En este sentido se ha pronunciado JABALERA RODRÍGUEZ[500] que, reconoce la igualdad en la aplicación de los distintos lugares previstos en la LGT a los que se puede dirigir la notificación[501]. No obstante, esta autora pone de

---

500 JABALERA RODRÍGUEZ, A.: "La notificación en la nueva LGT", *Revista española de Derecho Financiero*, núm. 128, 2005, págs. 828-830.

501 GARCÍA NOVOA niega esta posibilidad, pero considerando el texto de la LGT de 1963, en el que sí se otorgaba preeminencia al domicilio fiscal. Este autor considera que el domicilio fiscal debe ser de aplicación prioritaria como lugar para efectuar la notificación, y que el recurso al lugar que se considere *"adecuado"* debe emplearse solo de manera supletoria en aquellos

manifiesto lo indeterminado del concepto *"lugar adecuado a tal fin"*, señalando que para determinar su alcance *"conviene realizar una interpretación restrictiva excluyendo aquellos lugares que no respondan suficientemente a dicho criterio de adecuación, y exigiendo para ello que en todo caso conste clara y fehacientemente en el expediente las razones que han llevado a la Administración a considerarlo apropiado"*, conclusión que compartimos plenamente, pues una interpretación amplia del lugar que se considere "adecuado" para efectuar la notificación, genera inseguridad jurídica en la medida en que deja tal determinación, como ya hemos indicado, al arbitrio de la Administración.

C. DESTINATARIO DE LA NOTIFICACIÓN

El artículo 40.1 de la Ley 39/2015 señala *"el órgano que dicte las resoluciones y actos administrativos los notificará a los interesados (...)"*. Esta referencia a los *"interesados"* como destinatarios de la notificación se reitera a lo largo de los preceptos de la Norma Administrativa que regulan esta cuestión. También la LGT alude a los *"interesados"* en varios de sus preceptos, como los artículos 87, 92, 103,104, 134 o 135, entre otros, si bien con un sentido más amplio y no en

---

casos en que ya se haya intentado la notificación en el domicilio fiscal o en lo que se desconoce tal domicilio, concluyendo que *"no hay tal posibilidad de notificación indistinta en un domicilio u otro"*. Este autor, además, fundamenta su conclusión en alguna Sentencia del Tribunal Supremo en la que se extrae que este órgano jurisdiccional también considera que el domicilio fiscal debe ser el lugar preferente de notificación, como ocurre en la Sentencia de 23 de mayo de 1995. Vid. GARCÍA NOVOA, C.: *Las notificaciones tributarias*, ob. cit., págs. 44-46.

referencia específica a los destinatarios de las notificaciones tributarias. En este punto la LGT no establece ninguna previsión expresa, con lo que resultará de aplicación lo dispuesto en materia de Derecho Administrativo.

Por tanto, resultará esencial para determinar si la notificación está correctamente efectuada que se haya realizado al _"interesado"_ en la misma. ¿Quién ocupa esta posición? Con carácter general en el ámbito administrativo, se considerarán interesados los sujetos a los que se refiere el artículo 4.1 de la Ley 39/2015, a saber:

> a) Quienes lo promuevan como titulares de derechos o intereses legítimos individuales o colectivos.

> b) Los que, sin haber iniciado el procedimiento, tengan derechos que puedan resultar afectados por la decisión que en el mismo se adopte.

> c) Aquellos cuyos intereses legítimos, individuales o colectivos, puedan resultar afectados por la resolución y se personen en el procedimiento en tanto no haya recaído resolución definitiva.

Como se puede observar, el concepto de interesado en el Derecho Administrativo es más amplio que en el ámbito tributario[502]. Particularmente, en el caso de actuaciones

---

[502]   Señala BECERRA GUIBERT que la amplitud en la definición administrativa del interesado respecto a la tributaria se debe a _que "es casi imposible enviar una notificación tributaria que no tenga un titular concreto y determinado,_

iniciadas por la Administración tributaria, sustentan el concepto de *"interesado"* los apartados b) y c) del precepto transcrito[503]. El artículo 114.1 del RGAPGIT, aunque no se refiere expresamente a ello, contribuye a perfilar el concepto de *"interesado"* en el ámbito tributario cuando indica que *"cuando no sea posible efectuar la notificación al obligado tributario o a su representante (...)"*, de lo que se infiere que el legislador considera a ambos sujetos -obligado tributario y representante- interesados a efectos de recibir una notificación[504].

Que el obligado tributario, entendido en sentido amplio, es interesado y, con ello, destinatario justificado de la notificación es consecuencia lógica de la relación que mantiene este sujeto con la obligación tributaria principal. Siguiendo a GARCÍA NOVOA[505], *"en el caso de liquidación, como acto tipo en materia tributaria, serán destinatarios los sujetos pasivos y obligados tributarios, puesto que ellos son los sujetos constreñidos al cumplimiento del contenido del*

---

en cambio, en la vía puramente administrativa, la posibilidad de que existan interesados no pensados por la Administración es amplísima: piénsese en actos de la Administración en materia urbanística, de aguas, de conducciones eléctricas, etc.". Vid. BECERRA GUIBERT, I.: *Las notificaciones tributarias,* ob. cit., pág. 64.

503 Como apunta DELGADO GARCÍA, el destinatario de la notificación será *"la persona interesada o acto que se notifica, cuyos derechos resultan afectados por los mismos".* Vid. DELGADO GARCÍA, A. M.: Las notificaciones tributarias en el ordenamiento jurídico español, ob. cit., págs. 106-107.

504 MADRIGAL GARCÍA, C.: "Eficacia de los actos administrativos. Tít. V. Cap. III", en VARIOS: *Comentario sistemático a la Ley de Régimen Jurídico de las Administraciones Públicas y del Procedimiento Administrativo Común,* 1ª ed., Carperi, Madrid, 1993, pág. 233.

505 GARCÍA NOVOA, C.: *Las notificaciones tributarias,* ob. cit., págs. 40-44.

acto", ya sea una persona física o jurídica. Si hay un solo obligado tributario no resulta problemático determinar el momento en que se considera interrumpida la prescripción, ni sus efectos, pues afectarán a este obligado único. Sin embargo, si son varios los obligados tributarios respecto a una misma obligación, apareciendo todos ellos en plano de igualdad, se plantea la cuestión de los efectos de la interrupción de la prescripción para uno de ellos. El artículo 45. 1 a) de la Ley 39/2015, aunque no aborda de manera directa esta cuestión señala, en relación a la publicidad de los actos administrativos, que en los procedimientos iniciados de oficio por la Administración:

> *"Los actos administrativos serán objeto de publicación cuando así lo establezcan las normas reguladoras de cada procedimiento o cuando lo aconsejen razones de interés público apreciadas por el órgano competente.*
>
> *En todo caso, los actos administrativos serán objeto de publicación, surtiendo esta los efectos de la notificación, en los siguientes casos:*
>
> *1. Cuando el acto tenga por destinatario a una pluralidad indeterminada de personas o cuando la Administración estime que la notificación efectuada a un solo interesado es insuficiente para garantizar la notificación a todos, siendo, en este último caso, adicional a la individualmente realizada".*

De este precepto se deduce que la notificación se tendrá que efectuar a todos y cada uno de los interesados afectados por el acto administrativo, a fin de no provocar indefensión en los interesados no notificados[506]. El Tribunal Supremo ha avalado esta interpretación en sus Sentencias de 2 de junio de 1987 y de 17 de julio de 1990[507].

El artículo 46.6[508] de la LGT incide en esta necesidad de notificación a todos los sujetos interesados en los supuestos en que concurran varios obligados tributarios en un mismo presupuesto de una obligación, y ello determine que queden solidariamente obligados frente a la Administración tributaria al cumplimiento de todas las prestaciones, pero esta exigencia queda limitada a la liquidación que resulte de las actuaciones de gestión o de inspección. Las restantes actuaciones desarrolladas a lo largo del procedimiento interrumpirán la prescripción para todos los obligados solidariamente aunque se notifiquen solo al que ostente la representación legal o presunta, pues el precepto citado señala que *"se presumirá otorgada la representación a cualquiera de ellos, salvo que se produzca manifestación expresa en contrario"*[509]. La obligación de notificar a todos los sujetos

---

506   DELGADO GARCÍA, A. M.: *Las notificaciones tributarias en el ordenamiento jurídico español*, ob. cit., pág. 110.

507   *Tol 2.347.567* y *Tol 2.413.303*, respectivamente.

508   Señala este precepto *"cuando, de acuerdo con lo previsto en el apartado 6[(*)] del artículo 35 de esta ley, concurran varios titulares en una misma obligación tributaria, se presumirá otorgada la representación a cualquiera de ellos, salvo que se produzca manifestación expresa en contrario. La liquidación que resulte de dichas actuaciones deberá ser notificada a todos los titulares de la obligación"*.

509   JUAN LOZANO, con base en el alcance subjetivo de la solidaridad, comparte la interpretación que realiza la LGT, de modo que cualquier

que refiere el artículo 46.6 entendemos que debe ser valorada positivamente, pues el acto de liquidación tributaria posee una trascendencia especial en el procedimiento.

Por ello, en materia de interrupción de la prescripción, el Tribunal Supremo, en su Sentencia de 14 de marzo de 2010[510], niega que la interrupción de la prescripción para uno de los obligados tenga un efecto extensivo hacia los demás, pudiendo subsistir la deuda correspondiente para el obligado respecto al que se ha interrumpido la prescripción, y extinguiéndose para los restantes obligados. En esta Sentencia el Tribunal acoge en sus Fundamentos de Derecho un fragmento de la Sentencia de 7 de febrero de 2001 del Tribunal Superior de Justicia de Castilla y León[511], que resulta muy clara para condensar el sentido de la resolución. Señala la Sentencia referida que *"no existe, pues, en este impuesto la solidaridad de deudores que se predica, pues cada cual es sujeto pasivo por el valor de los bienes y derechos que adquiere. La interrupción de la prescripción que se pretende necesita requerimiento formal al sujeto pasivo, ex artículo 66 LGT, luego no tiene virtualidad interruptiva el requerimiento a quien no es sujeto pasivo, ni tiene la condición de representante de este ex artículos 43 y 44 LGT. El procedimiento administrativo, para estar válidamente constituido, requiere de la notificación personal*

---

actuación interruptiva realizada con alguno de los obligados solidariamente, interrumpirá la prescripción para los restantes. Vid. JUAN LOZANO. A. M.: *La interrupción de la prescripción tributaria*, 1ª ed., Tecnos, Madrid, 1993, pág. 73.

510 *Tol 1.822.383.*

511 *Tol 50.046.*

a cuantos sean interesados o a sus representantes debidamente autorizados, lo que no se ha acreditado en este caso, por lo que la liquidación practicada lo ha sido mediando prescripción, razones todas conducentes a la estimación de la pretensión deducida en este recurso ".

Una situación similar se plantea en los supuestos en los que respecto a una misma deuda tributaria concurren obligados tributarios de distinto tipo, por ejemplo contribuyente y sustituto del contribuyente. Sin embargo, sorprendentemente, en estos casos el Tribunal Supremo ha manifestado, en abundante jurisprudencia, el criterio opuesto, considerando que la liquidación notificada al sustituto: interrumpe la prescripción también para el contribuyente. Así, en las Sentencias de de 18 de junio de 1985, 2 de junio de 1987, de 30 de abril y 8 de junio de 1988, de 6 de febrero y 16 de mayo de 1989, de 13 de febrero de 1992, de 20 de junio de 1994, de 23 de enero de 1997 y de 21 de enero de 2000[512] que *"basta para generar la interrupción de la prescripción la intervención unilateral de cualquiera de los sujetos pasivos, el contribuyente o el sustituto, pues obligados normativamente ambos -el sustituto como responsable principal y el contribuyente como responsable subsidiario- al pago, es indiferente que las actuaciones administrativas encaminadas al cumplimiento de la obligación tributaria se verifiquen con uno o con otro ".*

El Tribunal Supremo justifica esta conclusión en que la interrupción de la prescripción respecto al contribuyente afecta

---

512 *Tol 2.318.630, Tol 2.360.251, Tol 2.361.846, Tol 1.680.654, Tol 5.143.765, Tol 1.673.171, Tol 5.143.762* y *Tol 1.701.147,* respectivamente.

también al sustituto *"porque, en esencia y «de facto», no existe una verdadera y propia autonomía posicional y subjetiva de dichos dos elementos personales de la relación tributaria"*[513]. Añade que *"en efecto, el hecho de haberse notificado a la entidad (...) cinco años después del otorgamiento de la escritura de compraventa y de la subsiguiente presentación de la declaración jurada, nada más que la providencia de apremio, no puede implicar que el Impuesto, ya devengado, liquidado genéricamente, notificado al contribuyente y confirmado en la vía de reposición formulada por este, sea susceptible de reputarse, en su consideración de un «solo todo objetivo», como prescrito -para el sujeto pasivo sustituto (...) siendo así que existen actos incontrastables de interrupción -de ese lapso de cinco años- materializados por y con el sujeto pasivo contribuyente -del que el sujeto sustituto, obligado a cumplir las obligaciones formales y materiales de la exacción, no es en realidad, en último término, más que un sujeto accesorio, sobre el que no recae, en definitiva, la carga del abono del gravamen"*.

No compartimos el criterio del Tribunal Supremo, pues entendemos que parte de una configuración del sustituto que nada tiene que ver con el concepto que ofrece la LGT. Como señala JUAN LOZANO[514], *"entender que la pluralidad de posibilidades para recaudar la deuda tributaria de que dispone la Administración en los casos en que el legislador designa una pluralidad de sujetos pasivos, no significa que las actuaciones se entiendan realizadas con*

---

513   Sentencia del Tribunal Supremo de 23 de enero de 1997 (*Tol* 5.143.762).

514   JUAN LOZANO, A. M.: *La interrupción de la prescripción tributaria*, ob. cit., pág. 75.

los otros, sin conocimiento efectivo de alguno de estos; en consecuencia, frente a cada uno de los deudores deberá seguirse el procedimiento que corresponda". El sustituto, en la LGT, se configura como un sujeto autónomo e independiente, pues, mientras el contribuyente es el titular de la capacidad contributiva gravada, el sustituto carece de tal cualidad, siendo su única función cumplir las prestaciones materiales y formales que normalmente corresponderían al contribuyente[515]. Sin embargo, el Tribunal Supremo parece confundir la situación de ambos obligados, otorgándoles una dependencia que no encuentra sustento en su régimen jurídico, e incluso más, pues se llega a referir al sustituto como *"sujeto accesorio".* Desconocemos en qué precepto de la LGT, vigente o derogada, basa el Tribunal Supremo tal accesoriedad. En todo caso, podemos entender que confunde la función del sustituto, en tanto asume una situación jurídica concreta que corresponde a otro sujeto[516] –el contribuyente-, con la accesoriedad, pero tal confusión no justifica su error, por los perniciosos efectos que tiene en materia de seguridad jurídica. El criterio del Tribunal Supremo da lugar a situaciones en las que el contribuyente o el sustituto pueden permanecer ajeno a todo el procedimiento y, transcurrido un plazo muy superior al de prescripción, encontrar que, esa deuda que consideraba prescrita, no lo está[517].

---

515 VARIOS: "Algunos equívocos de nuestro Tribunal Supremo en torno a la figura del sustituto", *Jurisprudencia Tributaria Aranzadi*, Volumen I, 1997, págs. 1688-1689.

516 CALVO ORTEGA, R., CALVO VÉRGEZ, J.: *Curso de Derecho Financiero*, ob. cit., pág. 136.

517 VARIOS: "Algunos equívocos de nuestro Tribunal Supremo en torno a la figura del sustituto", ob. cit., pág. 1689.

A mayor abundamiento, si se acepta la máxima de que *"para que el efecto interruptivo del plazo de prescripción se produzca, es imprescindible que el afectado por dicha situación interruptiva, tenga conocimiento formal de la misma, de modo que cuando se trata de actuaciones administrativas, han de ponerse en conocimiento de la persona afectada por ellas"*[518], y así se deriva de lo indicado en la LGT, no se puede limitar o excluir su aplicación en determinados casos, pues se estaría provocando indefensión en la parte a la que, afectando la interrupción del plazo de prescripción, no le es notificado el acto interruptivo.

Por otro lado, el concepto de interesado, como hemos señalado, no queda constreñido al obligado tributario, por muy amplio que sea este concepto, sino que también se extiende al representante. La representación del interesado en las actuaciones frente a la Administración está regulada en el artículo 46 de la LGT, que en su apartado primero señala: que

> *"Los obligados tributarios con capacidad de obrar podrán actuar por medio de representante, que podrá ser un asesor fiscal, con el que se entenderán las sucesivas actuaciones administrativas, salvo que se haga manifestación expresa en contrario"*[519].

---

518   VARIOS: "¿Interrumpido el plazo de prescripción por el sustituto, debe también entenderse interrumpido para el contribuyente?", *Jurisprudencia Tributaria Aranzadi*, Volumen II, 1999, pág. 1159.

519   En el mismo sentido el artículo 5.1 de la Ley 39/2015, que establece: *"los interesados con capacidad de obrar podrán actuar por medio de representante, entendiéndose con este las actuaciones administrativas, salvo*

De acuerdo con este precepto, acreditada la representación, ya sea de persona física o jurídica, las comunicaciones de la Administración tendrán que destinarse al designado como representante, gozando esa notificación de virtualidad interruptiva de la prescripción. No obstante, la jurisprudencia ha abordado algunos supuestos particulares que se pueden presentar en este ámbito, como los que referiremos a continuación.

En los supuestos en que una persona física tiene un representante, y el representado fallece, se plantea la duda de los efectos interruptivos de las comunicaciones y diligencias practicadas con el representante a efectos de la liquidación el ISD. En buena lógica, tales comunicaciones carecerán de eficacia interruptiva alguna, pues el fallecido no es el sujeto pasivo del ISD. Sin embargo, si con posterioridad al fallecimiento los herederos otorgan a tal representante también su representación, tales comunicaciones, incluso las realizadas antes de que se otorgue la representación por los herederos, sí tendrán efecto interruptivo. Este es el criterio del Tribunal Supremo en la Sentencia de 1 de marzo de 2012[520], pues, a su juicio, el otorgamiento del poder *"ratificaba todas las actuaciones practicadas con las representantes del fallecido"*. Entendemos que este razonamiento del Tribunal presenta numerosos puntos débiles, pues otorga una suerte

---

manifestación expresa en contra del interesado". La representación también se prevé para los incapaces, pero en este caso no de modo voluntario, sino legal, por lo que las notificaciones se deberán realizar, e, n todo caso, con quien ostente tal representación legal. DELGADO GARCÍA, A. M.: *Las notificaciones tributarias en el ordenamiento jurídico español*, ob. cit., pág. 110.

520 *Tol 2.488.910.*

de efectos retroactivos al otorgamiento del poder, para los que no se encuentra encaje legal en la LGT, además de extender la representación a sujetos que aún no la han otorgado. En efecto, la LGT no prevé que el otorgamiento de la representación despliegue sus efectos en un momento anterior al de la propia fecha en que se acredite ante la Administración tributaria. Es más, el artículo 46.1 de la LGT, *supra* reproducido, se refiere expresamente a *"las sucesivas actuaciones administrativas"*, pero, en ningún caso a las previas. Al otorgar la representación los herederos no ratifican ningún acto anterior, sino que manifiestan su voluntad en lo sucesivo. Puesto que el otorgamiento de la representación es un acto personal, entendemos que en ningún caso cabe extender esa representación a actos previos a su otorgamiento, pero tampoco a sujetos distintos al otorgante.

En el caso de personas jurídicas, la jurisprudencia ha venido admitiendo el efecto interruptivo de la prescripción de la notificación efectuada al representante legal. Así, en la Sentencia de 3 de marzo de 2011[521], el Tribunal Supremo aprecia la interrupción de la prescripción en un supuesto en que la notificación se efectuó en el domicilio del representante de la entidad. En posterior Sentencia de 11 de mayo de 2011[522], el Tribunal Supremo considera que interrumpe la prescripción la notificación efectuada al representante legal de la entidad, siendo recibida por persona identificada, en un supuesto en que se había intentado sin éxito la notificación en las oficinas de la entidad. De los

---

521   *Tol 2.081.915.*
522   *Tol 2.125.319.*

pronunciamientos del Alto Tribunal recaídos en este sentido se infiere que siguen la regla general establecida en esta materia: los órganos jurisdiccionales entienden esencial para admitir la interrupción de la prescripción, más que el conocimiento *"material"*, que el interesado adquiera conocimiento *"formal"* de las actuaciones y, para ello, basta con la Administración ejecute todos los actos tendentes a que la notificación llegue a su destinatario, de acuerdo a las normas procedimentales establecidas[523].

D. RECEPTOR DE LA NOTIFICACIÓN

El artículo 111.1 de la LGT indica que *"cuando la notificación se practique en el lugar señalado al efecto por el obligado tributario o por su representante, o en el domicilio fiscal de uno u otro, de no hallarse presentes en el momento*

---

523   MADRIGAL GARCÍA recoge una situación muy particular y expone su criterio al respecto. Señala ese autor que *"en el supuesto de en una persona física concurra la cualidad de interesado por sí y además sea el representante de una persona jurídica, y el procedimiento se haya iniciado de oficio, es necesario que se practique una doble notificación. La falta de notificación a cualquiera de ellos –la persona física o la jurídica- traería como consecuencia que el recurso interpuesto por la persona no notificada contra el acto notificado a la otra, no pueda ser calificado de extemporáneo aunque se hubiese rebasado el plazo legal para su interposición (...) lo mismo sucedería en el caso de las sociedades mercantiles irregulares, que al no estar inscritas en el Registro Mercantil, no gozan de personalidad jurídica y, por tanto, carecen de representante legal, lo que obliga a que la notificación, en los procedimientos iniciados de oficio, se tenga que dirigir a cada uno de los miembros de tales sociedades que sean conocidos o deban ser conocidos por la Administración"*. Vid. MADRIGAL GARCÍA, C.: "Eficacia de los actos administrativos. Tít. V. Cap. III", en VARIOS: *Comentario sistemático a la Ley de Régimen Jurídico de las Administraciones Públicas y del Procedimiento Administrativo Común*, ob. cit., pág. 233.

de la entrega, podrá hacerse cargo de la misma cualquier
persona que se encuentre en dicho lugar o domicilio y haga
constar su identidad, así como los empleados de la comunidad
de vecinos o de propietarios donde radique el lugar señalado
a efectos de notificaciones o el domicilio fiscal del obligado o
su representante".

Al igual que ocurría con el lugar de la notificación, el legislador opta por dar a este precepto un carácter abierto, por lo que destinatario y receptor de la comunicación no tienen por qué ser la misma persona, circunstancia habitual en la práctica. Así, no solo tendrán eficacia interruptiva de la prescripción las notificaciones entregadas al obligado tributario, sino también aquellas entregadas a cualquier persona que se encuentre en su domicilio, o incluso, a los empleados de la comunidad de vecinos donde se encuentre en domicilio fiscal del obligado o de su representante.

La amplitud de este precepto ha requerido que los requisitos para que las notificaciones se consideren válidamente practicadas, atendiendo a su receptor, hayan sido precisados por el Tribunal Supremo, entre otras, en su Sentencia de 7 de octubre de 2015[524]. Para ello, es necesario distinguir entre el sujeto receptor de la misma, pues los requisitos no serán los mismos si el receptor es el propio obligado tributario que si es un tercero.

- Si el receptor es el obligado tributario, o su representante, en su domicilio o en el lugar designado por ellos, la notificación será válida siempre que

---

524 *Tol 5.534.671.*

concurran los requisitos señalados en el 59.1 de la Ley 30/1992 (actual artículo 42.2 de la Ley 39/2015)[525]. Estos requisitos son: deberá constar la recepción del interesado o su representante, la fecha, la identidad (consignando la firma y el número de DNI) y el contenido del acto notificado.

- Si el receptor es un tercero, *"cuando el interesado o sus representantes no estén presentes en su domicilio en el momento de entregarse la*

---

[525]   El artículo 42.2 de la Ley 39/2015 señala que *"cuando la notificación se practique en el domicilio del interesado, de no hallarse presente este en el momento de entregarse la notificación, podrá hacerse cargo de la misma cualquier persona mayor de catorce años que se encuentre en el domicilio y haga constar su identidad. Si nadie se hiciera cargo de la notificación, se hará constar esta circunstancia en el expediente, junto con el día y la hora en que se intentó la notificación, intento que se repetirá por una sola vez y en una hora distinta dentro de los tres días siguientes. En caso de que el primer intento de notificación se haya realizado antes de las quince horas, el segundo intento deberá realizarse después de las quince horas y viceversa, dejando en todo caso al menos un margen de diferencia de tres horas entre ambos intentos de notificación. Si el segundo intento también resultara infructuoso, se procederá en la forma prevista en el artículo 44".* Estos requisitos, con anterioridad, se encontraban establecidos en el artículo 105.3 de la LGT de 1963, que señalaba que *"en los procedimientos de gestión, liquidación, comprobación, investigación y recaudación de los diferentes tributos, las notificaciones se practicarán por cualquier medio que permita tener constancia de la recepción, así como de la fecha, la identidad de quien recibe la notificación y el contenido del acto notificado. La Administración tributaria establecerá los requisitos para la práctica de las notificaciones mediante el empleo y utilización de medios electrónicos, informáticos y telemáticos, de conformidad con la normativa reguladora de dichas notificaciones".* Como se puede observar, ni la LGT de 1963, ni la vigente, precisan la edad que debe tener el receptor de la notificación para que esta sea válida. Por ello entendemos aplicable subsidiariamente la Norma Administrativa reproducida, de modo que, para que la notificación sea válida, el receptor deberá tener más de catorce años.

notificación, puede recibir la misma tanto cualquier persona que se encuentre allí como cualquier empleado de la comunidad de vecinos o propietarios". Los requisitos que deben concurrir para que la notificación recibida por una tercera persona sea válida son: que dicha persona se encuentre en el domicilio del interesado en ausencia de este y que haga constar su identidad (firma y número de DNI). A estos requisitos hay que añadir el resto de los fijados en el artículo 59.1 de la Ley 30/1992.

La Sentencia reproducida realiza otras apreciaciones en torno al régimen legal de las notificaciones, que consideramos de interés.

- Por un lado, alude a la amplitud con que la LGT delimita el círculo de personas que pueden hacerse cargo de la notificación en ausencia del interesado en su domicilio *"en aras de facilitar a la Administración la práctica de notificaciones"*, tal y como ya señalamos en líneas superiores. Añade más el Tribunal, pues apunta que *"se aprecia un mayor acercamiento a la notificación individual, ya que la presencia accidental de cualquier persona en el domicilio del interesado o su representante les faculta para hacerse cargo de la notificación".*

- Por otro lado, el órgano jurisdiccional realiza dos observaciones específicas a la regulación del artículo 111 de la LGT.

o La primera, *"que la recepción por una tercera persona solamente puede suceder cuando el lugar para practicar la notificación es el domicilio o el lugar señalado a tal efecto por el obligado o su representante, no en el resto de casos".* Esta disposición viene a limitar, en cierta medida, lo indicado en el artículo 110 de la LGT que, como indicábamos, definía con gran amplitud el lugar en que se puede efectuar la notificación, de modo que si la notificación se realiza a un lugar distinto a domicilio o el lugar señalado a tal efecto por el obligado o su representante, tendrá que ser este el receptor de la notificación para que se entienda válidamente realizada y, con ello, interrumpido el plazo de prescripción. Por tanto, si, por ejemplo, la notificación se realiza en el centro de trabajo del destinatario, solo interrumpirá la prescripción si el receptor es el propio destinatario.

o La segunda se relaciona con el apartado segundo del artículo 110 de la LGT, que señala que *"el rechazo de la notificación realizado por el interesado o su representante implicará que se tenga por efectuada la misma".* Sin embargo, si el que rechaza la notificación es un tercero, los efectos serán distintos, pues *"como el legislador ha utilizado la expresión "podrá hacerse cargo" la tercera persona de la notificación, ello supone que no impone a la persona que se encuentre en el domicilio del interesado o su representante la obligación de recibir la notificación, sino que simplemente están facultados a ello. Es decir, la vigente LGT (al igual que la de 1963), siguiendo*

> *los pasos de la LRJPAC, no impone la obligación de colaborar en la recepción de la notificación, pero la facilita".*

Lo indicado conecta con la eficacia de la notificación en los supuestos en que, habiéndose intentado la entrega, esta no se consigue. En estos casos el artículo 42.2 de la Ley 39/2015 señala que, si tras el primer intento de notificación nadie se hiciera cargo de la misma, se hará constar esta circunstancia en el expediente, junto con el día y la hora en que se intentó la notificación, intento que se repetirá por una sola vez y en una hora distinta dentro de los tres días siguientes. En caso de que el primer intento de notificación se haya realizado antes de las quince horas, el segundo intento deberá realizarse después de las quince horas y viceversa, dejando en todo caso al menos un margen de diferencia de tres horas entre ambos intentos de notificación. Si el segundo intento también resultara infructuoso, se procederá a la notificación por medio de un anuncio publicado en el BOE. ¿En qué momento se interrumpe la prescripción en estos casos? Entendemos que, al no ser posible la notificación en ninguno de los dos intentos, la interrupción no se producirá hasta que se produzca la publicación en el Boletín Oficial. Ello, salvo que se produzca la circunstancia prevista en el artículo 114.2 del RGAPGIT, que indica *"en el supuesto de notificaciones en apartados postales establecidos por el operador al que se ha encomendado la prestación del servicio postal universal, el envío se depositará en el interior de la oficina y podrá recogerse por el titular del apartado o por la persona autorizada expresamente para retirarlo. La notificación se entenderá practicada por el transcurso de*

10 días naturales desde el depósito del envío en la oficina". Por tanto, en los supuestos en que la notificación se realice a través de carta certificada, circunstancia muy habitual, la interrupción de la prescripción se producirá transcurridos esos diez días naturales desde el depósito del envío, lo recoja el destinatario o no.

E. NOTIFICACIONES POR COMPARECENCIA

El artículo 112 de la LGT cierra el régimen legal de las notificaciones tributarias recogiendo las denominadas *"notificaciones por comparecencia".* Estas se prevén, según el apartado 1 del antecitado precepto, en aquellos casos en los que no sea posible efectuar la notificación al interesado o a su representante por causas no imputables a la Administración tributaria, siempre que se haya intentado al menos dos veces en el domicilio fiscal, o una sola vez cuando el destinatario conste como desconocido en dicho domicilio o lugar. En estos casos se citará al interesado o a su representante para ser notificados por comparecencia por medio de anuncios que se publicarán, por una sola vez para cada interesado, en el BOE, por lo que presentan numerosos puntos de conexión con las notificaciones edictales. Por tanto, la notificación por comparecencia requerirá, para su correcta ejecución, de la concurrencia de dos requisitos: imposibilidad de practicar una notificación personal y que esta venga motivada por causas ajenas a la Administración[526].

---

526 JABALERA RODRÍGUEZ, A.: "La notificación en la nueva LGT", ob. cit., págs. 840-844.

La pregunta en este punto es evidente ¿pueden las notificaciones por comparecencia interrupir la prescripción?. Entendemos que sí, pero con límites derivados de las propias características de este tipo de notificaciones. Siguiendo a ESEVERRI[527], la notificación por comparecencia de todos aquellos actos que no sean el de liquidación tributaria o el acuerdo de enajenación de bienes embargados al deudor gozará de efectos interruptivos de la prescripción. Sin embargo, la notificación de los actos referidos, por su propio contenido y efectos, deberá ser objeto de notificación individual, o, en su caso, edictal, pero, en cualquier caso, a través del procedimiento tradicional, interpretación coherente con lo establecido en el artículo 112.3 de la LGT, *in fine*, que señala que *"las liquidaciones que se dicten en el procedimiento y los acuerdos de enajenación de los bienes embargados deberán ser notificados con arreglo a lo establecido en esta Sección"*[528]. De este modo, si la Administración notifica por comparecencia una liquidación o un acuerdo de enajenación de bienes embargados, tal notificación carecerá de eficacia interruptiva por no ajustarse al procedimiento legal establecido.

Sin embargo, el criterio de la jurisprudencia se aleja de la opinión doctrinal reproducida y del propio texto

---

527   ESEVERRI, E.: *La prescripción tributaria en la jurisprudencia del Tribunal Supremo*, ob. cit., págs. 154-155.

528   JABALERA RODRÍGUEZ considera que a estos supuestos excepcionales en los que se exige la notificación individual se deberían añadir otros, de gran relevancia tributaria, como la providencia de apremio o la diligencia de embargo. JABALERA RODRÍGUEZ, A.: "La notificación en la nueva LGT", ob. cit., pág. 849.

legal. Así, en la Sentencia de 26 de octubre de 2015[529], el Tribunal Supremo admite la procedencia de la notificación por comparecencia anunciada por edictos de una liquidación y de un acuerdo sancionador. Señala la Sentencia que *"el 4 de abril de 2007 se aprobaron la liquidación y el acuerdo sancionador, practicándose dos intentos de notificación en el domicilio fiscal en Sevilla de la compañía, los días 18 y 20 de abril de 2007, procediéndose automáticamente, tras resultar desconocidos en dicho domicilio la sociedad y su administrador único, a la notificación mediante edictos de comparecencia publicados en el Boletín Oficial del Estado de 9 de mayo de 2007."* El Tribunal Supremo admitió la validez de esta notificación por apreciar una evidente intención de la entidad interesada de no recibir la notificación en dos fechas diferentes, indicando que *"el lugar era idóneo, se efectuaron dentro de los tres días siguientes y no puede atribuirse a la Administración una falta de negligencia o de ausencia de diligencia cuando en el curso del mismo procedimiento inspector consta que la misma se dirigió también, para intentar la notificación al domicilio del administrador (en Alcalá de Henares) con el resultado descrito"*. Consideramos que esta Sentencia incurre en un grave error, que provoca efectos muy perniciosos en materia de seguridad jurídica, pues extender este razonamiento a los efectos interruptivos de las notificaciones por comparecencia supone admitir la eficacia interruptiva de estas notificaciones, cualquiera que sea su contenido, siempre y cuando se empleen en supuestos en los que la Administración haya mostrado la *"diligencia suficiente"* en practicar la notificación personal al interesado.

---

529   *Tol 5.550.603.*

Este razonamiento se opone al texto de la LGT, que excluye expresamente a las notificaciones por comparecencia de este tipo de actos y presenta un problema que venimos apreciando a lo largo de todos estos epígrafes dedicados a los requisitos de las notificaciones: la gran inseguridad jurídica que se deriva de la dependencia del criterio jurisdiccional. En este caso, corresponde a los Tribunales la determinación de si las actuaciones de la Administración se han realizado con tal diligencia debida, dejando en manos de los órganos jurisdiccionales, una vez más, no solo establecer si la notificación es válida, sino también si, en consecuencia, tiene efecto interruptivo de la prescripción.

Para finalizar, en relación al momento en que se debe entender producida la interrupción del plazo, el artículo 112.2 de la LGT, *in fine*, señala que "*en todo caso, la comparecencia deberá producirse en el plazo de 15 días naturales, contados desde el siguiente al de la publicación del anuncio en el "Boletín Oficial del Estado". Transcurrido dicho plazo sin comparecer, la notificación se entenderá producida a todos los efectos legales el día siguiente al del vencimiento del plazo señalado*". Por tanto, entendemos que la interrupción se producirá, si se comparece, en el momento en que se produzca la comparecencia y, si no se comparece, al día siguiente del transcurso del plazo de quince días naturales desde la publicación en el BOE[530].

---

530 Además, la incomparecencia del sujeto supondrá que "*se le tendrá por notificado de las sucesivas actuaciones y diligencias de dicho procedimiento*" (artículo 112.3 de la LGT), lo que, como señala JABALERA RODRÍGUEZ "*habilita a la Administración para desarrollar prácticamente todo el procedimiento tributario sin su presencia*". Vid. JABALERA RODRÍGUEZ, A.: "La notificación en la nueva LGT", ob. cit., pág. 848.

F. INCUMPLIMIENTO DE LOS REQUISITOS FORMALES Y PÉRDIDA DEL EFECTO INTERRUPTIVO

Como venimos reiterando, para que las actuaciones de la Administración interrumpan la prescripción tienen que realizarse con conocimiento formal del obligado tributario; ese requisito se entiende cumplido cuando la Administración sigue el procedimiento legal establecido al efecto para la práctica de la notificación, a cuyas particularidades hemos dedicado los epígrafes precedentes.

Con este principio claro, parece que cualquier actuación que no cumpla escrupulosamente el procedimiento legal indicado carecería de virtualidad interruptiva. En puridad, y particularmente considerando la importancia que se da al cumplimiento de los requisitos formales, así debería ser, sin embargo, la jurisprudencia del Tribunal Supremo ha considerado que ello dependerá del tipo de error en que se haya incurrido en la notificación, de modo que *"si no ha habido el más vago atisbo de indefensión, el error no debe ser tenido en cuenta"*[531].

En este sentido, el Tribunal Supremo ha diferenciado tres tipos de situaciones atendiendo a si se han cumplido todos los requisitos formales o a si se han producido incumplimientos y, si estos son de carácter sustancial o de carácter secundario. Así, en la Sentencia de 11 de abril de 2019[532], el Alto Tribunal distingue tres tipos de situaciones, con diferentes efectos:

---

531 GUERRA REGUERA, M.: *Prescripción de deudas tributarias*, ob. cit., pág. 140.

532 *Tol 7.202.172.*

- Notificaciones que respetan todas las formalidades establecidas: en ellas debe de partirse de la presunción *iuris tantum* de que el acto ha llegado tempestivamente a conocimiento del interesado; pero podrán enervarse en los casos en los que se haya acreditado suficientemente lo contrario.

- Notificaciones de que han desconocido formalidades de carácter sustancial (entre las que deben incluirse las practicadas, a través de un tercero, en un lugar distinto al domicilio del interesado): en estas ha de presumirse que el acto no llegó a conocimiento tempestivo del interesado y le causó indefensión; pero esta presunción admite prueba en contrario cuya carga recae sobre la Administración, una prueba que habrá de considerarse cumplida cuando se acredite suficientemente que el acto llegó a conocimiento del interesado.

- Notificaciones que quebrantan formalidades de carácter secundario: en las mismas habrá de partir de la presunción de que él acto ha llegado a conocimiento tempestivo del interesado.

La Sentencia del Tribunal Supremo de 17 de febrero de 2014[533] recoge varios ejemplos de notificaciones con errores formales sustanciales y con errores formales secundarios. Dentro de las primeras, destaca los siguientes:

---

533 *Tol 4.125.707.*

a) La notificación en un domicilio que no es el del interesado a un tercero que no se demuestra que cumpla el requisito de la *"cercanía"* o *"proximidad"* geográfica con el destinatario que ha venido exigiendo la jurisprudencia.

b) La notificación que se efectúa en un domicilio que no es el del interesado, no haciéndose además constar la relación que el receptor de la comunicación tiene con el mismo.

c) La notificación en las dependencias de la Administración a un tercero, no constando que sea el representante de la sociedad interesada ni la relación que tiene con el destinatario.

d) La notificación que se realiza en el domicilio del obligado tributario a tercera persona que no hace constar su identidad, consignando el nombre y apellido/s y/o el D.N.I.

e) La notificación edictal o por comparecencia sin que la notificación se intente previamente dos veces; la notificación en el domicilio fiscal del interesado o en el designado por el mismo; o no habiéndose producido el segundo intento transcurrida una hora desde el primero; o no constando la hora en la que se produjeron los intentos; o, en fin, no habiéndose publicado el anuncio en el Boletín Oficial correspondiente.

f) La notificación que se considera válida, pese a que ha sido rechazada por una persona distinta del interesado o su representante.

g) La notificación de un acto en el que no consta o consta erróneamente los recursos que proceden contra el mismo, el plazo para recurrir o el órgano ante el que plantear el recurso.

Entre los quebrantamientos de carácter secundario recoge los siguientes:

a) La notificación que se entrega una vez transcurridos diez días desde que se dictó el acto.

b) La notificación que se entrega, no al portero, sino a un vecino, salvo cuando exista duda sobre la relación de vecindad.

c) La notificación de la resolución del TEAC en un domicilio distinto del designado por el interesado, pero sí en otro adecuado -V. gr. su domicilio fiscal o el de su representante.

d) La notificación a un tercero que se identifica con el nombre y un apellido, y hace constar su relación con el destinatario, pero no hace constar su D.N.I.; o a un tercero que, hallándose en el domicilio del destinatario, no señala su relación con este, aunque se identifica perfectamente; o notificación al empleado de una entidad que, pese a que se identifica solo con un nombre y el N.I.F. de la entidad, está perfectamente identificado.

e) La notificación en el domicilio de una sociedad mercantil no constando que la recogiera un empleado o no figurando la correcta identificación de la persona que la recibe, sino únicamente el sello de la entidad; la notificación a un Ente público en su propia sede recogida por persona que se identifica perfectamente, pero no expresa su relación con aquél ni el motivo de hallarse en el lugar de recepción; la notificación en el domicilio de otra entidad que tiene el mismo administrador; la notificación dirigida a una sociedad recibida por un empleado de una sociedad distinta de la destinataria (matriz), con domicilio coincidente y con la que comparte servicio general de recepción; o, por último, la notificación al administrador único de la sociedad cuando se desconoce el domicilio de esta.

f) La notificación del acto sin especificar si es o no definitivo en vía administrativa, pero indicando los recursos procedentes; o señalando que cabe recurso ante el *"Tribunal Regional"* en lugar de ante el *"Tribunal Económico-Administrativo Regional"* que específicamente corresponda.

g) La notificación dirigida al domicilio del interesado, constando en el aviso de recibo de Correos el nombre de este y el de su representante legal; o la notificación dirigida al destinatario, identificado correctamente con nombre y apellidos, pero también a nombre de una sociedad mercantil de la que no es representante.

h) La notificación realizada en un domicilio que anteriormente tenía la entidad, y que sigue siendo de empresas del mismo grupo empresarial, habiéndose firmado por quien se identifica como empleado, consigna su D.N.I. y estampa el sello de la empresa.

A tenor de esta jurisprudencia, cabe apreciar la interrupción de la prescripción aun siendo la notificación defectuosa, siempre que el fallo del que adolezca la notificación no sea de carácter sustancial y, con ello, de tal entidad que impida el conocimiento formal por parte del obligado tributario[534]. No obstante, entendemos que para admitir esta posibilidad en estos supuestos, habrá que ser especialmente escrupuloso para determinar si efectivamente ese conocimiento formal se ha producido, otorgando mayor importancia a que se haya producido el *"conocimiento"* que a la *"forma"*. De esta forma, se podrían mitigar, en cierta medida, las críticas a esta doctrina del Tribunal Supremo, que con toda lógica, incidirán sobre la esencialidad del cumplimiento de los requisitos formales del procedimiento de notificación para que se produzca el *"conocimiento formal"*.

---

534   De este parecer es NIETO MONTERO, en comentario a una Sentencia de la Audiencia Nacional de 16 de enero de 2016, en la que este Tribunal reconoce que las notificaciones defectuosas, en algunos supuestos, pueden interrumpir la prescripción. Este autor considera que, si no existe una notificación completa que cumpla con todos los requisitos legales, tampoco se puede considerar que se produce la interrupción del plazo de prescripción. Vid. NIETO MONTERO, J. J.: "Los efectos de las notificaciones defectuosas de cara a la interrupción de la prescripción en materia tributaria", *Jurisprudencia Tributaria Aranzadi*, Volumen I, 1996, págs. 1693-1704.

G. CONOCIMIENTO FORMAL Y PRINCIPIO ANTIFORMALISTA

Como hemos venido indicando en estos apartados, para que las actuaciones interrumpan la prescripción han de realizarse con *"conocimiento formal"* del obligado tributario. Esa referencia al aspecto *"formal"*, indica que, si la notificación se efectúa siguiendo el procedimiento legal establecido al efecto, interrumpirá la prescripción.

Esta construcción establecida en el ámbito de la interrupción de la prescripción no casa bien, a nuestro parecer, con el principio antiformalista, elaborado por la jurisprudencia, que rige las notificaciones en el ámbito tributario. Este principio antiformalista supone que, aunque no se sigue el procedimiento legalmente establecido para efectuar la notificación, si su contenido llega al conocimiento del obligado tributario, la notificación se tendrá por realizada. Esto es, lo importante no son los defectos formales en la notificación, sino los defectos materiales, pues son estos últimos los que producen la indefensión del obligado tributario. Sí este adquiere conocimiento de las actuaciones, aunque no se respete el procedimiento legalmente establecido, los defectos formales carecerán de trascendencia jurídica. Este es el sentido de varios pronunciamientos del Tribunal Constitucional de como la Sentencia 101/1990, de 4 de junio; la Sentencia 126/1996, de 9 de julio; la Sentencia 34/2001, de 12 de febrero; la Sentencia 55/2003, de 24 de marzo; o la Sentencia 43/2006, de 13 de febrero[535].

---

535   *Tol 80.393, Tol 83.059, Tol 2.117, Tol 258.816 y Tol 834.051,* respectivamente.

También es claro el Tribunal Supremo, entre otras, en la Sentencia de 5 de mayo de 2011[536], en la que señala que *"una vez establecido que en el ámbito de las notificaciones de los actos y resoluciones administrativas resulta aplicable el derecho a la tutela judicial efectiva, conviene comenzar aclarando, como presupuesto general, que lo trascendente en el ámbito de las notificaciones es determinar si, con independencia del cumplimiento de las formalidades legales, el interesado llegó a conocer el acto o resolución a tiempo para -si lo deseaba- poder reaccionar contra el mismo, o, cuando esto primero no sea posible, si, en atención a las circunstancias concurrentes, debe presumirse o no que llegó a conocerlos a tiempo.*

Pues bien, el análisis pormenorizado de la jurisprudencia de esta Sala y Sección en materia de notificaciones en el ámbito tributario -inevitablemente, como hemos señalado anteriormente, muy casuística- pone de relieve que, al objeto de determinar si debe entenderse que el acto administrativo o resolución notificada llegó o debió llegar a conocimiento tempestivo del interesado, los elementos que, con carácter general deben ponderarse, son dos. En primer lugar, el grado de cumplimiento por la Administración de las formalidades establecidas en la norma en materia de notificaciones, en la medida en que tales formalidades van únicamente dirigidas a garantizar que el acto llegue efectivamente a conocimiento de su destinatario. Y, en segundo lugar, las circunstancias particulares concurrentes en cada caso, entre las que necesariamente deben destacarse tres: a) el grado

---

536   Tol 2.155.463.

de diligencia demostrada tanto por el interesado como por la Administración; b) el conocimiento que, no obstante el incumplimiento en su notificación de todas o algunas de las formalidades previstas en la norma, el interesado haya podido tener del acto o resolución por cualesquiera medios; y, en fin, c) el comportamiento de los terceros que, en atención a la cercanía o proximidad geográfica con el interesado, pueden aceptar y aceptan la notificación". En el mismo sentido, la referida Sentencia de 7 de octubre de 2015, a la que ya hemos aludido, que indica que lo relevante en las notificaciones no es tanto que se cumpla con el procedimiento legalmente establecido, sino que el obligado tributario llegue a tener conocimiento de las actuaciones que se le quieren trasladar.

En definitiva, con el cumplimiento exclusivo de los requisitos formales establecidos en la Norma Tributaria y Administrativa no se garantiza que el acto llegue al conocimiento del obligado, y ese es el concepto de base del que parte la eficacia de la interrupción. Por tanto, entendemos que esta cuestión se debe examinar desde la siguiente pregunta ¿garantiza la forma en que se ha efectuado la notificación el conocimiento del obligado?

Atendiendo a lo expuesto, parece evidente la contradicción entre este principio antiformalista en las notificaciones y la exigencia de *"conocimiento formal"* para que se produzca el efecto interruptivo. Con ello, se puede plantear la paradójica situación de que una actuación conocida por el administrado a través de un procedimiento de notificación que adolece de defectos formales, sea válida como notificación en aplicación del principio antiformalista y, sin embargo, no posea eficacia interruptiva de la prescripción por no seguir los cauces formales establecidos al efecto. Al contrario, también cabe que una notificación se efectúe siguiendo escrupulosamente el procedimiento legal establecido y, con ello, interrumpa la prescripción y, sin embargo, no llegue al conocimiento del obligado tributario.

Entendemos que esta contradicción se puede solventar planteando la cuestión desde la óptica del *"conocimiento"* y no de la *"forma"*, pues lo que exige el artículo 68 de la LGT, en primer término es que tal *"conocimiento"* se produzca. Si el obligado tributario no adquiere tal conocimiento, no habrá interrupción, se hayan seguido o no los patrones legales para efectuar la notificación. Si el obligado sí ha conocido la actuación, será entonces cuando haya que determinar si la notificación se ha efectuado siguiendo el cauce legal establecido. En caso de que así sea, se producirá el efecto interruptivo del plazo de prescripción. Desde esta interpretación el requisito de la *"forma"* se configura como una cautela adicional al previo conocimiento por parte del obligado, pero, insistimos, si este no se ha producido, no se debería poder determinar que ha existido interrupción por mucho que se hayan seguido los procedimientos legales establecidos. El establecimiento de esta cautela adicional para considerar que el plazo está interrumpido, desde esta interpretación además, es consecuente con la doctrina del Tribunal Supremo que establece que, puesto que el principio de seguridad jurídica es el fundamento de la prescripción, las causas de interrupción deben interpretarse de manera restrictiva[537]. Por lo tanto, la exigencia de conocimiento formal debe examinarse en su conjunto y siguiendo el propio orden establecido por la LGT: en primer lugar que se haya producido el conocimiento y en segundo lugar, la forma en que se ha producido.

Así, yendo más allá y examinando tal exigencia de conocimiento formal en su conjunto, tal y como se ha planteado, ofrecen serias dudas los supuestos recogidos en el artículo 111.1 de la LGT, a tenor de su amplitud. Entendemos que, en algunos de estos supuestos, el conocimiento por parte del obligado tributario no se garantiza. En puridad, solo se garantizaría si la notificación se recibe por el propio obligado, disminuyendo tal garantía a medida que se amplía el espectro de sujetos que pueden recibir la notificación, máxime cuando también se ha ampliado el número de lugares en los que se puede efectuar la notificación.

Parece lógico, en aras de garantizar el conocimiento formal del obligado tributario, que si la notificación se efectúa a su centro de trabajo se exija que sea el propio obligado el que la recibe. Sin embargo, no ofrece tanta certeza que si la notificación se efectúa al domicilio fiscal, cualquiera de los residentes en el mismo pueda recibir la comunicación. Lo mismo se puede decir de la validez de la notificación a los empleados de las comunidades de vecinos. Parece del todo

---

537 En torno a la aplicación restrictiva de las causas de interrupción se ha pronunciado el Tribunal Supremo en Sentencias de 31 de diciembre de 1917, de 2 de mayo de 1918, de 8 de noviembre de 1958 (*Tol 4.350.776*), de 3 de junio de 1972 (*Tol 4.262.179*), de 18 de abril de 1989, de 26 de septiembre de 1997 (*Tol 5.156.610*) y de 12 de mayo de 2006 (*Tol 934.861*), entre otras.

ilógico que se justifique que el obligado tiene conocimiento formal de una actuación de la Administración tributaria cuando la notificación es recibida por un tercero que, la única relación que tiene con el obligado, es que desempeña su trabajo en el lugar en que radica el domicilio fiscal de este último. ¿Garantiza el conocimiento de la actuación por el obligado esta forma de notificar?. No, en nuestra opinión.

En definitiva, la posibilidad de que se admita la recepción de la notificación por sujetos distintos al obligado tributario deja al libre albedrío de estos terceros, que no tienen relación alguna con la obligación tributaria, el conocimiento formal por el obligado tributario. Esta forma de ampliar el número de sujetos que pueden recibir una notificación tributaria válidamente sirve únicamente al interés de la Administración, pero en nada al del obligado tributario, perjudicando de manera evidente el principio de seguridad jurídica en tanto prevé múltiples situaciones en las que se entenderá que el obligado a obtenido conocimiento formal de la actuación, incluso no habiendo intervenido o recibido personalmente comunicación alguna de las misma. Con ello, aunque "formalmente", se cumpla el requisito establecido en la LGT, se estará incumpliendo de base, pues no hay conocimiento de la actuación por el obligado tributario. Idéntica situación se produce en los supuestos en los que, bien por medio de notificaciones electrónicas, bien por medio de notificación postal, se tiene al obligado "por notificado", aún no accediendo a la notificación.

Expuesta nuestra opinión al respecto, somos conscientes de que, *a priori*, a este razonamiento se le puede achacar que no resuelve el problema de qué ocurre en los casos en los que la Administración no ha permanecido inactiva, pero habiendo intentado la notificación siguiendo los cauces formales establecidos, no lo ha conseguido. Pues bien, siendo tal posibilidad cierta, entendemos que junto a la interpretación ofrecida en el razonamiento que hemos expuesto, que debe actuar como regla general, se debe contemplar una "excepción" a esta regla general, que vendría precisamente determinada por aquellos casos en que habiéndose intentado la notificación, esta no ha sido posible por causas no imputables a la Administración. En estos supuestos, y solo en estos, se puede admitir el efecto interruptivo de otros mecanismos, como las notificaciones edictales o las notificaciones por comparecencia, a las que nos hemos referido en los epígrafes previos, en cuyo caso, aun no garantizándose el conocimiento por parte del obligado tributario, su empleo se justifica por la imposibilidad de acudir a otros medios que hagan efectiva la notificación.

H. REQUERIMIENTOS E INTERRUPCIÓN DE LA PRESCRIPCIÓN

Son numerosas las dudas que se han planteado en torno a la eficacia interruptiva de los requerimientos de información. Para abordar esta cuestión es preciso partir de que el concepto de requerimiento en el ámbito tributario no es unitario, ni se refiere a un solo tipo de actuaciones. Así, podemos diferenciar los requerimientos insertados en el marco del procedimiento tributario, de los requerimientos de información del artículo 93 de la LGT. Cada uno de ellos presenta un régimen legal propio y nos efectos interruptivos particulares.

H.1. REQUERIMIENTOS REALIZADOS EN EL MARCO DEL PROCEDIMIENTO TRIBUTARIO

Los requerimientos realizados en el marco del procedimiento de gestión o de inspección, en tanto son actuaciones tendentes a la determinación de la deuda tributaria, consideramos que encajan en el contenido del artículo 68.1 a) de la LGT, y con ello, poseen virtualidad interruptiva de la prescripción[538].

Admitido este extremo, también hay que tener en cuenta que la forma en la que estos requerimientos se ejecutan es tan variada y admite una casuística tan amplia, que aparecen numerosos interrogantes en relación a si, en algunos de estos supuestos particulares, se entiende interrumpida la prescripción

Por otro lado, el Tribunal Supremo ha negado la eficacia interruptiva del plazo de prescripción de los requerimientos de información de la que no dispone el obligado, siempre que se cumplan unas determinadas condiciones. Así, en las Sentencias de 13 de febrero de 2007, de 18 de marzo de 2009, de 5 de julio de 2010 y

---

538 Tales son los requerimientos a que se refieren los artículos 99 (*"Desarrollo de las actuaciones y procedimientos tributarios"*), 100 (*"Terminación de los procedimientos tributarios"*) o 132 (*"Iniciación y tramitación del procedimiento de verificación de datos"*) de la LGT.

de 16 de marzo de 2016[539], el Tribunal señala que *"es doctrina consolidada de esta Sala la que niega la existencia de paralización imputable a la Administración tributaria cuando el administrado es quien incumple los requerimientos efectuados por la Inspección, puesto que la pasividad solo sería achacable a la Administración si el recurrente hubiese manifestado que carecía de la documentación reclamada desde que se iniciaron los requerimientos"*, dejando claro su criterio: si el destinatario del requerimiento comunica a la Administración que no dispone de la información solicitada, tal requerimiento perderá su efecto interruptivo, pero, si el interesado no efectúa tal comunicación el requerimiento mantendrá su efecto interruptivo del plazo.

Finalmente, respecto a los requerimientos verbales, el Tribunal Supremo ha admitido su eficacia interruptiva en sus Sentencias de 18 de marzo de 2009 y de 5 de julio de 2010[540]. En la Sentencia de 18 de marzo de 2009 se parte de un supuesto en que, en el curso del procedimiento, se produce un requerimiento de nueva documentación de forma verbal, aceptado por el requerido y documentado en una diligencia. El Tribunal concluye que *"si se parte de que los actos jurídicos se llevan a cabo para que produzcan efecto habrá que convenir que si el requerido manifiesta ahora que ese requerimiento verbal fue un requerimiento inocuo le corresponderá a él probar que ello es así, lo que evidentemente no se ha hecho"*. Con ello, el Tribunal establece la presunción de que los requerimientos verbales

---

539   *Tol 1.038.017, Tol 1.486.771, Tol 1.486.772, Tol 1.911.096* y *Tol 5.673.622*, respectivamente.

540   *Tol 1.486.771* y *Tol 1.919.324*, respectivamente.

aceptados por el interesado y documentados debidamente, tendrán eficacia interruptiva del plazo de prescripción. Esta presunción que puede ser destruida por el propio interesado acreditando el efecto *"inocuo"* de tal requerimiento que, a nuestro entender, debe interpretarse como su procedencia e interés en el procedimiento.

H.2. REQUERIMIENTOS DE INFORMACIÓN DE ARTÍCULO 93 DE LA LGT

El artículo 93 de la LGT regula las obligaciones de información que afectan distintos obligados tributarios, señalando en su apartado 1 que:

> *"Las personas físicas o jurídicas, públicas o privadas, así como las entidades mencionadas en el apartado 4 del artículo 35 de esta ley, estarán obligadas a proporcionar a la Administración tributaria toda clase de datos, informes, antecedentes y justificantes con trascendencia tributaria relacionados con el cumplimiento de sus propias obligaciones tributarias o deducidos de sus relaciones económicas, profesionales o financieras con otras personas".*

Este precepto conecta con el artículo 29. 2. f) de la LGT, que establece que entre las obligaciones tributarias formales de los obligados tributarios se encuentra:

> *"La obligación de aportar a la Administración tributaria libros, registros,*

documentos o información que el obligado tributario deba conservar en relación con el cumplimiento de las obligaciones tributarias propias o de terceros, así como cualquier dato, informe, antecedente y justificante con trascendencia tributaria, a requerimiento de la Administración o en declaraciones periódicas. Cuando la información exigida se conserve en soporte informático deberá suministrarse en dicho soporte cuando así fuese requerido".

Como ha señalado el Tribunal Supremo, en sus Sentencias de 27 de febrero de 2019 y de 22 de abril de 2019[541] dentro de los requerimientos de información del artículo 93 de la LGT cabe distinguir dos tipos en función de su objeto: requerimientos individualizados de obtención de información, que versan sobre las propias obligaciones tributarias del requerido, y requerimientos que se refieren a datos no del propio requerido, sino de terceros con los que aquel ha mantenido relaciones económicas, profesionales o financieras.

A pesar de estas diferencias, los requerimientos de información del artículo 93 de la LGT tienen un elemento esencial en común: la trascendencia tributaria de sus datos. La trascendencia tributaria ha sido definida por el Tribunal Supremo, en las Sentencias de 12 de noviembre de 2003, de 14 de marzo de 2007 y de 28 de noviembre de 2013[542], como *"la cualidad de aquellos hechos o actos que puedan ser*

---

541   *Tol 7.101.063* y *Tol 7.216.555,* respectivamente.
542   *Tol 327.948, Tol 1.059.086* y *Tol 4.062.395,* respectivamente.

útiles a la Administración para averiguar si ciertas personas
cumplen o no con la obligación establecida en el art. 31.1 de
la Constitución de contribuir al sostenimiento de los gastos
públicos de acuerdo con su capacidad económica, y poder, en
caso contrario, actuar en consecuencia, de acuerdo con la Ley.
Y esa utilidad puede ser "directa" (cuando la información
solicitada se refiere a hechos imponibles, o sea, a actividades,
titularidades, actos o hechos a los que la Ley anuda el
gravamen) o "indirecta" (cuando la información solicitada se
refiere solo a datos colaterales, que puedan servir de indicio
a la Administración para buscar después hechos imponibles
presuntamente no declarados o, sencillamente, para guiar
después la labor inspectora -que no se olvide, no puede
alcanzar a absolutamente todos los sujetos pasivos, por ser
ello materialmente imposible hacia ciertas y determinadas
personas)".

La pregunta que se plantea en este punto es si estos requerimientos, en base a tal trascendencia tributaria, pueden encajar dentro de las actuaciones de la Administración tendentes a liquidar la deuda tributaria y, con ello, pueden interrumpir el plazo de prescripción[543]. Particularmente, resulta dudoso si estos requerimientos de información pueden considerarse actuaciones que inicien el procedimiento tributario de gestión o de inspección. El Tribunal Supremo ha sido claro a este respecto, negando tal posibilidad en sus Sentencias de 8 de abril de 2019, de 22 de abril de 2019 y

543 ORENA DOMÍNGUEZ, A.: "Los requerimientos de información: caducidad y motivación", *Quincena Fiscal*, núm. 17, 2019. BIB 2019\8388. (Consultado en la base de datos Aranzadi Instituciones, con fecha 10/01/2020).

de 30 de septiembre de 2019[544], en las que considera que la actividad de información, propia de los requerimientos *"no suplantó ni pretendió sustituir a la de investigación, que tuvo sustantividad propia"*, de modo que los requerimientos de información no supusieron el inicio del procedimiento de investigación, que es un procedimiento autónomo y, como señala la Sentencia *"con sustantividad propia"*. Que la información obtenida tras el requerimiento de información fuera incorporada al procedimiento no justifica que el requerimiento suponga su inicio, pues, *"no existe inconveniente alguno (...) para que aquellos requerimientos de información vayan seguidos, algo más de cinco meses después, de un ulterior procedimiento de investigación, que obviamente, podía tener coincidencia parcial o total, y aprovechar los datos obtenidos en el requerimiento efectuado, y ello sin que deba entenderse iniciado el procedimiento de investigación por la formulación del requerimiento de información (...) además, en el procedimiento de investigación se incorporaron actuaciones y documentos distintos de los resultantes de la previa información"*. Con ello, el Tribunal Supremo concluye que *"las actuaciones de obtención de información realizadas (...) no dieron lugar a la iniciación del procedimiento de investigación, ya que no tuvieron por objeto el reconocimiento, regularización, comprobación, inspección, aseguramiento o liquidación de la deuda tributaria"*. Consideramos acertada esta doctrina del Tribunal Supremo, pues la interpretación contraria otorgaría a los requerimientos de información una función que les es extraña, ya que, como su propia denominación indica, son

---

544   *Tol* 7.202.595, *Tol* 7.216.555 y *Tol* 7.548.542, respectivamente.

actuaciones destinadas a obtener información tributaria, no a iniciar el procedimiento. Para ello la Administración ya dispone de unos cauces tasados, que sí poseen el efecto de interrumpir el plazo de prescripción.

2.1.3. EL EFECTO INTERRUPTIVO DE LOS ACTOS NULOS O ANULABLES DE LA ADMINISTRACIÓN

A. EL CONCEPTO DE ACTO NULO Y DE ACTO ANULABLE EN DERECHO TRIBUTARIO

Como ha señalado SAINZ DE BUJANDA[545], *"el régimen administrativo se caracteriza básicamente porque la actuación administrativa se presume legítima y, por tanto, inmediatamente ejecutiva, lo que no excluye su sometimiento a una jurisdicción distinta de la ordinaria –jurisdicción contencioso-administrativa- que se alcanza una vez agotada la vía administrativa previa"*. De este modo, aunque los actos de la Administración se presuman dictados conforme a la Ley, esta presunción puede ser destruida, si se acredita que tales actos no se ajustan a los postulados legales, lo que determina la invalidez del acto dictado. La cuestión es que esa invalidez no va a tener siempre el mismo grado, ni a desplegar los mismos efectos. En función del grado de inadecuación del acto administrativo a la legalidad, la normativa administrativa y, particularmente a los efectos que nos ocupan, la tributaria, distingue dos grados: la nulidad y la anulabilidad.

---

545 SAINZ DE BUJANDA, F.: *Lecciones de Derecho Financiero*, 8ª ed., Universidad Complutense de Madrid. Sección de Publicaciones, Madrid, 1990, pág. 345.

La nulidad absoluta o de pleno derecho representa *"el grado máximo de invalidez de un acto jurídico"*[546]. Los casos que dan lugar a este tipo de nulidad *"deben afectar esencialmente al acto de que se trate, o, dicho de otro modo, incidir de una manera básica sobre sus elementos objetivos o subjetivos"*[547].

Los actos nulos carecen de efectos *ab initio* y no son susceptibles de convalidación ni de prescripción. Estos gravosos efectos derivados de la declaración de nulidad han provocado que el Tribunal Supremo concluya, entre otras, en las Sentencias de 23 de febrero de 2000 o de 13 de mayo de 2013[548], que la declaración de nulidad solo puede producirse con carácter excepcional. El efecto esencial de la nulidad, por tanto, es el restablecimiento de la situación al momento en que se encontraba antes de que se dictara el acto nulo.

Las causas que determinan la nulidad radical de un acto administrativo, particularmente de los que proceden de la Administración tributaria, aparecen tasadas en el artículo 217 de la LGT, que recoge una lista de supuestos en los que podrá declararse la nulidad de pleno derecho de los actos dictados en materia tributaria, así como de las resoluciones

---

546 SAINZ DE BUJANDA, F.: *Lecciones de Derecho Financiero*, ob. cit., pág. 348.

547 CALVO ORTEGA, R., CALVO VÉRGEZ, J.: *Curso de Derecho Financiero*, ob. cit., pág. 285. Añaden estos autores que el vicio que determine la nulidad afectará *"concretamente sobre la materia del propio acto (lo que determina el vicio de incompetencia), el poder territorial (afecta igualmente a la competencia), o a la formación de voluntad del órgano de que se trate (llevada a cabo completamente al margen del ordenamiento jurídico) por prescindir de los requisitos básicos de este o de su finalidad indiscutible"*.

548 *Tol 1.700.792* y *Tol 3.782.298*, respectivamente.

de los órganos económico-administrativos, que hayan puesto fin a la vía administrativa o que no hayan sido recurridos en plazo.

En relación al carácter cerrado o abierto de esta enumeración, si bien de su dicción literal parece que se trata de una lista cerrada, algunos autores consideran que se trata de una lista abierta y que caben otros supuestos no expresamente recogidos por la Norma Tributaria, pero sí por la Norma Administrativa, susceptibles de determinar la nulidad radical del acto[549]. No obstante, estas apreciaciones se referían a la regulación de las causas de nulidad establecidas en la LGT de 1963, en la que sí se podrían apreciar que algunos elementos susceptibles de nulidad en el ámbito administrativo no aparecían en el texto tributario. La LGT de 2003 precisa mucho más las causas de nulidad, por lo que el Tribunal Supremo ha negado la posibilidad de apreciación de la nulidad por otros motivos, destacando el carácter taxativo de los supuestos recogidos en el artículo 217 de la LGT[550].

---

549   BAYONA DE PEROGORDO, J. J., SOLER ROCH, M. T.: *Derecho financiero*, Compás, Alicante, 1987, págs. 300-301, con referencia a CHECA GONZÁLEZ, C.: *La revisión de los actos tributarios en vía administrativa*, 1ª ed., Lex Nova, Valladolid, 1988 y GONZÁLEZ GARCÍA, E.: "La revisión de los actos tributarios en vía administrativa", *Revista de Derecho Financiero y Hacienda Pública*, núm. 122, 1976, págs. 275-324.

550   Así, el Tribunal Supremo señala en su Sentencia de 8 de marzo de 2012 (*Tol* 2.513.267) que "*con la Ley 58/2003, se ha realizado un notable esfuerzo de aproximación de ambas legislaciones; pero estas diferencias tradicionales nos sirven para dejar sentada una premisa, cual es que no todo supuesto de nulidad radical de los actos firmes tienen cabida en el procedimiento regulado en el artº 217 de la Ley 58/2003, sino en exclusividad los contemplados en dicha norma, que enumera, por tanto, una lista taxativa y cerrada de supuestos, irreprochable por inscribirse dentro de las opciones*

Por lo que se refiere a las causas de anulabilidad, estas representan *"el segundo grado de invalidez de los actos administrativos"*[551]. Por ello, suponen una invalidez *"menos radical"*[552], lo que implica que sus efectos tampoco serán los mismos. La LGT delimita los actos de la Administración tributaria susceptibles de anulabilidad en el artículo 218, estableciendo una definición de carácter negativo, por referencia al antecitado artículo 217[553].

A pesar de la ausencia de una definición legal clara, de las aportaciones de CALVO ORTEGA y CALVO VÉRGEZ[554] y CHECA GONZÁLEZ[555], se infieren cuatro requisitos para que una actuación tributaria sea anulada:

---

que compete al legislador en la búsqueda del equilibrio entre seguridad jurídica y efectividad".

551   SAINZ DE BUJANDA, F.: *Lecciones de Derecho Financiero*, ob. cit., pág. 351.

552   CALVO ORTEGA, R., CALVO VÉRGEZ, J.: *Curso de Derecho Financiero*, ob. cit., pág. 287.

553   La Ley 39/2015, por su parte, tampoco recoge una delimitación taxativa de los actos susceptibles de ser anulados, aunque sí es más precisa. Señala el artículo 48 de la Ley 39/2015:

"1. Son anulables los actos de la Administración que incurran en cualquier infracción del ordenamiento jurídico, incluso la desviación de poder.

2. No obstante, el defecto de forma solo determinará la anulabilidad cuando el acto carezca de los requisitos formales indispensables para alcanzar su fin o dé lugar a la indefensión de los interesados.

554   CALVO ORTEGA, R., CALVO VÉRGEZ, J.: *Curso de Derecho Financiero*, ob. cit., pág. 288.

555   CHECA GONZÁLEZ, C.: *La revisión de oficio de los actos tributarios: nulidad y anulabilidad*, 1ª ed., Aranzadi, Pamplona, 1996, págs. 46-55.

1. Constituir una infracción manifiesta de la Ley[556].

2. Ser un acto declarativo de derechos (V. gr. liquidaciones definitivas).

3. Ser lesivo.

4. Ser actos definitivos: deben haber agotado la vía administrativa y, con ello, haber adquirido firmeza.

En estos casos es evidente que la delimitación de los supuestos que dan lugar a la anulabilidad es eminentemente abierta, de lo que se deriva la importancia del papel tanto de la doctrina administrativa como de los órganos jurisdiccionales en la fijación de tales actos y en la declaración de la anulación y, particularmente por lo que aquí interesa, de sus efectos.

B. LA INTERRUPCIÓN DE LA PRESCRIPCIÓN POR LOS ACTOS NULOS Y ANULABLES DE LA ADMINISTRACIÓN

Una de las cuestiones más debatidas y que más jurisprudencia ha generado en relación con la cuestión estudiada es si los actos nulos o anulables desarrollados por la Administración en el marco del procedimiento tributario

---

556 Señala CHECA GONZÁLEZ que la apreciación de este requisito, aun siendo esencial, resulta problemática debido a que *"la distinción entre cuando una infracción es manifiesta y cuándo no lo es no siempre resulta fácil efectuarla, dependiendo en muchas ocasiones de la opinión personal y subjetiva de quién tenga que apreciarla"*. Vid. CHECA GONZÁLEZ, C.: *La revisión de oficio de los actos tributarios: nulidad y anulabilidad*, ob. cit., pág. 52.

poseen virtualidad para interrumpir la prescripción. En esencia, la cuestión primordial a resolver en este punto es: si un acto de la Administración es anulado por la jurisdicción contencioso-administrativa, tras ser recurrido por el obligado tributario ¿podría la Administración volver a liquidar por haber interrumpido ese acto el plazo de prescripción o, por el contrario, esa interrupción se debe entender como no producida, y en consecuencia, se podría declarar culminado el plazo de prescripción?[557].

La posibilidad de interrumpir la prescripción anuda directamente con los efectos que se han otorgado a ambos tipos de actos. El efecto de la nulidad de pleno derecho, como señalábamos en el apartado precedente, es que el acto se tiene por no realizado, con lo que carecen de efecto todas las actuaciones que se deriven del acto nulo. Por ello, el criterio del Tribunal Supremo en materia de interrupción de la prescripción es que los actos administrativos declarados nulos no interrumpen la prescripción. Sin embargo, en el caso de los actos anulables, el Tribunal sí admite ese efecto interruptivo, tal y como ha dejado patente en numerosa jurisprudencia, en la que establece un trato diferenciado, a efectos de prescripción, entre los actos nulos y anulables.

Inicialmente, el Tribunal Supremo reconoció capacidad interruptiva de la prescripción incluso a los actos nulos, en sus Sentencias de 22 de marzo de 1974 y de 18 de junio de 1976. La doctrina manifestó su desacuerdo con este criterio del Tribunal Supremo, defendiendo que los actos nulos

---

557 GUERRA REGUERA, M.: *Prescripción de deudas tributarias*, ob. cit., pág. 207.

carecen de efectos interruptivos de la prescripción, pero, con matices, no así los anulables[558].

El criterio por el que se determina que los actos nulos carecen de efecto interruptivo de la prescripción, mientras que los actos anulables sí gozan de eses efecto, fue adoptado por el Tribunal Supremo en Sentencia de 19 de enero de 1996[559], en la que, frente a la alegación de los recurrentes de que había "*prescrito el derecho de la Administración para comprobar el verdadero valor de la finca adquirida*" porque la Sentencia impugnada "*incurría en el error de dar por válidos, para interrumpir la prescripción, actos declarados formalmente nulos*", aclaró que el acuerdo de comprobación de valores "*no fue declarado nulo de pleno derecho (nulidad absoluta o radical) (...) sino simplemente anulable (nulidad relativa) (...) luego, en consecuencia, produjo efectos interruptivos, dado que únicamente se puede negar tal efecto a los actos*

---

558   En este sentido FALCÓN Y TELLA es claro, señalando que "*no interrumpen la prescripción los actos que incidan en alguno de los supuestos de nulidad de pleno derecho (...) los vicios del acto que no conlleven su nulidad de pleno derecho, en cambio, no hacen desaparecer la virtualidad interruptiva de la prescripción propia de la actividad administrativa*", si bien precisa un requisito para que estos actos anulables gocen de virtualidad interruptiva, "*siempre que dicha actividad se haya realizado con el conocimiento formal del sujeto pasivo, es decir, haya sido notificada correctamente*". Comparte este criterio JUAN LOZANO, que añade un requisito más que debe concurrir en los actos anulables para que puedan interrumpir la prescripción "*que el vicio formal que determina la anulación del acto no consista precisamente en la falta de delimitación del alcance de la actuación administrativa a quien (...) el artículo 66.1.a) de la LGT convierte en condicionante específico de los efectos interruptivos sobre el plazo de prescripción*". Vid. FALCÓN Y TELLA, R.: *La prescripción en materia tributaria*, ob. cit., pág. 137 y JUAN LOZANO, A. M.: *La interrupción de la prescripción tributaria*, ob. cit., pág. 75.

559   Tol 5.142.947.

nulos de pleno derecho, en la medida que se consideran como inexistentes". Posteriormente, el Tribunal reitera su criterio, entre otras, en sus Sentencias de 6 de junio de 2003 y de 19 de junio de 2004[560].

Este razonamiento del Alto Tribunal se deriva de la interpretación que otorga a los efectos que tradicionalmente se han asignado a los actos anulables, al entender que, al ser actos susceptibles de convalidación, pueden producir efectos *ab initio*. Esta es la base que permite al Tribunal Supremo afirmar que los actos anulables interrumpen la prescripción, afirmación que no compartimos totalmente. Consideramos que el Alto Tribunal, con su argumentación, priva de todo efecto negativo o sancionador a las actuaciones anulables de la Administración, al menos en lo que a la interrupción de la prescripción se refiere.

Como se puede observar, el Tribunal Supremo no adopta, en su totalidad, la doctrina expuesta por los autores *supra* referenciados, pues del planteamiento que estos realizan se deriva que, aunque se admita que un acto anulado podría interrumpir la prescripción, esta conclusión no es de aplicación general para cualquier acto en que se aprecie un vicio de anulabilidad, sino que para determinar si el acto anulado interrumpe o no la prescripción, habrá que examinar el motivo exacto que ha dado lugar a tal anulación y, particularmente, su incidencia en que el contribuyente adquiera conocimiento formal del acto anulado y que tal causa de anulación no sea una falta de delimitación del alcance del acto administrativo. El Alto Tribunal prescinde

---

560 *Tol 305.661* y *Tol 513.834*, respectivamente.

de estas consideraciones, otorgando a todo acto anulado, independientemente del motivo del que traiga causa, capacidad para interrumpir la prescripción.

Esta doctrina fue fijada por el Alto Tribunal en la Sentencia de 19 de abril de 2006[561], dictada en recurso de casación en interés de Ley, en la que expresamente indicaba que "*la anulación de una liquidación tributaria por causa de anulabilidad no deja sin efecto la interrupción de la prescripción producida anteriormente por consecuencia de las actuaciones realizadas ante los Tribunales Económico Administrativos, manteniéndose dicha interrupción con plenitud de efectos*". El Tribunal Supremo fundamenta su postura en los siguientes argumentos:

- En primer lugar, señala que "*la apreciación de la prescripción requiere al menos dos requisitos:*

1º. *Que haya silencio en la relación jurídica que prescribe.*

2º. *Que la norma jurídica reconozca la prescripción que se declara.*"

Concluye que en los supuestos de anulabilidad no se produce ninguna de estas dos circunstancias, pues considera que las acciones anuladas están comprendidas dentro del concepto "*cualquier acción administrativa*" al que hace referencia el artículo 68.1 a) de la LGT, por

---

561 *Tol 987.116.*

tanto *"la primitiva acción administrativa, dirigida a la liquidación del hecho imponible, ulteriormente anulada configura el hecho interruptivo de la prescripción que el precepto citado contempla"*. Añade *"tal distinción no es irrelevante para el ordenamiento jurídico que considera <u>no convalidables los actos nulos, siendo imprescriptible (en principio) la acción para exigir su anulación. Por el contrario, los actos anulables son convalidables y son susceptibles de impugnación en los plazos (breves) legalmente establecidos</u>. Pudiera argüirse que aunque sean ciertas esas diferencias las mismas se vuelven irrelevantes cuando de la prescripción se trata. Pero esta tesis carece de fundamento legal si se tiene presente que el artículo 66.1 a) al regular la interrupción de la prescripción se refiere a «cualquier acción administrativa» expresión que pone de relieve que <u>lo trascendente, a efectos de interrumpir la prescripción, es el silencio de la relación jurídica, lo que no se puede afirmar cuando el acto de la Administración es meramente anulable</u>, como es el caso"*.

- En relación con la capacidad interruptora de *"cualquier acto"*, alude al artículo 1.973 del Código Civil, señalando que *"no es ocioso recordar que este tratamiento jurídico no es diferente al que consagra el artículo 1.973 del Código Civil a efectos de interrupción de la prescripción y que establece la capacidad interruptiva de la prescripción en términos claramente genéricos, llegando también a utilizar la expresión «cualquier», como el precepto citado de la LGT, por lo que el efecto interruptivo no se supedita al éxito de la reclamación sino a la ausencia de silencio en la relación jurídica que prescribe"*.

Esta doctrina fue reiterada, entre otras, en las Sentencias de 23 de mayo de 2006 y de 29 de junio de 2009[562]. El Alto Tribunal, en esta última, hace referencia a una Sentencia del Tribunal Superior de Justicia de la Comunidad Valenciana, en la que se mantenía que *"cualquiera que fuere el grado de invalidez que afectase a un acto administrativo, sea nulo de pleno derecho o simplemente anulable, ese acto ineficaz no puede producir efecto alguno, y en razón (sic) concretamente el de interrumpir la prescripción"*[563]. Frente a este razonamiento, el Tribunal Supremo concluye *que "si ha de unificarse doctrina es para resaltar que la procedente es que la que sustenta la ratio decidendi de la Sentencia objeto del presente recurso de casación, al seguir una jurisprudencia que puede resumirse en los siguientes términos:*

1°) La anulación de una comprobación de valores (como la de una liquidación) no deja sin efecto la interrupción del plazo de prescripción producida anteriormente por consecuencia de las actuaciones realizadas ante los Tribunales Económicos Administrativos, manteniéndose dicha interrupción con plenitud de efectos (Cfr. STS de 19 de abril de 2006).

2°) La anulación de un acto administrativo no significa en absoluto que decaiga o se extinga el derecho de la Administración Tributaria a retrotraer actuaciones, y volver a actuar, pero ahora respetando las formas y garantías de los interesados (FD Tercero)".

---

562   *Tol 986.997* y *Tol 1.594.279*, respectivamente.

563   Sentencia del Tribunal Superior de Justicia de la Comunidad Valenciana de 6 de mayo de 2005 (*Tol 671.645*).

El Tribunal Supremo ratificó este criterio en la Sentencia de 20 de enero de 2011[564], dictada en casación para la unificación de doctrina, en la que deja clara su posición respecto a la diferencia entre los actos nulos y anulables en cuanto a su capacidad para interrumpir la prescripción. Señala el Tribunal *"no puede negarse, con carácter general, efectos interruptivos de la prescripción a las reclamaciones o recursos instados contra actos declarados nulos, sino <u>únicamente cuando se trata de la impugnación de actos nulos de pleno derecho</u>"*. Argumentación que ha sido reiterada, entre otras, en las Sentencias de 1 de marzo de 2012, de 24 de mayo de 2012, de 14 de noviembre de 2013, de 9 de abril de 2015, o de 20 de abril de 2017[565].

En esencia, la línea en la que se fundamenta la argumentación del Tribunal Supremo es la siguiente: cuando los actos adolecen de una causa de nulidad deben ser tratados como actos inexistentes, no siendo posible su convalidación o subsanación, con lo que carecen de efecto interruptivo alguno, mientras que los actos anulables, en tanto representan una *"actividad de la Administración que, aunque defectuosa, está dirigida a hacer efectivo el crédito (...) no pueden equipararse a la mera inactividad en que la prescripción se fundamenta"*[566], son convalidables y poseen efectos interruptivos aunque, con posterioridad, el acto anulado sea sustituido por otro.

---

564 *Tol 2.055.497.*

565 *Tol 2.514.464, Tol 2.550.795, Tol 4.024.025, Tol 4.852.545* y *Tol 6.057.626,* respectivamente.

566 SIMÓN ACOSTA, E.: "Interrupción de la prescripción tributaria por la interposición de recursos", *Actualidad jurídica Aranzadi,* núm. 825, 2011. BIB 2011\1136. (Consultado en la base de datos Aranzadi Instituciones, con fecha 10/06/2019).

Coincidimos con el criterio del Tribunal Supremo en relación a los actos nulos de pleno de derecho, pues el vicio de nulidad radical supone que el acto carece de cualquier tipo de efecto desde su realización. Además, la nulidad absoluta no despliega sus efectos únicamente en el propio acto nulo, sino en todos aquellos que se produzcan a consecuencia de este, por lo que se podría afirmar que la nulidad posee un carácter expansivo en cuanto a sus efectos. En este sentido se ha manifestado el Tribunal Supremo, en su Sentencia de 20 de enero de 2011[567], dictada en recurso de casación para la unificación de doctrina, en el que se plantea un supuesto en el que se notifica una diligencia de embargo a un contribuyente sin notificación previa de la liquidación, lo que provoca el recurso del contribuyente, dando lugar a que el Tribunal declare la nulidad de pleno derecho del embargo. A pesar de ello, la Administración entiende que tal nulidad afecta solo a la diligencia de embargo, pero que el posterior recurso del contribuyente es un acto que interrumpe la prescripción (pues recordemos que el artículo 68.1 b) de la LGT señala que la prescripción se interrumpe *"por la interposición de reclamaciones o recursos de cualquier clase"*). El Tribunal Supremo niega esta interpretación de la Administración, señalando que *"una vez aclarado que los recursos o reclamaciones instados contra actos declarados nulos de pleno derecho carecen de eficacia interruptiva de la prescripción, debemos necesariamente estimar el presente recurso en la medida en que, como hemos señalado, la Sentencia del Tribunal Superior de Justicia de Madrid de 15 de octubre de 2004 declara que «el expediente administrativo*

---

567   Tol 2.055.497.

había desaparecido», por lo que, «al no existir constancia de que la primera liquidación fuese correctamente notificada», «el apremio fue nulo ya que derivaba de un acto inexistente», esto es, «la apertura de la vía de apremio no fue válida ya que carecía de los requisitos esenciales para su eficacia, al no haber sido notificada a la actora la liquidación de la que traía causa conforme a lo previsto en el art. 124 LGT en relación con los artículos 68 a 61 LRJAP y al prescindirse total y absolutamente del procedimiento» (FD Segundo). De manera que, habiendo apreciado la existencia de una causa de nulidad de pleno derecho, la conclusión de que, no obstante, la reclamación instada contra la vía de apremio, y que dio lugar a la resolución del TEAR de Madrid de 29 de abril de 1999, « tuvo efectos interruptivos de la prescripción según lo previsto en el art. 66 LGT » (FD Segundo), resulta contraria a Derecho". Esta doctrina ha sido posteriormente aplicada, entre otras, en las Sentencias de 30 de marzo de 2011 y de 18 de junio y 11 de octubre de 2012[568], en las que el Tribunal abunda en la misma idea[569].

---

568 *Tol 2.131.639, Tol 2.571.688* y *Tol 2.672.940*, respectivamente.

569 Como apunta SIMÓN ACOSTA *"esta Sentencia viene a revalidar la tesis de que la interposición de la reclamación y, en general, los actos realizados en el curso de ella, no interrumpen, por sí mismos, la prescripción de la deuda. Se requiere, además, que haya existido una actuación administrativa con eficacia para destruir el silencio sobre la relación jurídica. De aquí podemos deducir que los actos producidos en el curso de la reclamación (incluido el acto de interposición) no interrumpen propiamente, sino que actualizan la interrupción producida por la actuación administrativa objeto del debate".* Vid. SIMÓN ACOSTA, E.: "Interrupción de la prescripción tributaria por la interposición de recursos", ob. cit., (Consultado en la base de datos Aranzadi Instituciones, con fecha 10/06/2019). En el mismo sentido, GUERRA REGUERA, M.: *Prescripción de deudas tributarias*, ob. cit., págs. 209-210.

Sin embargo, que la doctrina asentada en el Alto Tribunal sea aceptable en relación al criterio que adopta sobre los actos nulos, no significa que sea plenamente acertada, pues existen voces críticas tanto dentro del propio órgano jurisdiccional, como en la doctrina científica, particularmente en relación a los actos anulables, que en nuestra opinión consideramos rechazable, o, al menos, muy matizable. Ante ella resultan oponibles argumentos de diversa índole, que conducen a una doble respuesta: por un lado, rechazar que cualquier acto anulable pueda interrumpir la prescripción o, por otro, admitir la interrupción de la prescripción, pero solo por algunos actos anulables.

Dentro de las posturas que rechazan que cualquier acto anulable interrumpa la prescripción destaca la manifestada por algunos Magistrados, Ponentes en algunas de las Sentencias referenciadas, que han manifestado su parecer en distintos votos particulares. Destacan los votos particulares emitidos por el Magistrado FRÍAS PONCE a las Sentencias de 26 de marzo de 2012 y de 19 de noviembre de 2012[570]. En esta última señala el Magistrado que *"reconocer la posibilidad de que la Administración pueda volver a pronunciarse sobre el mismo objeto del acto anulado, manteniendo al mismo tiempo que los actos anulables tienen eficacia interruptiva y, por tanto, que existe plazo para volver a liquidar por haberse impugnado la liquidación inicial, supone dejar indefinidamente abiertos los procedimientos tributarios,* máxime cuando la revisión, tanto en la vía administrativa como en la judicial, suele precisar extensos periodos de tiempo para

---

570   *Tol* 2.501.177 y *Tol* 2.706.381, respectivamente.

su tramitación, que superan el plazo de los cuatro años de la prescripción, y desconocer el principio de seguridad jurídica, al que en definitiva responde el establecimiento de plazos de prescripción de los derechos de la Administración a practicar o a recaudar liquidaciones tributarias (...) Si se parte de que la prescripción no se interrumpe cuando impugnado un acto se declara nulo de pleno derecho, hay que admitir también los efectos ex tunc cuando es anulado, en base al principio de sujeción de la actuación administrativa al imperio de la Ley. Lo que diferencia al acto nulo del meramente anulable es que este último mantiene su eficacia si el interesado no reacciona frente al mismo, pero si se impugna y el recurso es estimado el pronunciamiento priva de todo efecto al acto impugnado, por lo que no puede interrumpir la prescripción ni el acto nulo ni el anulable, ni por supuesto los recursos ni las resoluciones de tales recursos, pues aquéllos no son sino un medio de reacción contra el acto administrativo, y estas la consecuencia lógica de tales recursos".

De esta forma, el Ponente justifica su valoración en varios pilares, entre los que destaca que los actos anulables no se validan por la mera impugnación del obligado tributario, tal y como parece inferirse de la doctrina del Tribunal Supremo. Más al contrario, es precisamente la vía de la impugnación la que se encuentra a disposición del interesado para que el órgano judicial competente ponga de manifiesto la invalidez del acto. Los argumentos dados por el Ponente en este voto particular son de tal calado que el propio Tribunal Supremo ha hecho referencia a ellos, a fin de justificar el mantenimiento de su doctrina. Así, en la Sentencia de 23 febrero 2016[571] se señala expresamente que *"la opinión manifestada en un voto particular expresa la posición minoritaria dentro de un Tribunal de Justicia, que discrepa del criterio mayoritario, pero, como resulta evidente, no constituye jurisprudencia y no puede sustentar una motivo de casación fundado en el artículo 88.1.d) de la Ley de esta jurisdicción. El voto particular a la Sentencia de 19 de noviembre de 2012, dictada en el recurso de casación en interés de la Ley 1215/2011, expresa la tesis del Magistrado disidente respecto de la capacidad interruptora de la prescripción de los actos meramente anulables, pero, hoy por hoy, la jurisprudencia del Tribunal Supremo sostiene que esa clase de actos administrativos, los aquejados de vicios de mera anulabilidad, interrumpen la prescripción del derecho de la Administración a fijar a deuda tributaria mediante la oportuna liquidación"*. Como se puede observar, el Tribunal se limita a rechazar la modificación de su doctrina, pero no entra a contraargumentar ni a valorar jurídicamente las apreciaciones realizadas por el Ponente en su voto particular, hecho que, por otra parte, sería el esperable de un órgano de su nivel.

A mayor abundamiento, acudiendo a lo señalado por CALVO ORTEGA y CALVO VÉRGEZ[572], estos autores indican que *"deberán tener en cuenta la imputación de culpabilidad de la infracción que se revisa"*. Añaden *"si es imputable a la Administración solo podrá exigirse la cuota tributaria al obligado tributario (y los recargos legales*

---

571 *Tol 5.655.171.*
572 CALVO ORTEGA, R., CALVO VÉRGEZ, J.: *Curso de Derecho Financiero*, ob. cit., pág. 288.

si los hubiere)". Sin embargo, si es imputable al obligado tributario *"se abre la exigencia de este interés indemnizatorio e incluso de la correspondiente sanción y, desde luego, de reiniciar los efectos tributarios al momento de la producción del acto que se anula"*. Esta es una práctica habitual, por ello, consideramos muy destacables estas apreciaciones, pues ponen de manifiesto la evidente desigualdad, en relación a los efectos del acto anulado, que se deriva del sujeto responsable de tal anulación.

En definitiva, conforme a esta doctrina, si el acto anulable por causa imputable a la Administración es recurrido, tal recurso supondrá la desaparición tanto del acto, como de sus efectos jurídicos. Este resultado se producirá cualquiera que sea el grado de invalidez que afecte al acto anulado, ya que, en tanto es ineficaz, no puede producir efecto alguno.

Junto a estos argumentos, que suponen el rechazo a la posibilidad de que cualquier acto anulado interumpa la prescripción, se plantean otros según los cuales solo se podrá admitir que la anulabilidad interrumpe la prescripción en determinadas circunstancias, posición a la que nos adherimos.

Resulta innegable que los actos anulables de la Administración son convalidables, no obstante, entendemos que el razonamiento del Alto Tribunal es parcial y, en este sentido, anudamos nuestro razonamiento con lo expresado por FALCÓN Y TELLA y JUAN LOZANO[573] en relación

---

573 FALCÓN Y TELLA, R.: *La prescripción en materia tributaria*, ob. cit., págs. 134-135; JUAN LOZANO, A. M.: *La interrupción de la prescripción tributaria*, ob. cit., pág. 75.

a que para que un acto anulable pueda interrumpir la prescripción es preciso que cumpla determinados requisitos que, a nuestro entender, aparecen enumerados en el artículo 68.1 a) de la LGT. Recordemos que este artículo señala que interrumpirá la prescripción del derecho a determinar la deuda *"cualquier acción de la Administración tributaria, realizada con conocimiento formal del obligado tributario, conducente al reconocimiento, regularización, comprobación, inspección, aseguramiento y liquidación de todos o parte de los elementos de la obligación tributaria que proceda, aunque la acción se dirija inicialmente a una obligación tributaria distinta como consecuencia de la incorrecta declaración del obligado tributario"*. Reproducimos nuevamente este precepto para destacar que, de su amplia redacción, el Alto Tribunal únicamente basa su argumentación en favor de dotar de efecto interruptivo a los actos anulables en la alusión a *"cualquier acción de la Administración tributaria"*. Olvida, de esta manera, que ese no es el único requisito que establece el precepto para determinar que un acto interrumpe la prescripción, pues acto seguido, señala que, tales actos deben realizarse con conocimiento formal del obligado tributario y orientados a unos determinados fines. Apunta FALCÓN Y TELLA[574], en referencia a las diligencias argucia a las que posteriormente nos referiremos, que *"es una constante en la jurisprudencia que la interrupción del plazo de prescripción no exige únicamente el ejercicio de cualquier acción administrativa, sino que esta ha de estar "matizada" por las finalidades a las que se refiere el artículo 66.1 a) de la*

---

574   FALCÓN Y TELLA, R.: *La prescripción en materia tributaria*, ob. cit., págs. 134-135.

LGT –actual 68.1 a) de la LGT-". En este sentido se aprecia hasta una cierta contradicción entre la jurisprudencia del Tribunal Supremo relativa a las diligencias argucia, en la que, como veremos, sí examina el cumplimiento de los requisitos exigidos en el artículo 68.1 a) de la LGT en su conjunto, con la referente a los actos anulables, en cuyo caso el análisis del Alto Tribunal se limita a las primeras palabras del referido precepto.

Siendo el primer requisito que el acto se realice con conocimiento formal del obligado tributario, es claro que un acto anulado del que no se pueda acreditar que se ha adquirido tal conocimiento formal no podrá interrumpir la prescripción. En relación con esto, señalábamos en el epígrafe dedicado al conocimiento formal del obligado tributario que entendíamos que, para determinar si una notificación que adolezca de algún defecto interrumpe la prescripción es preciso atender en primer término a la gravedad del defecto, pero, adicionalmente, a que el obligado tributario haya adquirido el "conocimiento" de la actuación. Este mismo razonamiento entendemos que debe trasladarse a este punto, poniendo especial incidencia en que, efectivamente, el obligado tributario conozca la actuación interruptiva.

No solo señala esto el precepto, pues indica que, además de realizarse con conocimiento formal del obligado tributario, el acto debe tener una determinada finalidad, cuando señala que se debe ser *"conducente al reconocimiento, regularización, comprobación, inspección, aseguramiento y liquidación de todos o parte de los elementos de la obligación tributaria"*. Esto supone que el alcance de tal acto debe estar delimitado con claridad y que el obligado tributario debe conocer, *ab initio*, tanto el alcance, como el objeto de las actuaciones. Si la anulación trae causa en un defecto de este tipo, consideramos que no es susceptible de interrumpir el plazo de prescripción, pues lo dispuesto en el propio artículo 68.1 a) de la LGT se lo impediría[575].

A mayor abundamiento, entendemos que esta interpretación es coherente con la jurisprudencia del Tribunal Supremo en relación a la apreciación de las causas de interrupción de la prescripción. Señalábamos previamente, que la jurisprudencia del Tribunal Supremo era clara en el sentido de considerar que las causas de interrupción de la prescripción, en el orden civil, deben interpretarse de forma restrictiva pues, siendo la prescripción una institución al servicio de la seguridad jurídica la interpretación extensiva de los supuestos de interrupción incrementaría la inseguridad e incertidumbre del interesado. Este razonamiento desarrollado en el ámbito iusprivatista es plenamente trasladable a la prescripción tributaria, pues el fundamento de esta también es el principio de seguridad jurídica y, entendemos especialmente aplicables en este ámbito las construcciones desarrolladas en el marco civil relativas a la seguridad jurídica como fundamento de la prescripción, con carácter general. La apreciación del efecto interruptivo en cualquier acto anulable contradice de manera evidente el criterio del Tribunal Supremo en relación a la apreciación restrictiva de

---

575   GIL CRUZ, E. M.: "Imposibilidad de alterar las bases de ejercicios que no hayan prescrito y que se sustenten en ejercicios ya prescritos. Res. TEAC 24 de septiembre de 2008", ob. cit., BIB 2009\643. (Consultado en la base de datos Aranzadi Instituciones, con fecha 03/09/2018).

las causas de interrupción, perjudicando, en consecuencia, la seguridad jurídica.

SESMA SÁNCHEZ[576] también pone de manifiesto lo esencial de analizar las causas que han dado lugar al acto anulado para determinar si este puede interrumpir la prescripción. Señala esta autora que lo esencial para determinar si un acto anulable interrumpe la prescripción es la causa que provoca tal invalidez: formal o material, planteando un triple escenario. Si la anulación es total y la causa es formal y ha generado indefensión al interesado *"cabría considerar que se ha interrumpido la prescripción y suspendido su cómputo hasta que se subsanen –en un plazo determinado (…) esos vicios de forma"*. Si la causa de anulación es una cuestión de fondo, *"ni la liquidación anulada por estos motivos ni los recursos o reclamaciones instados para invocar esa nulidad"* poseen eficacia interruptora. Por último, si la anulación es parcial, ya sea por causa de fondo o formal que no ha generado indefensión, *"en la medida en que nos encontramos con una liquidación «parcialmente válida y legítima», su dictado habrá tenido eficacia interruptiva de la prescripción"*.

Coincidimos con esta autora solo parcialmente. Nos parece correcta su afirmación en relación al efecto interruptivo de las anulaciones por causa de fondo, pues es evidente que deben carecer de toda eficacia interruptiva; sin

576   SESMA SÁNCHEZ, B.: "La interrupción de la prescripción tributaria por liquidaciones nulas o anulables: una jurisprudencia contradictoria", *Quincena Fiscal*, núm. 5, 2017. BIB 2017\529. (Consultado en la base de datos Aranzadi Instituciones, con fecha 15/10/2019).

embargo, no coincidimos con su criterio cuando la anulación es parcial, pues señala que, en ese caso, ya sea por causa de forma o de fondo, el procedimiento habrá tenido eficacia interruptiva. No compartimos este último razonamiento, pues entendemos que, en tanto el acto adolece de un defecto material, conocido por el obligado tributario, advertido por este ante la Administración y cuya advertencia no ha provocado efecto por su parte, lo que ha llevado al obligado tributario ante los órganos administrativos superiores o ante los órganos jurisdiccionales para lograr su anulación, no puede ser convalidado como si de un mero defecto formal, desconocido por el contribuyente se tratase. Estos defectos de fondo deben dar origen a un nuevo procedimiento, en el que no negamos que se puedan incluir las actuaciones realizadas válidamente en el anulado, pero lo que no se puede conservar es el efecto interruptivo de la prescripción del procedimiento afectado por vicios materiales. Convenimos, por ello, con ESEVERRI[577] que *"la orden de retroacción de las actuaciones será pertinente cuando el vicio detectado en el acto administrativo sea de orden formal y provocado de una indefensión al interesado a quien se dirigió. En tanto que, si el vicio advertido y declarado se refiere a aspectos sustanciales a la conformación de dicho acto, la retroacción de las actuaciones como el efecto ejecutorio, en sus propios términos, de la resolución que lo declara anulable, entiendo, que no resulta pertinente porque en esos casos lo oportuno es anular el acto para que el órgano que lo dictó inicie un nuevo procedimiento, distinto al anulado, a través del que*

---

577   ESEVERRI, E.: *La prescripción tributaria en la jurisprudencia del Tribunal Supremo*, ob. cit., pág. 142.

se concrete válidamente la declaración de voluntad de la Administración". Queda clara nuestra postura en este punto, si bien retornaremos sobre ella en el apartado dedicado a la retroacción de las actuaciones inspectoras.

2.1.4. LAS DILIGENCIAS ARGUCIA

Las denominadas *"diligencias argucia"* son uno de los conceptos que ha provocado un mayor debate administrativo y jurisprudencial en los últimos años, por su incidencia en la valoración de las actuaciones de la Administración en el marco del procedimiento tributario. Siendo una cuestión que ha tenido un papel destacado en el marco de la interrupción de la prescripción, consideramos necesario abordar su estudio en la presente investigación, no sin antes advertir que, como expondremos en los epígrafes siguientes, la doctrina elaborada en torno a este concepto ha perdido parte de su aplicabilidad tras la reforma del artículo 150 de la LGT efectuada por la Ley 34/2015, particularmente por la eliminación de los supuestos de no cómputo o paralización del plazo máximo de resolución. No obstante, a pesar de no revestir la misma importancia, esta doctrina sigue siendo aplicable en determinados supuestos.

A. LA ELABORACIÓN DEL CONCEPTO DE "DILIGENCIA ARGUCIA" O "IRRELEVANTE"

A.1. LA DELIMITACIÓN DEL CONCEPTO DE "DILIGENCIA ARGUCIA" POR LA DOCTRINA CIENTIFICA

Para tratar esta cuestión consideramos adecuado partir de las palabras que MANTERO SÁENZ[578] plasmó ya en 1978. Este autor señaló que *"un excesivo formalismo, una interpretación abusiva de la interrupción de la prescripción, puede llevarnos al absurdo de ir amontonando, con fáciles argucias, periodos por comprobar. Y si en la base del instituto de la prescripción se hallan la seguridad jurídica y la económica, mal podrán servirla unas corruptelas que no hacen sino aumentar tales inseguridades".* En estas pocas líneas se recoge la causa y el efecto de lo que posteriormente se vino a denominar *"diligencias argucia"*.

Es claro que son diversas las actuaciones de la Administración susceptibles de provocar la interrupción de la prescripción y, con ello, el reinicio del cómputo del plazo en su integridad. Sin embargo, el artículo 68 indica que para que tales actuaciones tengan ese efecto interruptivo, deben realizarse con una finalidad determinada: en el caso del derecho a determinar la deuda tributaria deben conducir *"al reconocimiento, regularización, comprobación, inspección, aseguramiento y liquidación de todos o parte de los elementos*

---

578 MANTERO SÁENZ, A.: "La prescripción en el Derecho Tributario", ob. cit., pág. 168.

de la obligación tributaria que proceda". Este es el motivo que lleva al Tribunal Supremo a afirmar que en el concepto de *"diligencia argucia" "subyace una idea esencial consistente en conceptuar como "acción administrativa" aquella que realmente tiene el propósito de determinar la deuda tributaria en una relación de causa a efecto, y que en cuanto a la interrupción de la prescripción exige una voluntad clara, exteriorizada por actuaciones cuyo fin es la regularización tributaria"*[579]. Por eso, el elemento esencial para delimitar este tipo de actuaciones es que se realizan con el único objeto de interrumpir el plazo de prescripción, careciendo de cualquier otra finalidad tendente a la liquidación o a la recaudación del tributo. Esta interrupción "artificial", se realiza para otorgar a la Administración un margen temporal más amplio que el plazo de cuatro años que establece la LGT, o bien para evitar la caducidad o el incumplimiento del plazo máximo de duración de procedimiento y, con ello, la pérdida de su efecto interruptivo.

En consecuencia, estas actuaciones no cumplen con uno de los requisitos que se debe exigir a los actos de la Administración para gozar de efectos interruptivos, y al que ya nos hemos referido: hacer que el procedimiento progrese, avance[580]. MANTERO SÁENZ[581] destaca esta idea cuando

---

579 Así, entre otras, en las Sentencias del Tribunal Supremo de 16 de junio de 2011 (*Tol 5.655.171*), de 13 de noviembre de 2014 (*Tol 4.556.732*) o de 19 de mayo de 2017 (*Tol 6.113.241*).

580 MARTÍN CÁCERES, A. F.: "Prescripción", en VARIOS: *Comentarios a la Ley General Tributaria y líneas para su reforma. Homenaje a Fernando Sainz de Bujanda*. ob. cit., pág. 1030.

581 MANTERO SÁENZ, A.: "La prescripción en el Derecho Tributario", ob. cit., pág. 167.

señala que *"las actuaciones de la Administración deben estar encaminadas a comprobar"*, no a dilatar la comprobación. Las diligencias argucia no logran progreso alguno del procedimiento tributario, al contrario, en cuanto se articulan únicamente para interrumpir el plazo de prescripción y reiniciar su computo, se puede afirmar que el resultado de estas actuaciones es un retroceso o enlentecimiento del procedimiento.

Con este razonamiento no se niega que las actuaciones de la Administración calificadas como diligencias argucia tengan una finalidad, que es evidente que sí la tienen, lo que se cuestiona es que tal finalidad –la interrupción del plazo de prescripción-, sea suficiente para lograr ese efecto. En este sentido, y en la crítica firme a este tipo de actuaciones, la doctrina y la jurisprudencia no han sido vacilantes. Autores como CORTÉS DOMÍNGUEZ[582], ESEVERRI[583], GÉNOVA GALVÁN[584] o el referido MANTERO SÁENZ[585], ya en la década de los 60 y los 70 del siglo pasado, se mostraron muy críticos con las actuaciones de la Administración cuya única finalidad era interrumpir el plazo de prescripción. Más próximos en el tiempo, otros autores como FALCÓN

582　CORTÉS DOMÍNGUEZ, M.: *Ordenamiento tributario español*, Volumen I, ob. cit., pág. 499. Este autor sienta una máxima, que es que la virtualidad interruptiva *"debe deducirse solo de una actuación encaminada a hacer efectivo el derecho de crédito"*.

583　ESEVERRI, E.: "Apuntes sobre la prescripción tributaria", ob. cit., págs. 6-7.

584　GÉNOVA GALVÁN, A.: "La prescripción tributaria", ob. cit., pág. 50.

585　MANTERO SÁENZ, A.: "La prescripción en el Derecho Tributario", ob. cit., pág. 167.

Y TELLA[586], VEGA HERRERO[587], MARTÍN CÁCERES[588], GARCÍA NOVOA[589], CANCIO FERNÁNDEZ[590] y GUERRA REGUERA[591], se han mostrado igualmente críticos con estas actuaciones de la Administración.

Con todo lo dicho, ¿cómo se puede definir una diligencia argucia?. El diccionario jurídico de la RAE define las diligencias argucia como las *"actuaciones desarrolladas por la Administración tributaria con el único objeto de interrumpir el plazo de prescripción"*. Esta sencilla definición recoge, lo que, en esencia, representa este término en cuanto a su forma y finalidad.

---

586 FALCÓN Y TELLA, R.: *La prescripción en materia tributaria*, ob. cit., págs. 133-135. Apunta este autor que para las actuaciones interrumpan la prescripción *"han de tener relación inmediata y directa con el procedimiento de liquidación y recaudación"*, para que *"hagan avanzar dicho procedimiento"*.

587 VEGA HERRERO. M.: *La prescripción de la obligación tributaria*, ob. cit., pág., 69.

588 MARTÍN CÁCERES, A. F.: *La prescripción del crédito tributario*, ob. cit., pág. 136. Destaca esta autora que la exigencia de que la actividad interruptiva esté dirigida a la finalidad de liquidación y recaudación de la deuda tributaria *"opera como título justificativo de la atribución de las potestades mediante las que aquellas se ejercitan"*.

589 GARCÍA NOVOA, C.: *Iniciación, interrupción y cómputo del plazo de prescripción de los tributos*, ob. cit., págs. 231-236.

590 CANCIO FERNÁNDEZ, R. C.: "Sofismas y argucias en la interrupción de la prescripción en materia tributaria", *Quincena Fiscal*, núm. 21, 2009. BIB 2009\1837. (Consultado en la base de datos Aranzadi Instituciones, con fecha 13/09/2018).

591 GUERRA REGUERA, M.: *La prescripción de deudas tributarias*, ob. cit., pág. 183. Señala este autor que *"la acción administrativa tiene que contribuir a la determinación de la deuda tributaria o a su recaudación, existiendo entre estos fines y la acción una incuestionable relación causa efecto"*.

En relación a su aspecto formal, el término *"diligencia"* parece remitirnos al artículo 99.7 de la LGT, que señala:

"Las actuaciones de la Administración tributaria en los procedimientos de aplicación de los tributos se documentarán en comunicaciones, diligencias, informes y otros documentos previstos en la normativa específica de cada procedimiento.

(...)

Las diligencias son los documentos públicos que se extienden para hacer constar hechos, así como las manifestaciones del obligado tributario o persona con la que se entiendan las actuaciones. Las diligencias no podrán contener propuestas de liquidaciones tributarias".

Esta regulación se desarrolla por los artículos 97 a 100, ambos inclusive, del RGAPGIT.

En definitiva, las diligencias son documentos públicos en los que se hacen constar tanto los hechos que se desarrollan a lo largo del procedimiento, como las manifestaciones del obligado tributario o de la persona con la que se realicen las actuaciones[592].

Siendo variadas las posibilidades para documentar las actuaciones tributarias, –el artículo 99.7 alude a comunicaciones, diligencias, informes y otros documentos–, lo que se plantea en ese punto es si el sentido de que se debe dotar al concepto *"diligencia"* en el contexto de las *"diligencias*

---

592   VARIOS: *Practicum Procedimientos Tributarios*, 1 ª ed., Thomson Reuters, Cizur Menor (Navarra), 2016, pág. 341.

argucia", queda limitado al concepto de *"diligencia"* que ofrece la LGT y el RGAPGIT o, para que sea efectivo, reviste un carácter más amplio, ya que las actuaciones a través de las que la Administración puede intentar interrumpir la prescripción son muy variadas[593]. *A priori*, considerando lo indicado en la LGT, parece claro que se deberá optar por un carácter amplio, pues el referido artículo 99.7 excluye del ámbito de las diligencias las liquidaciones tributarias, siendo la notificación de estas un acto con clara virtualidad interruptiva del plazo. A mayor abundamiento, tomando en cuenta lo que señala el RGAPGIT en relación a cada uno de los tres medios documentales mencionados, parece que se debería optar por este carácter amplio, pues, por ejemplo, el referido artículo 99.7 de la LGT señala que el objeto de las comunicaciones *"es notificar al obligado tributario el inicio del procedimiento u otros hechos o circunstancias relativos al mismo o efectúa los requerimientos que sean necesarios a cualquier persona o entidad"*, todas ellas circunstancias con virtualidad interruptiva. No obstante, a continuación precisa que *"las comunicaciones podrán incorporarse al contenido de las diligencias que se extiendan"*, precisión de la que parece derivarse que, en la diligencia que se extienda al iniciarse el procedimiento se podrá incorporar la comunicación

---

593 Como señala GARCÍA NOVOA, *"cuando hablamos de interrumpir la prescripción y utilizamos el concepto de diligencia argucia, estamos haciendo referencia a diligencias que van constatando la actuación inspectora, a las actas de simple constancia de hechos, en las que el Inspector va probando elementos o partes del hecho imponible, como, por ejemplo, operaciones económicas que no figuraban contabilizadas...sin que, por el momento, haya propuesta de regularización de la situación tributaria"*. Vid. GARCÍA NOVOA, C.: *Iniciación, interrupción y cómputo del plazo de prescripción de los tributos*, ob. cit., pág. 232.

notificada. El artículo 98.2 del RGAPGIT tampoco contribuye a aclarar esta cuestión, pues, atendiendo a su tenor literal, parece que la generalidad de las actuaciones con virtualidad interruptiva quedarán documentadas en diligencias, pero ello no es obligatorio para la Administración, porque el referido precepto señala que la Administración *"podrá"* hacer uso de este medio documental para estos fines, pero no establece la obligación de que así lo haga. Este carácter potestativo que atesoran los preceptos reproducidos en cuanto a la documentación en diligencias de las actuaciones efectuadas hace que no sea posible afirmar que las *"diligencias"* a que se refiere el concepto de *"diligencia argucia"* deban quedar limitadas al concepto de diligencia que ofrece la LGT[594]. Además, el referido artículo 99.7 de la LGT también alude a *"otros documentos"*, no precisando ni este texto legal ni el RGAPGIT a qué tipo de documentos se refiere. De esta forma, la libertad que el legislador ha querido dar a la Administración para documentar sus actuaciones, conduce a afirmar que, si bien en la generalidad de los supuestos las diligencias objeto de calificación se encuadrarán dentro del concepto "legal" de diligencia, también podrán referirse a otro tipo de actuaciones realizadas por la Administración en la que ponga de manifiesto actuaciones realizadas en el ámbito tributario.

Para finalizar esta delimitación del concepto de diligencia, es preciso hacer referencia a la doctrina del Tribunal

---

594   Este carácter potestativo que el legislador ha otorgado a las actuaciones que se documentan en diligencias no es aleatorio, pues, en el artículo 98.1 del RGAPGIT, sin embargo, establece, con carácter obligatorio, los datos que se deberán consignar en las diligencias.

Supremo recaída en torno a la eficacia interruptiva de estas actuaciones en los supuestos en los que el procedimiento tributario, de gestión o de inspección, afecte a una pluralidad de elementos o de ejercicios y la diligencia solo recoja las actuaciones desarrolladas en relación a alguno de ellos. Señala el Tribunal Supremo, entre otras, en sus Sentencias de 27 de febrero de 2009, de 24 de mayo de 2012, de 7 de febrero de 2014, de 23 de junio de 2016, de 24 de marzo de 2017 y de 19 y 21 de junio de 2017[595] que *"cada diligencia no tiene por qué referirse a todos y cada uno de los ejercicios a los que la comprobación inspectora se extiende, a los Impuestos a los que alcanza o a un tema concreto para que las mismas tengan un carácter interruptivo de la prescripción en cada ejercicio"*. De esta manera, el criterio del Tribunal Supremo es claro: el efecto interruptivo de las actuaciones realizadas en el marco del procedimiento tiene carácter global, pues, como afirma a renglón seguido, *"las diligencias hay que enmarcarlas dentro de una actuación global de comprobación definida en la citación de inicio de aquélla, en cuanto a ejercicios e Impuestos"*.

A.2. LA PLASMACIÓN Y EL DESARROLLO DEL CONCEPTO POR LA DOCTRINA JURISPRUDENCIAL

La jurisprudencia del Tribunal Supremo ha abordado profusamente los caracteres que deben concurrir en las actuaciones administrativas para que gocen de eficacia

---

595　*Tol 1.494.395, Tol 2.566.51, Tol 4.109.362, Tol 5.761.681, Tol 6.012.386, Tol 6.206.662* y *Tol 6.301.876*, respectivamente.

interruptiva. La primera Sentencia en la que el Tribunal Supremo se ocupó de lo que posteriormente se denominarían *"diligencias argucia"* fue la Sentencia de 17 de enero de 1975, calificada por la doctrina como "revolucionaria"[596].

Posteriormente, en la Sentencia de 6 de noviembre de 1993[597], el Tribunal Supremo abunda en esta idea y señala que *"no cualquier acto tendrá la eficacia interruptiva que en dicho precepto se indica, sino solo los tendencialmente ordenados a iniciar o proseguir los respectivos procedimiento administrativo o que, sin responder meramente a la finalidad de interrumpir la prescripción, contribuyan efectivamente a la liquidación, recaudación o imposición de sanción en el marco del Impuesto controvertido"*, afirmación que ha sido recogida en numerosas Sentencias posteriores[598].

A pesar de que el concepto ya estaba perfilado, una de las primeras Sentencias del Alto Tribunal en la que se alude expresamente al término *"diligencia argucia"* es la Sentencia de 28 de febrero de 1996[599]. En otras Sentencias posteriores, de 28 de octubre de 1997[600], el Tribunal Supremo se refirió a estas diligencias como aquellas que *"no interrumpían la prescripción, porque no hacían avanzar el procedimiento"*.

---

596 MANTERO SÁENZ, A.: "La prescripción en el Derecho Tributario", ob. cit., pág. 168.

597 *Tol 1.671.842.*

598 Entre las más recientes, las Sentencias, de 26 de noviembre de 2009 (*Tol 1.773.295*), de 5 de julio de 2010 (*Tol 1.919.324*), de 19 de mayo y 16 de junio de 2011 (*Tol 2.139.139* y *Tol 2.161.548*) y de 23 de marzo de 2018 (*Tol 6.554.422*).

599 *Tol 5.142.746.*

600 Se trata de cinco Sentencias de la misma fecha. *Tol 5.143.323, Tol 5.143.226, Tol 5.143.306, Tol 5.148.792* y *Tol 5.148.793*, respectivamente.

Recientemente, el Alto Tribunal ha continuado perfilando el concepto, abundando en la línea señalada. Así, en su Sentencia de 28 de abril de 2008[601] ha precisado que las diligencias argucia *"se limitan a dar constancia de un hecho evidente, a anunciar la práctica de actuaciones futuras, a recoger la documentación presentada sin efectuar valoración alguna o reiterar la solicitud de una documentación que ya obra en el expediente"*.

Subsiguientemente, en la Sentencia de 7 de mayo de 2009 el Tribunal Supremo señaló que consideraba más correcto calificar estas diligencias como diligencias *"irrelevantes"*, *"a fin de que su denominación no contenga matices valorativos"*. No nos parece especialmente relevante este cambio de denominación, pues entendemos que es más una cuestión de fondo que de forma, lo que no obsta para que esa precisión terminológica sea valorada positivamente porque, como señala GUERRA REGUERA[602], *"el término argucia implica una voluntad retorcida y reprobable que no siempre tiene por qué haber hecho acto de presencia"*.

Más próxima en el tiempo, en su Sentencia de 12 de marzo de 2015[603], señala que *"solo serían idóneas para impulsar el procedimiento inspector aquéllas actuaciones directamente encaminadas a hacer progresar la comprobación, esto es, a determinar la deuda tributaria mediante la oportuna liquidación y si bien tal actividad puede*

---

601 *Tol 1.320.791.*

602 GUERRA REGUERA, M.: *Prescripción de deudas tributarias*, ob. cit., pág. 185.

603 *Tol 4.786.518.*

ser complementada con otras de naturaleza procedimental o de índole instrumental, habrá que prescindir de aquéllas que vengan referidas a hechos distintos de los regularizados, o a ejercicios diferentes, las relativas a circunstancias indiferentes para obtener el conocimiento de los datos necesarios para la regularización, así como las puramente anodinas o dilatorias"[604].

Considerando lo indicado hasta el momento, parece claro que las diligencias argucia no pueden provocar efecto interruptivo alguno, pues no poseen la finalidad para ello exigida por la LGT. Al tratarse de un concepto de creación jurisprudencial, si bien con la base legal que proporciona la LGT, resulta evidente la importancia del papel de los órganos jurisdiccionales en el enjuiciamiento y determinación de cuándo una actuación de la Administración puede calificarse como *"diligencia argucia"* y, en consecuencia, carecer de efecto interruptivo. Esta cuestión ha sido tratada por el Tribunal Supremo en distintas Sentencias, que han ido perfilando un *"catálogo de diligencias argucia"*.

Aunque las líneas generales que definirán este tipo de actos son las que se han venido enunciando, la casuística es amplísima. Descendiendo al plano de los ejemplos, algunas de las actuaciones administrativas que el Tribunal Supremo ha calificado como *"diligencias argucia"* son las siguientes:

---

604   En el mismo sentido, entre otras, las Sentencias del Tribunal Supremo de 28 de abril de 2008 (*Tol 1.320.791*) o de 23 de julio de 2012 (*Tol 2.602.998*).

- Requerimientos de obtención de información tributaria dirigidos a los obligados tributarios y relativos al cumplimiento de sus propias obligaciones tributarias (Sentencia del Tribunal Supremo de 8 de abril de 2019[605]).

- Exposición al obligado tributario del curso de las actuaciones del procedimiento (Sentencias del Tribunal Supremo de 12 de marzo y de 10 de noviembre de 2015[606]).

- Requerimiento de apuntes bancarios a los que no hace referencia la liquidación girada y respecto a los que no se ha justificado su relevancia para la regularización practicada (Sentencia del Tribunal Supremo de 13 de noviembre de 2014[607]).

- Actuaciones que afectan a tributos o periodos diferentes al que es objeto de comprobación (Sentencia del Tribunal Supremo de 5 de julio de 2012[608]).

- Actuaciones propias de un Inspector realizadas por un subinspector que carecía de competencia para ello (Sentencia del Tribunal Supremo de 29 de octubre de 2010[609]).

---

605 *Tol 7.202.595.*
606 *Tol 4.786.518* y *Tol 5.567.569*, respectivamente.
607 *Tol 4.556.732.*
608 *Tol 1.919.324.*
609 *Tol 1.879.093.*

- Diligencias en las que la Administración se limita a reflejar la disconformidad del interesado y a comunicarle la fecha de firma de unas actas (Sentencia del Tribunal Supremo de 26 de abril de 2008[610]).

- Acuerdo de la Dependencia de Relaciones con el Contribuyente relativo a la puesta de manifiesto del expediente al interesado (Sentencia del Tribunal Supremo de 17 de mayo de 2005[611])

- Diligencia por la que se anuncia el aplazamiento de las actuaciones (Sentencia del Tribunal Supremo de 29 de junio de 2002[612]).

- Avisos o anuncios de actuaciones futuras (Sentencia del Tribunal Supremo de 11 de febrero de 2002[613]).

En cualquier caso, a pesar de que la enumeración realizada es ejemplarizante, hay que precisar que la determinación de cuándo un acto de la Administración es o no relevante y, en este caso, puede calificarse como *"diligencia argucia"* requiere un estudio particular que determine su función en el procedimiento. Este examen de los hechos se debe efectuar tanto desde un punto de vista estático como dinámico, tal y como ha señalado el Tribunal Supremo en sus Sentencias de 7 de mayo de 2009 y 12 de

---

610   *Tol 1.320.791.*
611   *Tol 668.241.*
612   *Tol 1.702.272.*
613   *Tol 1.701.725.*

marzo de 2015[614]. El examen estático *"ha de ser de los hechos aisladamente considerados, de un lado, analizando los sujetos intervinientes, sus manifestaciones, así como las condiciones y circunstancias en que estas se producen"*. El examen dinámico debe tener en cuenta *"el marco en que esos hechos se producen, y ello por la elemental consideración de que todo procedimiento tiene una estructura dinámica en el que los actos que se suceden tienen unos antecedentes y buscan un fin determinado"*. En definitiva, la actuación deberá examinarse en su conjunto, pues *"no parece razonable interpretar un hecho procedimental olvidando el marco en el que se ha producido"*. Esto es, no se puede calificar a una actuación de la Administración como diligencia argucia por el mero hecho de que, *de facto,* coincida con alguno de los múltiples supuestos en los que el Alto Tribunal ha apreciado esta circunstancia, sino que habrá que estar a la concreta finalidad de la actuación en cada procedimiento para determinar su validez[615].

Al margen de lo indicado, en relación al ámbito temporal coincidimos con GUERRA REGUERA[616] cuando sostiene que a medida que la actuación de la Administración

---

614　*Tol 1.560.394* y *Tol 4.786.518,* respectivamente.

615　ESEVERRI, E.: *La prescripción tributaria en la jurisprudencia del Tribunal Supremo*, ob. cit., pág. 107.

616　GUERRA REGUERA, M.: *Prescripción de deudas tributarias*, ob. cit., pág. 183. A pesar de ello precisa este autor que *"no se trata de una regla inexorable, pero es comprensible que la inquietud por la inminente pérdida de un derecho propicie la realización de estratégicas actuaciones administrativas que lleguen justo a tiempo, al borde del pitido final, y solo busquen una nueva oportunidad para retomar lo que ya debió haberse concluido hace tiempo".*

está más próximas a la culminación del plazo de prescripción, habrá que analizar con mayor detalle si está orientada a la liquidación de la deuda o si tiene un mero carácter dilatorio. Así lo viene efectuando el Tribunal Supremo, tal y como se aprecia en la referida Sentencia de 13 de noviembre de 2014[617].

B. LA PERVIVENCIA DE LA DOCTRINA ELABORADA EN TORNO A LAS DILIGENCIAS ARGUCIA TRAS LA REFORMA DEL ARTÍCULO 150.2 DE LA LEY GENERAL TRIBUTARIA

En cuanto a su aspecto temporal, las diligencias argucia se pueden producir a lo largo de todo el plazo de prescripción, en algunos casos para iniciar el procedimiento y, en otros, para evitar que el procedimiento iniciado pierda su eficacia interruptiva. No obstante, esta última posibilidad ha perdido su razón de ser tras la modificación del artículo 150.2 de la LGT efectuada por la Ley 34/2015. Esta circunstancia tenía lugar en el marco del procedimiento inspector, de modo que si se producía un periodo de inactividad imputable a la Administración superior a seis meses, el procedimiento perdía su efecto interruptivo. Así lo establecía el artículo 29.3 de la LDGC, que señalaba:

"La interrupción injustificada durante seis meses de las actuaciones inspectoras, producida

---

617 Señala el Tribunal Supremo en esta Sentencia que la falta de eficacia interruptiva se extrae, entre otros motivos, de *"la fecha en que tal diligencia se extiende (dos días antes del vencimiento del plazo legal de seis meses)"*.

por causas no imputables al obligado tributario, o el incumplimiento del plazo a que se refiere el apartado 1, determinará que no se considere interrumpida la prescripción como consecuencia de tales actuaciones".

La LGT de 2003, recogió esta previsión en su artículo 150.2, si bien ya no con el mismo tenor literal, pues indicaba:

"La interrupción injustificada del procedimiento inspector por no realizar actuación alguna durante más de seis meses por causas no imputables al obligado tributario o el incumplimiento del plazo de duración del procedimiento al que se refiere el apartado 1 de este artículo no determinará la caducidad del procedimiento, que continuará hasta su terminación, pero producirá los siguientes efectos respecto a las obligaciones tributarias pendientes de liquidar:

a) No se considerará interrumpida la prescripción como consecuencia de las actuaciones inspectoras desarrolladas hasta la interrupción injustificada o durante el plazo señalado en el apartado 1 de este artículo".

Los matices introducidos por el legislador, y particularmente la referencia a *"actuación alguna"* ya dieron pie a que algunos autores, como ESEVERRI[618], apuntaran

---

618 ESEVERRI, E.: *La prescripción tributaria en la jurisprudencia del Tribunal Supremo*, ob. cit., pág. 121.

su evidente incidencia en la doctrina elaborada por el Tribunal Supremo en relación a las *"diligencias argucia"*, pues de esta referencia a *"cualquier actuación"* parecía excluir la posibilidad de que los órganos administrativos o jurisdiccionales valorasen la finalidad del acto y si, en definitiva, estaba orientado al progreso del procedimiento.

La reforma de la LGT efectuada por la Ley 34/2015 remató la senda iniciada por la LGT, suprimiendo de manera total la previsión relativa a las interrupciones injustificadas, al modificar el artículo 150.2 en el siguiente sentido:

> *"El plazo del procedimiento inspector se contará desde la fecha de notificación al obligado tributario de su inicio hasta que se notifique o se entienda notificado el acto administrativo resultante del mismo. A efectos de entender cumplida la obligación de notificar y de computar el plazo de resolución será suficiente acreditar que se ha realizado un intento de notificación que contenga el texto íntegro de la resolución.*
>
> *(...)*
>
> *A efectos del cómputo del plazo del procedimiento inspector no será de aplicación lo dispuesto en el apartado 2 del artículo 104 de esta Ley respecto de los periodos de interrupción justificada ni de las dilaciones en el procedimiento por causa no imputable a la Administración".*

De esta manera, a través de esta modificación se suprime toda previsión relativa a los efectos de las interrupciones injustificadas de las actuaciones Administración en el marco del procedimiento inspector, en claro detrimento de la seguridad jurídica y de los derechos y garantías del contribuyente consolidados en la LDGC[619]. Este cambio legal no vacía totalmente de contenido la doctrina elaborada en torno a las diligencias argucia, pero sí supone una gran limitación a su aplicación, pues gran parte de esta elaboración jurisprudencial se había desarrollado en el marco del procedimiento inspector, particularmente, para determinar si, efectivamente, las actuaciones realizadas por los órganos de la Administración estaban orientadas a hacer avanzar el procedimiento o meramente a que no transcurriera el plazo de seis meses sin actividad, perdiendo así el efecto interruptivo.

Aunque la Exposición de Motivos de la citada Ley 34/2015 justificaba la supresión en el objetivo de lograr *"simplificar de manera importante la normativa vigente"*, no han sido pocas las voces doctrinales que han criticado tal supresión, por considerar que ataca de manera flagrante los derechos y garantías de los contribuyentes. En este sentido es

---

619 FALCÓN Y TELLA había recomendado la aplicación analógica de la pérdida del efecto interruptivo por el transcurso del plazo de seis meses de inactividad injustificada de la Administración a otros procedimientos tributarios, indicando que *"la aplicación por analogía del plazo de seis meses (a los efectos exclusivamente de considerar no interrumpida la prescripción) en todos los procedimientos de gestión tributaria, debe verse no solo con una defensa del legítimo derecho del contribuyente a un procedimiento sin dilaciones indebidas, sino también como la opción por un plazo cuya duración supera la prevista con carácter supletorio en el procedimiento administrativo común"*. Sin embargo, a pesar de estos solventes argumentos, el legislador ha adoptado el camino contrario, con evidente perjuicio para la seguridad jurídica. Vid. FALCÓN Y TELLA, R.: "Interrupción de las actuaciones inspectoras y consumación de la prescripción", *Quincena Fiscal*, núm. 5, 1997, pág. 8.

claro SÁNCHEZ PEDROCHE[620], que señala que la referida supresión *"se trata sin duda de un claro retroceso en los derechos del contribuyente y en la paralela responsabilidad de una Administración tributaria y eficaz"*. DE MIGUEL CANUTO[621], por su parte, apunta que la reforma *"emite acta de defunción acerca de la «interrupción injustificada», que durante dos décadas ha prestado su servicios al contribuyente y ahora encuentra su entierro (...) Desde el punto de vista de las garantías del contribuyente queda una garantía donde antes hubo dos"*.

No obstante, algunos autores también han considerado que la supresión de esta previsión es positiva. En este sentido JUAN LOZANO y MARTÍN FERNÁNDEZ[622] señalan que, aunque esta *"limpieza"* del artículo 150 podría generar *"la impresión de que se elimina una garantía para el contribuyente, al suprimirse una norma tradicional relativa a la paralización injustificada de las actuaciones inspectoras y que, ciertamente, ha sido una de las normas clave en la construcción del sistema de garantías"*, también es preciso tener en cuenta que *"asumida la obligación de resolver en plazo los procedimientos de inspección, con los efectos inherentes a ello que no sufren modificación en la reforma del art. 150 de la LGT, resultaría muy limitada la efectividad*

---

620   SÁNCHEZ PEDROCHE, J. A.: "Súbditos fiscales o la reforma en ciernes de la LGT", *Contabilidad y tributación*, núm. 381, 2014, pág. 30.

621   DE MIGUEL CANUTO, E.: "El plazo máximo para liquidar en las actuaciones inspectoras", *Quincena Fiscal*, núm. 14, BIB 2016\4259. (Consultado en la base de datos Aranzadi Instituciones, con fecha 12/06/2018).

622   JUAN LOZANO, A. M., MARTÍN FERNÁNDEZ, J.: *Procedimiento de inspección: cuestiones útiles (ante y después de la reforma de la Ley General Tributaria)*, 1ª ed., Francis Lefebvre, Madrid, 2015, pág. 70.

de la modificación si se actúa, únicamente, sobre el supuesto de incumplimiento del plazo de resolución. Eliminar, con carácter general, los supuestos de no cómputo de este último y mantener, al mismo tiempo, la hipótesis de la interrupción injustificada de las actuaciones inspectoras, supondría no conseguir cerrar el espacio de inseguridad jurídica y litigiosidad generado en esta última".

Con esta nueva regulación, la eficacia o ineficacia interruptiva del plazo de prescripción por el procedimiento tributario vendrá determinada por su efectiva conclusión antes del plazo marcado por la legislación tributaria, y no tanto por las actuaciones que se produzcan en el seno del procedimiento. De esta forma, entendemos que la doctrina sobre diligencias argucia queda circunscrita a la determinación de las actuaciones aptas para iniciar el procedimiento tendente a la determinación de la deuda tributaria y su finalización. En ese sentido sí se podría "aprovechar" la doctrina elaborada hasta el momento, pero ya no vara valorar si cada una de las actuaciones llevadas a cabo dentro del procedimiento efectivamente contribuyen a su avance[623].

---

623 La transitoriedad del nuevo precepto se establece en el apartado 6 de la Disposición transitoria única de la Ley 34/2015, que señala que "*la nueva redacción de los apartados 1 a 6 del artículo 150 de la Ley 58/2003, de 17 de diciembre, General Tributaria, será aplicable a todos los procedimientos de inspección que se inicien a partir de la fecha de entrada en vigor de esta Ley*". Por tanto, la pérdida del efecto interruptivo por interrupciones injustificadas del procedimiento de más de seis meses solo será aplicable a los procedimientos que estuvieran en curso en tal fecha de entrada en vigor de la norma (12 de octubre de 2015).

2.1.5. PROCEDIMIENTOS TRIBUTARIOS DE GESTIÓN E INSPECCIÓN E INTERRUPCIÓN DEL PLAZO DE PRESCRIPCIÓN

La LGT, en los preceptos dedicados a los procedimientos tributarios, se refiere en determinados casos a los efectos del procedimiento sobre la prescripción. En particular, tales referencias versan sobre los efectos interruptivos del inicio del procedimiento o sobre la pérdida de tales efectos en los supuestos de incumplimiento del plazo máximo de duración del mismo.

La duración máxima de los distintos procedimientos tributarios y la interrupción de la prescripción son dos circunstancias en las que se aprecia una estrecha relación, pues el transcurso del plazo máximo de duración del procedimiento provocará generalmente el efecto de la pérdida del efecto interruptivo de que gozaba el procedimiento que no finaliza en plazo[624].

---

[624] El cumplimiento del plazo máximo de duración de los procedimientos tributarios anuda directamente con la obligación de la Administración de resolver, con una evidente incidencia sobre la prescripción. Como indica MATA SIERRA, *"el incumplimiento de la obligación de resolver puede convertirse en una causa indirecta de prescripción de derechos, infracciones, sanciones, etc., en el sentido de que la falta de resolución en plazo, como ya hemos dicho, conduce a la caducidad del expediente -técnica que analizaremos seguidamente- y con ella, a la desaparición de la causa interruptiva que supone la incoación del mismo. La desaparición de la causa de interrupción supone que esta última se tiene por no producida, restaurándose el plazo como si nunca se hubiera detenido. En aquellos casos en los que la perención tiene lugar una vez concluido el plazo de prescripción (artículo 44.2 de la LRJPAC), motiva la activación de esta causa de extinción del correspondiente derecho administrativo"*. Vid. MATA SIERRA, M. T.: *Las garantías de los ciudadanos frente a la inactividad de la Administración tributaria*, 1ª ed., Lex Nova, Valladolid, 2014, págs. 210 y ss.

Al margen de estas cuestiones comunes y de otras que abordaremos en los siguientes epígrafes, el particular desarrollo de los procedimientos de gestión y del procedimiento de inspección, por ser estos los que inciden directamente sobre el derecho de la Administración a determinar la deuda tributaria, requiere un estudio particular que aborde sus particularidades en relación a la interrupción del plazo de que dispone la Administración para determinar la deuda tributaria.

A. PROCEDIMIENTOS DE GESTIÓN: DESARROLLO DEL PROCEDIMIENTO E INTERRUPCIÓN DE LA PRESCRIPCIÓN

Refiriéndonos expresamente a los procedimientos de gestión, no cabe duda de que el inicio de todos ellos, en tanto su finalidad es la determinación de la deuda tributaria, interrumpe la prescripción. Junto a ese momento inicial, los procedimientos de gestión también tienen un momento final. La LGT establece un plazo máximo en el que se deben desarrollar los procedimientos de gestión tributaria –verificación de datos, comprobación de valores y comprobación limitada-. Este plazo máximo de duración para los tres procedimientos referenciados, es de seis meses, tal y como estable el artículo 104.1 de la LGT[625].

---

625 La Norma Tributaria establece un plazo máximo superior, tanto en los procedimiento de gestión, como en el procedimiento de inspección, respecto a la normativa administrativa general, pues, conforme al artículo 21 de la Ley 39/2015, el plazo general, a falta de disposición expresa, será de tres meses, no pudiendo exceder los seis meses salvo que una norma con rango de Ley establezca uno mayor, tal y como efectúa la LGT, o así venga previsto en el Derecho de la Unión Europea.

Aunque todos los procedimientos tienen un marco temporal limitado, no en todos los casos tal plazo se ha considerado de caducidad. En el caso de los procedimientos de gestión, se considera que caducan por el trascurso del plazo máximo previsto para su desarrollo los iniciados mediante declaración y los procedimientos de verificación de datos y de comprobación limitada, no previéndose ese efecto en el caso del procedimiento de comprobación de valores.

En definitiva, el efecto del transcurso del plazo previsto para el desarrollo del procedimiento tributario sin su conclusión será la desaparición de los efectos interruptivos inherentes a dicho procedimiento. Así lo establece con carácter genérico el artículo 104.5 de la LGT, cuando señala que la caducidad *"no producirá, por sí sola, la prescripción de los derechos de la Administración tributaria, pero las actuaciones realizadas en los procedimientos caducados no interrumpirán el plazo de prescripción ni se considerarán requerimientos administrativos a los efectos previstos en el apartado 1 del artículo 27 de esta ley"*. En este sentido también ha sido claro el Tribunal Supremo en reiterada jurisprudencia, entre otras, en la Sentencia de 9 de abril de 2015[626] en la que señala *"producida la caducidad la misma no tiene otro efecto que la no interrupción de los plazos de prescripción"*. La caducidad, para que produzca sus efectos, se debe declarar de forma expresa, ya sea de oficio o a instancia de parte.

En cualquier caso, sea o no susceptible el procedimiento de caducar, que este no finalice en el plazo legalmente establecido supone que las actuaciones

---

626　*Tol 4.839.489.*

realizadas en dicho procedimiento no interrumpirán el plazo de prescripción, lo que no extinguirá, al menos directamente, el derecho de la Administración, que pervive mientras no haya transcurrido el plazo de cuatro años[627]. Lo que sí puede ocurrir es que la pérdida del efecto interruptivo provoque que, si la interrupción se produjo a menos de seis meses de la finalización del plazo de prescripción, este se haya consumado.

Al hilo de lo indicado surgen dos cuestiones fundamentales con evidente incidencia en el mantenimiento o la pérdida del efecto interruptivo. Por un lado, en qué momento se inicia el cómputo del plazo de seis meses, y anudado a ello, en qué momento se considera finalizado el procedimiento. Por otro lado, qué efecto tienen en el cómputo los períodos de interrupción justificada y las dilaciones en el procedimiento por causa no imputable a la Administración.

En relación a la primera cuestión, el artículo 104.1 de la LGT señala que en los procedimientos iniciados de oficio el plazo se contará desde la fecha de notificación del acuerdo de inicio. Por tanto será la fecha en la que, conforme a las reglas establecidas para el ejercicio de la notificación a las que ya nos hemos referido, se tiene por practicada la notificación, cuando se inicia el cómputo del plazo de seis meses. Es importante destacar que el contenido de esta notificación debe reflejar expresamente el acuerdo de inicio del procedimiento, pues, como indicamos al estudiar las diligencias argucia, los meros avisos, comunicaciones o requerimientos en los que no se hace referencia ni al inicio del procedimiento, ni a su alcance, no interrumpen la prescripción.

---

627 GUERRA REGUERA, M.: *Prescripción de deudas tributarias*, ob. cit., pág. 165.

Por otro lado, respecto al cómputo del plazo de seis meses, es preciso acudir a las reglas establecidas en el artículo 30.4 de la Ley 39/2015 para el cómputo de los plazos por meses, según el cual el inicio del cómputo se efectuará al día siguiente a aquel en que se produzca la notificación o publicación del acto. El plazo concluirá el mismo día en que se produjo la notificación, publicación o silencio administrativo en el mes de vencimiento, con tres precisiones:

- Si en el mes de vencimiento no hubiera día equivalente a aquel en que comienza el cómputo, se entenderá que el plazo expira el último día del mes.

- Cuando el último día del plazo sea inhábil, se entenderá prorrogado al primer día hábil siguiente.

- Cuando un día fuese hábil en el municipio o Comunidad Autónoma en que residiese el interesado, e inhábil en la sede del órgano administrativo, o a la inversa, se considerará inhábil en todo caso.

Si la Administración no notifica, ni dentro, ni fuera del plazo, los efectos del silencio administrativo en los procedimientos iniciados de oficio se regulan en el artículo 104.4 de la LGT. En este caso resultaría de aplicación la previsión que señala que, en los casos de que el procedimiento pueda producir efectos desfavorables, se entenderá también caducado.

Establecidas las reglas para determinar el inicio y la conclusión del plazo de seis meses, su fijación no parece plantear mayores dificultades. El problema aparece cuando se produce alguna de las circunstancias que el artículo 104.2 de la LGT excluye expresamente del cómputo del plazo de seis meses: períodos de interrupción justificados reglamentariamente y dilaciones en el procedimiento por causa no imputable a la Administración Tributaria[628].

De la delimitación conceptual de cada una de estas actuaciones se ha ocupado tanto el legislador, en los artículos 102, 103 y 104 del RGAPGIT, como la jurisprudencia. Especialmente en relación con la labor realizada por esta última, antes de examinar cada uno de estos conceptos, es preciso apuntar que muchas de las Sentencias en las que se ha tratado esta cuestión se relacionan específicamente con el procedimiento inspector, no con los de gestión. En la actualidad, tras la limitación efectuada por la Ley 34/2015, entendemos que la doctrina elaborada en torno a este concepto queda limitada a su aplicación en los procedimientos de gestión, pero, en cualquier caso, no debe ser desechada, pues muchas de las actuaciones que han sido calificadas el Tribunal Supremo como interrupciones justificadas o dilaciones no imputables a la Administración en el marco del procedimiento de inspección, se reiteran en los procedimientos de gestión, con lo que entendemos que esta doctrina es trasladable.

Realizada esta anotación, del desarrollo legal de estos dos conceptos se ocupan los artículos 102, 103 y 104 del RGAPGIT.

---

628 Recordemos que esta exclusión se produce en los procedimientos de gestión, no en el de inspección, pues el artículo 150.2 de la LGT, al que ya nos hemos referido y al que volveremos a hacer alusión, señala que las interrupciones injustificadas y las dilaciones no imputables a la Administración no se aplicarán en el procedimiento de inspección.

- El artículo 102 establece una serie de consideraciones generales aplicables tanto a los periodos de interrupción justificada como a las dilaciones no imputables a la Administración. De estas disposiciones comunes destacaremos dos. La primera, la obligación de la Administración de documentar debidamente estas circunstancias (art. 102.4 del RGAPGIT). La segunda, en cuanto a su cómputo, que tanto unos como otros se contarán por días naturales (artículo 102.5 del RGAPGIT).

- Respecto a los periodos de interrupción justificados reglamentariamente, el artículo 103 del RGAPGIT recoge una enumeración cerrada de supuestos en los que se considera que se ha producido una interrupción justificada y el plazo máximo de interrupción. Así, entre otros, se prevé la interrupción justificada por un plazo máximo de seis meses cuando, por cualquier medio, se pidan datos, informes, dictámenes, valoraciones o documentos a otros órganos o unidades administrativas de la misma o de otras Administraciones nacionales, que se contarán desde la remisión de la petición hasta la recepción de la documentación por el órgano competente para continuar con el procedimiento; cuando se aprecien indicios de delito contra la Hacienda Pública y se remita el expediente al Ministerio Fiscal o a la jurisdicción competente, por el tiempo que transcurra desde dicha remisión hasta que, en su caso, se produzca la recepción del expediente devuelto o de la resolución judicial por el órgano competente para continuar el procedimiento o cuando concurra alguna causa de fuerza mayor que obligue a la Administración a interrumpir sus actuaciones, por el tiempo de duración de dicha causa. A pesar de que esta enumeración es cerrada, en la práctica han surgido problemas para determinar si algunas actuaciones tienen encaje en los supuestos enumerados en el referido artículo 103 del RGAPGIT. Tal es el caso de las peticiones de información a otras Administraciones sin conocimiento formal del sujeto pasivo. En principio este supuesto encajaría en la actuación descrita en el artículo 103. a) del RGAPGIT. Sin embargo, el Tribunal Supremo, en la Sentencia de 31 de octubre de 2012[629], ha negado que estas actuaciones puedan considerarse interrupciones justificadas, por la ausencia de notificación al sujeto pasivo. Señala el Tribunal que *"dado que en este caso las peticiones de información a otras Administraciones fueron actuaciones administrativas que no se pusieron en conocimiento formal del sujeto pasivo, ni fueron notificadas a la misma, como resulta del expediente de inspección, no se pueden considerar interrupciones justificadas a efectos del cómputo del plazo máximo de duración de las actuaciones inspectoras"*. Aunque esta resolución se refiere a la normativa previa a la entrada en vigor de la LGT de 2003 y del vigente RGAPGIT, resulta trasladable a la norma actual, pues el artículo 31.bis.1.a) del Reglamento General de la Inspección de Tributos de 1986, recogía en relación a esta causa de interrupción justificada una regulación similar a

---

629 *Tol* 2.694.572.

la actual. Nos parece correcto el criterio del Tribunal Supremo, pues aunque puede parecer que establece un requisito que no aparecía expresamente mencionado en el artículo 103 del RGAPGIT, tal referencia expresa no era precisa, ya que la necesidad de que las actuaciones se realicen con conocimiento formal del obligado tributario se deriva del propio texto del artículo 68.1 de la LGT, no resultando necesario, como decimos, reiterar este mandato particularmente en cada actuación.

- La delimitación de las dilaciones en el procedimiento por causa no imputable a la Administración resulta más problemática, por dos causas fundamentales. La primera, porque el concepto de *"dilación"* adolece de una cierta indeterminación, pues no se define como tal ni en la LGT, ni en el RGAPGIT[630]; la segunda, estrechamente vinculada con la primera, porque aunque el artículo 104 del RGAPGIT establece algunas actuaciones calificadas como dilaciones no imputables a la Administración, la lista no es cerrada, a diferencia del artículo 103 del RGAPGIT. Esta enumeración abierta de este tipo de actuaciones supone que cabrán otras no específicamente recogidas por el legislador, lo que redunda en la indeterminación del concepto. En este listado abierto el legislador recoge actuaciones que corresponden directamente a la Administración, pero también otras atribuibles al obligado tributario, señalando también

---

630   HUERTA HERNÁNDEZ, S.: *Duración del procedimiento de inspección tributaria: dilaciones no imputables*, 1ª ed., Sepín, Madrid, 2013. (Consultado en la base de datos de la Editorial Sepín, con fecha 09/06/2018).

cómo se debe efectuar el cómputo de tales dilaciones[631]. Particularmente, las actuaciones realizadas por la Administración que no se consideran dilaciones imputables a esta son:

o La concesión por la Administración de la ampliación de cualquier plazo, así como el aplazamiento de las actuaciones solicitado por el obligado. El periodo a considerar será el que medie desde el día siguiente al de la finalización del plazo previsto o la fecha inicialmente fijada hasta la fecha fijada en segundo lugar.

o El retraso en la notificación de las propuestas de resolución o de liquidación, por el tiempo que transcurra desde el día siguiente a aquel en que se haya realizado un intento de notificación hasta que dicha notificación se haya producido.

o El retraso en la notificación por medios electrónicos, en supuestos en que los actos a notificar se refieran a procedimientos de aplicación de los tributos ya iniciados. A tal efecto, deberá quedar acreditado que la notificación pudo ponerse a disposición del obligado tributario en la fecha por él seleccionada.

---

631 Precisamente el cómputo de las dilaciones ha sido una cuestión profundamente discutida por doctrina y jurisprudencia que, habitualmente, han mantenido un criterio dispar. Vid. ROMERO GARCÍA, F.: "Conceptualización jurisprudencial de las dilaciones imputables al obligado tributario", *Quincena Fiscal*, núm. 156, 2012. BIB 2012\3310. (Consultado en la base de datos Aranzadi Instituciones, con fecha 11/06/2018).

Estrechamente ligado al concepto de dilación no imputable a la Administración aparecen otros dos tipos de dilaciones: las dilaciones imputables al contribuyente y las dilaciones imputables a la Administración.

Las dilaciones imputables al contribuyente, aunque no aparecen así denominadas expresamente en el artículo 104 del RGAPGIT ni en la LGT, sí se encuentran incluidas dentro de este precepto, en tanto refiere distintas actuaciones del obligado tributario como dilaciones no imputables a la Administración. Este tipo de dilaciones son definidas por ROMERO GARCÍA[632] como *"aquellas conductas que demoren las actuaciones de comprobación e investigación de la Inspección de Tributos, que impidan de una forma u otra su normal funcionamiento, cualquiera que sea la forma en que aquéllas se manifiesten, ya se trate de retrasos derivados de incumplimientos del contribuyente (como los provocados por su tardanza en aportar los datos requeridos), ya se deban a situaciones amparadas por la norma (como las prórrogas de plazos para la cumplimentación de un trámite concedidas a petición del interesado)"*. Particularmente el artículo 104 del RGAPGIT alude a:

- Los retrasos por parte del obligado tributario al que se refiera el procedimiento en el cumplimiento de comparecencias o requerimientos de aportación de documentos, antecedentes o información con trascendencia tributaria formulados por la

---

632 ROMERO GARCÍA, F.: "Conceptualización jurisprudencial de las dilaciones imputables al obligado tributario", ob. cit., BIB 2012\3310. (Consultado en la base de datos Aranzadi Instituciones, con fecha 11/06/2018).

Administración tributaria. La dilación se computará desde el día siguiente al de la fecha fijada para la comparecencia o desde el día siguiente al del fin del plazo concedido para la atención del requerimiento hasta el íntegro cumplimiento de lo solicitado.

- La aportación por el obligado tributario de nuevos documentos y pruebas una vez realizado el trámite de audiencia o, en su caso, de alegaciones. La dilación se computará desde el día siguiente al de finalización del plazo de dicho trámite hasta la fecha en que se aporten.

- La paralización del procedimiento iniciado a instancia del obligado tributario por la falta de cumplimentación de algún trámite indispensable para dictar resolución, por el tiempo que transcurra desde el día siguiente a aquel en que se considere incumplido el trámite hasta su cumplimentación por el obligado tributario, sin perjuicio de la posibilidad de que pueda declararse la caducidad, previa advertencia al interesado.

- La presentación por el obligado tributario de declaraciones reguladas en el artículo 128 de la LGT, de comunicaciones de datos o de solicitudes de devolución complementarias o sustitutivas de otras presentadas con anterioridad. La dilación se computará desde el día siguiente al de la finalización del plazo de presentación de la declaración, comunicación de datos o solicitud de devolución o desde el día siguiente al de la presentación en los supuestos de presentación fuera de plazo hasta la presentación de la declaración, comunicación de datos o solicitud de devolución, complementaria o sustitutiva.

- La falta de presentación en plazo de la declaración informativa con el contenido de los libros registro regulada en el artículo 36 de este Reglamento. La dilación se computará desde el inicio de un procedimiento en el que pueda surtir efectos, hasta la fecha de su presentación.

Junto a estas actuaciones, el Tribunal Supremo ha establecido otras en las que la dilación es imputable al contribuyente y, por tanto, debe quedar excluida del plazo máximo de duración del procedimiento. Esto tampoco significa que cualquier retraso imputable al contribuyente deba ser interpretado como una dilación indebida, sino que será necesario un estudio particular del supuesto. A tales efectos, el Alto Tribunal, en la Sentencia de 24 de enero de 2011[633], establece la regla general para la apreciación de este tipo de dilaciones, de la que se pueden extraer tres ideas fundamentales:

- La primera, que el concepto de dilación imputable al contribuyente comprende tanto las demoras expresamente solicitadas por el mismo y acordadas por la Administración, como las pérdidas materiales de tiempo provocadas por la tardanza en aportar los datos requeridos[634]. En cualquier caso,

---

633 *Tol 2.055.152.*
634 ZOZAYA MIGUÉLIZ, E.: "¿De quién es el retraso cuando la Inspección concede más plazo?", *Revista Aranzadi Doctrinal*, núm. 2, 2012.

como posteriormente ha precisado el Alto Tribunal su Sentencia de 11 de diciembre de 2017[635], solo pueden considerarse como dilaciones imputables al obligado tributario aquellas que impidan a los órganos de la Administración continuar con normalidad el desarrollo de su tarea.

- La segunda, que la dilación es una idea objetiva, desvinculada de todo juicio o reproche sobre la conducta del inspeccionado. Así, pues, cabe hablar de dilación tanto cuando pide una prórroga para el cumplimiento de un trámite y les es concedida[636], como cuando, simple y llanamente, lo posterga, situaciones ambas que requieren la existencia de un previo plazo o término, expresa o tácitamente fijado, para atender el requerimiento o la solicitud de información. La Administración, en cualquier caso, deberá advertir al contribuyente de las consecuencias de la infracción total o parcial de su deber de colaboración, pues sin tal advertencia no habrá dilación indebida[637].

- La tercera, que al alcance meramente objetivo (transcurso del tiempo) se ha de añadir un elemento teleológico. No basta su mero discurrir, resultando

---

BIB\2012\1266. (Consultado en la base de datos Aranzadi Instituciones, con fecha 10/06/2018).

635 *Tol 6.461.947.*

636 Tal y como ha considerado el Tribunal Supremo en su Sentencia de 2 de abril de 2012 (*Tol 2.513.125*).

637 ROMERO GARCÍA, F.: "Conceptualización jurisprudencial de las dilaciones imputables al obligado tributario", ob. cit., BIB 2012\3310. (Consultado en la base de datos Aranzadi Instituciones, con fecha 11/06/2018).

también menester que la tardanza, en la medida en que hurta elementos de juicio relevantes, impida a la Administración continuar con normalidad el desarrollo de su tarea.

Además, junto a estos requisitos, para que las dilaciones imputables al contribuyente sean apreciadas han de estar debidamente motivadas en la liquidación[638]. Como señala, entre otras, la Sentencia del Tribunal Supremo de 11 de diciembre de 2017[639], dictada en casación para la unificación de doctrina, para que esa motivación sea válida no bastará con una fórmula estereotipada del tipo *"no aporta documentación"*, pues esta expresión ni explica a qué documentos se refiere ni si el incumplimiento ha sido total o parcial, temporal o definitivo. Tampoco es motivación suficiente la mera remisión a las diligencias incoadas en el procedimiento. Así, para que la imputación de las dilaciones al obligado sea válida, *"el órgano actuante debe hacer un primer relato, no solo de las dilaciones imputadas a la persona o entidad (o de las interrupciones que hayan acaecido), sino también de la trascendencia que las mismas han tenido en el desarrollo del procedimiento"*.

Por lo que se refiere a las dilaciones imputables a la Administración, tomando lo indicado en el referido artículo 104.2 de la LGT en relación a los efectos sobre el cómputo

---

638   JERICÓ ASÍN, C.: "Motivación de las dilaciones imputadas al obligado tributario", *Revista Aranzadi Doctrinal*, núm. 3, 2018. BIB 2018\7622. (Consultado en la base de datos Aranzadi Instituciones, con fecha 11/06/2018).

639   *Tol 6.461.947.*

del plazo máximo de duración del procedimiento de las dilaciones no imputables a la Administración, y aplicándolo en sentido negativo a aquellas dilaciones que sí lo son, se concluye que estas sí se incluirán en el cómputo del plazo. Como indicábamos en el párrafo previo, resulta destacable el papel que los Tribunales han realizado en la delimitación de este tipo de dilaciones. Así, acudiendo a la jurisprudencia del Tribunal Supremo, se han considerado dilaciones imputables a la Administración en el marco de los procedimientos de gestión, entre otras, las siguientes:

- Ausencia de traducción de la documental aportada ante la Administración, que no impidió la continuación del procedimiento (Sentencia del Tribunal Supremo de 3 de mayo de 2018[640]).

- Falta de aportación por el obligado tributario de toda la documentación requerida por la Administración, que no impedía la normal continuación de las actuaciones (Sentencia de 9 de enero de 2018[641]).

- Imprecisión en la petición de documentación al obligado tributario (Sentencia del Tribunal Supremo de 31 de octubre de 2017[642]).

- Retraso en la aportación de la documentación requerida sin impedimento a la Administración para la continuidad de las diligencias (Sentencia del Tribunal Supremo de 19 de julio de 2017[643]).

---

640   *Tol 6.602.732.*
641   *Tol 6.478.000.*
642   *Tol 6.427.677.*
643   *Tol 6.213.646.*

- Si el contribuyente manifiesta que carece de la documentación requerida, la pasividad únicamente es achacable a la Administración (Sentencia del Tribunal Supremo de 16 de marzo de 2016[644]).

- Falta de aportación de la documentación requerida, que no tiene relevancia alguna en las actuaciones de comprobación efectuadas (Sentencia del Tribunal Supremo de 1 de marzo de 2016[645]).

- No procede la aplicación automática de las dilaciones imputables al obligado tributario por la falta de atención a los requerimientos por el contribuyente (Sentencia del Tribunal Supremo de 6 de marzo de 2014[646]).

- Solicitudes de aportación de documentos que ya obraban en poder la Administración y con los que ya podía liquidar (Sentencia del Tribunal Supremo de 8 de octubre de 2012[647]).

- Solicitudes de aportación de documental realizada por la Administración vía telefónica (Sentencia del Tribunal Supremo de 28 de septiembre de 2012[648]).

---

644   *Tol 5.673.622.*
645   *Tol 5.659.212.*
646   *Tol 4.152.919.*
647   *Tol 2.666.325.*
648   *Tol 2.661.321.*

B. PROCEDIMIENTO DE INSPECCIÓN: DESARROLLO DEL PROCEDIMIENTO E INTERRUPCIÓN DE LA PRESCRIPCIÓN

Junto con los procedimientos de gestión, el inicio del procedimiento inspector es la segunda vía de que dispone la Administración tributaria para la interrupción del derecho a determinar la deuda tributaria. Según el artículo 150 de la LGT, que establece el marco temporal general de las actuaciones inspectoras, el plazo máximo de duración del procedimiento inspector será de 18 meses, ampliable hasta 27 en aquellos supuestos en los que se den determinadas circunstancias. Este plazo se puede suspender cuando se produzcan las causas tasadas en el apartado 3 del artículo 150, pero, tras la reforma efectuada por la Ley 34/2015 se excluyen los efectos derivados de las interrupciones justificadas y de las dilaciones no imputables a la Administración, como señalamos en el apartado previo, con lo que tales periodos ya no podrán añadirse al plazo máximo de 18 o de 27 meses.

El artículo 150.6 de la LGT señala, por su parte, que el incumplimiento del plazo de 18 meses, o de 27 meses, en su caso, no supondrá la caducidad del procedimiento, pero no se considerará interrumpida la prescripción. No obstante, las actuaciones realizadas con posterioridad al transcurso del plazo sí interrumpen la prescripción, si bien no cualquier actuación poseerá efectos interruptivos.

De la regulación del procedimiento inspector surgen varias cuestiones que van a incidir en el cómputo de su plazo máximo de duración y, con ello, en la determinación de si efectivamente se ha producido o no la interrupción del plazo de prescripción. La primera de ellas, cómo se debe realizar este cómputo, esto es, cuál es el momento inicial y cuál es el momento final. La segunda, cómo debe realizarse válidamente la ampliación del plazo de 18 a 27 meses. La tercera, en qué supuestos y cómo está prevista la suspensión del procedimiento. La cuarta y última, de qué forma se efectuarán las referidas actuaciones una vez finalizado el plazo para que posean efecto interruptor.

B.1. DETERMINACIÓN DEL DIES A QUO Y DEL DIES AD QUEM DEL PROCEDIMIENTO DE INSPECCIÓN

De la determinación del *dies a quo* y del *dies ad quem* del cómputo del plazo de duración del procedimiento se ocupa el apartado 2 del artículo 150 de la LGT, que señala:

> "El plazo del procedimiento inspector se contará desde la fecha de notificación al obligado tributario de su inicio hasta que se notifique o se entienda notificado el acto administrativo resultante del mismo. A efectos de entender cumplida la obligación de notificar y de computar el plazo de resolución será suficiente acreditar que se ha realizado un intento de notificación que contenga el texto íntegro de la resolución"

Aunque aparentemente, atendiendo al precepto reproducido, la determinación del momento inicial y final del cómputo no estriba mayores dificultades, en la práctica aparecen algunos supuestos peculiares.

Por un lado, cabe recordar lo indicado en los apartados dedicados a los requerimientos y a las diligencias argucia, pues según indica el Tribunal Supremo, en la reciente Sentencia 8 de abril de 2019[649], los requerimientos de obtención de información tributaria dirigidos a los obligados tributarios y relativos al cumplimiento de sus propias obligaciones, no suponen el inicio del procedimiento de inspección. De ello se infiere que solo aquellas notificaciones en las que se indique expresamente el inicio del procedimiento, tendrán virtualidad interruptiva del plazo de prescripción.

Por otro, también resulta problemática la determinación del *dies ad quem*. La regla general establecida por el Tribunal Supremo, entre otras, en sus Sentencias de 30 de mayo de 2008, de 20 de octubre de 2011, de 14 de febrero de 2013 y de 22 de noviembre de 2013[650], es que el procedimiento finalizará con la notificación de la liquidación resultante al obligado tributario, no en la fecha en que se emite el Acuerdo de liquidación.

A pesar de ello, resultan dudosos los casos en que, tras la fecha de notificación del Acuerdo de liquidación, el obligado tributario realiza alegaciones al acta, que son contestadas por la Administración en ulterior Informe. Este caso no ha sido planteado ante el Tribunal Supremo, pero sí ante el TEAC, que lo ha resuelto modificando el criterio que

---

649 *Tol 7.202.595.*
650 *Tol 1.333.365, Tol 2.277.613, Tol 3.239.147* y *Tol 4.030.056,* respectivamente.

mantenía hasta el momento[651]. Así, en su resolución de 16 de julio de 2018[652], el órgano administrativo manifiesta que el Informe que emitió Inspección en respuesta a las alegaciones del interesado constituye el acto finalizador del procedimiento y, con ello, determinará el *dies ad quem* del cómputo del plazo de duración del procedimiento, por lo que habrá atender a la fecha de notificación del mismo a efectos de determinar el cumplimiento del plazo máximo de duración y, con ello, la posible prescripción del derecho de la Administración a determinar la deuda tributaria. Aunque el TEAC llega a esta conclusión aplicando la normativa previa a la modificación efectuada por la Ley 34/2015, entendemos que es trasladable a la regulación actual, pues en este punto no ha variado. Este criterio del TEAC nos parece adecuado y, aunque puede parecer contradictorio con la doctrina del Tribunal Supremo *supra* referida, consideramos que tal contradicción no se produce. En los supuestos enjuiciados por el Alto Tribunal, el último acto emitido por la Administración, derivado de

---

651　Este criterio anterior, manifestado entre otras, en resolución de 2 de abril de 2014 es es que sigue: *"el dies ad quem es la fecha en la que se notificó el Acuerdo de liquidación y no la fecha posterior en la que se notificó un nuevo Acuerdo en el que, sin desvirtuar la fundamentación jurídica del anterior, se da respuesta a las alegaciones del sujeto pasivo, alegaciones que no habían sido tenidas en cuenta por haber entrado en la Inspección cuando ya se había dictado el dicho primer Acuerdo".*

652　Señala el TEAC que su cambio de criterio es el siguiente: *"supuesto de presentación de alegaciones frente al acta pero que tienen entrada en la Inspección una vez ya dictado el Acuerdo de Liquidación ante lo cual la Inspección emite un informe posterior en el que se da respuesta a dichas alegaciones. Entendemos que en estos casos el "dies ad quem" de cómputo del plazo de duración de las actuaciones inspectoras es la fecha en que se notifique o se tenga por notificado dicho informe y no la fecha en que se notificó el Acuerdo de liquidación".*

la ejecución del procedimiento inspector, era el Acuerdo de liquidación, circunstancia que se producirá en la generalidad de los casos. A pesar de ello, también resulta innegable que no tiene por qué ser así en todos los casos, y que la LGT no constriñe la finalización del procedimiento, expresamente, a la emisión del Acuerdo de liquidación, sino que emplea una fórmula abierta refiriéndose al *"acto administrativo"* derivado del procedimiento. Si la Administración emite otro acto posterior, derivado también del mismo procedimiento, el *dies a quo* deberá entenderse producido en la fecha en que tal acto se notifique, por ser este el último acto derivado del procedimiento. Obviamente, a este razonamiento se le puede contraponer que este mecanismo puede emplearse por el contribuyente para alargar la duración del procedimiento, si bien será la Administración la que deba valorar si procede o no la contestación de las alegaciones efectuadas, atendiendo fundamentalmente a si se han presentado en tiempo y forma, esto es, en el marco del procedimiento o fuera de él.

Por otra parte, el precepto es claro, y el Tribunal Supremo también lo ha avalado, entre otras, en las Sentencias de 29 de septiembre de 2011, de 4 de enero de 2018, o de 25 de enero de 2018[653], señalando que es suficiente un intento de notificación para que el procedimiento se tenga por finalizado, lo que supone que, aunque no es necesario que la notificación se realice con éxito, sí es imprescindible que se siga el procedimiento formal establecido al efecto. Cosa distinta, es que ese intento de notificación tenga efectos interruptivos del plazo de prescripción, circunstancia que el

---

653 *Tol 2.256.698, Tol 6.478.058 y Tol 6.492.529*, respectivamente.

Alto Tribunal ha negado en las referidas Sentencias de enero de 2018.

Para finalizar es preciso determinar cómo se computa el plazo en los supuestos en los que se "encadenan procedimientos". Esta previsión se recoge en dos artículos de la LGT: el artículo 133.1.e), que prevé la finalización del procedimiento de verificación del datos por el inicio del procedimiento de comprobación limitada; y el 139.1.c), que recoge entre las causas de terminación del procedimiento de comprobación limitada el inicio de un procedimiento inspector. Así, cabe que un procedimiento de verificación de datos se transforme en uno de comprobación limitada y este, posteriormente, en uno de inspección. Parece que, en estos casos en que se encadenan procedimientos, no sería lógico que el plazo máximo total de duración sea la suma del plazo máximo de duración de cada uno de los procedimientos considerados individualmente, pues ello daría lugar a que el procedimiento tuviera una duración de treinta o de treinta y nueve meses, esto es, de más de tres años (6 meses + 6 meses + 18 o 27 meses), lo que, a todas luces, resulta excesivo. Máxime, considerando que las actuaciones realizadas en cada uno de estos procedimientos conservan su eficacia y se incorporarán al siguiente. Sin embargo, ni la LGT ni el RGAPGIT recogen ninguna previsión específica que limite la duración total del procedimiento en estos casos, por lo que, en la práctica, dado que el inicio de cada uno de esos procedimientos se prevé expresamente como forma de terminación del otro, los plazos se acumulan.

Consideramos, al igual que JUAN LOZANO y MARTÍN FERNÁNDEZ[654], que esta interpretación debe corregirse. A nuestro parecer, la "acumulación de plazos" vulnera flagrantemente el principio de eficacia administrativa que supone que la Administración debe desempeñar sus funciones de manera diligente, por tanto, en un plazo razonable.

Para resolver esta situación, consideramos que se dispone de dos posibilidades, que no son excluyentes: ofrecer otra interpretación a los preceptos vigentes, o una modificación legal de la LGT o del RGAPGIT.

La primera opción, apuntada por los autores mencionados, supone interpretar la norma vigente considerando que el plazo máximo de duración del procedimiento vendrá marcado por el plazo establecido para el último de los procedimientos iniciados, pero computado desde el inicio del primero de ellos[655].

La segunda posibilidad que, como señalamos, no es excluyente con la apuntada previamente, pasa por la modificación de la LGT o del RGAPGIT. Esta modificación puede realizarse, en los casos en que concurra esta circunstancia, bien para acoger la interpretación de la norma

---

654　JUAN LOZANO, A. M., MARTÍN FERNÁNDEZ, J.: *Procedimiento de inspección: cuestiones útiles (ante y después de la reforma de la Ley General Tributaria)*, ob. cit., págs. 17-18.

655　De esta forma, señalan estos autores que *"en caso de que, por ejemplo, se inicie una verificación de datos a la que sigue un procedimiento inspector, habrá que entender que el plazo máximo será (...) el previsto para las inspecciones"*. Vid. JUAN LOZANO, A. M., MARTÍN FERNÁNDEZ, J.: *Procedimiento de inspección: cuestiones útiles (ante y después de la reforma de la Ley General Tributaria)*, ob. cit., pág. 17.

propuesta en el párrafo anterior, bien para establecer un plazo propio en estos supuestos, distinto al máximo de duración, pero más limitado que la suma del plazo previsto para cada uno de ellos individualmente.

Entendemos que cualquiera de las dos posibilidades resulta más respetuosa con el principio de eficacia administrativa y con el principio de seguridad jurídica que la que se aplica en la actualidad.

B.2. REQUISITOS PARA LA AMPLIACIÓN VÁLIDA DEL PLAZO DE DURACIÓN DEL PROCEDIMIENTO INSPECTOR

Antes de la reforma de la LGT por la Ley 34/2015, el plazo máximo de duración del procedimiento inspector era de doce meses. Tras la entrada en vigor de la antecitada Ley modificadora, el plazo pasó a extenderse hasta los 18 meses, ampliable hasta los 27 cuando concurran alguna de las circunstancias previstas en el artículo 150.1 de la LGT. Por ello, es importante, a efectos del mantenimiento del efecto interruptivo del inicio del procedimiento, que la ampliación se realice en base a las causas señaladas, pero también en el tiempo y la forma adecuados.

En cuanto a las causas para efectuar la ampliación, el artículo 150.1 de la LGT señala que la ampliación del plazo procederá si en cualquiera de las obligaciones tributarias o periodos objeto de comprobación[656]:

---

656 La Ley 34/2015 también ha modificado las causas de ampliación del plazo respecto a las establecidas en la versión original de la LGT, si bien

- La Cifra Anual de Negocios del obligado tributario sea igual o superior a la requerida para auditar sus cuentas, o,

- El obligado tributario está integrado en un grupo sometido al régimen de consolidación fiscal o al régimen especial de grupo de entidades que esté siendo objeto de comprobación inspectora.

Junto con las condiciones que deben concurrir para que se pueda efectuar la ampliación, establecidas legalmente, la jurisprudencia ha ido perfilando los requisitos para que la ampliación se efectúe válidamente. Estos requisitos son de dos tipos: temporales y de fondo.

En cuanto a los requisitos temporales, se refieren fundamentalmente al momento en que se debe adoptar y notificar el acuerdo de ampliación de las actuaciones. El Tribunal Supremo, en reiterada doctrina, ha señalado que tal acuerdo no solo se debe adoptar antes de que finalice el plazo general de duración del procedimiento, esto es, el plazo de 18 meses, sino que su notificación al obligado tributario también debe efectuarse antes de tal término. Así lo ha indicado, entre otras, en las Sentencias de 28 de septiembre de 2012, de 31 de mayo y 6 de junio de 2013 y de

---

la jurisprudencia ya había orientado, en cierta medida, dichas causas a lo que es la actual redacción. Así, aunque en el texto derogado se establecía que se podría ampliar el plazo en aquellos casos en los que las actuaciones revistan especial complejidad, el Tribunal Supremo, en su Sentencia de 4 de noviembre de 2015 (*Tol 5.550.481*), ya vincula esa *"especial complejidad"* con la existencia de un volumen de operaciones de la entidad igual o superior al requerido para la obligación de auditar sus cuentas.

26 de enero, 12 de febrero y 24 de junio de 2015[657]. De esta forma, la fecha que se considerará a efectos de determinar si la ampliación se produce en plazo es la de la notificación, con lo que, si el acuerdo se adopta antes de que finalice el plazo general, pero se notifica al obligado tributario una vez transcurrido tal plazo, la ampliación no se habrá efectuado válidamente, pues esta situación generará la indefensión del obligado tributario, que tiene derecho a conocer la duración del procedimiento. Por otro lado, es preciso indicar que estas Sentencias señalaban que, aunque el acuerdo de ampliación se debe adoptar antes de que finalice el plazo general de duración del procedimiento, no se computarían en tal plazo ni las interrupciones justificadas ni las dilaciones por causa no imputable a la Administración. Sin embargo, dado que en la actualidad ambas circunstancias ya no se consideran para el cómputo del plazo máximo, la jurisprudencia elaborada queda reducida al cumplimiento del requisito del que el acuerdo de ampliación se efectúe antes de la finalización del plazo.

En cuanto a los requisitos de fondo, la jurisprudencia del Tribunal Supremo ha sido clara al determinar que la ampliación solo podrá acordarse con carácter excepcional, no como regla general siempre que concurra alguna de las circunstancias que habilitan a la Administración para ello. Así lo ha señalado en la Sentencia de 10 de julio de 2014[658], que si bien referida a la regulación derogada, entendemos

---

657   *Tol 2.662.130, Tol 3.773.005, Tol 3.791.521, Tol 4.687.221* y *Tol 4.740.281*, respectivamente.

658   *Tol 4.443.453.*

que contiene una argumentación fácilmente trasladable a la nueva normativa[659]. Señala el Tribunal en la Sentencia referida de 10 de julio de 2014 que *"no hay un derecho incondicionado de la Administración a prorrogar el plazo de las actuaciones inspectoras, sino que, al contrario, la regla general viene constituida por el plazo de doce meses y solo en casos excepcionales, a la vista de circunstancias que impiden o dificulten la observancia del plazo previsto, debidamente acreditadas y razonadas, podrán prolongarse mediante acuerdo motivado"*.

Como decimos, esta Sentencia se refería a la regulación anterior y, atendiendo a la redacción actual del artículo 150.1 de la LGT, será difícil que la Administración no haga de la ampliación la norma en todos los supuestos en los que se cumpla alguno de los requisitos enunciados en ese precepto[660].

---

659   Como acabamos de indicar, gran parte de la doctrina jurisprudencial elaborada por el Tribunal Supremo en relación a esta cuestión, versa sobre la legislación derogada, por lo que muchas de sus previsiones únicamente resultarán aplicables a aquellos asuntos cuya resolución aún dependa de tal legislación. Esta doctrina se derivaba, en gran parte, de la indeterminación del concepto "especial complejidad". El Tribunal Supremo, para acotar este concepto, ha establecido que los motivos que justifiquen la ampliación deben interpretarse de manera estricta, restrictiva y siempre ponderando y justificando debidamente las causas que generan la *"especial complejidad"* de las actuaciones. Así lo ha indicado, entre otras, en las Sentencias de 20 de junio de 2013 (*Tol 3.853.626*), de 8 de junio de 2015 (*Tol 5.173.573*) o 1 de diciembre de 2016 (*Tol 5.904.569*).

660   Señala CALVO VÉRGEZ, que *"la aplicación del plazo máximo de 27 meses a aquellos procedimientos en que intervengan grupos consolidados no tiene por qué estar siempre justificada, ya que la presencia de un grupo fiscal no tiene por qué ser siempre sinónimo de mayor complejidad"*. Vid. CALVO VÉRGEZ, J.: "La interrupción del plazo de duración de las actuaciones inspectoras y la retroacción de las actuaciones a la luz de la reciente doctrina de los Tribunales de Justicia", *Quincena Fiscal*, núm. 13, 2016. BIB

Al suprimirse el concepto *"especial complejidad"*, legalmente nada se lo impide, ni tampoco nada en la Ley le obliga, expresamente, a efectuar tal ejercicio de ponderación[661].

2016\21287. (Consultado en la base de datos Aranzadi Instituciones, con fecha 07/09/2019).

661 Además, esta necesidad de ponderación en la norma derogada se reforzaba porque el texto añadía una exigencia adicional, pues indicaba "*los acuerdos de ampliación del plazo legalmente previsto serán, en todo caso, motivados, con referencia a los hechos y fundamentos de derecho*". En relación a esta necesidad de motivación se habían manifestado tanto el Tribunal Supremo, entre otras, en las Sentencias de 18 de febrero de 2009 y de 4 de noviembre de 2010 (*Tol 1.459.545, Tol 1.459.567 y Tol 2.025.401*, respectivamente), como la doctrina científica (Vid. ESEVERRI, E.: *La prescripción tributaria en la jurisprudencia del Tribunal Supremo*, ob. cit., pág. 202.), ambos en el sentido de manifestar que la motivación no debía limitarse a la mera cita del precepto que permite tal posibilidad "*y a la apodíctica afirmación de que concurren los requisitos que el precepto legal menciona*", sino que deberá extenderse a aquellas razones que justifiquen la necesidad de la prórroga. ¿Consideramos, por ello, que sería positivo introducir en la norma alguna previsión que aluda a esa necesidad de ponderación o que limite, en cierta medida, las posibilidades de ampliar el plazo del procedimiento? Entendemos que, al menos, se debería haber mantenido la obligación de motivar la ampliación. No creemos que sea adecuado retornar a la expresión "*especial complejidad*", pues introducir una norma que aluda a la "complejidad" de las operaciones provocaría el retorno a la situación de indeterminación previa a la reforma, indeterminación que, precisamente, se quiso evitar con la modificación efectuada. Sin embargo, nos parece muy negativa la supresión de la obligatoriedad de que el acuerdo de ampliación se motive. Como hemos señalado, no pensamos que el sentido de la norma sea que en todos los procedimientos en los que concurran las circunstancias para efectuar la ampliación esta se realice. Además, entendemos que aunque la LGT no aluda expresamente a ese carácter excepcional de la ampliación, sí lo hace de forma tácita cuando señala que las actuaciones finalizarán en el plazo de 18 meses "*con carácter general*". La regla general es este plazo, para todos los supuestos, incluidos aquellos en los que la Ley prevé la posibilidad de ampliar en plazo a 27 meses, que es la regla excepcional, pues, en este sentido, el Tribunal Supremo, en distintas Sentencias, entre otras, la referida de 1 de diciembre de 2016, ha señalado que "*tratándose de una excepción a la regla general que quiere que la tarea inspectora se consuma en doce meses, las causas que determinan la ampliación deben ser objeto de interpretación*

Para finalizar, es preciso señalar que, junto a este plazo ampliado, el artículo 150 de la LGT, en sus apartados 4 y 5, establece dos circunstancias que darán lugar a la extensión del plazo:

- El artículo 150.4 de la LGT prevé una extensión del plazo por un plazo máximo de 60 días en los supuestos en los que el obligado tributario solicite uno o varios periodos en los que la Administración no podrá efectuar actuaciones.

- El artículo 150.5 prevé una extensión del plazo en los supuestos en que, iniciado el procedimiento, el obligado tributario manifieste que no tiene o no va a aportar la información o documentación solicitada o no la aporta íntegramente en el plazo concedido en el tercer requerimiento que realice la Administración. En estos casos, si el obligado tributario aporta una vez transcurrido al menos nueve meses desde el inicio del procedimiento la documentación, el plazo se extenderá por un período de tres meses. No obstante, si la

---

estricta", afirmación que entendemos trasladable a la regulación actual.

Así, atendiendo al propio texto de la Ley, para que se produzca la ampliación, será necesario no solo que concurran las circunstancias establecidas en el artículo 150.1 de la LGT, sino que la Administración justifique la necesidad de efectuar la ampliación, a pesar de lo que, en la práctica, dudamos que la Administración realice esa labor de motivación La "reintroducción" de la obligación de motivar el acuerdo de ampliación permitiría el retorno de la aplicación de la doctrina del Tribunal Supremo elaborada en este sentido que, como indicamos en líneas superiores, establece unos especiales requisitos para que la motivación sea válida, rechazando fórmulas estereotipadas. Ello, sin duda, limitaría la generalización del plazo ampliado y controlaría en mayor medida su aplicación excepcional que, en definitiva, es la querida por la Ley y la más acorde con el principio de seguridad jurídica.

aportación se produce tras la formalización del acta y el órgano competente para liquidar acuerda la práctica de actuaciones complementarias, la extensión será de seis meses. En estos supuestos, el Tribunal Supremo ha señalado que no es necesaria la advertencia expresa y particular al obligado tributario de los efectos del incumplimiento, bastando con la advertencia general realizada al inicio del procedimiento sobre los efectos del retraso en las comparecencias o en el deber de aportar la documentación requerida[662].

Junto a esta extensión del plazo de tres, o seis meses, el artículo 150.5 también contempla otra ampliación por un periodo de seis meses cuando tras dejar constancia de la apreciación de las circunstancias determinantes de la aplicación del método de estimación indirecta, se aporten datos, documentos o pruebas relacionados con dichas circunstancias.

B.3. LA SUSPENSIÓN DEL PROCEDIMIENTO

La ampliación del plazo de duración del procedimiento de 12 a 18 o 27 meses supuso, como ya se ha indicado, la eliminación de los periodos de interrupción justificada y de las dilaciones no imputables a la Administración del cómputo del plazo máximo de duración del procedimiento[663]. No así

---

662   Así lo ha señalado en la Sentencia de 20 de julio de 2015 (*Tol 5.219.237*).

663   En este punto se puede plantear la siguiente cuestión ¿pueden las dilaciones imputables al contribuyente, en tanto no se recogen expresamente en el artículo 104.2 de la LGT, continuar entendiéndose como periodos excluidos del cómputo del plazo máximo de duración del procedimiento inspector?.

la suspensión, que se introduce como una causa válida que permite la paralización del cómputo del plazo. Por tanto, a efectos de determinar si este se resuelve o no en plazo y si mantiene su eficacia interruptiva del plazo de prescripción, resultará esencial fijar cómo y cuándo se puede considerar suspendido el procedimiento. De ello se ocupa el artículo 3 del artículo 150 de la LGT, que establece una lista cerrada de causas que dan lugar a la suspensión del procedimiento inspector[664]. Estas son:

a) La remisión del expediente al Ministerio Fiscal o a la jurisdicción competente sin practicar la liquidación de acuerdo con lo señalado en el artículo 251 de la LGT[665].

Consideramos que no, pues el artículo 104.2 de la LGT, aunque bien es cierto que no alude expresamente a las dilaciones imputables al contribuyente, sí lo hace en sentido negativo, al referirse a las dilaciones no imputables a la Administración con carácter general, sin hacer distingo de si tales dilaciones traen causa en una actuación de la propia Administración o del obligado tributario.

664   De estas causas de suspensión la doctrina ha destacado su carácter objetivo, que conlleva una baja conflictividad en su aplicación. JUAN LOZANO, A. M., MARTÍN FERNÁNDEZ, J.: *Procedimiento de inspección: cuestiones útiles (ante y después de la reforma de la Ley General Tributaria)*, ob. cit., págs. 71-74.

665   El artículo 250 de la LGT establece que, como regla general, cuando la Administración Tributaria aprecie indicios de delito contra la Hacienda Pública, *"se continuará la tramitación del procedimiento con arreglo a las normas generales que resulten de aplicación, sin perjuicio de que se pase el tanto de culpa a la jurisdicción competente o se remita el expediente al Ministerio Fiscal, y con sujeción a las reglas que se establecen en el presente Título"*. Por tanto, en estos casos la Administración deberá continuar con el procedimiento y dictar liquidación, a menos que concurra alguna de las circunstancias que prevé el artículo 251 de la LGT, al que se refiere el 150.4, y que, conforme al apartado 1 del referido artículo 251, son:
a) Cuando la tramitación de la liquidación administrativa pueda ocasionar la prescripción del delito con arreglo a los plazos previstos en el artículo 131

Esta causa de suspensión es, sin duda, la más frecuente y la que más problemática ha suscitado. El tratamiento de esta situación se ha modificado en relación a lo previsto en la versión original de la LGT, pues el apartado 4 del artículo 150 contemplaba esta circunstancia como una de las que daba lugar a una interrupción injustificada del plazo de prescripción que, por tanto, según la normativa derogada, debía quedar fuera del cómputo del plazo máximo de duración del procedimiento. En este sentido se puede afirmar que la modificación efectuada en por la Ley 34/2015 afecta más a la "forma" que a los "efectos" de esta actuación, pues, ya sea por la vía de la interrupción injustificada antes, ya sea por la vía de la suspensión, estos periodos quedarán fuera del cómputo del plazo de la prescripción.

Se ha planteado en relación al efecto suspensivo de estas actuaciones su posible inconstitucionalidad, por considerar tal efecto sancionatorio. El Tribunal Supremo ha negado tajantemente que en esta disposición se aprecie cualquier indicio de inconstitucionalidad que justificase la elevación de la cuestión al Tribunal Constitucional, por carecer esta suspensión del carácter de sanción alegado. Así lo indica en cuatro Sentencias, todas ellas de 24 de febrero

---

del Código Penal.

b) Cuando de resultas de la investigación o comprobación, no pudiese determinarse con exactitud el importe de la liquidación o no hubiera sido posible atribuirla a un obligado tributario concreto.

c) Cuando la liquidación administrativa pudiese perjudicar de cualquier forma la investigación o comprobación de la defraudación.

En estos casos, el artículo 250.2 de la LGT, al igual que el 150.4 de la LGT, reitera que se producirá la suspensión del procedimiento.

de 2016[666], en la que el Alto Tribunal es claro cuando señala que *"no se trata de una sanción, sino de previsiones razonables que excluyen del cómputo del plazo de las actuaciones inspectoras aquel periodo de tiempo en el que la Administración no puede actuar como consecuencia de la remisión a la jurisdicción penal durante toda la pendencia de la causa ante esta jurisdicción. De ser una sanción (que no lo es, en modo alguno) estaría, precisa y expresamente, prevista en la ley, en la redacción de los preceptos mencionados, con lo que, en todo caso, se respetaría el principio de legalidad"*, apreciación que valoramos como acertada[667].

En relación a la paralización del procedimiento por esta causa se puede plantear la duda de cuándo se reanudarán las actuaciones. Conforme al artículo 251.2 de la LGT, la suspensión se mantendrá hasta que la autoridad judicial dicte Sentencia firme, tenga lugar el sobreseimiento o el archivo de las actuaciones o se produzca la devolución del expediente por el Ministerio Fiscal. Sin embargo, el Tribunal Supremo ha precisado este extremo, señalando, en la Sentencia de 13 de febrero de 2012[668], que la reanudación de las actuaciones se producirá cuando la resolución judicial sea comunicada al órgano administrativo que hubiera realizado la actividad objeto del recurso contencioso-administrativo *"a fin de que*

---

666 *Tol 5.656.799, Tol 5.652.305, Tol 5.652.651* y *Tol 5.652.553.*

667 Como señala GUERRA REGUERA, la paralización de las actuaciones administrativas por la remisión de las actuaciones al Ministerio Fiscal no se debe a *"la dejadez, irresponsabilidad o descuido de la Administración"* sino a *"la necesidad de que medie un procedimiento firme por parte del órgano jurisdiccional sobre la existencia o no del posible delito".* Vid. GUERRA REGUERA, M.: *Prescripción de deudas tributarias,* ob. cit., pág. 205.

668 *Tol 2.459.219.*

la lleve a puro y debido efecto y practique lo que exija el cumplimiento de las declaraciones contenidas en el fallo", planteamiento coherente con lo indicado en el referido artículo 150.3 *in fine* -"*la suspensión finalizará cuando tenga entrada en el registro de la correspondiente Administración Tributaria el documento del que se derive que ha cesado la causa de suspensión (...)"*-.

b) La recepción de una comunicación de un órgano jurisdiccional en la que se ordene la suspensión o paralización respecto de determinadas obligaciones tributarias o elementos de las mismas de un procedimiento inspector en curso. Esta causa de suspensión muestra una estrecha relación con la anterior.

c) El planteamiento por la Administración Tributaria que esté desarrollando el procedimiento de inspección de un conflicto ante las Juntas Arbitrales previstas en la normativa relativa a las Comunidades Autónomas, en la Ley 28/1990, de 26 de diciembre, del Convenio Económico entre el Estado y la Comunidad Foral de Navarra y en la Ley 12/2002, de 23 de mayo, del Concierto Económico con la Comunidad Autónoma del País Vasco o la recepción de la comunicación del mismo.

d) La notificación al interesado de la remisión del expediente de conflicto en la aplicación de la Norma Tributaria a la Comisión consultiva.

e) El intento de notificación al obligado tributario de la propuesta de resolución o de liquidación o del acuerdo por el que se ordena completar actuaciones a que se refiere el artículo 156.3.b) de la LGT[669]. Esta causa de suspensión enlaza directamente con el concepto de dilaciones imputables al obligado tributario.

f) La concurrencia de una causa de fuerza mayor que obligue a suspender las actuaciones[670]. Este sería el caso de la declaración de los estados de alarma, excepción o sitio, situaciones que abordaremos en el último epígrafe de este Capítulo.

Finalizado el plazo de suspensión, el artículo 150.3 de la LGT establece que el procedimiento continuará por el tiempo que reste.

Mientras dure la suspensión, la regla general es que la Administración no podrá realizar actuación alguna en el marco del procedimiento. Sin embargo, el artículo 150.3 establece una salvedad a esta regla general, previendo la posibilidad de *"desagregar el plazo"*, en aquellos casos

---

669 Señala este precepto que *"se entenderá producida y notificada la liquidación tributaria de acuerdo con la propuesta formulada en el acta si, en el plazo de un mes contado desde el día siguiente a la fecha del acta, no se hubiera notificado al interesado acuerdo del órgano competente para liquidar, con alguno de los siguientes contenidos: (...) b) Ordenando completar el expediente mediante la realización de las actuaciones que procedan"*.

670 Señalan JUAN LOZANO y MARTÍN FERNÁNDEZ que, en puridad, no habría sido necesario establecer expresamente esta causa de suspensión, pues de la supletoriedad del Derecho Común *"ya resulta que la fuerza mayor opera, con carácter general, en el cumplimiento de obligaciones y el ejercicio de potestades"*. Vid. JUAN LOZANO, A. M., MARTÍN FERNÁNDEZ, J.: *Procedimiento de inspección: cuestiones útiles (ante y después de la reforma de la Ley General Tributaria)*, ob. cit., pág. 73. A esta causa de suspensión en particular nos referiremos en el último epígrafe de este Capítulo, al abordar las consecuencias de la suspensión derivada por la declaración del estado de alarma.

en los que la Administración Tributaria aprecie que algún periodo, obligación tributaria o elemento de esta no se encuentran afectados por la causas de suspensión. En estos casos, continuará el procedimiento inspector para esos elementos *"desagregados"*, que se regirá por sus propios motivos de suspensión y extensión del plazo, pudiendo, en su caso, practicarse por ellos la correspondiente liquidación. Esta particular circunstancia incide directamente en el cómputo del plazo de prescripción, pues, como señala DE MIGUEL CANUTO[671], *"la ruptura de la simultaneidad y la desagregación de actuaciones pueden conducir al factible escenario de que una parte de la deuda incumpla el plazo máximo, y ello redunde en prescripción de la obligación, mientras que la otra parte de la deuda sea notificada dentro de su plazo máximo"*. Esta situación, en la que una parte de la deuda está prescrita, mientras que la otra no lo está, entendemos que originará la prescripción de toda la deuda.

B.4. LA REANUDACIÓN DE LAS ACTUACIONES INSPECTORAS INCUMPLIDO EL PLAZO MÁXIMO DE DURACIÓN DEL PROCEDIMIENTO

En el marco de los procedimientos tributarios, y particularmente en el procedimiento de inspección, ha resultado una cuestión debatida el efecto interruptor de las actuaciones realizadas después de sobrepasado el plazo máximo de duración del procedimiento. Atendiendo a la

---

671   DE MIGUEL CANUTO, E.: "El plazo máximo para liquidar en las actuaciones inspectoras", ob. cit., BIB 2016\4259 (Consultado en la base de datos Aranzadi Instituciones, con fecha 12/06/2018).

previsión del artículo 150.6 de la LGT, el incumplimiento de plazo máximo de duración del procedimiento supone que las actuaciones realizadas no interrumpirán la prescripción, pero *"la prescripción se entenderá interrumpida por la realización de actuaciones con posterioridad a la finalización del plazo"*[672]. Esta es una consecuencia de la no previsión de la caducidad como efecto del incumplimiento del plazo máximo de resolución del procedimiento[673], de modo que, aunque las actuaciones realizadas en el marco del procedimiento de inspección por la Administración pierdan sus efectos interruptivos por incumplimiento del plazo máximo, si posteriormente la Administración realiza nuevas actuaciones, estas sí interrumpirán el plazo de prescripción, siempre, obviamente, que este no hubiera finalizado ya[674].

---

672   La pérdida de la eficacia interruptiva de la prescripción cuando se sobrepasa el plazo máximo de duración del procedimiento fue una consecuencia introducida originalmente en el RGAPGIT de 1986 mantenido y elevado de rango a legal por la Ley 1/1998 y recibido por la LGT de 2003.

673   Señala el Tribunal Supremo en la Sentencia de 6 de marzo de 2014 (*Tol* 4.152.742) a este respecto que *"en definitiva, bajo el presupuesto de que el rebasamiento del plazo máximo de duración legal de las actuaciones no haya determinado la consumación de la prescripción, y en la medida en que el transcurso del plazo máximo de duración de las mismas no determina la caducidad del procedimiento y han de continuar hasta su terminación, esta Sala, bajo el régimen de la Ley 1/1998, aquí aplicable, ha venido a admitir que un acto de reanudación de aquellas, debidamente notificado al sujeto pasivo, determine una nueva interrupción de la prescripción"*.

674   Señala ROMERO GARCÍA que *"las actuaciones intempestivas en el procedimiento de inspección indebidamente prolongado conservan su validez; es un procedimiento válido, compuesto por actuaciones susceptibles de producir efectos. En consecuencia, el transcurso del plazo indicado sin que se haya dictado resolución no elimina el deber de dictarla, lo que significa, en primer lugar, que el procedimiento está vivo y no caducado -por ello hay que resolver- y, en segundo término, que la resolución extemporánea, debida, es válida. Ahora bien, la no caducidad no equivale a que pueda ser indefinido;*

Sin embargo, no cualquier actuación realizada *a posteriori* provocará este efecto y, en este sentido, el precepto apostilla que *"el obligado tributario tendrá derecho a ser informado sobre los conceptos y períodos a que alcanzan las actuaciones que vayan a realizarse"*.

En relación a qué actuaciones de las efectuadas tras el transcurso del plazo interrumpen la prescripción, se ha pronunciado el Tribunal Supremo en distintas Sentencias. El problema que se plantea en estos supuestos es cuál debe ser el contenido de la información notificada al contribuyente para que tales actuaciones posean efecto interruptivo, y particularmente, en relación al derecho del obligado tributario a ser informado en los términos que recoge el antecitado artículo 150.6 de la LGT. Uno de los pronunciamientos más recientes sobre esta cuestión es la Sentencia de 23 de marzo de 2018[675], en la que el Alto Tribunal realiza importantes apreciaciones a este respecto, indicando que la previsión del artículo 150.6 *"debe entenderse en sus estrictos términos; <u>no se trata de que una mera actuación ulterior sin más "reviva" un procedimiento ya fenecido</u>, como sin duda es el del*

significa, por el contrario, que el plazo para su conclusión es tan extenso como el de prescripción del derecho a que se refiera, con lo que se sustituye la perención o caducidad del expediente y, en su caso, la generación del silencio administrativo[3], *por la extinción del derecho"*. Vid. ROMERO GARCÍA, F.: "Conceptualización jurisprudencial de las dilaciones imputables al obligado tributario", ob. cit., BIB 2012\3310. (Consultado en la base de datos Aranzadi Instituciones, con fecha 11/06/2018).

675   *Tol 6.554.422*. En el mismo sentido, las Sentencias de 18 de diciembre de 2013 (*Tol 4.062.655*), de 6 de marzo de 2014 (*Tol 4.152.742*), de 13 de junio de 2014 (*Tol 4.430.708*), de 25 de mayo de 2015 (Tol 5.186.043), de 23 de mayo de 2016 (*Tol 5.733.414*) y de 24 de marzo de 2017 (*Tol 6.012.386*).

caso enjuiciado, según admite la propia Administración recurrente, <u>sino de una decidida actuación administrativa de llevar a cabo la tarea que inicialmente no realizó en el tiempo legalmente requerido</u>. (...) A nuestro juicio, esa actuación no da cumplimiento suficiente a la exigencia contenida en el artículo 150.2 de la Ley General Tributaria, no ya porque no manifieste expresamente que "reanuda las actuaciones" sino, fundamentalmente, porque <u>se limita a continuar con el procedimiento y no contiene la precisa información que aquel precepto establece</u>; dicho de otro modo, no informa al contribuyente sobre los "conceptos y períodos a que alcanzan las actuaciones que vayan a realizarse", exigencia que -desde luego- no se llena de manera satisfactoria con la pura referencia general, en el encabezamiento de la diligencia, a los ejercicios y a los tributos objeto de comprobación e inspección, expresión mucho más genérica que la relativa a los "conceptos" reseñados en la norma".

De esta manera, conforme a la doctrina del Tribunal Supremo, para que las actuaciones realizadas por la Administración tributaria, una vez sobrepasado el plazo de 18 o 27 meses, interrumpan la prescripción, deben cumplir dos requisitos:

- El primero, poner de manifiesto una clara voluntad de reanudar el procedimiento: esto es, no cualquier tipo de actuación podrá reanudar el plazo, solo aquellas tendentes a que el procedimiento avance.

- El segundo, informar al contribuyente, de manera clara, precisa y completa de los conceptos y períodos a los que van a alcanzar las actuaciones que van a realizarse después de tal comunicación, no siendo válidas referencias de tipo genérico al procedimiento iniciado. El conocimiento expreso por parte del obligado tributario de las actuaciones que se reanudan, de que tal reanudación posee eficacia interruptiva y de los conceptos y periodos a los que afectarán las actuaciones, se convierte, de esta forma, en un requisito inexcusable para que las actuaciones vuelvan a interrumpir el plazo de prescripción. El establecimiento de este requisito es lógico, atendiendo al mandato del artículo 68.1 a) de la LGT, pero también con base en el derecho del obligado tributario a ser informado del alcance de las actuaciones realizadas en el marco del procedimiento, consagrado en el artículo 34.1 ñ) de la LGT.

Tal y como ha indicado FALCÓN Y TELLA[676], la omisión de la notificación no impedirá que el procedimiento siga su curso, pero carecerá de efectos interruptivos, hasta que se produzca la notificación de las actuaciones o hasta que se dicte liquidación. En el mismo sentido se ha manifestado el Tribunal Supremo entre otras, en las Sentencias de 21 de mayo de 2015 o de 24 de junio de 2015[677], en las que señala que la mera continuación de las actuaciones tras la superación del plazo máximo de duración del procedimiento no posee capacidad interruptiva. Para ello, reiteramos, es necesario que la reanudación se comunique formalmente al obligado tributario.

---

676 FALCÓN Y TELLA, R.: "La reanudación de las actuaciones tras su interrupción injustificada o el transcurso del plazo máximo de 12 meses", *Quincena Fiscal*, núm. 22, 2011, págs. 7-11.

677 *Tol 5.010.148* y *Tol 5.191.523*, respectivamente.

No obstante, al margen de estas cuestiones relacionadas con los requisitos que debe cumplir la actividad administrativa para volver a interrumpir la prescripción, cabe preguntarse si este efecto es procedente. No hay duda de que tiene soporte legal, el artículo 150.6 de la LGT, pero debemos preguntarnos si ese soporte legal tiene fundamento en el marco del procedimiento tributario. Dudamos de que así sea. Nos adherimos, en este punto, a las propuestas de aquellos autores que, habiendo estudiado en profundidad la caducidad en el ámbito tributario, consideran que el plazo máximo para resolver este procedimiento no debe permanecer en la indeterminación, sino que debe ser de caducidad[678]. No cabe otra calificación para este plazo. Entendemos que el legislador ha sido reticente a establecer que el efecto del incumplimiento del plazo de duración del procedimiento inspector es la caducidad precisamente para facilitar a la Administración la re-interrupción del plazo de prescripción sin tener que iniciar un nuevo procedimiento de inspección, circunstancia que, por otra parte, solo se aprecia en este procedimiento, no en los de gestión -a salvo del del comprobación de valores-. Esta distinción entre los procedimientos de gestión y de inspección resulta muy cuestionable, pues carece de justificación en las diferencias entre ambos procedimientos. No responde, por tanto, la negativa del legislador para calificar el plazo como

---

678 Entre otros, DE MIGUEL CANUTO, E.: "El plazo máximo para liquidar en las actuaciones inspectoras", ob. cit., BIB 2016\4259. (Consultado en la base de datos Aranzadi Instituciones, con fecha 12/06/2018); SANZ CLAVIJO, A.: *La caducidad del procedimiento. Su aplicación en el ámbito administrativo y tributario*, ob. cit., pág. 311 y MATA SIERRA, M. T.: *Las garantías de los ciudadanos frente a la inactividad de la Administración tributaria*, ob. cit. págs. 210 y ss.

de caducidad, a ninguna otra causa diferente de la enunciada, a nuestro modo de ver. Por lo expuesto, consideramos que sería conveniente calificar el plazo de duración del procedimiento como plazo de caducidad, y suprimir la facultad de reanudar el plazo que tantas dudas ha planteado en cuanto a sus requisitos. La Administración, caducado el procedimiento de inspección, podrá volver a interrumpir el plazo de prescripción, si no ha concluido, pero a través del inicio de un nuevo procedimiento, al que no negamos que se puedan incorporar, en virtud del mandato del artículo 104.5 de la LGT, las actuaciones desarrolladas válidamente en el procedimiento, en ese caso, caducado.

B.5. LA TERMINACIÓN DEL PROCEDIMIENTO POR PRESCRIPCIÓN

Para finalizar, haremos referencia sucinta a la regulación de la terminación del procedimiento de inspección por prescripción. Esta situación se producirá en aquellos supuestos en los que el procedimiento pierde su efecto interruptivo, por alguna de las causas a las que nos hemos referido a lo largo de este Capítulo, y ello supone la consumación del plazo de prescripción. La forma en que debe proceder la Administración tributaria en estos supuestos aparece recogida en el artículo 189.4 del RGAPGIT, que determina que en estos casos el órgano competente para liquidar de la Administración, a propuesta del órgano que hubiese desarrollado las actuaciones del procedimiento de inspección, deberá emitir informe en el que constarán los hechos acreditados en el expediente y las circunstancias que determinen esta forma de terminación del procedimiento. Entendemos que este mandato, además un carácter procedimental, tiene efectos jurídicos relacionados directamente con la obligación de la Administración de aplicar de oficio la prescripción tributaria.

C. COMPROBACIONES LIMITADAS E INTERRUPCIÓN DE LA PRESCRIPCIÓN

Una cuestión común que puede plantearse en los procedimientos de inspección, pero también en los de gestión, es la eficacia interruptiva del plazo de prescripción que poseen las actuaciones de la Administración de alcance parcial. Antes de dar respuesta a esta pregunta es preciso partir de la correcta conceptualización de esas *"actuaciones de carácter parcial"*. Para ello, hay que distinguir nítidamente entre la extensión y el alcance de las actuaciones que la Administración tributaria puede desarrollar en el marco del procedimiento[679]. La extensión hace referencia al número de obligaciones tributarias afectadas por la comprobación, por ejemplo, en el IRPF del periodo 2018 o en el IVA del segundo trimestre del año 2020. El alcance, por su parte, se refiere a los elementos de la obligación tributaria que van a ser objeto del procedimiento de comprobación[680]. Por ejemplo, cuotas soportadas en el IVA, o el cumplimiento de los requisitos que dan derecho al disfrute de una exención condicional.

---

679 ESEVERRI, E.: *La prescripción tributaria en la jurisprudencia del Tribunal Supremo*, ob. cit., págs. 159-160 y GUERRA REGUERA, M.: *Prescripción de deudas tributarias*, ob. cit., págs. 194-195.

680 En este sentido, señala el artículo 148 de la LGT, en sus apartados 1 y 2.

Partiendo de esta base la duda es evidente: ¿pueden esas comprobaciones parciales interrumpir el plazo de prescripción en su conjunto, o, por el contrario, la interrupción solo afectará al concreto elemento comprobado, continuando el plazo para el resto de elementos que conformen la obligación tributaria?

El Tribunal Supremo ha sido claro en la respuesta a esta cuestión. Así, en las Sentencias de 6 de noviembre de 2008 y de 16 de julio de 2009[681] señala que "*no debe olvidarse que, en el ámbito que nos ocupa, la prescripción no es más que la consecuencia del transcurso del plazo establecido en la Ley sin que la Administración realice las actuaciones de comprobación dirigidas a la liquidación de la deuda tributaria, inactividad de la Administración, connatural a la prescripción (Sentencia de esta Sala y Sección de 23 de mayo de 2006), que equivale materialmente a una verdadera renuncia del poder público a investigar y regularizar la obligación tributaria de que se trate. Pues bien, en la medida en que el ordenamiento jurídico permitía la posibilidad, en determinados supuestos, de realizar comprobaciones parciales (art. 11 RGAPGIT) e incoar actas previas (art. 50 RGAPGIT) -dando lugar a liquidaciones de carácter provisional, a cuenta de las definitivas que posteriormente se pudieran practicar-, siempre que tales actuaciones parciales cumplieran con los requisitos establecidos en la norma, ante la inexistencia de previsión en contra en el citado art. 66 LGT o en cualquier otro precepto, tales actuaciones debían entenderse como la expresión de la voluntad inequívoca de la Administración*

---

681   *Tol* 1.438.873 y *Tol* 1.602.456, respectivamente.

tributaria de comprobar la totalidad de la deuda tributaria -o, si se prefiere, de no renunciar a la determinación de todos los elementos de la obligación tributaria- y, por consiguiente, producían el efecto de interrumpir la prescripción, en relación con el mismo impuesto y ejercicio, respecto de los aspectos comprobados y los no comprobados".

Este criterio se reitera, entre otras, en las Sentencias de 4 de enero y de 12 de diciembre de 2011[682]. En esta última, expresamente, se indica que esta doctrina es aplicable también a las actuaciones de comprobación e investigación desarrolladas por un órgano gestor.

En conclusión, y a la vista de estos pronunciamientos, cabe señalar que el Tribunal Supremo considera que la interrupción de la prescripción originada por una comprobación de carácter parcial incide sobre la totalidad de la obligación tributaria, no solo a la parte *"afectada"* por tales actuaciones. La doctrina se ha mostrado favorable a esta interpretación del Alto Tribunal. Así, ESEVERRI[683] afirma que otorgar a las comprobaciones parciales un efecto interruptivo también parcial supone supeditar la apreciación de esta circunstancia no a la actividad en sí misma desplegada por la Administración, sino al modo en que esta actúa *"y ha de recordarse que aquello que prescribe es el derecho a determinar la deuda tributaria, no la forma a través de la cual se han seguido actuaciones administrativas, para el ejercicio*

---

682 *Tol 2.032.985* y *Tol 2.338.647*, respectivamente.

683 ESEVERRI, E.: *La prescripción tributaria en la jurisprudencia del Tribunal Supremo*, ob. cit., pág. 162.

de ese derecho". En la misma línea GUERRA REGUERA[684], que apunta que *"no es razonable desnaturalizar la obligación tributaria desintegrándola en una inexplicable diversidad de plazos prescriptivos".*

Ambos autores aluden a dos preceptos para justificar su valoración positiva:

- Por un lado, al texto del artículo 68.1 a) de la LGT, que señala expresamente que la interrupción se producirá por actuaciones de la Administración que recaigan sobre *"todos o parte de los elementos de la obligación tributaria que proceda",* lo que pone de manifiesto la intención del legislador de dotar a la interrupción de un carácter general, no particular para cada uno de los elementos[685].

- Por otro lado, en el artículo 149.3 de la LGT, que dispone que, si el obligado tributario solicita la ampliación del alcance parcial de las actuaciones a general, *"la Administración tributaria deberá ampliar el alcance de las actuaciones o iniciar la inspección de carácter general en el plazo de seis meses desde la solicitud. El incumplimiento de este plazo determinará*

684　GUERRA REGUERA, M.: *Prescripción de deudas tributarias*, ob. cit., pág. 199.

685　Además, a juicio de GUERRA REGUERA, la introducción por la Ley 7/2012 de la apostilla *"aunque la acción se dirija inicialmente a una obligación tributaria distinta como consecuencia de la incorrecta declaración del obligado tributario",* refuerza esta interpretación y *"supone la decisión clara y determinante de nuestros poderes públicos de dar cobertura legal a la interpretación que estamos defendiendo".* Vid. GUERRA REGUERA, M.: *Prescripción de deudas tributarias*, ob. cit., pág. 197.

que las actuaciones inspectoras de carácter parcial no interrumpan el plazo de prescripción para comprobar e investigar el mismo tributo y período con carácter general". Por lo tanto, este precepto otorga al contribuyente la facultad de convertir una inspección de carácter parcial en general. La inclusión de este precepto, como apunta ESEVERRI[686], carece de sentido *"si las actuaciones iniciadas con carácter parcial solo interrumpieran la prescripción del derecho de la Administración a determinar la deuda tributaria parcialmente comprobada".*

Además, esta doctrina es coherente con la mantenida por el Tribunal Supremo, entre otras, en las Sentencias de 27 de febrero de 2009, de 24 de mayo de 2012, de 7 de febrero de 2014, de 23 de junio de 2016, de 24 de marzo de 2017 y de 19 y 21 de junio de 2017[687], a las que ya nos hemos referido, en relación al efecto interruptivo de las diligencias. En estas Sentencias el Tribunal establece que independientemente de si la diligencia extendida afecta a todos o solo a alguno de los elementos comprobados, interrumpirá el plazo de prescripción en su conjunto.

A la vista de lo señalado, coincidimos, como regla general, con la doctrina del Tribunal Supremo, pues el plazo al que alude el artículo 66 para determinar la deuda tributaria es un plazo único, que afecta a la deuda de manera

---

686   ESEVERRI, E.: *La prescripción tributaria en la jurisprudencia del Tribunal Supremo,* ob. cit., pág. 164.

687   *Tol 1.494.395, Tol 2.566.511, Tol 4.109.362, Tol.761.681, Tol 6.012.386, Tol 6.206.662 y Tol 6.301.876,* respectivamente.

global. Además, la concepción de la prescripción como mecanismo extintivo que efectúa tanto el artículo 59 de la LGT, como el artículo 69 de este texto legal, no contempla la descomposición del plazo de prescripción que afecta a la deuda tributaria en otros plazos que afectan a distintos elementos de la misma, pues la extinción a la que aluden los referidos preceptos recae sobre la deuda en su totalidad.

No obstante, esta regla general no es absoluta, pues el desarrollo de las normas tributarias, las consecuentes modificaciones legales y la "alteración" de algunos elementos que se consideraban esenciales, como el carácter autónomo de la obligación tributaria, conducen a que, en determinadas ocasiones, esta conclusión deba matizarse o encuentre alguna excepción. Este es el caso de las obligaciones conexas, a cuyo estudio dedicaremos el penúltimo apartado de este Capítulo.

D. LA INTERRUPCIÓN DE LA PRESCRIPCIÓN EN LOS SUPUESTOS DE CONFORMIDAD PARCIAL DEL OBLIGADO TRIBUTARIO

Aparentemente vinculado con la cuestión que acabamos de exponer surge la siguiente. Iniciado un procedimiento de inspección, ya sea de alcance general, ya sea de alcance parcial que, en cualquiera de los dos casos, concluye, por ejemplo con un acta con acuerdo, un acta con conformidad y un acta con disconformidad, -o cualquiera de las combinaciones posibles que supongan la emisión de, al menos, dos actas de distinto tipo derivadas del mismo procedimiento- surgiendo la pregunta de cómo incide, a partir del momento en que se emiten las actas, las actuaciones de la Administración tributaria llevadas a cabo en relación a unas y a otras.

Para dar respuesta a esta cuestión es preciso ahondar en los efectos y en el discurrir del procedimiento que se derivan de la emisión de cada uno de los distintos tipos de acta. El inicio del procedimiento es común, pues tanto inspección de alcance general, como la inspección de alcance parcial que afecte a uno o varios elementos de la obligación tributaria, va a suponer, en origen, la interrupción del plazo de prescripción con carácter global. Avanzadas las actuaciones, si estas finalizan con acuerdo y una conformidad parcial, ello va a suponer que respecto a alguno de los elementos comprobados se dicte un acta con acuerdo, respecto a otros un acta con conformidad y, finalmente, respecto a los restantes, un acta en disconformidad[688]:

>   - En el caso del acta con acuerdo, su régimen legal aparece recogido en los artículos 155 de la LGT y 186 del RGAPGIT. Este tipo de acta afectará únicamente a los elementos sobre los que se haya alcanzado el acuerdo, por lo que será una propuesta de liquidación provisional. Una vez firmada el acta, la liquidación derivada de la misma se entenderá dictada de forma tácita y notificada por el mero transcurso de diez días, contados desde la el siguiente a la fecha del acta con acuerdo, a menos que se aprecien errores materiales, en cuyo caso, en ese plazo de diez días se deberá notificar al interesado acuerdo del órgano competente para liquidar rectificando los errores materiales.

---

688   VARIOS: *Practicum Procedimientos Tributarios*, ob. cit., pág. 357.

- El acta con conformidad, regulada en el artículo 156 de la LGT y en el artículo 187 del RGAPGIT, también contendrá los elementos regularizados de la obligación tributaria sobre los que el contribuyente hubiera prestado la conformidad, que también darán lugar a una propuesta de liquidación provisional. Desde la fecha en que son dictadas, el Inspector dispone de un mes para su examen, contado desde el día siguiente a la fecha del acta. La liquidación se entenderá dictada y notificada si transcurrido ese plazo no se notifica al obligado tributario acuerdo del Inspector Jefe en otro sentido. Si se detecta que la liquidación derivada del acta debe ser modificada, la Administración deberá efectuar y notificar la modificación en el plazo de un mes previsto para la revisión del acta, a menos que la modificación se derive de que las actuaciones son insuficientes para finalizar el procedimiento, en cuyo caso se deberá notificar al interesado, en el referido plazo de un mes, el acuerdo que ordene que se completen las actuaciones y que deja sin efecto el acta de conformidad incoada. En este último caso las actuaciones se deberán completar en el tiempo que reste para finalizar el plazo máximo de duración del procedimiento inspector. Por otro lado, es preciso indicar que, en estos casos en que el procedimiento finaliza con un acta con conformidad, si se dicta a menos de un mes de que se alcance el plazo máximo de duración del procedimiento inspector, la Administración podrá confirmar previamente la liquidación contenida en el acta de conformidad sin esperar a que transcurra el plazo de un mes, pues ello supondría que se sobrepase el plazo máximo de duración del procedimiento y la pérdida del efecto interruptivo de la prescripción.

- Por último, en el acta con disconformidad, de cuya regulación se ocupa el artículo 157 de la LGT y el artículo 188 del RGAPGIT, se incluirán todos los elementos de la obligación tributaria, si bien la cuota se minorará en el importe de las cuotas contenidas en las actas con acuerdo o con conformidad que, en su caso, se dicten. El acta con disconformidad contendrá una propuesta de liquidación que podrá ser provisional o definitiva. Desde la fecha en que se extiende el acta o se notifica, el obligado tributario dispondrá de un plazo de 15 días para formular alegaciones ante el órgano competente para liquidar. Tras la presentación de estas alegaciones caben tres posibilidades:

o Que la Administración dicte acto expreso de liquidación confirmando la propuesta contenida en el acta o rectificándola atendiendo a las alegaciones presentadas.

o Que la Administración aprecie error en la valoración de los hechos o una indebida aplicación de las normas jurídicas, en cuyo caso deberá rectificar la liquidación propuesta.

o Que la Administración aprecie que las actuaciones realizadas son insuficientes y dicte acuerdo, que debe ser notificado al obligado tributario, ordenando continuar las actuaciones.

En cualquiera de los tres casos, para que se mantenga la eficacia interruptiva de la prescripción, las actuaciones deberán finalizar antes del plazo máximo de duración del procedimiento inspector.

En definitiva, la emisión de distintas actas supone la formulación de distintas propuestas de liquidación respecto a una misma obligación tributaria, cada una de las cuales, una vez emitida la correspondiente acta, seguirá un *iter* procedimental particular dentro del procedimiento de inspección, esto es, a partir de ese momento en que se emita el acta la tramitación del procedimiento adoptará un carácter particular. Si en relación a cualquiera de estas actas la Administración no realiza las actuaciones adicionales que le exige la Ley para que la liquidación provisional derivada de ella adquiera firmeza, concluyendo el plazo máximo de duración del procedimiento y perdiendo con ello, su efecto interruptivo de la prescripción, surge la cuestión de si afectará esa pérdida a la totalidad de la deuda o solo a la referida al acta a la que haya afectado la inactividad de la Administración.

En Tribunal Supremo ha establecido su criterio al respecto, entre otras, en sus Sentencias de 11, 12, 16 y 24 de abril de 2007, de 11, 18 y 25 de febrero de 2008 y de 24 de junio de 2009[689]. La doctrina contenida en estas Sentencias es la siguiente *"aunque es cierto que en estos casos la liquidación resultante del acta previa de conformidad, es un acto parcial*

---

689   Tol 1.073.459, Tol 1.076.047, Tol 1.073.465, Tol 1.079.797, Tol 1.092.912, Tol 1.268.786, Tol 1.277.246, Tol 1.281.719 y Tol 1.567.532, respectivamente.

determinante de una deuda provisional y a cuenta de la que resulte en su día de la tramitada en disconformidad, siendo asimismo cierto, como alega el Abogado del Estado, que no estamos ante hechos desagregables o ante diversidad de fuentes de renta gravable, porque el sujeto pasivo con ocasión de una inspección se limita únicamente a aceptar determinadas partidas, de donde surge la disconformidad, no cabe olvidar que se está ante un único procedimiento inspector, cuya tramitación se bifurca con la extensión de los dos tipos de actas, en conformidad y en disconformidad, en función de la actitud adoptada por el sujeto pasivo, sin que el hecho de la bifurcación le haga perder ese carácter original, pues en ambos casos se trata de proceder a la regularización, pero con arreglo a distintos trámites.

Por consiguiente, así como hasta la firma de las actas las vicisitudes en relación con la prescripción del derecho de la Administración a liquidar el tributo son las mismas, por existir un único cómputo, que afectará por igual a las liquidaciones de las actas, sean estas de cualquier tipo, sin embargo, a partir de la extensión de aquellas, el cómputo de la prescripción puede variar respecto a las de una u otra clase".

De esta forma, el Tribunal es claro al considerar que la pérdida de la eficacia interruptiva derivada de la inactividad relacionada con una de las actas no se extenderá a las otras actas[690], y a la inversa, la interrupción derivada de

---

690   En relación a la doctrina contenida en estas Sentencias, particularmente en las del año 2007, algún autor, como SÁNCHEZ BLÁZQUEZ, no apreció tal claridad, por considerar que en estos pronunciamientos el Alto

la liquidación provisional del acta que adquiere firmeza no interrumpe la prescripción respecto a las actas cuya firmeza no se alcanzó. De esta forma el Tribunal Supremo hace prevalecer *"la sustantividad del instituto de la prescripción, que opera acode a su propia regulación, sin subordinarse a ningún otro"*[691], por encima de la *"unidad de acción"* pretendida por la Adminsitración.

Es preciso indicar que estas Sentencias, más que a la pérdida del efecto interruptivo por el transcurso del plazo máximo de duración del procedimiento, versan sobre la pérdida de dicho efecto por el transcurso del plazo de seis meses sin que la Administración ejecute actuación alguna, lo que, como ya hemos señalado, antes de la modificación efectuada por la Ley 34/2015, provocaba ese efecto en el ámbito de la interrupción de la prescripción. Tras la reforma de la LGT efectuada por la antecitada Ley, dicha causa se suprime, manteniéndose como único motivo que provoca la desaparición del efecto interruptivo el transcurso el plazo máximo de duración del procedimiento sin haber sido concluido. Por ello, circunscribimos nuestra exposición a la regulación vigente.

Tribunal *"sigue aún sin haberse pronunciado de modo reiterado, con una argumentación directa al respecto, en torno al problema acerca del alcance parcial o total del efecto interruptivo del plazo de prescripción del derecho a liquidar en los supuestos de actuaciones administrativas parciales.".* Vid. SÁNCHEZ BLÁZQUEZ, V. M.: "Interrupción injustificada de las actuaciones inspectoras en los casos de dualidad de actas por conformidad parcial: la reciente doctrina del Tribunal Supremo sobre prescripción parcial", *Quincena Fiscal*, núm. 5, 2008, pág. 54

691	PONT MESTRES, M.: *La prescripción tributaria ante el derecho a liquidar y el derecho a recaudar y cuestiones conexas*, ob, cit., pág. 137.

Como señalábamos en líneas superiores, el Tribunal Supremo es claro al limitar la pérdida del efecto interruptivo a los elementos afectados por el acta cuyo procedimiento derivado no concluye en plazo[692]. Esta doctrina jurisprudencial no parece encajar con la expuesta en el apartado anterior relativa al efecto interruptivo de las comprobaciones parciales[693].Sin embargo, esta aparente contradicción no es tal, pues se trata de dos situaciones sustancialmente distintas, cuya equiparación solo es posible en origen. Con independencia de si la inspección que da inicio al procedimiento sea carácter general –respecto a la que no hay dudas sobre su eficacia interruptiva y la extensión de esta- o sea de carácter parcial, afectando a distintos elementos de la obligación tributaria, tanto una como otra situación va a provocar la interrupción de la prescripción con carácter general, tal y como establece el artículo 68.1 a) de la LGT y la doctrina del Tribunal Supremo a la que aludíamos en el apartado anterior. A partir del inicio del procedimiento, las actuaciones serán particulares para determinar la liquidación de cada uno de los elementos, pudiendo finalizar, para algunos de ellos, como ya hemos señalado, con un acta con acuerdo, para otros con un acta con conformidad y, para los restantes, con un acta con disconformidad.

---

692 Como señala GUERRA REGUERA, el Tribunal Supremo determina *"la independencia de las actas, la independencia de su tramitación, y la imposibilidad de que lo que se haga en una afecte a la otra y viceversa".* Vid. GUERRA REGUERA, M.: *Prescripción de deudas tributarias*, ob. cit., pág. 202.

693 SÁNCHEZ BLÁZQUEZ, V. M.: "Interrupción injustificada de las actuaciones inspectoras en los casos de dualidad de actas por conformidad parcial: la reciente doctrina del Tribunal Supremo sobre prescripción parcial", ob. cit., pág. 54.

Una vez que las actas son dictadas, el procedimiento inicialmente unitario se disgrega o bifurca[694] en tantas partes como actas se deriven del mismo: una, dos o tres, a lo sumo. Como se indicó, para que las liquidaciones, en su caso, derivadas de cada una de las actas adquieran firmeza, el procedimiento es particular, pudiendo concluirse en el plazo máximo de duración del procedimiento para algunas de las actas, pero no para todas. ¿Inciden de alguna manera los actos dictados en el procedimiento que se desencadena tras la emisión de cada una de las actas en el procedimiento que se debe sustanciar en relación a las otras?. No, pues son actos que, aun integrándose en el procedimiento de inspección, poseen una sustantividad y una finalidad propia. Las actuaciones posteriores a la emisión de cada una de las actas son particulares y se derivan del contenido y la forma de la propia acta, por lo que no cabe extender sus efectos a otras que poseen un contenido y tramitación propios. Si las liquidaciones derivadas del acta con acuerdo y del acta con conformidad adquieren firmeza en plazo, mientras que únicamente en relación al acta dictada en disconformidad no se finalizan las actuaciones en plazo, resultaría del todo ilógico extender los efectos de esa pérdida del efecto interruptivo a los elementos afectados por las actas dictadas en acuerdo y en conformidad, cuyas liquidaciones ya son firmes y han sido dictadas en plazo.

Pongamos un ejemplo simple que contribuya a comprender mejor el razonamiento expuesto. Supongamos un procedimiento de inspección del IS del ejercicio 2018 que

---

694 ESEVERRI, E.: *La prescripción tributaria en la jurisprudencia del Tribunal Supremo*, ob. cit., pág. 180.

recae sobre distintos elementos: las amortizaciones aplicadas, las deducciones por I+D+i y los gastos de personal. Esa inspección se inicia. el 14 de enero. de 2019. y, no existiendo ninguna de las causas previstas en el artículo 150.1 de la LGT, deberá concluir en el plazo de 18 meses. El 14 de enero de 2020, concurriendo acuerdo con conformidad parcial, se dictan tres actas:

- Un acta con acuerdo respecto a las amortizaciones.

- Un acta con conformidad respecto a las deducciones por I+D+i.

- Un acta con disconformidad respecto a los gastos de personal.

La liquidación provisional derivada del acta con acuerdo adquiere firmeza a los diez días desde la emisión del acta y la derivada del acta con conformidad en el plazo de un mes, por lo que, en ambos casos, las liquidaciones adquieren firmeza antes del transcurso del plazo de 18 meses. Sin embargo, en relación al acta dictada en disconformidad no se realiza acto alguno hasta el 20 de noviembre de 2020, fecha en la que ya había transcurrido el plazo máximo de duración del procedimiento. Es evidente que el incumplimiento del plazo provocará la pérdida del efecto interruptivo, pero solo en relación a los elementos afectados por ese acta cuya liquidación no se ha emitido en plazo, pero no con carácter general, pues las otras dos liquidaciones, en tanto se han dictado en plazo, son firmes y, por tanto, inatacables.

Si, tras la pérdida de ese efecto interruptivo no ha finalizado el plazo general de prescripción, la Administración podrá, como ya hemos indicado, volver a provocar la interrupción del plazo, realizando alguna actuación relacionada con el acta con disconformidad, en la que quede patente su intención de hacer avanzar el procedimiento. Nada tendrá que hacer en relación a las otras dos actas. Si, por el contrario, la pérdida del efecto interruptivo supone que el plazo de prescripción ya ha concluido, la Administración ya no podrá liquidar ni los elementos sobre los que recae ese acta de disconformidad, ni ningún otro, pero sí podrá exigir el pago que, en su caso, se derive de las liquidaciones provisionales dictadas en tiempo. Por tanto, no se contradice la doctrina del Tribunal Supremo en relación a las comprobaciones parciales, ni se disgrega la deuda tributaria, que mantiene su unicidad[695].

En definitiva, en estas líneas hemos justificado nuestra conformidad con la doctrina del Tribunal Supremo, pues la tramitación independiente de cada una de las actas impide la extensión de los efectos en materia de interrupción de la prescripción, sin suponer ello la contradicción de la doctrina del Alto Tribunal sobre la extensión de las comprobaciones parciales, ya que se trata de cuestiones sustancialmente

---

695   Tal y como apunta SÁNCHEZ BLÁZQUEZ, el carácter unitario e inescindibles de la obligación tributaria, derivada de un único y unitario hecho imponible, era el principal argumento esgrimido por la Administración para justificar la comunicación de efectos entre los actos derivados de unos y otros tipos de actas. Vid. SÁNCHEZ BLÁZQUEZ, V. M.: "Interrupción injustificada de las actuaciones inspectoras en los casos de dualidad de actas por conformidad parcial: la reciente doctrina del Tribunal Supremo sobre prescripción parcial", ob. cit., pág. 53.

distintas.

E. PRESCRIPCIÓN Y RETROACCIÓN DE LAS ACTUACIONES INSPECTORAS

La retroacción de las actuaciones en el marco del procedimiento inspector ha sido otro de los aspectos modificados por la Ley 34/2015. Esta situación se produce cuando un Tribunal Económico Administrativo (en adelante, TEA), o un órgano judicial anulan alguna o varias de las actuaciones desarrolladas en el procedimiento inspector. La retroacción de las actuaciones supone que los efectos de tal anulación son que, aunque el acto anulado pierde su eficacia jurídica, las actuaciones realizadas en el procedimiento anulado, no afectadas por la anulación, se mantendrán. Por tanto, la incidencia sobre la interrupción de la prescripción va a ser evidente, pues la posibilidad de retrotraer las actuaciones supone que el efecto interruptivo del procedimiento se mantiene, aunque, para ello también resultará esencial determinar el momento en que se deben "reiniciar" esas actuaciones y el plazo en el que deben culminar[696].

Esta posibilidad de retrotraer las actuaciones se deriva del principio e conservación de las actuaciones establecido en el artículo 66.3 del Real Decreto 520/2005, de 13 de

---

[696] CALVO VÉRGEZ, J.: "La interrupción del plazo de duración de las actuaciones inspectoras y la retroacción de actuaciones a la luz de la reciente doctrina de los Tribunales de Justicia", ob. cit., BIB 2016\21287. (Consultado en la base de datos Aranzadi Instituciones, con fecha 13/07/2018).

mayo, por el que se aprueba el Reglamento general de desarrollo de la Ley 58/2003, de 17 de diciembre, General Tributaria, en materia de revisión en vía administrativa[697]. Con fundamento en esta facultad, se planteó la cuestión de la retroacción de las actuaciones inspectoras, particularmente para determinar cómo se debe insertar tal retroacción en el procedimiento inspector en cuya tramitación se produjo la causa de anulación[698].

La vigencia de la LGT de 2003 y, en especial, del artículo 150.5 de este texto legal, vinieron a aportar luz sobre esta cuestión. Este artículo disponía que:

> *"Cuando una resolución judicial o económico-administrativa ordene la retroacción de las actuaciones inspectoras, estas deberán finalizar en el período que reste desde el momento al que se retrotraigan las actuaciones hasta la conclusión del plazo al que se refiere el apartado 1 de este artículo o en seis meses, si aquel período fuera inferior. El citado plazo se computará desde la recepción del expediente por el órgano competente para ejecutar la resolución.*
>
> *Lo dispuesto en el párrafo anterior también se aplicará a los procedimientos administrativos en los que, con posterioridad a la ampliación del*

---

697   BOE núm. 126, de 27 de mayo de 2005.

698   La Sentencia del Tribunal Supremo de 4 de abril de 2013 (*Tol* 3.706.398), ilustra con mucha claridad el problema y su evolución hasta la entrada en vigor de la LGT de 2003.

plazo, se hubiese pasado el tanto de culpa a la jurisdicción competente o se hubiera remitido el expediente al Ministerio Fiscal y debieran continuar por haberse producido alguno de los motivos a que se refiere el apartado 1 del artículo 180 de esta ley. En este caso, el citado plazo se computará desde la recepción de la resolución judicial o del expediente devuelto por el Ministerio Fiscal por el órgano competente que deba continuar el procedimiento."

Aunque este precepto resultaba aclaratorio respecto a la ausencia de regulación previa, se mantenían aún ciertas dudas por resolver. Por lo que aquí interesa, la cuestión vinculada directamente con la prescripción es la determinación de la fecha en que se debería iniciar el cómputo del plazo restante del procedimiento de inspección, o, en su caso, del plazo de seis meses, cuando el tiempo del procedimiento restante fuera inferior a este periodo. La incidencia de la determinación de este momento en materia de prescripción es clara, pues si las actuaciones no se completan en el plazo máximo de duración del procedimiento, se perderá el efecto interruptivo de la prescripción del procedimiento inicial del que provienen esas actuaciones[699].

Si la anulación era por causa formal, responder a esta pregunta no ofrecía mayores problemas, pues la fecha de

---

699   CALVO VÉRGEZ, J.: "La interrupción del plazo de duración de las actuaciones inspectoras y la retroacción de actuaciones a la luz de la reciente doctrina de los Tribunales de Justicia", ob. cit., BIB 2016\21287. (Consultado en la base de datos Aranzadi Instituciones, con fecha 13/07/2018).

tal defecto es fácilmente determinable. Pero si la anulación era por causa de fondo, determinar tal data ofrece mayores dificultades. Ante ello se planteaban dos posibilidades, que representan, respectivamente, la solución adoptada por la Administración, y la opción aportada por la doctrina[700]:

> - Por un lado, la Administración consideraba que, en los casos en que se anularan las actuaciones por causas materiales, no procederá aplicar los límites temporales previstos en los supuestos de retroacción de actuaciones, sino que la Administración dispondrá para finalizar las actuaciones de un plazo igual al máximo previsto para el procedimiento, como si de un procedimiento nuevo se tratase, pero manteniendo los efectos interruptivos de la prescripción del procedimiento inicial. Aunque la Administración intenta justificar esta posición en los artículos 239.3 de la LGT, 113.2 de la Ley 30/1992 y 66.2 del Reglamento de Revisión en Vía Administrativa, del análisis del contenido de estos preceptos se concluye que el texto de los preceptos aludidos se "fuerza" de tal forma que pierden su finalidad. Ejemplo de ello es el recurso al artículo 66.2 del Reglamento de revisión, que supone entender la notificación como un procedimiento distinto o separado del propio procedimiento de inspección, lo que contraviene flagrantemente las reglas que rigen la terminación del procedimiento.

---

700   GUERRA REGUERA, M.: *Prescripción de deudas tributarias,* ob. cit., pág. 216.

- Por otro, autores como FALCÓN Y TELLA[701] critican esta interpretación de la Administración, por considerarla claramente abusiva. Compartimos, en todo, la opinión de este autor, no solo porque la fundamentación legal que emplea la Administración adolezca de una evidente falta de lógica, sino también porque la interpretación ofrecida por la Administración supone que la actuación negligente de esta no solo no sea penalizada, sino que sea premiada con un plazo extraordinario que puede llegar a duplicar el previsto en la norma. En consecuencia, este autor entiende que en los supuestos en que la anulación se produzca por causa de fondo procede la aplicación de los límites temporales para la retroacción de las actuaciones, pues, con base en lo previsto en el artículo 139.3 de la LGT *"si no hubiera reposición o retroacción de las actuaciones en los supuestos de anulación total o parcial del acto impugnado por razones de fondo, no tendría sentido alguno prever la conservación de los actos o trámites no afectados por la causa de anulación"*.

El Tribunal Supremo también expresó su opinión en relación tanto a la posibilidad de aplicar los límites temporales a la retroacción cuando concurrían causas de anulación de forma, como cuando estas causas eran de fondo. Entre otras, en las Sentencias de 24 de junio de 2011, de 4 de abril, 12 de junio y 18 de octubre de 2013 y de 30 de enero y 11 de

---

701 FALCÓN Y TELLA, R.: "El artículo 150.5 LGT: la prescripción en los supuestos de retroacción de las actuaciones", *Quincena Fiscal*, núm. 15-16, 2007, págs. 5-8.

mayo de 2015[702], el Alto Tribunal, acogiendo la teoría del FALCÓN Y TELLA, entendió que la retroacción se debía aplicar en todo caso, si bien no resolvía el problema de su cómputo.

La Ley 34/2015 "reaccionó"[703] a esta doctrina del Tribunal Supremo y, en el marco de la reforma integral del artículo 150, modificó también la regulación de la retroacción de las actuaciones. Particularmente, se introdujo una precisión en este artículo, que pasó a situarse en el apartado 7, indicando *"cuando una resolución judicial o económico-administrativa aprecie defectos formales y ordene la retroacción de las actuaciones inspectoras (...)"*. De esta manera, el artículo parece restringir la aplicación de la norma sobre retroacción de las actuaciones únicamente a aquellos supuestos en los que se aprecien causas de retroacción de tipo formal.

El problema es que este precepto no se refiere expresamente a qué ocurre cuando la causa de anulación es de fondo. Para resolver esta laguna jurídica caben tres posibilidades:

>   - La primera de ellas, la querida por la Administración. Conforme a su criterio, como ya señalábamos, la anulación por causas de fondo

---

702   *Tol 2.174.526, Tol 3.706.398, Tol 3.782.990, Tol 4.523.896, Tol 4.748.669* y *Tol 5.004.127*, respectivamente.

703   BAEZA DÍAZ-PORTALES, M. J.: "Retroacción de actuaciones, defectos formales e intereses de demora", en VARIOS: *Comentarios a la Ley General Tributaria al hilo de su reforma*, 1ª ed., Wolters Kluwer-AEDAF, Madrid, 2016, pág. 293.

supondrá que el plazo de que dispone será el mismo del procedimiento, por tanto, como mínimo, 18 meses, y que se mantendrá el efecto interruptivo provocado por el procedimiento en que se insertaba el acto anulado. No se nos ocurre solución más injusta, pues este planteamiento supone que la anulación del acto, derivada del mal hacer de la Administración, no solo no tiene ninguna consecuencia negativa para la misma, sino que, al contrario, tiene un efecto positivo, pues se premia a la Administración con un nuevo plazo íntegro para desarrollar el procedimiento manteniendo el efecto interruptivo del primero. Si los incumplimientos del administrado son castigados por la legislación administrativa, ¿cómo puede justificarse que los incumplimientos de la Administración sean premiados?. Sin duda, esta posibilidad carece de toda lógica y peor, de toda justicia, por lo que entendemos que debe ser desechada.

- Por otro lado, la aportada por el Tribunal Supremo entre otras, en las Sentencias de 30 de enero, de 4 de marzo y 14 de mayo de 2015, de 4 y 24 de febrero de 2016 y de 27 de marzo de 2017[704], en las que considera que, aun refiriendo únicamente el precepto a la anulación por defectos formales, la laguna jurídica generada podrá llenarse aplicando de manera analógica el artículo 150.7 de la LGT a la anulación por defecto de fondo[705]. No obstante, este planteamiento sigue sin

---

704 *Tol 4.748.669, Tol 4.786.208, Tol 5.003.732, Tol 5.641.304, Tol 5.658.140* y *Tol 6.012.532,* respectivamente.

705 BAEZA DÍAZ-PORTALES, M. J.: "Retroacción de actuaciones, defectos

dar respuesta al problema de la fecha a considerar para fijar el momento en que se debe iniciar el plazo restante. Puesto que tal determinación ofrece una gran dificultad, pueden resultar orientativas propuestas como la realizada por GUERRA REGUERA[706], pues este autor entiende que, en estos supuestos de anulación por causa de fondo, lo idóneo sería establecer un *"plazo fijo"* del que dispusiera la Administración. Este autor niega que tal plazo pueda ser el previsto para el procedimiento de inspección en su integridad, por lo que propone un plazo de seis meses.

- La última opción y, en nuestra opinión, la idónea, va en la línea de lo apuntado por FALCÓN Y TELLA[707], que reflejábamos en líneas superiores. Esta opción supondría el inicio de un nuevo procedimiento de inspección, siempre que no hubiera prescrito el derecho a consecuencia de la pérdida del efecto interruptivo del procedimiento afectado por los actos anulados. Esta interpretación nos parece la más coherente, pues, como indicamos al exponer la primera de las opciones propuestas, otorgar a la Administración un plazo ampliado no deja de ser un premio a su mala actuación[708].

---

formales e intereses de demora", en VARIOS: *Comentarios a la Ley General Tributaria al hilo de su reforma*, ob. cit., pág. 294.

706   GUERRA REGUERA, M.: *Prescripción de deudas tributarias*, ob. cit., pág. 217.

707   FALCÓN Y TELLA, R.: "El artículo 150.5 LGT: la prescripción en los supuestos de retroacción de las actuaciones", ob. cit., págs. 5-8.

708   Este es también el parecer de DE PABLO VARONA, C.: "Plazo de las actuaciones inspectoras", en MERINO JARA, I. (Dir.), CALVO VÉRGEZ,

Además, esta solución resulta acorde con nuestra posición en relación a los efectos de los actos anulados. Señalábamos en el apartado dedicado a esta cuestión que no todos los actos anulados debían provocar el efecto de interrumpir la prescripción, sino que, para determinar cuáles de ellos mantienen el efecto interruptivo, habría que atender a la causa de la anulación. Defendíamos en ese punto, con apoyo doctrinal suficiente[709], que la anulación de un acto por causa de fondo no debiera, en ningún caso, ser susceptible de convalidación, ni, por tanto, tampoco, de retroacción de las actuaciones, sino que lo procedente será el inicio de un procedimiento nuevo en el que no concurran los defectos que causaron la anulación[710].

J. (Coord.): *Estudios sobre la reforma de la Ley General Tributaria*, 1ª ed., Huygens, Barcelona, 2016, pág. 253.

709   ESEVERRI, E.: *La prescripción tributaria en la jurisprudencia del Tribunal Supremo*, ob. cit., pág. 142; SESMA SÁNCHEZ, B.: "La interrupción de la prescripción tributaria por liquidaciones nulas o anulables: una jurisprudencia contradictoria", ob. cit., BIB 2017\529. (Consultado en la base de datos Aranzadi Instituciones, con fecha 15/10/2019).

710   De aceptarse esta posibilidad, la pregunta subsiguiente es si sería posible incorporar al nuevo procedimiento los actos realizados válidamente en el procedimiento anulado. A este respecto únicamente señalaremos que, en virtud del artículo 104.5 de la LGT, no sería posible, pues este precepto resulta de aplicación a los procedimientos caducados y, en este caso, ni se trata de un procedimiento caducado, ni tan siquiera se trata de un procedimiento en el que se aplique la caducidad. No obstante, en este punto cabría el recurso tanto al artículo 51 de la Ley 39/2015, que establece el principio de conservación de los actos administrativos, señalando que "*el órgano que declare la nulidad o anule las actuaciones dispondrá siempre la conservación de aquellos actos y trámites cuyo contenido se hubiera mantenido igual de no haberse cometido la infracción*", como a lo indicado en el artículo 26.5

F. INDEPENDENCIA DE PROCEDIMIENTOS E INTERRUPCIÓN DE LA PRESCRIPCIÓN

En este punto nos remitiremos a lo ya indicado cuando delimitamos el derecho a determinar la deuda tributaria y el derecho a exigir el pago. No obstante, recordaremos algunas cuestiones esenciales. La eficacia interruptiva de los actos realizados en un procedimiento respecto a otros procedimientos representó uno de los problemas que tradicionalmente la doctrina y la jurisprudencia. La controversia se producía cuando se plantea un supuesto en el que se ha emitido una liquidación provisional, cuestionando si ese acto, relativo al derecho a liquidar de la Administración, poseía efectos interruptivos del derecho a exigir el pago. Esta problemática se planteaba con mayor intensidad en relación a la redacción de los supuestos de interrupción de la prescripción recogidos en la LGT de 1963, que el propio Tribunal Supremo, en su Sentencia de 18 de junio de 2004[711], calificaba como *"totum revolutum"*.

De esta forma, en estos casos, a fin de aclarar tal redacción, la doctrina del Tribunal Supremo estableció el *"principio de independencia de procedimientos o de causa de interrupción"* que, tal y como ha indicado GARCÍA

---

de la LGT, que dispone en su párrafo primero que *"en los casos en que resulte necesaria la práctica de una nueva liquidación como consecuencia de haber sido anulada otra liquidación por una resolución administrativa o judicial, se conservarán íntegramente los actos y trámites no afectados por la causa de anulación, con mantenimiento íntegro de su contenido, y exigencia del interés de demora sobre el importe de la nueva liquidación"*, si bien este precepto se refiere a la emisión de una nueva liquidación, no al inicio de un nuevo procedimiento.

711 *Tol 502.304.*

NOVOA[712], siguiendo a JUAN LOZANO y TRIGO Y SIERRA, se traduce en tres vertientes: subjetiva *("cuando una actuación se dirige contra un determinado sujeto, solo interrumpe la prescripción respecto a la obligación tributaria del mismo")*; objetiva *("la actuación administrativa ante una obligación tributaria interrumpe la prescripción respecto a esa obligación, no respecto a otras")*; y funcional *("una actuación destinada a comprobar o liquidar solo interrumpe la prescripción del derecho a liquidar y una actuación destinada a cobrar solo interrumpe la prescripción de la acción para cobrar")*.

Varias voces doctrinales, entre las que destacan la de VEGA HERRERO[713] y la de FALCÓN Y TELLA[714], consideraron necesario el reconocimiento expreso de esta independencia procedimental en el texto de la LGT, reconocimiento que se produjo en la Ley de 2003, en la que se recogen, de manera particular, las causas que interrumpen la prescripción de cada uno de los derechos, a la que ya nos hemos referido, por lo que el debate se ha superado plenamente.

---

712 GARCÍA NOVOA, C.: *Iniciación, interrupción y cómputo del plazo de prescripción de los tributos*, ob. cit., pág. 225. Con referencia a JUAN LOZANO A. M, y TRIGO Y SIERRA, L. F.: "La comprobación del valor de mercado en las operaciones vinculadas: algunas cuestiones críticas", *Actum fiscal*, núm. 24, 2009, pág. 82.

713 VEGA HERRERO, M.: *La prescripción de la obligación tributaria*, ob. cit., pág. 96.

714 FALCÓN Y TELLA, R.: *La prescripción en materia tributaria*, ob. cit., págs. 164 y ss.

Sin embargo, el problema de la virtualidad interruptiva de los actos realizados en un procedimiento, en otros, tiene otras manifestaciones. Particularmente, tras la reforma de la LGT efectuada por la LDGC, que escindió el procedimiento infractor y sancionador tributario de los restantes procedimientos, se planteaba la cuestión de cómo incidían las actuaciones que interrumpían la prescripción del derecho a determinar la deuda tributaria en la prescripción del derecho de la Administración a sancionar y viceversa. El texto de la LGT de 2003 entendemos que no ofrece dudas al respecto. Respecto a la incidencia de las actuaciones de la Administración tendentes a determinar la deuda sobre la prescripción de las sanciones, el artículo 189.3.a) de la LGT es claro al determinar que *"las acciones administrativas conducentes a la regularización de la situación tributaria del obligado interrumpirán el plazo de prescripción para imponer las sanciones tributarias que puedan derivarse de dicha regularización"*

Por lo tanto, no hay dudas de que las actuaciones realizadas en el marco de los procedimientos de gestión o de inspección, tendentes a determinar la deuda tributaria, interrumpirán el plazo de prescripción del derecho de la Administración a sancionar. No así a la inversa, pues el artículo 68.1 a) de la LGT es claro al establecer que solo interrumpirán la prescripción aquellos actos destinados al *"reconocimiento, regularización, comprobación, inspección, aseguramiento y liquidación de todos o parte de los elementos de la obligación tributaria"* y la interposición de sanciones carece de cualquiera de estos fines.

2.1.6. ACTUACIONES FRENTE A TERCEROS E INTERRUPCIÓN DE LA PRESCRIPCIÓN

Señala el artículo 68.1 a) de la LGT que los actos desarrollados por la Administración tendentes al reconocimiento, regularización, comprobación, inspección, aseguramiento y liquidación de todos o parte de los elementos de la obligación tributaria que proceda, realizados con conocimiento formal del obligado tributario, pueden interrumpir el plazo de prescripción del derecho de la Administración a determinar la deuda tributaria. A lo largo de los apartados anteriores se ha examinado cuáles son esos actos y también cómo se deben efectuar las actuaciones para que se adquiera ese conocimiento formal. En cuanto a quien debe adquirir ese conocimiento formal, el referido precepto de la LGT es claro: el obligado tributario. Al concepto de obligado tributario ya nos hemos referido, por lo que no abundaremos más en su contenido.

Al hilo de lo expuesto surge alguna evidencia y también alguna duda. La evidencia, que las actuaciones llevadas a cabo con conocimiento formal de un tercero, que nada tenga que ver ni con la obligación, ni con el obligado tributario, carecen de efecto interruptivo de la prescripción. La duda, no obstante, tiene que ver con los supuestos en que las actuaciones, incluso no realizándose con el obligado tributario de manera directa, se llevan a cabo con un tercero que mantienen una relación de dominio o de dependencia con el obligado tributario. Particularmente, nos estamos refiriendo a las actuaciones realizadas con la sociedad matriz respecto a la sociedad filial, y viceversa, esto es, en el marco de un grupo de sociedades.

El Tribunal Supremo ha expuesto con claridad su criterio en estos casos, ya en la Sentencia de 22 de marzo de 1999, reiterándolo en las Sentencias de 15 de diciembre de 2011 y de 9 de febrero de 2012[715]. Señala el Tribunal que *"toda actuación administrativa seguida con conocimiento formal de la sociedad dominante interrumpe globalmente la prescripción del derecho de la Administración para liquidar el Impuesto sobre Sociedades del Grupo, y por el contrario las actuaciones que se sigan aisladamente con las sociedades dominadas, sin expreso y formal conocimiento de la sociedad dominante, carecen de toda virtualidad interruptiva de la prescripción"*. Coincidimos con este criterio, pues atendiendo a la norma mercantil, particularmente al artículo 42 del Código de Comercio, es la sociedad dominante la que tiene facultades sobre la sociedad dominada, y no a la inversa, con lo que es lógico que las actuaciones realizadas respecto a la primera incidan en la segunda, pero no al revés.

2.2. *INTERRUPCIÓN DEL PLAZO DE PRESCRIPCIÓN DEL DERECHO A DETERMINAR LA DEUDA TRIBUTARIA POR INTERPOSICIÓN DE RECURSOS Y RECLAMACIÓNES*

El artículo 68.1 b) de la LGT señala que el plazo de prescripción para determinar la deuda tributaria se interrumpirá:

---

715 *Tol 1.700.008, Tol 2.342.466* y *Tol 2.459.351*, respectivamente.

"Por la interposición de reclamaciones o recursos de cualquier clase, por las actuaciones realizadas con conocimiento formal del obligado tributario en el curso de dichas reclamaciones o recursos, por la remisión del tanto de culpa a la jurisdicción penal o por la presentación de denuncia ante el Ministerio Fiscal, así como por la recepción de la comunicación de un órgano jurisdiccional en la que se ordene la paralización del procedimiento administrativo en curso"

Este precepto recoge varias causas por las que el plazo de prescripción se interrumpe que afectan que, aun estando interrelacionadas, guardan una identidad propia. Examinaremos cada uno de estos motivos individualmente.

2.2.1. INTERPOSICIÓN DE RECLAMACIONES O RECURSOS DE CUALQUIER CLASE

Como se ha puesto de manifiesto en el apartado precedente, el mecanismo habitual por el que la Administración interrumpe el plazo de prescripción es el inicio de un procedimiento tributario tendente a la liquidación del tributo. No cabe duda, por tanto, de la eficacia de tales procedimientos administrativos para lograr tal efecto interruptivo.

Lo que el precepto que ahora estudiamos indica es que, si iniciado ese procedimiento tributario el obligado tributario presenta recurso administrativo o judicial, tal recurso interrumpirá el plazo de prescripción, al igual que ya lo hizo el inicio del procedimiento.

El planteamiento de esta causa interruptiva ha ofrecido dudas desde que fue introducida en la LGT de 1963, fundamentalmente relacionadas con cómo podía una acto cuyo objeto no es el reconocimiento de deuda alguna, sino más bien el contrario –el rechazo de la deuda determinada por la Administración-, producir la interrupción de la prescripción. Para justificar o rechazar tal causa la doctrina ha recurrido a distintos argumentos[716].

En este sentido, recientemente, algunos autores, como CALVO ORTEGA y CALVO VÉRGEZ[717], han rechazado que el recurso que niega el procedimiento pueda provocar interrupción alguna, ya que tal recurso no implica ni reconocimiento ni aceptación de la deuda. Otros autores, como MARTÍN QUERALT, LOZANO SERRANO y TEJERIZO LÓPEZ[718], por el contrario, sí admiten ese efecto interruptivo[719]. Nos decantamos por la opinión de estos últimos autores, pues entendemos que se trata de una cuestión hoy plenamente superada, en la que la jurisprudencia y la

---

716 JUAN LOZANO resume las distintas opiniones vertidas en relación a esta cuestión en JUAN LOZANO, A. M.: *La interrupción de la prescripción tributaria*, ob. cit., pág. 81.

717 CALVO ORTEGA, R., CALVO VÉRGEZ, J.: *Curso de Derecho Financiero*, ob. cit., pág. 192.

718 MARTÍN QUERALT, J., LOZANO SERRANO, C., TEJERIZO LÓPEZ, J. M.: *Derecho Tributario*, ob. cit., pág. 235.

719 La causa de tal aceptación reside *"en que el entablarse la controversia, aunque sea por el obligado, se rompe el silencio de la relación o la inactividad de la potestad que está en la base de la prescripción, reiniciándose el cómputo tras su determinación o tras la última actualización en su tramitación, sin que el silencio desestimatorio tenga efecto interruptivo"*. Vid. MARTÍN QUERALT, J., LOZANO SERRANO, C., TEJERIZO LÓPEZ, J. M.: *Derecho Tributario*, ob. cit., pág. 235.

doctrina administrativa no han apreciado tales dificultades y que, a nuestro parecer, tiene su fundamento en una incorrecta asimilación del artículo 1.973 del Código Civil a los esquemas tributarios[720].

En estrecha conexión con la cuestión que acabamos de exponer se encuentra la determinación de cuál es la naturaleza y duración de tal interrupción. En este sentido, el Tribunal Supremo, en su Sentencia de 29 de enero de 1994[721], parece indicar que esta no es una interrupción con los mismos efecto que la regulada en el apartado precedente, sino que su efectos es más una continuación del efecto interruptivo. No es esa nuestra opinión. Entendemos que esta es una verdadera interrupción, de carácter nuevo y distinto de la que provocó el inicio del procedimiento, y no un mero "mantenimiento" del efecto interruptivo. En este sentido se ha manifestado ESEVERRI[722], cuya opinión compartimos, pues el tenor literal del artículo 68.1 b) de la LGT es claro, por una parte, no limitando el sentido que debe tener el recurso o reclamación para provocar el efecto interruptivo y, por otra, no otorgando a tales actos la capacidad para "mantener" una prescripción previamente iniciada. Tanto los actos de la

---

720   ESEVERRI, E.: *La prescripción tributaria en la jurisprudencia del Tribunal Supremo*, ob. cit., pág. 213.

721   *Tol 1.673.669*. En esta Sentencia el Tribunal Supremo señala que la interrupción por la interposición de un recurso contra la liquidación provisional debe entenderse *"en el sentido no de que la interrupción se origina con tales actos impugnatorios sino en el de que una prescripción ya interrumpida por otro acto distinto (como lo puede ser, en este caso, el giro de la primera liquidación) continúa interrumpida durante la sustanciación de la reclamación o recurso"*.

722   ESEVERRI, E.: *La prescripción tributaria en la jurisprudencia del Tribunal Supremo*, ob. cit., pág. 213.

Administración destinados a determinar la deuda tributaria, como los recursos y reclamaciones interpuestos en el seno de tales procedimientos, interrumpen, sin necesidad de mayor adjetivo ni calificación, el plazo de prescripción del derecho a determinar la deuda tributaria. No hay en este punto duda interpretativa alguna ni laguna que haga necesario acudir al artículo 1.973 del Código Civil, pues precisamente en materia de interrupción, la LGT es más minuciosa que la Norma Civil.

A mayor abundamiento, señala PÉREZ ROYO[723] que negar el efecto interruptivo de la prescripción a los recursos y reclamaciones del deudor por considerar que tal acto no representa una acción tendente a la determinación de la deuda tributaria, supone adoptar un razonamiento basado en la *"consideración esencialmente subjetiva"* de las circunstancias interruptivas de la prescripción, siendo el fundamento de la prescripción de carácter puramente objetivo[724]. Por ello, señala este autor que *"los actos a los que la Ley reconoce eficacia interruptiva de la prescripción son actos mediante los cuales se expresa el reconocimiento de situaciones o de derechos objeto de prescripción, haciéndolos salir de la latencia determinante de la prescripción misma"*. Esto es, con la reclamación o el recurso el contribuyente "reconoce" la existencia de ese derecho de la Administración y, en este sentido, *"basta pensar en el supuesto de la*

---

723   PÉREZ ROYO, F.: "Sobre la prescripción en Derecho Tributario y los actos con virtualidad interruptiva de la misma", *Crónica Tributaria*, núm. 19, 1976, págs. 206-207.

724   MARTÍN QUERALT, J., LOZANO SERRANO, C., TEJERIZO LÓPEZ, J. M., CASADO OLLERO, G.: *Curso de Derecho Financiero y Tributario*, ob. cit., pág. 528.

presentación de recurso contra una liquidación, supuesto inequívoco de interrupción de la prescripción y en el que de manera igualmente inequívoca es apreciable la ausencia de "consideración subjetiva" por parte del contribuyente recurrente del derecho de la Administración objeto de impugnación".

Por otro lado destaca en la redacción del precepto su amplitud. Esta amplitud ya se percibía en la LGT de 1963, que aludía a *"cualesquiera"* recursos y reclamaciones. Ello, conduce a extender el efecto interruptivo no solo a los recursos desarrollados en el seno del procedimiento administrativo, también a los efectuados frente a los órganos judiciales. Así debe ser, pues tanta ruptura del *"silencio de la relación jurídica"* causan unas como otras, por lo que no tendría justificación limitar la interrupción por esta causa.

Sin embargo, no todas las alegaciones que se formulan en el desarrollo del procedimiento tributario van a tener el mismo efecto interruptivo. Así, el escrito de alegaciones al acta de inspección no es un acto que interrumpa la prescripción, tal y como ha indicado el Tribunal Supremo, entre otras, en sus Sentencias de 15 de febrero y de19 de julio de 2010, de 29 de junio de 2011 y de 21 de junio de 2012[725], en la que sigue una línea argumental que repite en otras resoluciones de este órgano jurisdiccional. Entiende el Tribunal que no cualquier alegación realizada en el desarrollo del procedimiento va a poder englobarse dentro de las *"reclamaciones y recursos"* a los que alude el artículo 68.1 b) de la LGT. Puesto que

---

725   *Tol 1.838.454, Tol 1.921.485, Tol 2.177.226* y *Tol 2.595.901,* respectivamente.

las alegaciones al acta de inspección no se encuadran dentro de los recursos y reclamaciones referidos por el mencionado precepto, la única posibilidad de que posean efecto interruptivo es determinar si cumplen los requisitos indicados en la letra c) de dicho precepto, cuestión que examinaremos en el apartado dedicado al mismo.

En el caso de las alegaciones formuladas en vía económico administrativa la conclusión del Tribunal es otra, y así lo ha manifestado en abundante jurisprudencia, entre otras, en las Sentencias de 14 de diciembre de 1996, de 23 de octubre de 1997, de 22 de julio de 1999, de 16 de octubre de 2000, de 28 de abril de 2001, de 6 de junio de 2005, de 24 de enero de 2008 y de 12 de enero y 30 de abril de 2012[726], en las que el Tribunal concluye que escrito de alegaciones formulado en vía económico-administrativa interrumpe la prescripción. La doctrina contenida en estos pronunciamientos es la siguiente: *"la formulación de alegaciones en la vía económico-administrativa produce efecto interruptivo del plazo de prescripción, por cuanto se trata de un acto principal e indispensable de desarrollo de la "interposición de reclamaciones o recursos de cualquier clase" a que se refiere el apartado b) del artículo 66 LGT/1963, aun cuando literalmente no venga nominado entre las causas interruptivas que el precepto establece"*[727].

---

726 *Tol 5.141.405, Tol 5.148.810, Tol 1.699.951, Tol 1.701.209, Tol 4.918.464, Tol 675.132, Tol 1.256.764, Tol 2.400.853 y Tol 2.533.634*, respectivamente.

727 El criterio del Alto Tribunal ha recibido ciertas críticas, como la de GANDARÍAS CEBRIÁN, que fundamenta su opinión de esta manera: *"ahora, de modo similar a como ocurriera con la normativa anterior a la antigua Ley General Tributaria, el legislador ha querido que las actuaciones dirigidas al deudor en el curso de las reclamaciones o recursos interrumpan la*

Sin embargo, es preciso destacar que únicamente producirá este efecto interruptivo la presentación del propio escrito de alegaciones, no otros documentos relacionados con el mismo[728], tal y como indica la Sentencia del Tribunal Supremo de 5 de junio de 2006[729].

A pesar de que compartimos el criterio del Tribunal Supremo en estos casos, en otros no nos parece que haya mantenido una postura correcta. Tal es el caso de la Sentencia de 25 de mayo de 2011[730], en la que consideró que el juicio de testamentaria entablado por el heredero sustitutito interrumpe el plazo de prescripción del derecho a liquidar el ISD. Esta Sentencia alcanza unas conclusiones en materia de

---

prescripción (...) el texto vigente, al referirse a las actuaciones realizadas con conocimiento formal del obligado, aunque amplía el elenco de actuaciones interruptivas respecto de las previstas en la antigua Ley General Tributaria, tampoco abarca a las alegaciones del interesado, que se realizan en defensa de sus intereses y tienen como fundamento oponerse al acto administrativo impugnado. Por último, el argumento sostenido por el Tribunal Supremo adolece de cierta inconsistencia si se piensa que la formalización de alegaciones trae causa de un acto de tramitación previo consistente en la puesta de manifiesto del expediente por parte del Tribunal Económico Administrativo para ese fin. Es decir, las alegaciones se presentan, bien con el escrito de interposición, bien previa notificación en la que se comunica la puesta de manifiesto del expediente y se concede plazo para la formalización de alegaciones. Cuando se escoge esta opción, el momento de presentación de alegaciones, susceptible de interrumpir la prescripción, al decir del TS, depende del Tribunal Económico Administrativo en el que se sustancia el procedimiento". Vid. GANDARÍAS CEBRIÁN, L.: "Las alegaciones en la vía económico-administrativa interrumpen la prescripción, sí o sí", *Quincena Fiscal*, núm. 14, 2008, págs. 62-63.

728 GUERRA REGUERA, M.: *Prescripción de deudas tributarias*, ob. cit., pág. 250.

729 *Tol 986.817.*

730 *Tol 2.138.029.*

interrupción de la prescripción que entendemos criticables, pues el juicio de testamentaría (en los términos de la LEC del año 1881) o el procedimiento especial de división judicial de la herencia (según indica la vigente LEC, del año 2000), es un procedimiento por el cual cualquiera de los coherederos o colegatarios pueden reclamar la división judicial de la herencia. Por tanto, se trata de una actuación enmarcada dentro del ámbito privado de la actuación de los herederos o legatarios, no tendente, en modo alguno, a la liquidación del ISD[731]. Cosa distinta es que uno de los herederos, por ejemplo, presente cierta documentación relacionada con la herencia ante la Administración tributaria, a afectos de liquidar este impuesto, pero determinar que un procedimiento que, tal y como la norma indica, tiene como única finalidad la división de la herencia, interrumpa la prescripción, parece exceder en mucho el tenor del artículo 68.1 de la LGT, pues no se aprecia en tal actuación la finalidad exigida por este precepto para lograr el efecto interruptivo.

Los problemas generados por la mencionada amplitud de la previsión incluida en el artículo 68.1 b) de la LGT, ha suscitado otro debate: si en las reclamaciones y recursos "de cualquier clase", se incluyen las interpuestas por el obligado tributario para obtener la declaración de caducidad del procedimiento. La cuestión en este caso se derivaba de que aunque el artículo 104.5 de la LGT es claro al determinar que el procedimiento caducado no interrumpe la prescripción, no se pronuncia expresamente en relación al efecto interruptivo de las reclamaciones y recursos presentados por el obligado

---

731   El procedimiento especial de división judicial se regula en los artículos 782 y siguientes de la LEC.

tributario para obtener la declaración de caducidad. El Tribunal Supremo efectúa una interpretación conjunta de los artículos 68.1 b) y 104.5 de la LGT, negando tal efecto interruptivo, entre otras, en las Sentencias de 19 de diciembre de 2013 y de 12 y 13 de julio de 2016[732], en las que indica que *"una interpretación conjunta del art. 104.5 con el art. 68. 1 b) de la Ley General Tributaria obliga a entender que tampoco puede interrumpir el cómputo del plazo de prescripción del derecho sustantivo a determinar la deuda el recurso o reclamación del que se deriva una resolución que declara la caducidad del procedimiento, pues bastaría con que los interesados, aun ostentando la razón, dedujesen recursos o reclamaciones consiguiendo la declaración de caducidad, para que quedase sin contenido el precepto, y resultaría totalmente indiferente que la Administración finalizase o no las actuaciones de procedimiento de gestión en el plazo de seis meses, o que cumpliese o no con su obligación de declarar de oficio tal caducidad, porque en todo caso siempre permanecería interrumpido el plazo de prescripción del derecho de la Administración a determinar la deuda tributaria"*. El Tribunal, de esta forma, sostiene que la eliminación de los efectos generados por los actos caducados, establecida en el artículo 104.5 de la LGT, *"contagia"* a las reclamaciones o recursos que solicitan la declaración de la

---

732   *Tol 4.082.959, Tol 5.780.356, Tol 5.781.839* y *Tol 5.780.451,* respectivamente.

caducidad del procedimiento[733]. FALCÓN Y TELLA[734], por su parte, considera que lo que se produce no es tal *"contagio"* sino la prevalencia del efecto previsto en el artículo 104.5 de la LGT respecto a lo dispuesto en el artículo 68.1 b). Sin embargo, consideramos que, más que prevalencia de un precepto sobre otro, se trata de una interpretación sistemática o conjunta de los distintos preceptos de la LGT, con la que estamos de acuerdo. La caducidad del procedimiento supone que sus efectos en materia de prescripción desaparecen, por lo que no cabe que la reclamación o recurso interpuesto por el obligado tributario, con una finalidad declarativa de una situación ya consumada, posea el efecto interruptor del que tal declaración priva al procedimiento, cuando, a mayor abundamiento, tal efecto no se producirá si la declaración se produce de oficio[735]. Además, ni la declaración de caducidad,

---

733 MARTÍN FERNÁNDEZ, J. M.: "El recurso o reclamación interpuesto para obtener la declaración de caducidad: ¿interrumpe el plazo de prescripción del derecho de la Administración a determinar la deuda tributaria?: Análisis de la STS de 12 de julio de 2016 (rec. núm. 3404/2015)", *Contabilidad y Tributación*, núm. 409, 2017, pág. 140.

734 FALCÓN Y TELLA, R.: "Los recursos tendentes a obtener la declaración de caducidad del procedimiento y la interrupción de la prescripción: el voto particular a la STSJ Madrid de 19 de noviembre de 2013 y las SSTS de 5 y de 23 de octubre de 2012", *Quincena Fiscal*, núm. 9, 2014. BIB 2014\1133. (Consultado en la base de datos Aranzadi Instituciones, con fecha 22/02/2020).

735 Como apunta MARTÍN FERNÁNDEZ, *"la presentación del recurso o reclamación exigiendo la declaración de caducidad en el seno de un procedimiento de gestión no hace sino apelar a la diligencia de la Administración que debería haberla instado de oficio tras el transcurso, en este caso, del plazo de seis meses para concluir el procedimiento"*. Vid. MARTÍN FERNÁNDEZ, J. M.: "El recurso o reclamación interpuesto para obtener la declaración de caducidad: ¿interrumpe el plazo de prescripción del derecho de la Administración a determinar la deuda tributaria?: Análisis de la STS de 12 de julio de 2016 (rec. núm. 3404/2015)", ob. cit. pág. 141.

ni su solicitud, son actuaciones en las que se aprecie el requisito esencial que, según venimos señalando, debe darse en las actuaciones interruptivas, pues no están orientadas a la determinación de la deuda tributaria, por lo que carecen de incidencia sobre este derecho de la Administración. Eso sí, siempre que, como indica MARTÍN FERNANDEZ[736], la interposición del recurso o reclamación no tenga otra finalidad que la declaración de la caducidad del procedimiento. Si, junto a la declaración de caducidad, se efectúan otras peticiones, habrá que atender a su contenido de manera individual para determinar su posible efecto interruptivo.

En definitiva, para que la interposición de recursos o reclamaciones posea eficacia interruptiva deberá atesorar dos notas: por un lado, estar inserta o derivar de un procedimiento tributario que mantenga su efecto interruptivo inicial y, por otro, que tal procedimiento tributario esté orientado, de manera directa, a la determinación de la deuda tributaria[737].

---

736 MARTÍN FERNÁNDEZ, J. M.: "El recurso o reclamación interpuesto para obtener la declaración de caducidad: ¿interrumpe el plazo de prescripción del derecho de la Administración a determinar la deuda tributaria?: Análisis de la STS de 12 de julio de 2016 (rec. núm. 3404/2015)", ob. cit. pág. 141.

737 En este sentido, PÉREZ ROYO que considera que la interrupción del plazo de prescripción por la interposición de reclamaciones o recurso vendrá determinada por la naturaleza y función del acto de reclamación y por el lugar que ocupa en el procedimiento, de modo que los actos ajenos al mismo, como los realizado en la esfera privada del contribuyente, no podrán provocar tal efecto interruptivo. Concluye que "*este acto no puede verse aislado, sino en el marco de una cadena procedimental, dentro de la cual trae causa de un acto anterior y sirve de apoyo a otro posterior*". Vid. PÉREZ ROYO, F.: "Sobre la prescripción en Derecho Tributario y los actos con virtualidad interruptiva de la misma", ob. cit., pág. 207.

2.2.2. ACTUACIONES REALIZADAS CON CONOCIMIENTO FORMAL DEL OBLIGADO TRIBUTARIO EN EL CURSO DE DICHAS RECLAMACIONES O RECURSOS

A través de esta causa interruptiva el legislador introduce un motivo de interrupción adicional o subsiguiente a la recogida en la primera parte del precepto, pues prevé que, en primer término, la interposición del recurso o reclamación interrumpa la prescripción y que, posteriormente, las actuaciones realizadas en el curso del procedimiento con conocimiento formal del obligado tributario también interrumpan el plazo de prescripción.

Sin embargo, en la práctica esa posibilidad queda limitada a las actuaciones realizadas en el seno del procedimiento administrativo, pues la interrupción por la interposición de recurso ante la jurisdicción contencioso-administrativa, supone que la interrupción se mantendrá hasta que el procedimiento judicial finalice, tal y como establece el artículo 68.7 de la LGT. Por tanto, en estos últimos casos no cabe interrupción alguna de un plazo que aún no se ha reiniciado.

Con ello, es posible afirmar que esta causa interruptiva queda limitada a las actuaciones realizadas con posterioridad a la interposición de recursos y reclamaciones exclusivamente en el marco del procedimiento administrativo. Particularmente, las actuaciones revisoras en vía administrativa que prevé el artículo 213 la LGT son el recurso de reposición, –artículos 222 a 225 de la LGT-, la reclamación económico administrativa –artículos 226 a

248 de la LGT-, y los procedimientos especiales de revisión –artículos 216 a 221 de la LGT-. Serán las actuaciones realizadas a lo largo de la tramitación de cualquiera de estas tres vías revisoras, -siempre que su objeto sea la determinación de la deuda tributaria, y se efectúen con conocimiento formal del obligado tributario, como detallaremos a continuación-, las que puedan interrumpir la prescripción.

Por lo tanto, fijado el ámbito de estas actuaciones interruptivas, cabe cuestionar si cualquier actuación realizada en el marco de estos recursos y reclamaciones interrumpe la prescripción o solo determinadas actuaciones poseen esa capacidad. La única limitación que recoge el precepto es que la actuación se realice con conocimiento formal del obligado tributario, lo que ya excluye todos aquellos actos de carácter interno. Sin embargo, aunque no lo explicite, si se efectúa una interpretación sistemática de este precepto en el marco general de las normas que regulan la prescripción, es posible añadir un requisito adicional, pues resulta esencial que las actuaciones estén orientadas a la determinación de la deuda tributaria y, en definitiva, hagan avanzar el procedimiento revisor desarrollado con tal finalidad, atendiendo a los cauces establecidos para ello. Este requisito adicional excluye todas aquellas actuaciones en las que, siguiendo el mismo razonamiento empleado por el Tribunal Supremo para calificar las diligencias argucia, se aprecie que su realización únicamente está destinada a lograr una interrupción del plazo, pero no permiten que el órgano revisor adquiera mayores elementos de juicio que permitan sustentar su resolución.

Por otro lado, atendiendo a las normas que rigen la

tramitación de los procedimientos de revisión, del recurso de reposición y de la reclamación económico administrativa y, particularmente, a la práctica tributaria, parece evidente que en será en el marco de las reclamaciones económico administrativas donde se podrá apreciar una especial incidencia de las actuaciones con eficacia interruptiva referidas por este precepto. En el procedimiento desarrollado ante un TEA es importante que esta interrupción se considere o no realizada, a fin de determinar si el plazo de prescripción ha concluido, pues la doctrina del Tribunal Supremo es clara al establecer que en los supuestos en los que se haya dictado una liquidación que no ha sido anulada, pero que se ha impugnado en la vía económico-administrativa, prescribirá el derecho de la Administración tributaria a liquidar si tal vía revisora permanece paralizada durante más de cuatro años[738]. Sin embargo, como indicamos, para que el plazo se interrumpa por actuaciones de este órgano estas deben estar orientadas a lograr un efectivo avance del procedimiento, excluyéndose aquellas en las que tal finalidad no se aprecie.

No obstante, este requisito adicional plantea un problema valorativo evidente: la determinación de qué actuaciones logran el mencionado avance del procedimiento. Atendiendo a los artículos que regulan la tramitación del procedimiento económico administrativo, particularmente

---

738   Así lo ha indicado el Tribunal Supremo en las Sentencias de 25 de junio de 1998 (*Tol 1.699.783*), de 20 de marzo de 1999 (*Tol 1.551.616*), de 1 de abril de 2000 (*Tol 1.701.122*), de 1 de junio de 2001 (*Tol 4.918.954*), de 5 de julio de 2001 (*Tol 4.917.257*), de 28 de junio de 2002 (*Tol 1.701.643*), de 8 de julio de 2002 (*Tol 1.702.224*), de 18 de junio de 2012 (*Tol 2.571.688*) y de 14 de noviembre de 2013 (*Tol 4.024.025*), entre otras.

al artículo 236 de la LGT, entendemos que, generalmente, la realización de los actos reflejados en tal precepto cuyo conocimiento por el obligado tributario sea preceptivo, en tanto son necesarios para la conclusión del procedimiento, podrán interrumpir el plazo de prescripción. En caso de que se planteen dudas en relación a la finalidad del acto, deberán ser los órganos judiciales los que valoren su idoneidad para lograr la interrupción.

2.2.3. REMISIÓN DEL TANTO DE CULPA A LA JURISDICCIÓN PENAL, PRESENTACIÓN DE DENUNCIA ANTE EL MINISTERIO FISCAL O RECEPCIÓN DE LA COMUNICACIÓN DE UN ÓRGANO JURISDICCIONAL EN LA QUE SE ORDENE LA PARALIZACIÓN DEL PROCEDIMIENTO ADMINISTRATIVO EN CURSO

El inicio o traslado de las actuaciones a la jurisdicción penal, en los casos en que se investigue la posible concurrencia de un delito fiscal también es recogida como causa interruptiva. Esta interrupción se podrá producir de manera independiente, sin necesidad de procedimiento tributario previo, si bien, habitualmente esta circunstancia interruptiva tendrá lugar a consecuencia de un procedimiento tributario en el que la Administración aprecie causas que apunten a la existencia de un posible delito fiscal. Por ello, este motivo de interrupción del plazo de prescripción entronca directamente con lo señalado en relación a los motivos de suspensión del procedimiento de inspección. Señalábamos en ese punto que la remisión de las actuaciones al Ministerio Fiscal era causa de suspensión de ese procedimiento tributario, que no se reanudaría hasta que el procedimiento judicial dirimido para determinar la posible existencia de un delito fiscal se resuelva. Esta causa de interrupción, por tanto, se vincula con lo indicado en ese punto.

Que estas causas se prevean como motivos independientes de interrupción del plazo provocará un efecto doble en el procedimiento de inspección: la suspensión del procedimiento y la interrupción del plazo de prescripción, ya previamente interrumpido por el inicio del referido procedimiento. En los procedimientos de gestión no se prevén causas de suspensión, por lo que únicamente se producirá una nueva interrupción del plazo, adicional a la que generó el propio inicio del procedimiento.

Entendemos que esta "doble interrupción" tiene una gran relevancia en los casos en que, una vez finalizada la suspensión del procedimiento, la Administración no lo concluye en el plazo máximo previsto al efecto. En estos casos, la pérdida del efecto interruptivo ligada al inicio del procedimiento puede quedar salvaguardada por la posterior interrupción generada por el traslado de las actuaciones al Ministerio Fiscal.

2.3. *INTERRUPCIÓN DE LA PRESCRIPCIÓN DEL DERECHO A DETERMINAR LA DEUDA TRIBUTARIA POR ACTOS DEL OBLIGADO TRIBUTARIO*

El *"silencio de la relación jurídica"* puede ser roto por acciones de los dos sujetos que forman parte de la misma:

la Administración y el obligado tributario. Mientras que el artículo 68.1 a) de la LGT se refería exclusivamente a los actos de la Administración que interrumpen la prescripción, el apartado b) del mencionado precepto engloba un conjunto de actuaciones que, como hemos visto, pueden ser desarrolladas tanto por la Administración como por el obligado tributario.

Siguiendo esta sistemática, el artículo 68.1 c) de la LGT cierra las causas interruptivas del plazo de prescripción del derecho a determinar la deuda tributaria con la referencia expresa a los actos del obligado tributario, señalando que el plazo de prescripción se interrumpirá:

> *"Por cualquier actuación fehaciente del obligado tributario conducente a la liquidación o autoliquidación de la deuda tributaria"*[739]

La primera conclusión que se puede extraer de la lectura del precepto es su carácter abierto, pues este artículo se refiere a *"cualquier actuación"*. Sin embargo, se incluyen dos condiciones que limitan tal amplitud, pues el artículo añade que la actuación debe ser *"fehaciente"* y *"conducente a la liquidación o autoliquidación de la deuda tributaria"*.

---

739 Este precepto vino a sustituir al artículo 66.Uno.c) de la LGT de 1963, que establecía que los plazos de prescripción se interrumpían *"por cualquier actuación del sujeto pasivo conducente al pago o liquidación de la deuda"*. Como se puede observar, el texto vigente, además de referirse exclusivamente a los actos que interrumpen el derecho a determinar la deuda tributaria, extiende su aplicación no solo a los actos del *"sujeto pasivo"*, sino a los de cualquier obligado tributario, en línea con lo solicitado por la doctrina. Vid. VEGA HERRERO, M.: *La prescripción de la obligación tributaria*, ob. cit., pág. 86 y FALCÓN Y TELLA, R.: *La prescripción en materia tributaria*, ob. cit., pág. 140.

En la delimitación de este precepto la doctrina ha realizado diferentes aportaciones.

Inicialmente, varios autores confrontaron el texto del artículo 66.Uno.c) de la LGT con el del artículo 1.973 del Código Civil que señala que la prescripción se interrumpe por cualquier acto de reconocimiento de la deuda por el deudor. En este sentido DÍEZ-PICAZO[740], que considera que el texto de la Norma Tributaria mantiene el espíritu del artículo 1.973 del Código Civil, por lo que la interpretación del artículo 66.Uno. c) de la LGT debe realizarse de manera extensiva.

VEGA HERRERO[741] contrapone el artículo 66.1.c) de la LGT de 1963 con el artículo 1.973 del Código Civil y en este ejercicio aprecia una importante dificultad para equiparar estos preceptos, pues la finalidad que se exige al sujeto pasivo en la LGT y al deudor en el Código Civil no es la misma. La Norma Civil, que se refiere a *"cualquier acto de reconocimiento de la deuda"*, ofrece un contenido más amplio que la disposición recogida en la LGT, que *"restringe los actos con eficacia interruptiva a aquellos que se dirigen precisamente al pago o liquidación"*. Por ello, trasladar lo dispuesto en el referido artículo 1.973 al ámbito tributario supone aceptar que *"existen otras actuaciones de los obligados tributarios que, sin ser conducentes al pago*

---

740 DÍEZ-PICAZO, L.: "La extinción de la deuda tributaria", ob. cit., pág. 480 y 483. En el mismo sentido, FERREIRO LAPATZA, J. J.: "La extinción de la obligación tributaria", ob. cit., pág. 1066.

741 VEGA HERRERO, M.: *La prescripción de la obligación tributaria*, ob. cit., págs. 88-90.

o *liquidación, pueden significar el reconocimiento de la obligación tributaria"*, concepción que asume esta autora.

FALCÓN Y TELLA[742] delimita la aplicación del artículo 1.973 del Código Civil, pues el reconocimiento de deuda al que se refiere este precepto es aplicable en el marco de las obligaciones surgidas de la voluntad de las partes, mientras que el artículo 66.Uno. c) de la LGT de 1963 actúa sobre las obligaciones *ex lege*. Por ello, lo esencial para que los actos del obligado tributario interrumpan la prescripción es que se reconozcan los hechos que dieron lugar al nacimiento de la obligación tributaria, más que el reconocimiento de la existencia de la obligación como tal. Concluye, por tanto, *"como expresa claramente el tenor literal de la LGT, se considera reconocimiento de la obligación cualquier acto que, en sí mismo considerado e independientemente de la representación que del mismo se forme su actor, tienda a la liquidación o pago de la deuda"*.

JUAN LOZANO[743] entiende que el acto del obligado tributario tendrá eficacia interruptiva en tanto se inserte en un procedimiento orientado a la liquidación del tributo. También MARTÍN CÁCERES[744], si bien esta autora destaca la finalidad objetiva del acto como elemento determinante de su eficacia interruptiva *"aun cuando el sujeto pasivo no afirme o reconozca con dicha actuación la existencia y*

---

742 FALCÓN Y TELLA, R.: *La prescripción en materia tributaria*, ob. cit., pág. 138.

743 JUAN LOZANO, A. M.: *La interrupción de la prescripción tributaria*, ob. cit., págs. 92 y ss.

744 MARTÍN CÁCERES, A. F.: *La prescripción del crédito tributario*, ob. cit., pág. 180.

vigencia del derecho de la Administración".

GARCÍA NOVOA[745], por su parte, destaca que lo esencial para determinar si el acto realizado por el obligado tributario interrumpe la prescripción es su *"tendencialidad"*, entendida como *"el rasgo que permite apreciar la voluntad de liquidar o pagar"*. Entendemos que así es, pero, siempre que tal voluntad se exprese por los cauces legalmente previstos.

ESEVERRI[746], recientemente, ha destacado la amplitud del precepto, si bien anota que la fehaciencia a la que alude el precepto supone que el acto debe realizarse con conocimiento de causa, entendemos que por parte de quién lo realiza. Subraya este autor los matices que, a consecuencia de la aplicación de este precepto, ha introducido el Tribunal Supremo, si bien es partidario de la unificación de criterios por parte del Alto Tribunal.

El criterio básico del Tribunal Supremo en este sentido es el que ya mostró en la Sentencia de 6 de noviembre de 1993[747], en la que señalaba que *"no cualquier acto tendrá la eficacia interruptiva que en dicho precepto se indica sino solo los tendencialmente ordenados a iniciar o proseguir los respectivos procedimientos administrativos o que, sin responder meramente a la finalidad de interrumpir la prescripción contribuyan efectivamente a la liquidación, recaudación o imposición de sanción en el marco del*

745   GARCÍA NOVOA, C.: *Iniciación, interrupción y cómputo del plazo de prescripción de los tributos*, ob. cit., págs. 258 y ss.

746   ESEVERRI, E.: *La prescripción tributaria en la jurisprudencia del Tribunal Supremo*, ob. cit., págs. 219-235.

747   *Tol* 1.671.842.

Impuesto controvertido". Existen actuaciones obvias, en las que no cabe duda de su capacidad para interrumpir la prescripción, como la presentación extemporánea de una autoliquidación o declaración por el obligado tributario[748]. Sin embargo, muchas otras actuaciones ofrecen dudas en relación a si cumplen los dos requisitos enunciados para poseer virtualidad interruptiva. La jurisprudencia ha desempeñado un papel esencial a la hora de clarificar esta cuestión, por lo que referiremos diferentes actuaciones sobre las que el Tribunal Supremo se ha pronunciado en relación a su eficacia interruptiva:

- La presentación de una autoliquidación complementaria a la liquidación presentada en el plazo correspondiente interrumpe la prescripción. El Tribunal Supremo ha sido claro en este sentido en sus Sentencias de 21 de mayo de 2003, de 8 de octubre de 2009 y de 16 de febrero y 16 de abril de 2012[749].

- La presentación de una autoliquidación complementaria a la liquidación presentada en el plazo correspondiente, aun habiéndose iniciado el procedimiento inspector, respecto al mismo tributo y periodo impositivo, también interrumpe la prescripción, tal y como se indica en la Sentencia del Tribunal Supremo de 17 de junio de 2013[750].

---

748 La eficacia interruptiva de la presentación de la declaración por el particular, iniciado el plazo de prescripción, ya es reconocida por el Tribunal Supremo, entre otras, en las Sentencias de 21 de julio de 1995 y de 29 de junio de 1998 (*Tol 1.699.749*).

749 *Tol 1.726.626, Tol 2.471.828* y *Tol 2.512.425*, respectivamente.

750 *Tol 3.850.603*.

- Las escrituras públicas de manifestación, aceptación y adjudicación de la herencia no interrumpen el plazo de prescripción del derecho de la Administración a liquidar el ISD, en tanto no pueden considerarse como actuaciones del sujeto pasivo conducentes al pago o liquidación de la deuda, al carecer de una finalidad tributaria. Así lo ha determinado el Tribunal Supremo en las Sentencias de 7 de febrero y de 17 de marzo de 2011[751], en las que no niega la virtualidad interruptiva a la presentación de tales escrituras por el mero hecho de su naturaleza privada, sino que tal negativa se deriva de que tal documento no ofrecía información adicional a la que ya disponía la Administración para la liquidación del impuesto. Por tanto, si tal documentación sí ofreciera información adicional, no se le podría negar su virtualidad interruptiva, y así lo señalan también las antecidatas Sentencias.

Posteriormente, la Sentencia del Tribunal Supremo de 25 de marzo de 2013[752] se pronuncia nuevamente en el mismo sentido, pero añade que, para que la presentación de la documentación que ofrezca datos de los que la Administración no dispone para efectuar la liquidación interrumpa la prescripción debe realizarse válidamente, por tanto, siguiendo los cauces legales al efecto.

- La declaración de caducidad del procedimiento no interrumpirá la prescripción, tal y como ha indicado el Tribunal Supremo en su Sentencia de 25 de noviembre de

---

751 *Tol 2.051.583* y *Tol 2.078.975*, respectivamente.
752 *Tol 3.527.219.*

2019[753], que fija la doctrina a este respecto. Esta Sentencia se refiere al ISD y, en ella, el Tribunal resuelve la cuestión de si la posibilidad de reabrir un expediente iniciado mediante declaración y dentro del plazo de prescripción, ha de entenderse referida al plazo de cuatro años computados desde el *dies a quo* definido por el transcurso de los seis meses habilitados para la presentación de la declaración o si, por el contrario, una declaración extemporánea interrumpe la prescripción y, en consecuencia, el reinicio del expediente puede considerarse efectuado sin haberse cumplido aún el plazo de prescripción. El Tribunal, tras examinar la aparente contradicción entre los artículos 68.1 c) de la LGT y 104.5 del mismo texto legal, concluye que *"la cuestión, a la luz de lo razonado ha de redefinirse en el sentido de que declarada la caducidad de un expediente iniciado por declaración, los actos del mismo, incluyendo la declaración, no interrumpen el plazo de prescripción, por lo que solo puede reiniciarse el procedimiento si no ha transcurrido el plazo legalmente establecido"*, fijando esta doctrina legal. Esta doctrina es coherente con la establecida en relación a la negación del efecto interruptivo de la reclamación de declaración de la caducidad del procedimiento. Compartimos el razonamiento del Alto Tribunal, pues, aunque en el procedimiento administrativo pueden concurrir diferentes actuaciones realizadas a iniciativa del obligado tributario, lo esencial en este punto es determinar cuáles de ellas efectivamente contribuyen a la determinación de la deuda tributaria y cuáles no cumplen tal finalidad. El objeto de la declaración de caducidad

---

753 *Tol* 7.600.474.

nada tiene que ver con la determinación de la deuda tributaria, pues únicamente pone de manifiesto el efecto de que el plazo máximo de duración del procedimiento se haya rebasado ante ausencia de tal declaración de oficio por la Administración[754]. Por ello, carecería de toda lógica otorgar efecto interruptivo a la declaración de caducidad, cuando uno de los principales efectos de tal caducidad es precisamente la pérdida de la eficacia interruptiva del procedimiento caducado.

- La solicitud de la devolución de ingresos indebidos, acompañada de una autoliquidación en la que el contribuyente rectifica la presentada en su momento, interrumpe la prescripción del derecho de la Administración a determinar la deuda tributaria. Así lo ha indicado el Alto Tribunal en sus Sentencias de 9 de junio y 14 de julio de 2011[755].

- La solicitud de devolución de ingresos indebidos en un tributo, en la que se indica que la justificación de tal solicitud es que el hecho gravado debe quedar sometido a otro impuesto, interrumpe el plazo de prescripción del derecho a liquidar este último. El Tribunal Supremo, en su Sentencia de 18 de enero de 2010[756], concluye que un escrito del sujeto pasivo solicitando la devolución del IVA soportado por una compraventa, en el que se indica que

---

754   MARTÍN FERNÁNDEZ, J. M.: "El recurso o reclamación interpuesto para obtener la declaración de caducidad: ¿interrumpe el plazo de prescripción del derecho de la Administración a determinar la deuda tributaria?: Análisis de la STS de 12 de julio de 2016 (rec. núm. 3404/2015)", ob. cit. pág. 141.

755   *Tol 2.173.335* y *Tol 2.198.728*, respectivamente.

756   *Tol 1.773.282*.

la operación debiera estar sujeta a ITPAJD interrumpe el plazo de prescripción de este impuesto, en tanto es un acto enderezado al pago o a la liquidación de la deuda. Aunque sobre esta cuestión retornaremos al abordar la interrupción de las obligaciones conexas, no estamos totalmente de acuerdo con el razonamiento que realiza el Tribunal Supremo en esta Sentencia, pues, si atendemos a la regulación aplicable a la resolución de este caso, entendemos que aceptar la interrupción del derecho a determinar la deuda tributaria supone "aligerar" en exceso los requisitos que deben darse en la actuación del obligado tributario[757]. La solicitud de devolución de ingresos indebidos, sea cual fuere su justificación, no es una actuación tendente a la liquidación de tributo alguno, por tanto, no han de considerarse como tal las razones que en tal solicitud se ofrezcan. Estas Sentencias del Tribunal Supremo se alejan en todo de la configuración independiente de los distintos supuestos de interrupción de la prescripción, establecido en la LGT y reconocido en la propia doctrina de este Tribunal, entre otras, en las Sentencias de 27 y 30 de marzo de 2011[758], y del propio texto de la LGT que refleja tal independencia.

---

757 Como indica GARCÍA NOVOA, esta Sentencia del Tribunal Supremo lleva a los actos interruptivos a un *"umbral mínimo"* *"hasta el punto de que bastaría una simple referencia a la deuda, o a la existencia de la misma, para entender que se está poniendo de manifiesto su existencia y, por tanto, que a partir de ese momento no es posible ampararse en un silencio de la relación tributaria, debiendo ceder la seguridad frente al interés público al cobro del tributo"*. GARCÍA NOVOA, C.: *Iniciación, interrupción y cómputo del plazo de prescripción de los tributos*, ob. cit., pág. 259.

758 *Tol 2.051.477* y *Tol 2.131.639*, respectivamente.

A mayor abundamiento, la solicitud de devolución de ingresos indebidos no se refiere al tributo cuya interrupción, según el Tribunal, logra, incluyendo una mera referencia al mismo en la que el obligado no pone de manifiesto, en ningún caso, su intención de liquidar.

- La presentación de la declaración-resumen anual en el IVA carece de eficacia interruptiva del plazo de prescripción, por carecer esta declaración de la finalidad liquidatoria necesaria para producir el efecto interruptivo. Esta conclusión alcanza el Tribunal Supremo en su Sentencia de 18 de mayo de 2020[759], en la que corrige –con acierto, a nuestro modo de ver, su doctrina previa, plasmada, entre otras, en las Sentencias de 25 de noviembre de 2009, de 23 de junio de 2010 y de 17 de febrero de 2011[760], en las que otorgaba eficacia interruptiva del plazo de prescripción a la presentación de tales declaraciones-resumen anuales[761].

- El escrito de alegaciones al acta de inspección no es un acto que interrumpa la prescripción, ni en virtud del artículo 68.1 b) de la LGT, al que ya nos hemos referido, ni tampoco con base en el apartado c) de ese precepto. El

---

759   *Tol 7.939.078.*

760   *Tol 1.761.996, Tol 1.921.899* y *Tol 2.067.926*, respectivamente.

761   El otorgamiento de eficacia interruptiva del plazo de prescripción a la presentación de la declaración-resumen anual en el IVA ha sido objeto de numerosas críticas, que exponemos en el siguiente estudio: GONZÁLEZ APARICIO, M.: "El cómputo del plazo de prescripción del derecho a determinar la deuda tributaria en el IVA: algunos supuestos problemáticos en el ordenamiento tributario español", *Studi Tributari Europei*, núm. 9, 2019, págs. 21-34.

Tribunal Supremo, entre otras, en las Sentencias de 15 de febrero y de 19 de julio de 2010, de 29 de junio de 2011 y de 21 de junio de 2012[762], mantiene la argumentación ya aludida en otras resoluciones, pues considera que no todos los actos realizados en el marco del procedimiento tributario, aun siendo esenciales en su desarrollo, van a estar orientados a la determinación de la deuda tributaria. Con ello, no todos van a tener eficacia interruptiva de la prescripción.

- La comparecencia del interesado otorgando un apoderamiento voluntario a un tercero no posee virtualidad interruptiva de la prescripción. Así lo ha indicado el Tribunal Supremo en la Sentencia de 18 de febrero de 2003[763], pues tal apoderamiento voluntario no se puede considerar un acto conducente al pago o liquidación de la deuda. El Tribunal Supremo, de esta forma, concluye que solo porque un acto se realice en el seno del procedimiento de inspección no interrumpirá automáticamente la prescripción. Este criterio nos parece acertado, pues es evidente que no todos los actos que se insertan en el procedimiento de inspección están orientados a la determinación de la deuda tributaria, sino que habrá que examinar cuáles de ellos efectivamente cumplen tal finalidad y, en este sentido, el apoderamiento en nada incide en la liquidación del tributo. Cosa distinta es que, como señala FERNÁNDEZ LÓPEZ[764], a la vez que se realiza

---

762 *Tol 1.838.454, Tol 1.921.485, Tol 2.177.226* y *Tol 2.595.901*, respectivamente.

763 *Tol 1.702.635.*

764 FERNÁNDEZ LÓPEZ, R. I.: "La comparecencia ante la Inspección

tal apoderamiento se efectuase *"cualquier otro hecho, trámite, manifestación o circunstancia de relevancia para la liquidación tributaria conclusiva del procedimiento"*. En ese caso, como acertadamente indica el mencionado autor, *"sí sería posible la interrupción de la prescripción toda vez que las actuaciones de la Inspección de los Tributos, realizadas con quien comparezca en nombre del sujeto pasivo u obligado tributario, se entenderán efectuadas directamente con este último"*.

A modo de síntesis, de la jurisprudencia expuesta se puede extraer la interpretación que se debe otorgar a los requisitos que deben concurrir en los actos del obligado tributario para que tengan eficacia interruptiva de la prescripción:

- La *"fehaciencia"* debe entenderse como el conocimiento formal, en este caso, consideramos que de la Administración, del acto realizado por el obligado tributario tendente a la liquidación del tributo. Ello supone que tales actos deben efectuarse siguiendo los cauces formales previstos al efecto. Pero además, tales cauces deben ser los propios del ordenamiento tributario, careciendo de eficacia interruptiva las actuaciones realizadas en la esfera privada del obligado tributario, por mandamiento de la legislación civil o mercantil. Esto entronca con la definición que ofrece la RAE del concepto

---

aportando un poder de representación voluntaria no interrumpe la prescripción", *Jurisprudencia Tributaria Aranzadi*, núm. 12, 2003. BIB 2003\1135. (Consultado en la base de datos Aranzadi Instituciones, con fecha 05/07/2018).

de *"fehaciente"*, como *"que hace fe, fidedigno"*. Los actos que *"hacen fe"* de que el obligado tributario quiere liquidar el tributo son los explicitados en la norma fiscal, no los desarrollados en el ámbito iusprivatista.

- La finalidad del acto debe ser la determinación de la deuda tributaria. Esta finalidad tiene que mantener una relación directa con el acto realizado[765]. Rechazamos la opinión de aquellos autores[766] que entienden que, por el mero hecho de que el acto se realiza en el seno del procedimiento tributario, -de inspección o de gestión- posee eficacia interruptiva. Entendemos que es necesario analizar pormenorizadamente el objeto y finalidad de cada uno de los actos del obligado tributario para determinar si, efectivamente, tal actuación contribuye o está orientada a la determinación de la deuda. Siguiendo la línea marcada por el Tribunal Supremo, no todos los actos realizados por el obligado tributario a lo largo del procedimiento están orientados a la determinación de la deuda tributara, por lo que únicamente interrumpirán la prescripción aquellos en los que, concurriendo el requisito de la fehaciencia, se aprecie tal finalidad.

---

765 En este sentido, GONZÁLEZ SÁNCHEZ, que indica que únicamente interrumpirán la prescripción aquellas situaciones que guarden una relación directa con los actos previstos en la LGT, *"cosa que no sucede cuando se trate de situaciones circunstanciales o que la relación es indirecta"*. Vid. GONZÁLEZ SÁNCHEZ, M.: "La extinción de la obligación tributaria", en, CALVO ORTEGA, R. (Dir.): *Comentarios a la Ley General Tributaria*, ob. cit., pág. 785.

766 JUAN LOZANO, A. M.: *La interrupción de la prescripción tributaria*, ob. cit., págs. 92 y ss.

A pesar de que es posible extraer estas notas comunes, también es innegable que la jurisprudencia del Tribunal Supremo no sigue siempre la misma línea, observándose ciertas divergencias. Entendemos, por ello, que en este punto sería recomendable que el Alto Tribunal establezca unos parámetros claros, que pueden ir en línea con los requisitos *supra* indicados, a fin de permitir a los contribuyentes y a la Administración tributaria determinar, con mayor certidumbre, cuándo un acto tiene eficacia interruptiva. Ello, sin duda, favorecería la seguridad jurídica, si bien tampoco se puede obviar que, atendiendo a la amplitud con la que el precepto está redactado en la actualidad, los Tribunales siempre van a tener un margen de interpretación importante. Esto no significa que consideremos necesaria la reforma del precepto a fin de establecer o acotar los supuestos en los que se interrumpe la prescripción, aunque no valoraríamos negativamente una mayor precisión del actual artículo, particularmente, a efectos de determinar en qué deben consistir las condiciones que en él se aluden. En cualquier caso, nos mostramos partidarios de una interpretación restrictiva del precepto, pues, siendo la prescripción una institución al servicio de la seguridad jurídica, la excesiva rebaja en la admisión de causas de interrupción, como ya hemos indicado, contribuye al alargamiento de los plazos, genera inseguridad jurídica a los contribuyentes y, en definitiva, altera el normal funcionamiento de la prescripción.

Para finalizar, es preciso hacer referencia a un precepto particular que recoge, al margen de la LGT, unas determinadas circunstancias interruptivas del plazo de prescripción del derecho a determinar la deuda tributaria. Nos referimos al artículo 48.3 del Reglamento del ISD, que señala:

"La presentación por los sujetos pasivos de los documentos y declaraciones a que se refiere el artículo 64 de este Reglamento interrumpirá el plazo de prescripción del derecho de la Administración, para determinar la deuda tributaria que corresponda a las adquisiciones por herencia, legado o cualquier otro título sucesorio, en relación con todos los bienes y derechos que pertenecieran al causante en el momento del fallecimiento o que, por aplicación de lo dispuesto en los artículos 25 a 28 de este Reglamento, deban adicionarse a su caudal hereditario".

Este precepto, aunque actualmente continúa figurando como vigente pues el referido Reglamento no se ha modificado, entendemos que podría ser inaplicable desde la entrada en vigor de la LGT de 2003, ya que el artículo 8. f) de este texto legal establece expresamente que se deberán regular por ley las causas de interrupción de los plazos de prescripción. El Reglamento del ISD carece de tal rango legal, por lo tanto, contradiciendo una norma superior en jerarquía, podría considerarse tácitamente derogado. Ello, salvo que se interprete que "desarrolla o complementa" lo establecido en el artículo 68.1 c) de la LGT. En este caso, el artículo 48.3 del RISD remite al artículo 64 del mismo texto legal. Este precepto alude a la presentación de documentos y declaraciones por el sujeto pasivo, destinados a efectuar la liquidación del ISD. Por tanto, siendo la finalidad de tales actuaciones la determinación de la deuda tributaria, entendemos que el artículo no se opone, ni establece ningún criterio distinto al fijado en el artículo 68.1 c) de la LGT. No obstante, no aportando nada extraordinario, entendemos que su supresión tampoco generaría mayores efectos, pudiendo resultar hasta recomendable, a fin de adaptar en mayor medida la regulación de las causas interruptivas de la prescripción a los requerimientos de la LGT vigente.

2.4. *ACTUACIONES DE TERCEROS E INTERRUPCIÓN DE LA PRESCRIPCIÓN*

En el apartado dedicado a las actuaciones de la Administración tributaria que pueden interrumpir la prescripción, hacíamos referencia a que, en algunos casos, las actuaciones desarrolladas por la Administración con terceros relacionados con el obligado tributario podían interrumpir la prescripción.

Más allá de la Administración tributaria, solo los actos del obligado tributario, entendiendo por tales los sujetos enumerados en los artículos 35 y siguientes de la LGT, pueden interrumpir la prescripción. Por tanto, los actos de terceros ajenos a la relación jurídica carecen de eficacia para interrumpir el plazo de prescripción.

Afirmada esta máxima, pueden aparecer situaciones particulares en las que, por la especial relación que vincula al obligado tributario con otro sujeto, surgen dudas sobre la posible interrupción de la prescripción por actos de este último. Particularmente, en los grupos empresariales, se plantea la eficacia interruptiva del plazo de prescripción de la comunicación por la sociedad matriz a la Administración tributaria de la absorción de la sociedad filial, respecto a las deudas de esta última. Este es el caso planteado y resuelto por el Tribunal Supremo en la Sentencia de 21 de febrero de 2003[767], en la que niega que la comunicación por parte de la sociedad matriz de que adquiere todos los derechos de crédito de la sociedad filial posea virtualidad interruptiva, en este caso, del derecho a exigir el pago, siendo trasladable este razonamiento del Tribunal también a la prescripción del derecho a liquidar.

Esta argumentación del órgano jurisdiccional es totalmente lógica, tal y como han manifestado FERNÁNDEZ JUNQUERA y GUERRA REGUERA[768]. Coincidimos plenamente con las valoraciones ofrecidas por estos autores, que concuerdan con el espíritu del artículo 68.1 a) de la LGT, pues la absorción de una empresa por otra no es una actuación del obligado tributario destinada a la liquidación o autoliquidación de la deuda.

2.5. *ACTUACIONES REALIZADAS EN OTRO ESTADO EN EL MARCO DE LA ASISTENCIA MUTUA*

Para finalizar este apartado, es necesario referenciar lo indicado en el apartado 5 del artículo 68 de la LGT. Este precepto establece que:

---

767 *Tol* 1.702.59.

768 FERNÁNDEZ JUNQUERA, M.: "¿Interrumpe la prescripción de una deuda tributaria de la sociedad filial, las actuaciones de la sociedad matriz?", *Jurisprudencia Tributaria Aranzadi*, núm. 18, 2003. BIB 2003\1488. (Consultado en la base de datos Aranzadi Instituciones, con fecha 13/10/2019). En el mismo sentido, GUERRA REGUERA, M.: *Prescripción de deudas tributarias*, ob. cit., págs. 258-260.

*"Las actuaciones a las que se refieren
los apartados anteriores y las de naturaleza
análoga producirán los efectos interruptivos de
la prescripción cuando se realicen en otro Estado
en el marco de la asistencia mutua, aun cuando
dichos actos no produzcan efectos interruptivos
semejantes en el Estado en el que materialmente
se realicen".*

De esta forma, los actos realizados en un tercer Estado
en materia de asistencia mutua, que afecten a la deuda
tributaria y tengan virtualidad interruptiva de la prescripción,
tendrán el mismo efecto que si se hubieran realizado en
territorio español. Hasta la fecha, no conocemos doctrina
administrativa o jurisprudencia en la que se haya aplicado
este precepto.

3. LA INTERRUPCIÓN DE LA PRESCRIPCIÓN DEL DERECHO DE LA ADMINISTRACIÓN A EXIGIR EL PAGO DE LA DEUDA TRIBUTARIA

Siguiendo el orden típico en los preceptos dedicados
a la regulación de la prescripción en la LGT y atendiendo a
la independencia en las causas de interrupción de cada uno
de los derechos susceptibles de prescribir, el artículo 68.2 de
la LGT se ocupa de las causas de interrupción de los plazos
de prescripción del derecho a exigir el pago. Señala este
precepto:

*"El plazo de prescripción del derecho a
que se refiere el párrafo b) del artículo 66 de esta
ey se interrumpe:*

a) Por cualquier acción de la Administración tributaria, realizada con conocimiento formal del obligado tributario, dirigida de forma efectiva a la recaudación de la deuda tributaria.

b) Por la interposición de reclamaciones o recursos de cualquier clase, por las actuaciones realizadas con conocimiento formal del obligado en el curso de dichas reclamaciones o recursos, por la declaración del concurso del deudor o por el ejercicio de acciones civiles o penales dirigidas al cobro de la deuda tributaria, así como por la recepción de la comunicación de un órgano jurisdiccional en la que se ordene la paralización del procedimiento administrativo en curso.

c) Por cualquier actuación fehaciente del obligado tributario conducente al pago o extinción de la deuda tributaria".

De la lectura de este precepto se infiere con claridad el paralelismo entre las causas interruptivas del plazo de prescripción del derecho a determinar la deuda tributaria y del plazo de prescripción del derecho a exigir el pago, por lo que, en líneas generales, nos remitimos a lo expuesto en el apartado anterior.

A pesar de ello, encontramos dos particularidades que merecen un trato diferenciado.

1. En relación a las actuaciones de la Administración que pueden interrumpir la prescripción, nos detendremos en el efecto del inicio del procedimiento de apremio y su

duración sobre el plazo de prescripción del derecho a exigir el pago.

2. Por lo tocante a los actos del obligado tributario, haremos referencia a las distintas posibilidades para el pago y a los efectos sobre el plazo de prescripción del pago realizado una vez iniciado el procedimiento tendente a la determinación de la deuda tributaria.

3.1. PROCEDIMIENTO TRIBUTARIO DE APREMIO E INTERRUPCIÓN DEL PLAZO DE PRESCRIPCIÓN DEL DERECHO A EXIGIR EL PAGO

La primera causa interruptiva del plazo de prescripción del derecho a exigir el pago la realización por parte de la Administración, de cualquier actuación tendente al cobro de la deuda, con conocimiento formal del obligado tributario.

En relación al conocimiento formal del obligado tributario y a sus requisitos, nos remitiremos a lo ya indicado en el apartado dedicado a la interrupción del plazo de prescripción del derecho a determinar la deuda tributaria en relación a los requisitos de las notificaciones tributarias y a cómo deben efectuarse estas.

Las vías de que dispone la Administración para exigir el pago se exponen, fundamentalmente, en los artículos 160 y siguientes de la LGT, que se refieren a las actuaciones y los procedimientos propios para la recaudación del tributo. Particularmente, el artículo 160.2 letras a) y b) de la LGT señala que la recaudación de las deudas tributarias podrá realizarse:

"a) En período voluntario, mediante el pago o cumplimiento del obligado tributario en los plazos previstos en el artículo 62 de esta ley.

b) En período ejecutivo, mediante el pago o cumplimiento espontáneo del obligado tributario o, en su defecto, a través del procedimiento administrativo de apremio".

En el Capítulo Tercero, cuando abordábamos el *dies a quo* en el cómputo del plazo de prescripción del derecho a exigir el pago, indicábamos que este plazo se inicia tras la finalización del periodo voluntario de pago. Por tanto, serán las actuaciones previstas en el periodo ejecutivo las que puedan interrumpir tal plazo de prescripción. Como se puede observar, el precepto reproducido recoge dos tipos de actuaciones, de la Administración y del obligado tributario, que concuerdan con las actuaciones con virtualidad interruptiva establecidas en el artículo 68.2 de la LGT.

Por lo que a los actos de la Administración con virtualidad interrruptiva se refiere, conjugando el reproducido artículo 160.2. b) y el artículo 68.2 de la LGT, la conclusión es clara: el inicio del procedimiento de apremio interrumpirá la prescripción, por ser este procedimiento el principal mecanismo de que dispone la Administración para proceder al cobro de las deudas tributarias.

En cuanto a su ámbito temporal, su inicio se podrá efectuar en cualquier momento, una vez que las deudas entran en periodo ejecutivo. Para ello, según indica el artículo 167.1 de la LGT, la Administración deberá notificar al obligado tributario una providencia en la que se identificará la deuda pendiente, se liquidarán los recargos y se le requerirá para que efectúe el pago. Puesto que este procedimiento carece de plazo máximo de duración, sus actuaciones se podrán extender hasta que el derecho a exigir el pago prescriba, por tanto, durante cuatro años. No previéndose otro límite temporal, en estos casos no surgirán los problemas derivados de la pérdida del efecto interruptivo por la caducidad o por el transcurso del plazo máximo de duración del procedimiento, como ocurría en los procedimientos de gestión y de inspección[769].

Para finalizar, descendiendo al plano de los ejemplos en lo que se refiere a las actuaciones que se pueden desarrollar en el marco de este procedimiento con virtualidad interruptiva de la prescripción, es posible citar las siguientes[770]: la notificación al obligado tributario de una medida cautelar para asegurar el cobro de la deuda tributaria (artículo 81 de la LGT); la notificación al obligado tributario de un requerimiento para que aporte una relación de bienes y derechos integrantes de su patrimonio en cuantía suficiente para cubrir el importe de la deuda tributaria (artículo 162.1 de la LGT); la notificación de inicio del procedimiento de apremio (artículo 167 de la LGT); la notificación al obligado tributario de una diligencia de embargo de bienes o derechos de su titularidad (artículo 170.1 de la LGT) o la notificación al deudor del acuerdo de

---

769   El Tribunal Supremo ha sido claro en este sentido, entre otras, en las Sentencias de 4 de diciembre de 1998 y de 3 de diciembre de 2012 (*Tol 1.699.356* y *Tol 2.706.886*, respectivamente), en las que niega que el procedimiento de recaudación quede sometido a plazo de caducidad alguno, ratificando lo indicado en el mencionado artículo 104.1 de la LGT.

770   VARIOS: *Practicum Procedimientos Tributarios*, ob. cit., pág. 527.

enajenación de bienes o derechos embargados (artículo 172 de la LGT).

3.2. FORMAS DE PAGO Y EFECTOS SOBRE EL PLAZO DE PRESCRIPCIÓN DEL DERECHO A EXIGIR EL PAGO DEL PAGO POSTERIOR AL INICO DEL PROCEDIMIENTO DE GESTIÓN O DE INSPECCIÓN

Al inicio de la presente investigación referíamos las distintas formas de extinción de la deuda tributara que, junto a la prescripción, recoge el artículo 59 de la LGT. Una de estas formas es el pago, regulado en los artículos 60 a 65, ambos inclusive, de la LGT. El contenido de estos preceptos se liga a la modalidad interruptiva de la prescripción del derecho a exigir el pago por actos del obligado tributario en tanto serán precisamente estos actos del obligado tributario tendentes al pago los que interrumpan este plazo de prescripción.

Por ello, realizaremos una breve referencia al contenido de estos artículos. El artículo 60 señala que el pago se podrá realizar en efectivo, como regla general, en especie, o mediante efectos timbrados. Por tanto, el pago realizado empleando cualquiera de estos tres medios interrumpirá el plazo de prescripción al que nos venimos refiriendo.

En la actualidad la regla general es que el pago de las deudas tributarias se realice empleando medios telemáticos. Cabe que, en esos casos, exista una ligera distorsión entre la fecha en que se efectúa el pago y la fecha en que la Administración lo recibe. En estos casos, a nuestro parecer, la fecha a considerar a efectos de determinar cuándo se ha producido la interrupción será aquella en la que el pago se efectuó, no cuando se recibió, pues la interrupción en este supuesto depende de la voluntad del obligado tributario, por tanto habrá que considerar la fecha en que este manifiesta tal voluntad.

Se plantea un supuesto particular en los casos en que el obligado tributario, una vez notificado el inicio del procedimiento de gestión o de inspección, pague la deuda pendiente, total o parcialmente. En estos casos, la prescripción del derecho a determinar la deuda tributaria quedará interrumpida por los actos de la Administración, pero también se interrumpirá el plazo de prescripción del derecho a exigir el pago, por actos del obligado tributario, en el momento en que efectúe el pago. Esta presentación tendrá el carácter de ingreso a cuenta sobre la cuantía que determine la liquidación derivada del procedimiento de gestión o de inspección.

En cuanto a la consignación, regulada en el artículo 64 de la LGT, atendiendo a su contenido no cabe duda, a nuestro parecer, de que encaja entre las actuaciones del obligado tributario tendentes al pago[771], por tanto, interrumpe el plazo de prescripción del derecho de a exigir el pago.

Por lo que se refiere a los aplazamientos y fraccionamientos, habrá que atender al momento en que se solicitan –periodo voluntario o ejecutivo- para determinar si efectivamente interrumpen el plazo de prescripción del

---

771 VARIOS: *Practicum. Procedimientos Tributarios*, ob. cit., pág. 529.

derecho a exigir el pago. Las reglas para que el obligado tributario solicite aplazamientos y fraccionamientos se encuentran en el artículo 65 de la LGT que, en su apartado 1, admite, con carácter general, la posibilidad del aplazamiento o fraccionamiento de las deudas tributaras, estén en periodo voluntario o ejecutivo.

Del texto del artículo 65.1 de la LGT ya se infiere que no toda solicitud de aplazamiento y/o fraccionamiento interrumpirá el plazo de prescripción del derecho a exigir el pago pues, cuando la deuda está en periodo voluntario, el plazo de prescripción no se habrá iniciado. Con ello, solo interrumpirán el plazo de prescripción del derecho a exigir el pago las solicitudes presentadas una vez iniciado el periodo ejecutivo y hasta el momento en que se notifique al obligado el acuerdo de enajenación de los bienes embargado, dando lugar al inicio de un nuevo término de cuatro años durante el que la Administración puede exigir el pago de la deuda tributaria.

Para finalizar, se alcanza la misma conclusión en cuanto a su efecto interruptivo en el caso de la solicitud de compensación, regulada en los artículos 71, 72 y 73 de la LGT. Como se indica en estos preceptos, la compensación se puede realizar de oficio y a instancia del obligado tributario. Aunque ambas posibilidades interrumpen el plazo de prescripción del derecho a exigir el pago, en el caso de la compensación de oficio será un acto interruptivo del artículo 68.2 a) de la LGT, mientras que la compensación a instancia del obligado tributario será la que se pueda encuadrar en el apartado c) del mismo precepto.

4. EXTENSIÓN Y EFECTOS DE LA INTERRUPCIÓN DEL PLAZO DE PRESCRIPCIÓN

4.1. EXTENSIÓN DE LA INTERRUPCIÓN DEL PLAZO

El artículo 68.8 de la LGT, en sus párrafos primero y segundo, se ocupa expresamente de la extensión de la interrupción del plazo de prescripción, al disponer que:

> "*Interrumpido el plazo de prescripción para un obligado tributario, dicho efecto se extiende a todos los demás obligados, incluidos los responsables. No obstante, si la obligación es mancomunada y solo se reclama a uno de los obligados tributarios la parte que le corresponde, el plazo no se interrumpe para los demás.*
>
> *Si existieran varias deudas liquidadas a cargo de un mismo obligado al pago, la interrupción de la prescripción solo afectará a la deuda a la que se refiera*".

En consecuencia, la interrupción afectará a todos los obligados tributarios, por tanto, también a los responsables[772]. Particularmente, el Tribunal Supremo, en distintas Sentencias, se ha pronunciado en torno a la extensión de la interrupción de la prescripción en los supuestos de responsabilidad solidaria, estableciendo que, en estos casos, interrumpido

---

772   GONZÁLEZ SÁNCHEZ, M.: La extinción de la obligación tributaria, en, CALVO ORTEGA, R. (Dir.): *Comentarios a la Ley General Tributaria*, ob. cit., pág. 785.

el plazo de prescripción para un obligado al pago, tal interrupción se extiende a los restantes. Así, en la Sentencia de 5 de noviembre de 2012[773], el Alto Tribunal considera que la notificación de la liquidación tributaria a una entidad que resultaba obligada solidariamente junto con otras al pago de la deuda tributaria, supone que la interrupción del plazo de prescripción se produce para todas los obligados solidarios, aunque, como se ha indicado, la notificación se realice solo a uno de ellos, al responder todos ellos solidariamente de la totalidad de la deuda tributaria que pudiera derivar de las actuaciones. Esta doctrina se reitera, entre otras, en las Sentencias de 10 de febrero de 2014 y de 19 de noviembre de 2015[774].

La LGT establece dos precisiones a esta regla general. La primera, que en los casos en que la obligación sea mancomunada la interrupción solo se producirá para el obligado al que *"se reclama la parte que le corresponde"*. Esta conclusión es lógica y coherente con las propias reglas de la mancomunidad, en cuyo estudio nos detendremos más al tratar los efectos de la prescripción en el Capítulo Quinto. Lo que aquí consideramos interesante apuntar es lo que, a nuestro entender, refleja una deficiente técnica del legislador en la redacción del precepto, pues cuando utiliza el término *"se reclama"* parece estar refiriéndose en exclusiva al deber del obligado mancomunado a satisfacer la parte que le corresponda del crédito tributario, por tanto, al derecho a exigir el pago, pero no al derecho a determinar la deuda

---

773 *Tol 2.675.486.*

774 *Tol 4.108.843* y *Tol 5.583.612*, respectivamente.

tributaria. Entendemos que en los casos de obligaciones tributarias mancomunadas, la propia configuración del instituto de la mancomunidad permite inferir que esa interrupción particular se producirá tanto en relación al derecho a liquidar, como respecto al derecho a pagar, pues no tendría sentido que fuera de otra forma. La segunda, de carácter obvio, que la interrupción solo afectará a la deuda a la que se refiera el acto interruptivo, no a otras que también pudiera tener el deudor.

4.2. EFECTOS DE LA INTERRUPCIÓN DEL PLAZO

4.2.1. REGLA GENERAL

La regla general en este punto es la que establece el artículo 68.6 de la LGT, que señala que:

> *"Producida la interrupción, se iniciará de nuevo el cómputo del plazo de prescripción, salvo lo establecido en el apartado siguiente".*

El efecto directo de la interrupción, tal y como señala el apartado 6 del referido artículo 68 de la LGT es el reinicio del cómputo del plazo de prescripción, generándose un nuevo plazo de idéntica duración al interrumpido. El momento en que este inicio se produce va a depender, obviamente, de la duración de la actuación interruptiva. En cuanto a esta duración, se plantean dos opciones: la interrupción instantánea y la interrupción duradera del plazo[775]. Entendemos que el precepto es bastante claro, estableciendo que la interrupción provoca el efecto inmediato de la reanudación del cómputo del plazo de prescripción, el mismo día en que se ha interrumpido, por tanto, recoge como regla general la interrupción instantánea[776]. El efecto interruptivo, como decimos, es inmediato, instantáneo, y no quedará postergado a ningún momento posterior. Por ejemplo, si la Administración notifica al contribuyente el inicio de un procedimiento de comprobación limitada sobre un ejercicio no prescrito el 1 de febrero de 2019, es en esta fecha cuando se interrumpe el plazo de prescripción que viniera discurriendo y cuando se reinicia el cómputo de los cuatro años, puesto que la interrupción no queda "sostenida" mientras dure el procedimiento.

Frente a esta regla general el artículo 69.7 de la LGT ha establecido dos excepciones, que desarrollaremos a continuación, junto con alguna otra cuestión de interés.

---

775 MARTÍN CÁCERES, A. F.: "Prescripción", en VARIOS: *Comentarios a la Ley General Tributaria y líneas para su reforma. Homenaje a Fernando Sainz de Bujanda*, ob. cit., pág. 1036.

776 MARTÍN QUERALT, J., LOZANO SERRANO, C., TEJERIZO LÓPEZ, J. M., CASADO OLLERO, G.: *Curso de Derecho Financiero y Tributario*, ob. cit., pág. 529.

4.2.2. REGLAS ESPECIALES

A. LA PRETENDIDA SUSPENSIÓN DEL PLAZO DE PRESCRIPCIÓN

Antes de abordar esta cuestión es preciso realizar unos apuntes sobre las diferencias entre la suspensión del plazo y su interrupción.

La suspensión del plazo se diferencia de la interrupción de la prescripción fundamentalmente en cuanto a sus efectos. Mientras que, producida la interrupción el plazo se reiniciará, cuando la causa que generó la suspensión desaparece el plazo se reanudará, pues *"el hecho suspensivo no inutiliza el lapso de tiempo ya transcurrido"*[777].

La LGT de 1963 no establecía causas de suspensión, lo que, en opinión de SAINZ DE BUJANDA[778], obraba a favor de la Administración, *"porque esta, mediante las sucesivas*

---

[777] SAINZ DE BUJANDA, F.: *Lecciones de Derecho Financiero*, ob. cit., pág. 290. En el mismo sentido, FALCÓN Y TELLA, que también ofreció sólidos argumentos para el establecimiento de supuestos de suspensión, acudiendo asimismo, al Derecho Comparado. Señala este autor que la suspensión del plazo de prescripción sería recomendable en los supuestos de delitos contra la Hacienda Pública, en los casos de litigios sobre actos o contratos relativos al hecho imponible en los que la Administración suspenda la liquidación y, también en los supuestos de concesión de beneficios fiscales sometidos a condición suspensiva. Vid. FALCÓN Y TELLA, R.: *La prescripción en materia tributaria*, ob. cit., págs. 171-172.

[778] SAINZ DE BUJANDA, F.: *Lecciones de Derecho Financiero*, ob. cit., pág. 290.

interrupciones, puede hacer prácticamente inoperante el instituto de la prescripción". Precisamente por ello, en el Informe para la Reforma de la LGT de 2001 se alude a esta cuestión, recomendando el establecimiento de un sistema mixto en el que se recogieran causas de interrupción y causas de suspensión[779].

Sin embargo, el legislador del 2003 solo adopta parcialmente esas recomendaciones administrativas y doctrinales, pues establece en el apartado 7 del artículo 69 distintas previsiones en las que no contempla causas de suspensión en puridad, sino que lo que fija son supuestos de interrupción duradera del plazo, que a continuación pasamos a exponer.

B. INTERPOSICIÓN DE RECURSOS Y RECLAMACIONES EN VÍA CONTENCIOSO-ADMINISTRATIVA

La primera regla especial que establece el artículo 68.7 es la relativa a aquellos supuestos en los que la prescripción

---

779 En cuanto a estas últimas, el Informe reflexiona sobre el posible criterio a emplear para distinguirlas de las causas de interrupción (páginas 97 y 98). Señala que *"este criterio podría estar conectado a la actitud del sujeto respecto de su posición jurídica en la obligación. Así, por ejemplo, una actuación conducente a la liquidación o al pago implica un reconocimiento de la posición deudora y, como tal, interrumpen la prescripción, mientras que la interposición de un recurso contencioso-administrativo implica una situación de pendencia y tiene su efecto en la suspensión del cómputo. Otro criterio concurrente con el anterior es el de conectar los efectos suspensivos a los supuestos en que forzosamente deben detenerse las actuaciones administrativas (como en el caso de inicio de un proceso penal)"*.

se interrumpe *"por la interposición del recurso ante la jurisdicción contencioso-administrativa, por el ejercicio de acciones civiles o penales, por la remisión del tanto de culpa a la jurisdicción competente o la presentación de denuncia ante el Ministerio Fiscal o por la recepción de una comunicación judicial de paralización del procedimiento, el cómputo del plazo de prescripción"*.

En estos casos, el precepto aludido es claro: *"el cómputo del plazo de prescripción se iniciará de nuevo cuando la Administración tributaria reciba la notificación de la resolución firme que ponga fin al proceso judicial o que levante la paralización, o cuando se reciba la notificación del Ministerio Fiscal devolviendo el expediente"*.

De esta forma, la interrupción se prolonga hasta que la Administración recibe la notificación final recaída en el proceso judicial. Es preciso hacer notar que esta interrupción duradera solo se prevé en los supuestos en que el recurso es de tipo judicial, pero no en los casos en que el recurso se plantea en el desarrollo del procedimiento administrativo, por ejemplo, el recurso ante cualquier TEA. Y es que directamente relacionado con este supuesto de interrupción *"duradera"*, se encuentra el caso de paralización del expediente administrativo por un plazo superior al de prescripción. Una lectura inicial de este enunciado permite deducir que, en principio, el efecto de tal paralización no plantea duda alguna, pues si el expediente administrativo se encuentra paralizado por un plazo superior al de prescripción es claro que el derecho estará prescrito.

Sin embargo, esta clara conclusión no lo ha sido tanto para la Administración en los casos en que la paralización se produce cuando el recurso debe ser resuelto por un TEA, particularmente, a consecuencia de la previsión recogida en el artículo 68.7 de la LGT, al que nos estamos refiriendo. Aunque este artículo es claro en cuanto a los requisitos que justifican esta interrupción *"duradera"*: el recurso o reclamación debe presentarse *"ante la jurisdicción contencioso-administrativa"*. En ocasiones la Administración ha aludido a este precepto para justificar la no prescripción del derecho de la Administración, a liquidar o a exigir el pago, en los casos en los que el recurso planteado ante un TEA se encuentre paralizado por un plazo superior al de prescripción.

El Tribunal Supremo rechazó estos postulados, estableciendo una doctrina clara, entre otras, en sus Sentencias de 18 de marzo de 1992, de 7, 9 y 13 de noviembre de 1998, de 25 de septiembre de 2001 y de 20 de abril de 2007[780], referidas estas últimas a la prescripción del derecho a exigir el pago.

El criterio del Alto Tribunal no deja lugar a dudas: el procedimiento seguido ante un TEA es un procedimiento puramente administrativo, por tanto, no procede aplicar interrupción duradera alguna en estos casos. Compartimos este criterio, pues entendemos que no existe justificación que avale un tratamiento distinto.

---

780   *Tol 1.676.247*, *Tol 1.699.453*, *Tol 1.699.422*, *Tol 1.699.379*, *Tol 3.659.947* y *Tol 1.076.051*, respectivamente.

Sin embargo, autores como MARTÍN CÁCERES[781] han considerado que esta doctrina debe ser matizada, indicando que en los supuestos de recursos y reclamaciones administrativos el plazo de prescripción debería permanecer interrumpido hasta que se resuelva el procedimiento, "*salvo en los supuestos en que la resolución se demora por más de un año desde la interposición, en cuyo caso se entiende extinguido ex tunc aquel efecto*". Aunque los argumentos dados por esta autora son muy razonables, no nos parecen plenamente acertados, pues el procedimiento sustanciado ante los TEAs es un procedimiento puramente tributario, resuelto por los órganos de la Administración tributaria que, por tanto, debe quedar sujeto a las normas aplicables en materia de prescripción. El carácter administrativo de los TEAs ha sido recientemente afirmado en la Sentencia del TJUE de 21 de enero de 2020, asunto C-274/14, *caso Banco Santander*[782], en la que el Tribunal, tras examinar las notas que caracterizan el concepto de órgano jurisdiccional, concluye que los TEAs no pueden catalogarse como órganos jurisdiccionales, sino que son netamente administrativos, pues carecen del carácter independiente propio de los primeros. Por lo tanto, cuando el procedimiento sale del ámbito tributario –por ejemplo, en el caso de recursos en vía contencioso-administrativa, o concurso del deudor– es lógico que se establezca la "interrupción duradera" del plazo, en tanto ya no son los órganos de la Administración tributaria los que controlan su desarrollo. Pero esta "salida" del ámbito administrativo

---

781   MARTÍN CÁCERES, A. F.: "Prescripción", en VARIOS: *Comentarios a la Ley General Tributaria y líneas para su reforma. Homenaje a Fernando Sainz de Bujanda*, ob. cit., págs. 1036-1038.

782   Tol 7.682.847.

no se produce en los casos en que el recurso se plantea ante un TEA. En esos casos sigue siendo la Administración la que domina el desarrollo del procedimiento y la que, con ello, debe quedar sujeta, al igual que el obligado tributario, al plazo general de prescripción.

El Tribunal Supremo se ha pronunciado sobre el momento de reanudación del plazo de prescripción tras la finalización de la interrupción por remisión del expediente al Ministerio Fiscal, entre otras, en las Sentencias de 20 de marzo de 2009, de 16 de diciembre de 2010, de 10 de julio de 2013 o de 16 de enero de 2014[783]. En estas Sentencias el Alto Tribunal ha puntualizado que para que las actuaciones se entiendan reanudadas no es necesario un acto expreso de la Administración en el que se refleje la reanudación, pues *"si la interrupción de las actuaciones inspectoras solo deja de ser justificada cuando la propia Administración dicta un acto expreso de reanudación de actuaciones, indirectamente se estaría permitiendo que la duración de un procedimiento inspector se extendiese en el tiempo sine die, lo que supondría una clara transgresión de las normas que rigen los aspectos temporales del procedimiento inspector y, en definitiva, supondría una quiebra del principio de seguridad jurídica"*. Coincidimos con el criterio del Tribunal, en el sentido de considerar que las actuaciones se deben entender reanudadas cuando el representante de la Administración en el proceso judicial –el Abogado del Estado, como regla general- reciba la notificación de la resolución que ponga fin al procedimiento.

---

783   *Tol 1.494.388, Tol 2.032.334, Tol 3.375.765* y *Tol 4.082.235*, respectivamente.

En los casos en que esta resolución puede ser objeto de recurso, entendemos que el planteamiento de tal recurso en el plazo establecido para ello supone que la suspensión continúe. Lo que no debe admitir duda es que, en caso de que no se plantee recurso, la reanudación se produce el día de la recepción de la notificación, no cuando finalice el plazo de que disponen las partes para recurrir.

C. CONCURSO DEL DEUDOR

La segunda regla especial establecida por el artículo 69.7 se refiere a los supuestos en que el deudor tributario entra en concurso de acreedores, circunstancia nada extraña en los últimos años. Señala el citado precepto que:

> *"Cuando el plazo de prescripción se hubiera interrumpido por la declaración de concurso del deudor, el cómputo se iniciará de nuevo cuando adquiera firmeza la resolución judicial de conclusión del concurso"*[784].

> *Por lo tanto, en estos casos, la regla general es que hasta que la resolución judicial de conclusión del concurso el plazo se mantiene interrumpido. No obstante, el precepto distingue dos posibilidades en cuanto a la forma de conclusión:*

---

784 Lo previsto en este precepto es coherente con lo indicado en el artículo 60 de la Ley 22/2003, de 9 de julio, Concursal, que se refiere a la interrupción del plazo de prescripción de que disponen los acreedores de la entidad en concurso para reclamar sus créditos.

- Si se aprueba un convenio, el plazo de prescripción se iniciará de nuevo en el momento de su aprobación para las deudas tributarias no sometidas al mismo.

- Respecto de las deudas tributarias sometidas al convenio concursal, el cómputo del plazo de prescripción se iniciará de nuevo cuando aquéllas resulten exigibles al deudor.

D. EXTENSIÓN DE LA INTERRUPCIÓN POR EN LOS SUPUESTOS DE RECURSOS O RECLAMACIONES O CONCURSO DEL DEUDOR

El artículo 68.8, *in fine*, de la LGT se ocupa de esta cuestión, estableciendo que:

"La suspensión del plazo de prescripción contenido en la letra b) del artículo 66 de esta Ley, por litigio, concurso u otras causas legales, respecto del deudor principal o de alguno de los responsables, causa el mismo efecto en relación con el resto de los sujetos solidariamente obligados al pago, ya sean otros responsables o el propio deudor principal, sin perjuicio de que puedan continuar frente a ellos las acciones de cobro que procedan".

Entendemos que aunque este precepto habla de "suspensión" esta referencia no es del todo correcta, pues, como ya indicamos, a nuestro parecer, lo que se establece en el artículo 68.8 de la LGT no son causas de suspensión –que supondrían que, desaparecida la causa, se reanude el cómputo del plazo de prescripción–, sino de interrupción duradera –pues el plazo no se reanuda, sino que se reinicia en su totalidad tras la finalización de la interrupción–.

De esta forma, el legislador establece expresamente la extensión de la interrupción duradera, particularmente en los casos en los que el plazo de prescripción afectado sea el del derecho a exigir el pago. Señala que tal efecto se extenderá a los restantes sujetos "solidariamente" obligados al pago, con lo que se excluyen de tal efecto los responsables subsidiarios.

5. INTERRUPCIÓN DE LA PRESCRIPCIÓN Y OBLIGACIONES CONEXAS

La Ley 34/2015, a la que nos referimos profusamente en el Capítulo Segundo, no solo modificó el régimen de la prescripción tributaria incluyendo el nuevo "derecho a comprobar e investigar", sino que también introdujo una importante reforma en materia de interrupción de la prescripción, particularmente, en el nuevo apartado 9 del artículo 68 de la LGT.

Este precepto se ocupa de los efectos que despliega la interrupción del plazo de prescripción de una obligación tributaria en relación a las denominadas "obligaciones conexas". Con esta modificación, el legislador inserta un elemento discordante y que "rompe" el régimen general aplicable a la interrupción que venimos exponiendo, particularmente la doctrina tradicional según la cual las actuaciones con virtualidad interruptiva realizadas en relación a una determinada obligación tributaria, interrumpían el plazo de prescripción únicamente para esa obligación, pero no para cualquier otra, independientemente de si guarda o no relación con esta, o de si es del propio obligado tributario o de un tercero. Tras la reforma, el efecto interruptivo de esas actuaciones va a exceder el ámbito de la propia obligación tributaria a la que se dirigen, interrumpiendo también el plazo de prescripción de otras que guardan una especial relación, o "conexión", con la primera.

La cuestión de la que surge este nuevo concepto se puede ilustrar de la siguiente manera. Imaginemos un contribuyente que, en el ejercicio X, considerándose no residente, liquida el IRNR del ejercicio X-1, pagando la cuota correspondiente. En el ejercicio X+3, la Administración inicia actuaciones de comprobación, por entender que este sujeto debe tributar en el IRPF, concluyendo que así es, con lo que gira al contribuyente la correspondiente liquidación en concepto de este impuesto. A consecuencia de esta comprobación este contribuyente solicita la devolución de lo indebidamente pagado en el IRNR, pero no puede obtener tal reembolso porque el procedimiento en el que se concluye que debe tributar en el IRPF ha finalizado una vez que ha transcurrido el plazo de prescripción de su derecho a solicitar la devolución de ingresos indebidos. En consecuencia, este contribuyente deberá pagar la cuota de IRPF y no podrá recuperar lo indebidamente pagado en el IRNR, produciéndose un enriquecimiento injusto para la Hacienda Pública.

Las situaciones de enriquecimiento injusto no eran las únicas que generaban dificultades, pues también resultaban problemáticas aquellas otras en las que lo que se producía era una doble no imposición. Por ejemplo, este sería el caso de un contribuyente que tributa erróneamente en el ITPAJD, debiendo haberlo hecho en el IVA, por lo que solicita la devolución de ingresos indebidos en el primer impuesto, pero no liquida el segundo, prescribiendo el derecho de la Administración a determinar la deuda tributaria.

Ejemplos como los expuestos, en los que el problema de fondo es una incompatibilidad entre dos figuras tributarias son solo una pequeña muestra de la enorme casuística en la que aparecen situaciones de conexidad entre obligaciones tributarias, abarcando situaciones como aplicación diferida de beneficios fiscales, imputaciones temporales de ingresos y gastos o compensación de bases imponibles negativas, por citar solo algunos ejemplos.

El problema esencial que subyace en estos casos es la ruptura del molde general, establecido en la LGT, según el cual la obligación tributaria se configura de manera autónoma, por algunos supuestos en los que las obligaciones tributarias muestran una estrecha relación. Estas situaciones, cada vez más habituales, y la ausencia de una previsión específica en la LGT que resolviera esta problemática, dieron lugar a múltiples respuestas legales, administrativas y jurisprudenciales que constituyen el germen de la nueva regulación.

Con estos antecedentes, el legislador propuso la introducción en el artículo 68.9 de la LGT del siguiente texto:

"La interrupción del plazo de prescripción del derecho a que se refiere la letra a) del artículo 66 de esta Ley relativa a una obligación tributaria determinará, asimismo, la interrupción del plazo de prescripción de los derechos a que se refieren las letras a) y c) del citado artículo relativas a las obligaciones tributarias conexas del propio obligado tributario cuando en estas se produzca o haya de producirse una tributación distinta como consecuencia de la aplicación, ya sea por la Administración Tributaria o por los obligados tributarios, de los criterios o elementos en los que se fundamente la regularización de la obligación con la que estén relacionadas las obligaciones tributarias conexas.

A efectos de lo dispuesto en este apartado, se entenderá por obligaciones tributarias conexas aquellas en las que alguno de sus elementos resulten afectados o se determinen en función de los correspondientes a otra obligación o período distinto".

En el proceso de tramitación de la Ley este texto no se modificó, siendo el mismo definitivamente aprobado.

El legislador no introdujo ninguna otra previsión relativa a las obligaciones conexas, por lo que la primera conclusión que es posible extraer de esta nueva regulación es que se ha tratado de resolver un problema que presenta múltiples aristas abordando únicamente unas de ellas, la de la prescripción, lo que ya permite inferir que las soluciones ofrecidas van a ser parciales y su poco eficaces para abordar la totalidad del problema, dejando gran parte del peso de la interpretación de este nuevo precepto a los órganos jurisdiccionales[785].

En los siguientes apartados examinaremos, en primer lugar y como punto de partida, el concepto de obligación conexa que ofrece este precepto y, en segundo término, el régimen interruptivo que establece.

5.1. EL CONCEPTO DE "OBLIGACIÓN CONEXA"

Con toda lógica, antes de examinar este régimen interruptivo, es preciso delimitar el concepto ante el que nos encontramos. Las obligaciones tributarias conexas constituyen un nuevo tipo de obligaciones tributarias que, hasta ahora, no había sido recogido por texto legal alguno. La LGT tampoco es muy prolija en su definición, pues, a salvo del referido artículo 68.9, no se ocupa de esta cuestión en ningún otro precepto, lo que ya permite inferir que la definición que ofrece este texto legal se articula expresamente en torno a sus efectos interruptivos, aunque, como veremos, se extiende también a otras cuestiones.

De una lectura inicial del precepto parece derivarse que de esta definición se ocupa únicamente el segundo

---

785 VILLAR EZCURRA, M.: "La jurisprudencia sobre la obligación de practicar una regularización completa y su recepción en la reforma de la Ley General Tributaria de 2015", *Quincena Fiscal*, núm. 9, 2019. BIB\2016\21187. (Consultado en la base de datos Aranzadi Instituciones, con fecha 13/11/2019).

párrafo del artículo 68.9 de la LGT. De hecho, el diccionario jurídico de la RAE acude solo a este segundo párrafo para definir este tipo de obligaciones, señalando que son aquellas en las que alguno de sus elementos resulten afectados o se determinen en función de los correspondientes a otra obligación o período distinto, sin añadir ningún otro carácter adicional. De esta forma, lo que la noción del concepto exige inicialmente es que alguno de los elementos de la obligación tributaria conexa bien se determine, o bien resulte afectado, por la obligación tributaria matriz. Esta relación supone la existencia de elementos comunes entre la obligación que es objeto de comprobación y aquella o aquellas en las que el resultado de tal procedimiento puede incidir[786]. En este punto encontramos el primer vacío legal que ofrece el precepto, pues no precisa qué elementos darán origen a la conexidad, de lo que se deduce que, en principio, cualquier tipo de conexión elementaria permitiría la aplicación del precepto[787]. En consecuencia, la primera nota que es posible

---

786 ESEVERRI, E.: "La prescripción tributaria: nueva regulación", ob. cit., pág. 74.

787 A juicio de GÓMEZ TABOADA, la determinación de esos elementos comunes podría vincularse a los elementos recogidos en el artículo 8. a) de la LGT, para cuya fijación se establece la reserva de ley. Vid. GÓMEZ TABOADA, J.: "Las obligaciones tributarias conexas", en VARIOS: *Comentarios a la Ley General Tributaria al hilo de su reforma*, 1ª ed., Wolters Kluwer – AEDAF, Madrid, 2016.

págs. 79-80. CRÉMADES SCHULZ, por su parte, distingue las dos posibilidades para determinar la conexidad, establecidas en el artículo 68.9 de la LGT. Por un lado, cuando algún elemento de una obligación tributaria se determina en función de un elemento correspondiente a otra obligación tributaria, considera que *"lo que parece hacer referencia a la existencia de una referencia legal a otra obligación tributaria en la determinación de una determinada obligación"*; por otro, cuando algún elemento de una obligación tributaria «resulte afectado» por elementos correspondientes a

extraer de esta definición es su gran amplitud conceptual. Esta amplitud supone, y así ha sido puesto de manifiesto por la doctrina especializada que ha estudiado este tema[788], que un gran número de situaciones pueden encajarse en la definición que aporta la LGT. Ello conduce a dos resultados: que la casuística sea amplísima, y que, a consecuencia de tal amplitud la prescripción pudiera no culminar nunca[789].

---

otra obligación tributaria, entiende que *"dicho término genérico parece hacer referencia a aquellos supuestos, más allá de una referencia legal expresa, en los que pudiera surgir una contradicción lógica entre dos obligaciones tributarias inaceptable jurídicamente"*. Vid. CRÉMADES SCHULZ, M.: "Las obligaciones conexas antes de la reforma de la Ley General Tributaria por la Ley 34/2015", *Actualidad Jurídica Uría Menéndez*, núm. 42, 2016, pág. 116.

788 En este sentido, CORDERO GONZÁLEZ señala que *"como han puesto de manifiesto distintos autores, la definición de conexidad no puede ser más oscura y vaga, articulando una especie de cajón de sastre con el que es posible extender de la forma más amplia posible los efectos interruptivos tanto de las actuaciones administrativas como de los recursos y reclamaciones presentadas"*. Vid. CORDERO GONZÁLEZ, E. M.: "La interrupción de la prescripción en relación con las obligaciones conexas tras la reforma de la Ley General Tributaria por Ley 34/2015", *Revista Española de Derecho Financiero*, núm. 170, 2016, BIB 2016\2649 (Consultado en la base de datos Aranzadi Instituciones con fecha 18/12/2019). En el mismo sentido se manifiesta GÓMEZ TABOADA, J.: "Las obligaciones tributarias conexas han venido para quedarse", *Notario del Siglo XXI*, núm. 63, 2015. Accesible en el siguiente enlace: http://www.elnotario.es/hemeroteca/revista-63/5337-las-obligaciones-tributarias-conexas-han-venido-para-quedarse. (Consultado con fecha 03/10/2019).

789 Pues, como indica GÓMEZ TABOADA *"aparte del propio alcance conceptual, es muy llamativa su propia faceta temporal (máxime en un hábitat como el de la prescripción, donde el cómputo del tiempo da la justa medida de su alcance), pues no es difícil imaginar situaciones, para nada de laboratorio, donde esa conexión "elementaria" podría llevarnos a la apertura "sine die" de la prescripción"*. Vid. GÓMEZ TABOADA, J.: "Las obligaciones tributarias conexas", en VARIOS: *Comentarios a la Ley General Tributaria al hilo de su reforma*, ob. cit., pág. 80. En el mismo sentido LÓPEZ MARTÍNEZ, J.: "Un ejemplo más de la impericia del

No obstante, a pesar de esa amplitud conceptual, sí es posible aplicar un límite temporal a estas situaciones de conexidad, que no es otro que el plazo de prescripción de la obligación a la que se extiende el efecto interruptivo no haya concluido. Esta limitación no aparece expresamente recogida en el artículo 68.9 de la LGT, aunque tampoco es necesario, porque el precepto es claro al indicar que su único objeto es la extensión de la interrupción, pero en ningún caso el "renacimiento" de un plazo ya concluido[790] y porque admitir una interpretación contraria vulneraría la doctrina de los actos propios y el principio de seguridad jurídica como fundamento de la prescripción[791].

El temporal no es el único requisito restrictivo del plazo que se deriva del artículo 68.9 de la LGT, pues la amplitud objetiva que establece el párrafo segundo se ve restringida también por las limitaciones de tipo subjetivo que, curiosamente[792], recoge el párrafo primero del mismo precepto, al señalar que la interrupción solo afectará a las obligaciones conexas del propio obligado tributario,

---

legislador: la prescripción tributaria frente a la potestad de comprobación y a las denominadas obligaciones conexas", *Quincena Fiscal*, núm. 15, 2017. BIB 2017\12771. (Consultado en la base de datos Aranzadi Instituciones con fecha 1/10/2019)

790 Al margen de que ello conculcaría el propio efecto extintivo de la deuda tributaria propio de la prescripción y recogido en el artículo 69 de la LGT, al que dedicaremos el Capítulo Quinto.

791 CRÉMADES SCHULZ, M.: "Las obligaciones conexas antes de la reforma de la Ley General Tributaria por la Ley 34/2015", ob. cit. pág. 119.

792 Decimos "curiosamente", porque, a nuestro entender, hubiera sido preferible que el precepto partiera de la definición de las obligaciones conexas para posteriormente perfilar el concepto, sin embargo, el legislador emplea el sistema opuesto.

excluyendo así aquellas obligaciones de terceros vinculadas a la actuación respecto a la que se desarrolla la actuación con virtualidad interruptiva. Tal es el caso del retenedor y el retenido en el IRPF o en el IS o del sujeto que repercute y el que soporta el IVA. El fundamento de esta limitación anuda con los requisitos exigidos a los actos interruptivos, pues recordemos que uno de ellos era precisamente que la actuación se realizase con conocimiento formal del obligado tributario. Si la extensión de la interrupción alcanzara a obligaciones de terceros se conculcaría esta exigencia, pues tales sujetos no alcanzarían el conocimiento formal exigido por la norma.

La amplitud objetiva en la definición de las obligaciones conexas, junto a las limitaciones subjetivas y temporales a las que hemos aludido ha conducido a que algunos autores, como GÓMEZ TABOADA[793], adviertan que pueden surgir problemas aplicativos por la circunstancia de que el precepto ofrezca un concepto abierto pero un escenario subjetivo cerrado. La enorme casuística que se puede generar supone que el traslado al plano empírico pueda presentar dificultades en la apreciación de la mencionada "conexidad" y sus efectos, lo que desembocará en que sean los Tribunales los que deban ejercer una labor interpretadora de esta nueva regulación.

---

793   GÓMEZ TABOADA, J.: "Las obligaciones tributarias conexas", en VARIOS: *Comentarios a la Ley General Tributaria al hilo de su reforma*, ob. cit., pág. 80.

5.2. LOS EFECTOS INTERRUPTIVOS DEL PLAZO DE PRESCRIPCIÓN ESTABLECIDOS EN EL ARTÍCULO 68.9 DE LA LEY GENERAL TRIBUTARIA

Esbozado el concepto de obligación conexa que ofrece el artículo 68.9 de la LGT, procede exponer el régimen interruptivo de la prescripción que se deriva de dicho precepto, del que destacaremos varios aspectos esenciales.

La primera nota reseñable es que tal efecto interruptivo solo se produce en relación a los derechos establecidos en los apartados a) y c) de la LGT, esto es, respecto al derecho a determinar la deuda tributaria mediante la oportuna liquidación y respecto al derecho a solicitar las devoluciones derivadas de la normativa de cada tributo, las devoluciones de ingresos indebidos y el reembolso del coste de las garantías. Esto es, lo que el legislador intenta evitar con la modificación legal, es que la comprobación de una determinada obligación tributaria impida que prescriban el derecho a determinar la deuda tributaria para la Administración, o el derecho a solicitar la devolución de ingresos indebidos, para el contribuyente, de otras obligaciones "conectadas", pero a las que no se ha dirigido actuación interruptiva alguna. En este punto, cabe indicar que, a los efectos estudiados en esta investigación, la interrupción del derecho a determinar la deuda tributaria en exclusiva puede suponer que, en algunos casos, prescriba el derecho a exigir el pago perviviendo el derecho a liquidar pues, como decimos, el plazo de prescripción del derecho a exigir el pago no se ve interrumpido. En consecuencia, la Administración, aun conservando su derecho a liquidar un determinado ejercicio, puede haber perdido el derecho a exigir al contribuyente que pague la deuda derivada de tal liquidación.[794]

Por otro lado, no cualquier acto interruptivo de los recogidos en el artículo 68 de la LGT va a tener ese efecto *"expansivo"*, puesto que, aunque esa interrupción afecte tanto al derecho a liquidar como al derecho a solicitar la devolución de lo pagado indebidamente, los únicos actos interruptivos con efecto extensivo son lo del derecho a determinar la deuda tributaria, por tanto, los recogidos en el artículo 68.1 a) de la LGT[795].

Otro aspecto destacable es que la "extensión" de la interrupción no se produce en todo caso, sino solo en aquellos en los que, a consecuencia de la actuación realizada, la tributación de esa obligación que se produzca o que *"haya de producirse"* sea distinta –ya sea menor o mayor- a la ya fijada. Esto supone que tal extensión no tenga un carácter

---

794 No obstante, a este respecto advierte LÓPEZ MARTÍNEZ que la poca claridad de la norma podría extender su efecto a los dos derechos en principio excluidos. Vid. LÓPEZ MARTÍNEZ, J.: "Un ejemplo más de la impericia del legislador: la prescripción tributaria frente a la potestad de comprobación y a las denominadas obligaciones conexas", ob. cit., BIB 2017\12771. (Consultado en la base de datos Aranzadi Instituciones con fecha 1/10/2019). También aborda esta cuestión GÓMEZ TABOADA, que indica que, aunque la interrupción se limitará a los derechos enumerados en los apartados a) y c) del artículo 66 de la LGT, *"más allá de que ese mismo efecto pueda producirse por "contagio""*, a los previstos en las letras c) y d) del mismo precepto. Vid. GÓMEZ TABOADA, J.: "Las obligaciones tributarias conexas", en VARIOS: *Comentarios a la Ley General Tributaria al hilo de su reforma*, ob. cit., pág. 80.

795 ESEVERRI, E.: "La prescripción tributaria: nueva regulación", ob. cit., pág. 74.

automático, sino que quedará limitado a ese previo examen[796]. A dichos efectos es indistinto que la regularización tenga su origen en actuaciones del Administración o del obligado tributario.

Entrecomillábamos la expresión *"haya de producirse"* pues es preciso detenerse en los efectos que conlleva tal previsión, que anudan con la determinación del momento en que se considera interrumpida la prescripción para la obligación conexa. Las posibilidades en este punto, prescindiendo del resultado al que nos conduce esa previsión, entendemos que son tres. La primera, considerar que la interrupción se produce en el mismo momento en que se interrumpió para la obligación matriz, esto es, bien cuando la Administración notifica al obligado tributario el inicio del procedimiento tributario de gestión o de inspección, bien cuando el obligado tributario realiza cualquier actuación destinada a la determinación de la deuda. La segunda, considerar que la interrupción del plazo de prescripción de la obligación conexa tiene lugar cuando la Administración emite la correspondiente liquidación provisional de la obligación "matriz", al margen de que esta sea posteriormente recurrida en vía administrativa o contencioso-administrativa. La tercera, entender que la interrupción de la prescripción de la obligación conexa se produce cuando se finaliza el o los procedimientos tendentes a la regularización de la obligación

796   CORDERO GONZÁLEZ, E. M.: "La interrupción de la prescripción en relación con las obligaciones conexas tras la reforma de la Ley General Tributaria por Ley 34/2015", ob. cit., BIB 2016\2649 (Consultado en la base de datos Aranzadi Instituciones con fecha 18/12/2019).

"matriz", ya sea cuando emite la liquidación derivada de la regularización o ya sea, en los casos en que esta sea recurrida, cuando resuelva el correspondiente recurso validando total o parcialmente la liquidación administrativa. La relevancia de una u otra opción en materia de prescripción es evidente, apreciándose particularmente en los supuestos en que entre el momento en que se produce la interrupción para la obligación "matriz" y el momento en que finaliza el procedimiento tendente a la regularización de esta, prescribe el derecho a determinar la deuda tributaria o a solicitar la devolución de ingresos indebidos para la obligación conexa.

En nuestra opinión, la opción que se debería acoger es la tercera de las expuestas, pues no es hasta que no finaliza el procedimiento desarrollado en relación a la obligación "matriz", tanto de comprobación como de revisión, cuando quedan fijados los criterios de la Administración y, con ello, se puede determinar con certidumbre se cumplen la totalidad de los requisitos enunciados en el artículo 68.9 de la LGT–particularmente que tal regularización genere una tributación diferente en la obligación conexa-, para extender el efecto interruptivo, pero también para aplicar en otros periodos los criterios administrativos que emanen de tal liquidación.

Sin embargo, ese *"haya de producirse"* que introduce el legislador, supone que la opción a la que aboca el precepto es la segunda, de modo que el efecto interruptivo se producirá cuando se emita la correspondiente liquidación. No solo se producirá en ese momento la interrupción de las obligaciones conexas, pues con ese *"haya de producirse"* el legislador deja patente su intención de que, a partir de ese momento se deban aplicar los criterios derivados de tal liquidación en otras con ella conectadas, independientemente de que posteriormente esa liquidación se recurra o, incluso, se suspenda[797].

Este aspecto del nuevo precepto nos parece especialmente criticable, por los perniciosos efectos que puede suponer en la práctica, particularmente en lo que a aplicación de determinados créditos o deducciones fiscales se refiere. Si, como indicábamos en líneas superiores, el objeto de la inclusión de la limitación consistente en que la tributación de la obligación conexa sea distinta, es evitar que la extensión del efecto interruptivo tenga efecto automático, esa previsión pierde gran parte de fundamento a consecuencia de la expresión *"haya de producirse"*, pues supone que se vincule la extensión de la interrupción en exclusiva a la finalización del procedimiento de gestión o de inspección, pero no al resultado del procedimiento revisor que se pudiera generar en consecuencia y en el que se podrían modificar los criterios aplicados por la Administración en la liquidación recurrida. Y es que, reiteramos, no es hasta que no finalice tal procedimiento revisor cuando se puede verificar de manera fehaciente si se cumplen todos los requisitos exigidos por el precepto y, en definitiva, cuando quedan definidos los *"criterios o elementos en los que se fundamente la regularización de la obligación con la que estén relacionadas las obligaciones tributarias conexas"*.

---

797 Sobre este particular realiza un exhaustivo estudio GÓMEZ TABOADA, J.: "Las obligaciones tributarias conexas", en VARIOS: *Comentarios a la Ley General Tributaria al hilo de su reforma*, ob. cit., págs. 83 y ss.

Lo que el legislador parece introducir con ese *"haya de producirse"* es una suerte de aplicación "retroactiva" o "cautelar" de la interrupción -efecto que también se produciría si se opta por la primera de las opciones expuestas[798]-, y que, en nuestra opinión, resulta vedado por el propio precepto que establece las causas interruptivas de la prescripción tributaria, el artículo 68.1 de la LGT. Este artículo es claro al señalar que la interrupción se producirá cuando el obligado tributario adquiera conocimiento formal de la actuación tendente a la determinación de la deuda tributaria, y en el caso de las obligaciones conexas el contribuyente no alcanzará este conocimiento hasta que no se cumplan todos los requisitos exigidos en el apartado 9 del artículo 68 de la LGT. El procedimiento revisor es la continuación del procedimiento tributario tendente a la liquidación de la deuda y es el mecanismo de que dispone el obligado tributario para manifestar sus discrepancias con los criterios aplicados por la Administración. Si la liquidación no es recurrida y adquiere firmeza, el obligado manifiesta su conformidad con los criterios en ella expuestos, también en relación a su extensión a las obligaciones conexas, sin embargo, si la liquidación es recurrida, no es hasta que se resuelve el recurso cuando el contribuyente conoce fehacientemente que se cumplen los requisitos establecidos en el artículo 68.9 de la LGT y, con ello, se debería producir el efecto expansivo de la interrupción. Cierto es que la posibilidad que

---

798 Si bien el momento de la interrupción no es el mismo en ambos casos, pues la "retroactividad" será mayor si se retrotrayera el efecto interruptivo al momento en que se interrumpió la prescripción para la obligación "matriz".

defendemos podría llevar en muchos casos a que el plazo de prescripción de la obligación conexa culmine antes de que finalice el procedimiento respecto a la obligación "matriz", pero entendemos que el efecto que provoca ese *"haya de producirse"* contraviene el propio espíritu del artículo 68 de la LGT y también la necesaria aplicación restrictiva de las causas de interrupción de la prescripción, a la que ya hemos aludido, como elemento garante de esta institución y del principio de seguridad jurídica. Además, nos parece mucho más negativo que durante el tiempo en que se resuelve el procedimiento revisor, e incluso estando suspendida la liquidación administrativa respecto a la obligación "matriz", el obligado tributario deba aplicar en ejercicios posteriores aquellos criterios derivados de esa liquidación recurrida, sin posibilidad de limitar o suspender la extensión de sus efectos[799].

A mayor abundamiento, entendemos que situar la interrupción y la extensión de sus efectos a otras obligaciones, en el momento en que la Administración

---

799 Como apunta GÓMEZ TABOADA, de la redacción del artículo 68.9 de la LGT *"parece desprenderse que durante la pendencia del recurso administrativo/judicial (con suspensión) contra la regularización practicada por la Administración, al contribuyente se le obliga a liquidar los ejercicios ulteriores conforme al criterio sostenido en aquella, siendo así que lo que ahora se le preserva es la acción para solicitar la devolución de lo indebidamente ingresado si así se desprendiera del pronunciamiento que pusiera fin a aquel proceso impugnatorio"*. Vid. GÓMEZ TABOADA, J.: "Las obligaciones tributarias conexas: una teoría sobre su génesis", *Diario La Ley*, 29 de septiembre de 2014, pág. 15. Este autor incide en esta idea también en GÓMEZ TABOADA, J.: "Las obligaciones tributarias conexas", en VARIOS: *Comentarios a la Ley General Tributaria al hilo de su reforma*, ob. cit., págs. 91 y ss.

tributaria emite la liquidación del procedimiento tampoco concuerda con la modificación introducida en los artículos 225.3 y 239.7[800] de la LGT, relativos a la ejecución de los pronunciamientos revisores, y que también han sido reformados a consecuencia de la introducción del artículo 68.9 en la LGT. Esa modificación supone la extensión de los efectos previstos en el artículo 68.9 de la LGT a la revisión de los actos administrativos pues garantiza que, en los casos en que el contribuyente interponga recurso de reposición o reclamación económico-administrativa contra la regularización practicada por la Administración, si este recurso finaliza con una resolución total o parcialmente estimatoria de la regularización practicada, la resolución que se dicte se ejecutará tanto respecto a la liquidación recurrida, como respecto a la liquidación administrativa de la obligación tributaria conexa. En consecuencia, se deberá dictar una liquidación de esta última en el sentido derivado de la resolución. Con ello, el momento en que el legislador prevé la aplicación automática, *ope legis* de los criterios contenidos en la liquidación de la obligación "matriz", es cuando finaliza el procedimiento revisor, no en el momento en que se efectúa la liquidación, que es la conclusión a la que conduce el artículo 68.9 de la LGT. En cualquier caso, de prevalecer la interpretación que sitúa en el momento de la emisión de la liquidación "primigenia" la expansión del efecto interruptivo y la aplicación de los criterios en ella

---

800 Ambos precepto tienen el mismo texto, la diferencia entre ambos es que el primero de ellos se refiere al recurso de reposición y el segundo a las reclamaciones económico administrativas.

contenidos, si tal liquidación es recurrida y las alegaciones del contribuyente son en todo o en parte apreciadas, la resolución que aprecie tales alegaciones también deberá tener un efecto expansivo hacia las obligaciones conexas que, aunque no se han recurrido de manera directa, sí lo han hecho por vía del recurso contra la liquidación dictada respeto a la obligación "matriz"[801].

Y es que, lo que subyace en el fondo de esta modificación de la interrupción de la prescripción de las obligaciones conexas es *"la dura pugna entre la presunción de legalidad de los actos administrativos y la tutela judicial efectiva en su vertiente de suspensión cautelar anudada a una impugnación, ya sea esta administrativa o judicial"*[802]. Con ese *"haya de producirse"*, el legislador, a través de la modificación de la prescripción hace mucho más, pues, como indica GÓMEZ TABOADA[803] *"ha dado carta de naturaleza a la prevalencia de la autotutela administrativa frente al derecho fundamental*

---

801 A ese efecto *"expansivo"* de la resolución recaída a consecuencia del recurso a la liquidación también se refiere GÓMEZ TABOADA, al entender que *"la impugnación de la "madre" supone que sus conectadas, de algún modo, también se entiendan recurridas, (al menos en lo que a los efectos de su futurible resolución estimatoria se refiere) por un efecto "arrastre""*. Vid. GÓMEZ TABOADA, J.: "Las obligaciones tributarias conexas", en VARIOS: *Comentarios a la Ley General Tributaria al hilo de su reforma*, ob. cit., págs. 95-96.

802 GÓMEZ TABOADA, J.: "Las obligaciones tributarias conexas han venido para quedarse", ob. cit. Accesible en el siguiente enlace: http://www.elnotario. es/hemeroteca/revista-63/5337-las-obligaciones-tributarias-conexas-han-venido-para-quedarse. (Consultado con fecha 03/10/2019).

803 GÓMEZ TABOADA, J.: "Las obligaciones tributarias conexas han venido para quedarse", ob. cit. Accesible en el siguiente enlace: http://www.elnotario. es/hemeroteca/revista-63/5337-las-obligaciones-tributarias-conexas-han-venido-para-quedarse. (Consultado con fecha 03/10/2019).

a la tutela judicial efectiva al consagrar, ya legalmente, que la presunción de legalidad del acto no se vea afectada por la suspensión cautelar del mismo". En consecuencia, en muchos casos, aunque en un posterior procedimiento contencioso-administrativo el contribuyente pueda ver apreciadas sus pretensiones, puede que sea muy tarde para reparar todos los efectos que la liquidación impugnada ha generado en otros ejercicios, a los que ha "extendido" sus efectos.

En cuanto a la aplicación del efecto extensivo de la interrupción a las obligaciones conexas el artículo 68.9 de la LGT no prevé esta cuestión expresamente, por lo que, en principio, esta se podrá producir de oficio, por la Administración tributaria, o a instancia de parte, previa solicitud del interesado[804]. Sin embargo, en los casos en que la regularización se produzca a consecuencia de la resolución de un procedimiento de revisión de la liquidación efectuada respecto a la obligación tributaria principal, los artículos 225.3 y 239.7 de la LGT imponen la aplicación automática en vía de ejecución de la resolución, como señalamos en el apartado anterior, por lo que en estos casos entendemos que la aplicación será exclusivamente de oficio.

Una cuestión adicional que no queda clara es el alcance de esta interrupción en relación a la obligación conexa. Como señalamos en apartados precedentes, la regla establecida

---

804   ESEVERRI, E.: "La prescripción tributaria: nueva regulación", ob. cit., pág. 74. También en ESEVERRI MARTÍNEZ, E., LÓPEZ MARTÍNEZ, J., PÉREZ LARA, J. M. DAMAS SERRANO, A.: *Manual Práctico de Derecho Tributario. Parte General*, ob. cit., pág. 498.

por la jurisprudencia[805] es que las actuaciones de carácter parcial provocan un efecto interruptivo general del plazo de prescripción. Con ello, no cabe duda de que, en relación a la obligación tributaria respecto a la que se desplieguen las actuaciones interruptivas de manera directa, el plazo de prescripción se interrumpirá de manera global. Sin embargo, respecto al plazo de prescripción de las obligaciones conexas, que estas actuaciones también interrumpen, resulta dudoso si tal interrupción también deberá ser global o, por el contrario, la interrupción deberá quedar limitada a aquellos concretos elementos comprobados[806].

Nuestra opinión a este respecto es la siguiente. Aunque aceptamos la doctrina del Tribunal Supremo por la que las comprobaciones parciales tienen un efecto interruptivo general, consideramos que debería replantearse

---

805 Entre otras, en las Sentencias del Tribunal Supremo de 6 noviembre de 2008 (*Tol 1.438.873*) y de 16 de julio de 2009 (*Tol 1.602.456*).

806 Sobre esta cuestión reflexiona CORDERO GONZÁLEZ, que alcanza la siguiente conclusión: "*la excepcionalidad del artículo 68.9 dentro del régimen general de la prescripción impide la aplicación de la jurisprudencia del TS en estos casos. Las actuaciones realizadas frente a la primera obligación para exigir, por ejemplo, cuotas del IVA que el sujeto declaró en períodos posteriores, solo habrán de interrumpir la prescripción de la segunda en relación con el elemento regularizado y, dentro de él, únicamente para incorporar a la conexa las consecuencias derivadas de la primera regularización, obtener la devolución de ingresos indebidos, o de estimarse la reclamación presentada, volver a liquidar su importe*". Vid. CORDERO GONZÁLEZ, E. M.: "La interrupción de la prescripción en relación con las obligaciones conexas tras la reforma de la Ley General Tributaria por Ley 34/2015", ob. cit., BIB 2016\2649 (Consultado en la base de datos Aranzadi Instituciones con fecha 18/12/2019). En el mismo sentido CRÉMADES SCHULZ, que considera que en estos supuestos "*no estaríamos ante una interrupción de* CRÉMADES SCHULZ, M.: "Las obligaciones conexas antes de la reforma de la Ley General Tributaria por la Ley 34/2015", ob. cit., págs. 118-119.

en el caso de las obligaciones conexas, de modo que la aplicación de la interrupción general quede limitada a la propia obligación tributaria respecto a la que se desarrolle la actuación interruptiva de manera directa. Extender este efecto interruptivo total a las obligaciones conexas nos parece desproporcionado. Esta conclusión también se ve reforzada por lo indicado por ESEVERRI[807], pues este autor entiende que las actuaciones administrativas de liquidación que se realicen en relación a las obligaciones conexas se deben limitar a reproducir las efectuadas respecto a la obligación "matriz", pero no podrán extenderse a otros elementos diferentes de la obligación conexa. No obstante, es innegable que una aplicación estricta de lo dispuesto por el Supremo a fecha de hoy, a falta de un pronunciamiento o de una regulación específica de esta cuestión, supondría que la interrupción del plazo de prescripción de la obligación conexa se tendrá que entender como general.

Para finalizar, cabe preguntarse si, recordando particularmente las intenciones que el legislador expresó en la Exposición de Motivos de la Ley 34/2015, consigue solventar aquellas situaciones de doble tributación, o de nula tributación, que están en el germen de su concepción, y el *reforzamiento de la seguridad jurídica*. A tenor de lo expuesto en líneas superiores, dudamos que haya sido así. Y es que, como señala ARANA LANDÍN[808], entre otros,

---

807   ESEVERRI, E.: "La prescripción tributaria: nueva regulación", ob. cit., pág. 74.

808   ARANA LANDIN, S.: "La regulación de la prescripción en la nueva modificación de la Ley General Tributaria 58/2003", en MERINO JARA, I. (Dir.), CALVO VÉRGEZ, J. (Coord.): *Estudios sobre la reforma de la Ley General Tributaria*, ob. cit., pág. 115. Opinión compartida, entre otros, por CRÉMADES SCHULZ, M.: "Las obligaciones conexas antes de la reforma

"la solución aportada por el 68.9 LGT puede resolver el problema de la doble imposición en ciertos casos y puede dar lugar a una mayor incertidumbre e inseguridad jurídica en los demás", afirmación que compartimos en su totalidad. Y es que, la amplitud con la que el artículo 68.9 de la LGT aborda esta cuestión, unida a la falta de una regulación más específica o de un desarrollo reglamentario adecuado y al olvido de situaciones en las que la conexidad es evidente, como las operaciones vinculadas[809], plantea numerosos interrogantes que, a falta de otro mecanismo más adecuado, deberán ser resueltos por los órganos judiciales, dando lugar a una gran litigiosidad en torno a estas cuestiones, como así se viene produciendo en los últimos años.

Por ello, entendemos que habría sido más adecuado que el legislador hubiera abordado esta problemática estableciendo un procedimiento particular para la regularización de las obligaciones conexas, en el que no solo se definiera con mayor precisión el concepto de obligación

---

de la Ley General Tributaria por la Ley 34/2015", ob. cit., págs. 119-120; GÓMEZ TABOADA, J.: "Las obligaciones tributarias conexas", en VARIOS: *Comentarios a la Ley General Tributaria al hilo de su reforma*, ob. cit., págs. 79 y ss.; LÓPEZ MARTÍNEZ, J.: "Un ejemplo más de la impericia del legislador: la prescripción tributaria frente a la potestad de comprobación y a las denominadas obligaciones conexas", ob. cit., BIB 2017\12771. (Consultado en la base de datos Aranzadi Instituciones con fecha 1/10/2019) o CORDERO GONZÁLEZ, E. M.: "La interrupción de la prescripción en relación con las obligaciones conexas tras la reforma de la Ley General Tributaria por Ley 34/2015", ob. cit., BIB 2016\2649 (Consultado en la base de datos Aranzadi Instituciones con fecha 18/12/2019).

809 LÓPEZ MARTÍNEZ, J.: "Un ejemplo más de la impericia del legislador: la prescripción tributaria frente a la potestad de comprobación y a las denominadas obligaciones conexas", ob. cit., BIB 2017\12771. (Consultado en la base de datos Aranzadi Instituciones con fecha 1/10/2019).

conexa, sino que fijara un tratamiento único para todas las obligaciones conectadas en estos procedimientos[810]. Esta posibilidad supondría que, en los procedimientos iniciados por la Administración, esta desarrolle un único procedimiento que abarque todas las obligaciones conexas a las que afecte la regularización a efectuar, y en el que se considerasen las cantidades ya satisfechas por el contribuyente a efectos de su compensación, evitando así que el obligado tributario se vea obligado a "pagar dos veces" para poder solicitar la devolución de los ingresos indebidos. Ello también supondría que la eventual suspensión derivada del recurso contra la regularización resultante de este procedimiento afectaría a todas las obligaciones a las que el procedimiento de regularización ha afectado. En los procedimientos iniciados a instancia del obligado tributario, la posibilidad de un procedimiento único supondría que este podrá aportar conjuntamente las declaraciones y autoliquidaciones relacionadas, a fin de que se regularicen de manera uniforme, permitiéndose asimismo la compensación de las cantidades ya abonadas con las pendientes de satisfacer.

6. EFECTOS SOBRE LOS PLAZOS DE PRESCRIPCIÓN DE LA SUSPENSIÓN POR CIRCUNSTANCIAS DE FUERZA MAYOR

Aunque la LGT no prevé causas de suspensión de los plazos de prescripción, pueden producirse determinadas circunstancias de fuerza mayor que obliguen a la suspensión

---

810   CRÉMADES SCHULZ, M.: "Las obligaciones conexas antes de la reforma de la Ley General Tributaria por la Ley 34/2015", ob. cit., pág. 120.

de tales plazos. Este es el caso de la vigencia de los estados de alarma, excepción y sitio, previstos en el 116 de la Constitución[811].

A lo largo de la historia reciente de España y, particularmente, desde la entrada en vigor de la Constitución de 1978, no se ha declarado nunca ni el estado de excepción, ni el estado de sitio. El estado de alarma, cuya declaración corresponde al Gobierno, sin embargo, se ha decretado tres veces, si bien, en circunstancias y con efectos muy distintos.

La primera vez que se declaró el estado de alarma fue el 4 de diciembre de 2010, fecha en la que el Gobierno aprobaba el Real Decreto 1673/2010, por el que se declara el estado de alarma para la normalización del servicio público esencial del transporte aéreo[812]. La causa de esta medida excepcional fue la huelga de los controladores aéreos que tenía lugar en esas fechas y su duración treinta días. Sin embargo, las concretas circunstancias que dieron lugar a su declaración y, en consecuencia, lo limitado de las medidas recogidas en el Real Decreto para garantizar el retorno a la normalidad, no supusieron restricción alguna ni a la actividad económica ni, por lo que aquí interesa, a la actividad administrativa, no previéndose, por tanto la suspensión de plazo alguno; siendo por tanto nula su incidencia en materia de prescripción o de caducidad.

---

811 Este artículo únicamente recoge los aspectos más esenciales de estas tres situaciones extraordinarias, fundamentalmente el órgano u órganos que las deben adoptar y su duración máxima. Las previsiones de este precepto se desarrollan en la Ley Orgánica 4/1981, de 1 de junio, de los estados de alarma, excepción y sitio (BOE.

812 BOE núm. 295, de 4 de diciembre de 2010.

La segunda ocasión en la que se ha decretado el estado de alarma en España se ha producido en el mes de marzo del año 2020 por la pandemia del denominado "coronavirus", que ha obligado a distintos Estados a adoptar medidas extraordinarias a fin de limitar la propagación de la epidemia. Por ello, el Gobierno de España, con fecha de 14 de marzo de 2020, y en virtud de lo indicado en el artículo 4.b de la Ley Orgánica 4/1981 respecto a estas situaciones de emergencia sanitaria[813], emitió el Real Decreto 463/2020, de 14 de marzo, por el que se declara el estado de alarma para la gestión de la situación de crisis sanitaria ocasionada por el COVID-19[814]. Las medidas recogidas en este texto legal están orientadas a minimizar la actividad económica y administrativa, a fin de garantizar el cumplimiento de la orden de confinamiento de la población en sus domicilios, decretada en la norma. Las graves circunstancias en las que se emitió este Real Decreto y el alcance general a toda la población, ya permiten avanzar que sus efectos también serán mucho mayores que los derivados del estado de alarma declarado en el año 2011. En este caso, como indicamos, sí se prevé que, durante el tiempo en que esté vigente el estado de alarma, se paralice la actividad administrativa con carácter general. Las medidas adoptadas se han reflejado en varios Reales Decretos y Reales Decretos-ley, en los que, atendiendo a las circunstancias de *"extraordinaria y urgente necesidad"* que concurrían en nuestro país. Estas medidas están orientadas a lograr la paralización general de las

---

813   El artículo 4.b. de la Ley Orgánica 4/1981 prevé la declaración del estado de alarma en los supuestos de "crisis sanitarias, tales como epidemias y situaciones de contaminación graves".

814   BOE núm. 67, de 14 de marzo de 2020.

distintas ramas de actividad, y tienen su reflejo en distintas previsiones, que recogen la suspensión de la actividad y de los plazos de las actuaciones de la Administración, manteniendo solo determinados servicios esenciales. Con ello, es evidente que la declaración del estado de alarma, en este caso, sí va a desplegar importantes efectos en lo que al cómputo de los plazos administrativos se refiere, y particularmente, en lo ateniente a los plazos de prescripción tributaria, a través de dos vías distintas: una directa, por la que los plazos de prescripción tributaria se suspenden expresamente; y otra, indirecta, por lo que se refiere a la suspensión del plazo de duración de los procedimientos tributarios.

El problema fundamental que se observa, particularmente en relación a los plazos de prescripción y a los plazos de los procedimientos tributarios, ha sido el caos legal que se generó tras la declaración del estado de alarma, que se materializó en la emisión de numerosos Reales Decretos y Reales Decretos-ley en un corto espacio de tiempo, en los que se modificaba la regulación anterior o se incluían previsiones nuevas, y cuyo resultado fue una gran incertidumbre e inseguridad jurídica para los contribuyentes y, particularmente, para los operadores jurídicos que desempeñan sus funciones en el ámbito tributario.

El resultado final, tras múltiples modificaciones, se tradujo, por un lado, en la suspensión de los plazos de prescripción regulados en los artículos 66 y 66 bis de la LGT por el periodo transcurrido entre el 14 de marzo, fecha de entrada en vigor del Real Decreto 463/2020, hasta el 30 de mayo de 2020. De esta forma todos los plazos de prescripción en curso a la fecha de entrada en vigor del Real Decreto-ley por el que se establece la suspensión aplicable a los plazos tributarios –Real Decreto-ley 8/2020[815]-, quedan suspendidos, debiendo reanudarse su cómputo por el tiempo que faltase hasta su conclusión, en la fecha en la que se ponga fin a esta situación excepcional. A efectos prácticos, esto conllevará una prolongación de todos los plazos de prescripción en curso por un periodo idéntico al de la duración de la suspensión, así como un retraso en el *dies a quo* de aquellos plazos que se hubiesen iniciado mientras la suspensión estuviese vigente, hasta el día siguiente a la fecha en que finaliza la suspensión. Por otro lado, la prescripción también resulta afectada, de manera indirecta, por la suspensión del plazo de los procedimientos tributarios en curso por idéntico lapso temporal al de la suspensión prevista para los plazos de prescripción[816], a consecuencia de la incidencia que el

---

815   BOE núm. 73, de 18 de marzo de 2020. Inicialmente, esta norma establecía que la suspensión aplicable a los plazos tributarios se prolongaría hasta el 30 de abril de 2020 pero, posteriormente, el Real Decreto-ley 15/2020 (BOE núm. 112, de 22 de abril de 2020) incrementó la duración de la suspensión hasta el 30 de mayo de 2020.

816   En relación a la suspensión del procedimiento de inspección, aunque se produjo con carácter general, entendemos que en estas circunstancias también resultaría de aplicación la causa de suspensión establecida en el artículo 150.3.f) de la LGT, que alude a *"la concurrencia de una causa de fuerza mayor que obligue a suspender las actuaciones"*, que, en este caso, resultarían plenamente acreditadas. No obstante, esta causa de suspensión se debería apreciar para cada procedimiento individualmente, no resultando de aplicación general como la suspensión decretada en este caso. Por lo tocante a los procedimientos de gestión, entendemos que en este caso procedería la apreciación de una causa de interrupción justificada reglamentariamente en el artículo 103 del RGAPGIT, concretamente, la que alude a la concurrencia de una causa de fuerza mayor que obligue a la Administración a interrumpir sus actuaciones. Al igual que señalábamos en relación a los procedimientos de inspección, esta causa de interrupción se

cumplimiento de la duración máxima de estos plazos posee sobre el mantenimiento del efecto interruptivo[817].

Finalmente, con fecha de 25 de octubre de 2020, se publicaba en el BOE el Real Decreto 926/2020, por el que se declara el estado de alarme para contener la propagación de infecciones causadas por el SARS-CoV-2[818]. En este caso, entre las medidas adoptadas en esta situación excepcional no se encuentra la paralización de la actividad administrativa, por lo que, a salvo de posteriores modificaciones, su incidencia en el cómputo de los plazos de prescripción será nula.

---

debería apreciar individualmente, no con carácter general como se prevé en la normativa emitida a consecuencia del estado de alarma.

817   De manera más detallada, abordamos la especial incidencia de la suspensión de los plazos tributarios a consecuencia de la declaración del estado de alarma en el siguiente estudio: GONZÁLEZ APARICIO, M.: "Efectos sobre los plazos de prescripción tributaria de la suspensión adoptada a consecuencia de la declaración del estado de alarma", *Quincena Fiscal*, núm. 9, 2020. BIB 2020\10870. (Consultado en la base de datos Aranzadi Instituciones con fecha 15/09/2020)

818   BOE núm. 282, de 25 de octubre de 2020.

CAPÍTULO QUINTO

EXTENSIÓN, APLICACIÓN Y EFECTOS DE LA PRESCRIPCIÓN TRIBUTARIA SEGÚN EL ARTÍCULO 69 DE LA LEY GENERAL TRIBUTARIA

1. CONSIDERACIONES INICIALES

Al configurar la prescripción, la LGT sigue en su articulado el mismo *iter* temporal que se manifiesta en la propia aplicación de la institución. Así, tras el establecimiento del plazo general de prescripción y los derechos susceptibles de prescribir por el artículo 66, el artículo 67 de la LGT se ocupa del momento inicial del cómputo del plazo, el artículo 68 del discurrir del plazo y su posibles interrupciones y, finalmente, el artículo 69, de la extensión, efectos y aplicación que se derivan del plazo concluido, y con ello, de la prescripción ganada.

De esta forma, el artículo 69 de la LGT cierra los preceptos dedicados a la regulación de la prescripción como mecanismo extintivo de la deuda tributaria. Esta vocación de cierre queda patente en los tres apartados que conforman este artículo, en los que se exponen tres cuestiones esenciales en materia de prescripción: la extensión, la aplicación y los efectos de la consolidación de la prescripción tributaria.

Aunque estos tres aspectos son diferentes, aparecen estrechamente interrelacionados entre sí. Concluido el plazo de prescripción es preciso determinar cómo y a quién compete hacer valer que la prescripción se ha ganado. Además, habrá que atender a los límites en su aplicación establecidos por el legislador, límites que se configuran a través de la extensión objetiva y subjetiva de la prescripción.

Todas estas cuestiones también presentan numerosos interrogantes, en muchos casos derivados de la adaptación de la institución de la prescripción civil al ámbito tributario y de la modificación de sus caracteres, a lo que se añade una deficiente regulación de este mecanismo extintivo que se ha querido paliar a través de sucesivas modificaciones legales. También la propia actuación administrativa genera problemas en torno a esta institución, particularmente derivados de la aplicación (o, sobre todo, la inaplicación) de la prescripción en algunos supuestos.

2. EXTENSIÓN SUBJETIVA DE LA PRESCRIPCIÓN GANADA

El artículo 69, en su primer apartado, señala que:

"La prescripción ganada aprovecha por igual a todos los obligados al pago de la deuda tributaria salvo lo dispuesto en el apartado 8 del artículo anterior".

Este precepto establece los sujetos a los que afecta la extinción de la deuda por prescripción, esto es, la extensión subjetiva del efecto extintivo. El artículo tiene un carácter amplio, señalando que la prescripción ganada aprovechara a todos los obligados al pago, entendiendo por tales todos los obligados recogidos en el artículo 35.2 de la LGT: contribuyente, sustituto del contribuyente, obligado a realizar pagos fraccionados, retenedores, etc. Con ello, si se extingue la deuda principal para el sujeto pasivo, también se debe entender extinguida para los restantes obligados[819].

El planteamiento que realiza el artículo 69 de la LGT puede ofrecer una duda en relación a los responsables, pues cuando el artículo dice que la prescripción aprovecha a todos los obligados al pago se puede entender que, dentro de estos, se encuentra el responsable, máxime cuando el propio artículo 41.1 de la LGT dice que los responsables se colocan junto al deudor principal. CASABLANCAS GARCÍA[820] parece mostrarse partidario de esta configuración cuando señala que *"es evidente que si la prescripción libera al deudor principal, con más motivo liberará a otros posibles responsables de la misma"*. Sin embargo, en nuestra opinión, la cuestión esencial en este caso no es determinar si el responsable es un obligado tributario, pues es claro que lo es, sino si la deuda tributaria que se exige al deudor principal es la misma que al responsable, esto es, la identidad de la deuda tributaria extinguida. Como indicamos cuando analizamos la responsabilidad tributaria,

---

819 Señalan CALVO ORTEGA y CALVO VÉRGEZ, en relación a la extensión de la prescripción que *"la extensión subjetiva de la prescripción cuando haya varios sujetos pasivos en relación con una misma deuda no ofrece duda alguna. Beneficia a todos dado que lo que se ha extinguido es la deuda misma"*. Vid. Vid. CALVO ORTEGA, R., CALVO VÉRGEZ, J.: *Curso de Derecho Financiero*, ob. cit., pág. 193.

820 CASABLANCAS GARCÍA, P.: *Breves comentarios al nuevo Reglamento General de Recaudación de Hacienda*, 1ª ed., Ediciones Valbuena, Barcelona, 1991, pág. 62.

la deuda que se exige al responsable no es la deuda que se exige al obligado principal. Cada uno de estos sujetos tendrá que hacer frente a una deuda autónoma, determinada a través de un procedimiento de liquidación propio, aunque en el caso del responsable ese procedimiento de liquidación sea el de la propia declaración de responsabilidad, por ser este el acto en que se cuantifica la deuda tributaria que tendrá que afrontar este obligado. En definitiva, no siendo la deuda tributaria la misma, no procede la aplicación extensiva del artículo 69 de la LGT a los responsables en aquellos casos en los que se ha extinguido la deuda exigible al deudor principal por prescripción. Cosa distinta es que, prescrito el derecho a determinar la deuda al deudor principal, si no se ha determinado la deuda correspondiente al responsable por la Administración, tal derecho ya no se pueda ejercitar, porque en este caso la deuda que se debe tomar como base para determinar la del responsable se ha extinguido[821]. Pero si, previamente a la extinción de la deuda del deudor principal, se deriva la responsabilidad, la extinción de la primera no supone la de la segunda, en tanto son deudas independientes.

En cambio, no es así para los sucesores, pues estos ocupan el lugar del deudor principal cuando la persona, física o jurídica titular de la deuda, fallece o se extingue y la deuda tributaria que se les exige a estos es la misma que al deudor principal, por lo que la extensión subjetiva de los efectos de la prescripción sí alcanza a estos obligados.

---

821   El mismo razonamiento se puede realizar si la deuda se extingue por cualquiera de las causas previstas en la LGT, por ejemplo, si el deudor principal paga la deuda con carácter previo a acto de derivación de responsabilidad.

El artículo 69.1 de la LGT solo establece una excepción para esta extensión general de la prescripción: la recogida en el apartado 8 del artículo 68 de la LGT, que se refiere al supuesto de obligaciones mancomunadas o en que existan varias deudas a cargo del sujeto obligado. Este artículo fue modificado por la Ley 34/2015, pero con mero carácter sistemático, pues las previsiones que hasta ese momento se recogían en el artículo 68.7 de la LGT pasaron a situarse en el artículo 68.8 de la LGT.

En el caso de obligaciones mancomunadas, la prescripción ganada solo afectara en la parte que corresponda a cada obligado. De este modo, concluido el plazo de prescripción para uno de los obligados mancomunados y extinguida, con ello, la deuda tributaria que correspondiera al referido obligado, pervive la deuda correspondiente a los demás. Esta es una clara excepción al principio general enunciado en el artículo 69.1 de la LGT, siendo una consecuencia lógica del propio sistema de mancomunidad. Señala a estos efectos el artículo 1.138 del Código Civil que *"si del texto de las obligaciones a que se refiere el artículo anterior –aquellas en las que hay dos o más acreedores o dos o más deudores- no resulta otra cosa, el crédito o la deuda se presumirán divididos en tantas partes iguales como acreedores o deudores haya, reputándose créditos o deudas distintos unos de otros"*[822]. Este precepto establece el principio básico

---

[822] En relación a los caracteres del régimen de mancomunidad señala BERCOVITZ RODRÍGUEZ-CANO que *"la división de la obligación se traduce en una total independencia de los créditos o deudas resultantes. Cada acreedor solo puede exigir su parte y afectar con su conducta a la misma. Por consiguiente, tampoco podrá afectar con dicha conducta, ni positiva ni negativamente, a los créditos resultantes para los demás acreedores. Cada*

que rige la responsabilidad mancomunada, que no supone sino una individualización de la responsabilidad. El acreedor mancomunado solo podrá exigir la parte proporcional del crédito que le corresponda, mientras que al deudor mancomunado solo se le podrá exigir la parte de la deuda a cuyo cumplimiento esté obligado[823]. Esta concepción de la mancomunidad propia del Derecho Privado es la que acoge la legislación tributaria, de ahí que la extinción de la deuda tributaria para uno de los deudores mancomunados, sea por la causa que sea, no extingue la de los restantes deudores[824].

La segunda excepción a la que se refiere el artículo 68.8 de la LGT es el caso en que existan varías deudas a cargo del sujeto obligado. Es un principio claro en la determinación de la deuda tributaria su carácter individual. Las distintas deudas tributarias que corresponden a un contribuyente no se "refunden" para conformar una única deuda, sino que mantienen su autonomía, pudiendo extinguirse algunas

---

deudor solo está obligado a cumplir su parte, sin que pueda verse afectado por la conducta de los demás deudores o por lo que pueda ocurrir a las demás deudas resultantes. Evidentemente, al no aplicarse el artículo 1.169, cada deudor podrá exigir que el acreedor acepte el cumplimiento de su parte en la deuda". Como se puede observar, estos caracteres propios de la obligación mancomunada en el orden civil son acogidos por el legislador tributario al establecer la aplicación de la prescripción a estas obligaciones. Vid. BERCOVITZ RODRÍGUEZ-CANO, R.: "Comentario al artículo 1.137 del Código Civil", en BERCOVITZ RODRÍGUEZ-CANO, R. (Coord.): *Comentarios al Código Civil*, 3ª ed., Aranzadi, Cizur Menor (Navarra), 2009, pág. 1352.

823   GONZÁLEZ SÁNCHEZ, M.: "La extinción de la obligación tributaria", en, CALVO ORTEGA, R. (Dir.): *Comentarios a la Ley General Tributaria*, ob. cit., pág. 786.

824   ORTIZ GUTIÉRREZ, R.: *La nueva Ley General Tributaria. Comentarios prácticos a su articulado*, 1ª ed., Tecnos, Madrid, 2005, pág. 131.

de ellas y pervivir otras. Por este motivo, la extinción por prescripción de una de las deudas del obligado solo produce efectos respecto a esa deuda y en nada afecta a las demás a los efectos que aquí nos ocupan.

Para finalizar, es preciso indicar que aunque la LGT vigente recoge expresamente estas excepciones a la regla general en la determinación de la extensión de la prescripción, su predecesora no establecía tal precisión. Sin embargo, el régimen de la extensión de la prescripción ganada no es una novedad del texto de 2003, pues ya se recogía en dos textos legales previos:

- Inicialmente, en el artículo 64.1 Reglamento General de Recaudación de 1968, que preveía que:

"La prescripción ganada aprovecha por igual al sujeto pasivo y a los demás responsables de la deuda".

Este precepto, aunque es similar al vigente en la actualidad en cuanto a que extiende los efectos de la prescripción ganada más allá del propio sujeto pasivo, parece incluir expresamente a los responsables. Esta inclusión se deriva del propio texto de la LGT de 1963, en el que la deuda del responsable tributario no aparecía tan claramente desligada de la deuda del deudor principal como ocurre en la actualidad. Si se considera que la deuda es distinta esta interpretación no procedería, pero entonces tampoco tendría sentido la introducción expresa de la referencia a los responsables en el texto del precepto referido.

- Posteriormente, el artículo 62.1 del Reglamento General de Recaudación de 1990 señalaba:

"La prescripción ganada aprovecha por igual a todos los obligados al pago".

Este precepto es más similar al vigente, pero también ofrece dudas, en tanto que los responsables también son obligados al pago, con lo que parecen estar incluidos.

Por otra parte, los apartados 2 y 3 del referido artículo 62, ya incluían una referencia a la independencia de la deuda tributaria en el caso de los deudores mancomunados y también entre las distintas deudas de un mismo sujeto, en la línea de lo que posteriormente reflejaría la LGT de 2003. No solo estas previsiones, pues tras la derogación del Reglamento General de Recaudación de 1990 por el Reglamento de 2005 se suprimieron de este texto toda referencia relación a la extensión de la prescripción ganada, que pasó a recogerse en la LGT de 2003.

Aunque, como se ha podido observar, el texto de la LGT vigente sigue la estela de los textos legales previos en cuanto a la extensión de la prescripción, incluye una definición más precisa que consideramos que debe ser valorada positivamente, en cuanto se refiere expresamente a la deuda tributaria. Ello, unido al esfuerzo que realiza la LGT en la distinción entre la deuda del responsable y la deuda del sujeto principal, no deja lugar a dudas en cuanto a la extensión de la prescripción ganada.

3. APLICACIÓN DE LA PRESCRIPCIÓN TRIBUTARIA

Señala el artículo 69.2 de la LGT que

"La prescripción se aplicará de oficio, incluso en los casos en que se haya pagado la deuda tributaria, sin necesidad de que la invoque o excepcione el obligado tributario".

La LGT de 1963 ya recogía la aplicación de oficio de la prescripción en el artículo 67, con el siguiente tenor literal:

"La prescripción se aplicará de oficio, sin necesidad de que la invoque o excepcione el sujeto pasivo".

El régimen aplicativo de la prescripción tributaria presenta una diferencia esencial con la prescripción en el orden civil, pues mientras que esta debía ser alegada por las partes para ser apreciada, la prescripción tributaria se apreciará de oficio. Esta cuestión ya ha sido referenciada en diferentes puntos de la presente investigación, pues la aplicación de oficio de la prescripción era uno de los argumentos esgrimidos para justificar que el plazo regulado en la LGT no era de prescripción, sino de caducidad. La aplicación de oficio no permite inferir que la naturaleza del plazo regulado en los artículos 66 y siguientes de la LGT deba ser de caducidad, pues esta previsión es consecuencia de la necesaria adaptación de la institución de la prescripción, propia del ámbito jurídico privado, a los caracteres del Derecho público y, en particular, del interés jurídico, de carácter general, del que es objeto de esta rama del Derecho.

La aplicación de oficio se debe producir de manera automática por parte de la Administración, sin necesidad de actuación alguna por el contribuyente. Esta aplicación automática encaja en el carácter *ex lege* de la obligación tributaria *"cuyo nacimiento y extinción no se producen por acto de voluntad de la Administración o del administrado, sino por la voluntad de la ley en el momento en que concurren los presupuesto de hecho por ella previstos"*[825].

El precepto es claro, suprimiendo la posibilidad de renuncia de la prescripción ganada, cuestión que, como detallaremos en el apartado siguiente, había generado un hondo debate doctrinal, provocado, fundamentalmente, por una deficiente regulación de esta cuestión.

---

825 En estos términos se pronuncia MARTÍN CÁCERES, justificando la aplicación automática de la prescripción tributaria. Vid. MARTÍN CÁCERES, A. F.: *La prescripción del crédito tributario*, ob. cit., pág. 215. El automatismo en la aplicación de la prescripción enlaza con la posibilidad de renuncia a la prescripción ganada, cuestión actualmente proscrita, pero no así en el pasado. De ahí que algunos autores, como FERREIRO LAPATZA, GÉNOVA GALVÁN o CORRAL GUERRERO, negaran esta aplicación automática de la prescripción. Vid. FERREIRO LAPATZA, J. J. "La extinción de la obligación tributaria", ob. cit., pág. 1070; GÉNOVA GALVÁN, A.: "La prescripción tributaria", ob. cit., pág. 59; CORRAL GUERRERO, L.: *Comentarios a las Leyes Tributarias y Financieras*, Tomo II, ob. cit., pág. 558.

3.1. APLICACIÓN DE OFICIO DE LA PRESCRIPCIÓN EN LOS CASOS EN LOS QUE SE HA PAGADO LA DEUDA TRIBUTARIA: POSIBILIDAD DE RENUNCIA A LA PRESCRIPCIÓN GANADA

El artículo 69.2 de la LGT veda la posibilidad de renunciar a la prescripción tributaria ganada, incluso en los casos de que la deuda se pague. Este pago de la deuda prescrita, por tanto, no podrá entenderse como una renuncia a la prescripción.

La admisibilidad de la renuncia a la prescripción ganada ha sido un problema ampliamente tratado en el orden tributario. El origen de esta polémica se encuentra en el texto de la LGT de 1963, pero, particularmente, lo dispuesto en los distintos Reglamentos Generales de Recaudación.

El artículo 67 de la LGT de 1963 establecía únicamente que la prescripción tributaria se aplicará de oficio, sin referencia alguna a la posibilidad de renuncia a la prescripción ganada. Entendemos que tampoco era necesaria tal referencia expresa, pues la exclusión de la necesidad de que sea alegada por las partes y la consecuente previsión de su aplicación de oficio, ya supone que, en el momento en que se cumple el plazo de prescripción, la Administración tiene la obligación de considerar la deuda extinta, no perviviendo ni pudiendo "resurgir" la deuda tributaria a ningún efecto. Sin embargo, el Reglamento General de Recaudación de 1968, en su artículo 62.3 establecía expresamente que *"puede renunciarse a la prescripción ganada, entendiéndose efectuada la renuncia cuando se paga la deuda tributaria"*. De esta forma, este texto legal admite expresamente la renuncia a la prescripción ganada.

De la lectura de ambos preceptos se deduce la evidente contradicción que se plantea entre el texto de la LGT de 1963 –que establecía la aplicación de oficio-, con el texto de Reglamento General de Recaudación –que recogía la posibilidad de renuncia-. La posibilidad de que el deudor pague la deuda prescrita, y que este pago goce de validez por suponer una renuncia tácita a la prescripción ganada, no encajaba en la forma en que la prescripción se debía aplicar: de oficio, por la Administración. Aceptar la renuncia a la prescripción suponía, indirectamente, asumir que la Administración no aplicará de oficio la prescripción, incumpliendo el mandato legal y otorgando prevalencia a una disposición reglamentaria.

Este debate, en opinión de parte de la doctrina, que compartimos, debió haberse solventado simplemente con la omisión de la previsión incluida en el texto reglamentario, en tanto no se adecuaba a aquel que le es superior en rango[826].

---

826 MARTÍN CÁCERES, A. F.: "Prescripción", en VARIOS: *"Comentarios a la Ley General Tributaria y líneas para su reforma"*, Volumen II, 1ª ed., Instituto de Estudios Fiscales, Madrid, 1991, pág. 1044. Sin embargo, esta autora, en una obra posterior, modifica su postura, afirmando que *"a nuestro modo de ver, la renuncia a la prescripción es compatible con el régimen trazado por la LGT si se acepta que lo que se extingue ipso iure por la prescripción no es la deuda tributaria, sino, en sentido estricto, las facultades para exigir su cumplimiento a través del despliegue de las potestades administrativas. Desde esta perspectiva, por tanto, cabe la renuncia a la prescripción de la deuda tributaria prescrita"*. Vid. MARTÍN CÁCERES, A. F.: *La prescripción del crédito tributario.* ob. cit., pág. 225.

Sin embargo, no fue así, entendemos que fundamentalmente por la asimilación de la configuración de la prescripción tributaria a la prescripción regulada en el Código Civil, que en el artículo 1.935 prevé la posibilidad de renunciar a la prescripción ganada. Así, se formularon dos teorías en torno a esta cuestión: la primera, la teoría de la subsistencia de la obligación, que admitía la renuncia a la prescripción ganada; la segunda, la teoría de la extinción, que rechazaba tal renuncia[827].

Los partidarios de la teoría de la subsistencia de la obligación, para justificar la viabilidad de la renuncia a la prescripción tributaria ganada, aportaban argumentos en dos sentidos fundamentalmente:

- Por un lado, autores como ALBIÑANA[828] y ROSSY[829], entendían que el pago de la deuda tributaria prescrita debía reputarse válido en tanto suponía el cumplimiento de una *"obligación natural"* según el primero de estos autores, o en cuanto la prescripción no extinguía el derecho, sino la acción del acreedor para hacerlo valer, según el segundo.

---

827 MARTÍNEZ GINER, L.: "La aplicación de oficio de la prescripción: efectos sobre la renuncia a la prescripción ganada", *Anales de la Universidad de Alicante: Facultad de Derecho*, núm. 9, 1994, pág. 163.

828 ALBIÑANA GARCÍA-QUINTANA, C.: *Derecho Financiero y Tributario*, ob. cit., pág. 615.

829 ROSSY, H.: *Instituciones de Derecho Financiero*, ob. cit., pág. 541.

- Por otro, DÍEZ-PICAZO[830], CORRAL
GUERRERO[831], GÉNOVA GALVÁN[832] o BAYONA
DE PEROGORDO y SOLER ROCH[833], justificaban la
renuncia a la prescripción tributaria ganada en que este
mecanismo extintivo no poseía un efecto automático
de extinción de la obligación tributaria, sino que tal
efecto automático se circunscribía al *"reconocimiento
a favor de los deudores de un derecho a oponerse al
ejercicio tardío del crédito tributario, siendo aquel
derecho renunciable mediante el pago de la deuda"*.

En contra de la posibilidad de la renuncia a la
prescripción ganada algunos autores opusieron diferentes
argumentos. Así, DÍAZ ALEGRÍA[834], apunta que la extinción

---

830 Señala este autor: *"creo que cabe la renuncia a la prescripción y creo
incluso que esta renuncia puede ser expresa o tácita como admite el artículo
1.953 C.C. El pago de una deuda tributaria prescrita, si subsigue o supone
una renuncia, es un pago justo e irrepetible. Parece, en cambio, que si el
pago de la deuda prescrita se hizo por error –por ejemplo, ignorando el
solvens que la deuda estaba prescrita-, debe caber la repetición, pues, en
tal caso, la Administración habría incumplido el deber que expresamente
le impone la ley de aplicar de oficio la prescripción"*. Vid. DÍEZ-PICAZO,
L.: "La extinción de la deuda tributaria", ob. cit., págs. 477-478. El propio
FALCÓN Y TELLA, aun defendiendo la posibilidad de renuncia a la
prescripción ganada, considera que esta opinión solo resulta acertada *"si se
parte del concepto civil de prescripción"*. Vid. FALCÓN Y TELLA, R.: *La
prescripción en materia tributaria*, ob. cit., pág. 178.

831 CORRAL GUERRERO, L.: *Comentarios a las Leyes Tributarias y
Financieras*, Tomo I, ob. cit., pág. 558.

832 GÉNOVA GALVÁN, A.: "La prescripción tributaria", ob. cit., págs. 57-61.

833 BAYONA DE PEROGORDO, J. J., SOLER ROCH, M. T.: *Derecho
financiero*, Volumen II, ob. cit., pág. 210.

834 DÍEZ-ALEGRÍA FAX, M.: "La extinción de la obligación tributaria", *Revista
de Derecho Financiero y Hacienda Pública*, núm. 68, 1967, pág. 58. Añade

de la obligación tributaria se produce *"ope legis"* *"sin que en la misma pueda tener relevancia la voluntad del sujeto pasivo"*. Este planteamiento es coherente con la configuración de la obligación tributaria como una obligación de carácter legal y, particularmente, con la autonomía del régimen de la prescripción previsto en la LGT. ALLER[835], también rechaza la posible renuncia a la prescripción ganada, apuntando que *"la prescripción de oficio obliga a la propia Administración a declararla, al llegar el momento preciso en que se produce y releva al sujeto pasivo de la obligación de solicitar su aplicación (...) sería nula y punible cualquier acción recaudatoria que tuviera por fin la cobranza de los descubiertos, que ya no pueden considerarse existentes y vivos, frente al que, en su momento, fue deudor responsable del pago"*. VEGA HERRERO[836], por su parte, destaca la *"falta de coherencia"* del Reglamento General de Recaudación, *"previendo, por un lado, este efecto de la prescripción –refiriéndose a la aplicación de oficio- y, por otro, la posibilidad de renuncia a la prescripción ganada ya que ambos dictados chocan frontalmente; en efecto, si la deuda tributaria objeto de la homónima obligación se ha extinguido, no cabe la renuncia a la prescripción pagando la*

---

este autor, en la página 60 de la obra citada, que *"se deduce la imposibilidad de trasladar al campo tributario la posibilidad establecida en el artículo 1.935 del Código Civil, de renunciar a la prescripción ganada, puesto que esta posibilidad deriva lógicamente del hecho de que la prescripción no es, en Derecho Civil, una causa automática de extinción, por lo que el artículo 1.935 no puede aplicarse a la obligación tributaria"*.

835 ALLER, C.: "De la prescripción del cobro de las deudas tributarias", *Crónica Tributaria*, núm. 19, 1976, pág. 32.

836 VEGA HERRERO, M.: *La prescripción de la obligación tributaria*, ob. cit., pág. 112.

deuda porque esta es inexistente". MARTÍNEZ GINER[837], centra su argumentación en la configuración de la relación jurídico tributaria y en la consideración de la obligación tributaria como núcleo esencial de la misma *"que encuentra su fundamento en la propia existencia de potestades administrativas funcionalizadas"*, lo que lleva a este autor a *"rechazar la renuncia a la prescripción ganada, ya que la obligación tributaria ya ha quedado extinguida"*.

Como *supra* indicamos, consideramos acertada la posición de los autores que niegan la posibilidad de renuncia a la prescripción ganada, no solo por la prevalencia de la Ley sobre el Reglamento, también porque entendemos que, los autores que admiten la renuncia, parten de una configuración en la que se aprecia un doble error. Por un lado, que la prescripción ganada posee un carácter subjetivo, cuando no es tal, pues *"la prescripción ganada es una situación jurídica producida directamente por la ley"*[838], y que, por tanto, posee un carácter puramente objetivo[839]. Por otro, que la aplicación de oficio de la prescripción es un deber meramente formal[840], cuando tal concepción proviene de la asimilación de las construcciones civiles aplicables a la institución que,

---

837 MARTÍNEZ GINER, L.: "La aplicación de oficio de la prescripción: efectos sobre la renuncia a la prescripción ganada", ob. cit., pág. 168.

838 CALVO ORTEGA, R., CALVO VÉRGEZ, J.: *Curso de Derecho Financiero*, ob. cit., pág. 193.

839 En relación al carácter objetivo de la prescripción afirma GARCÍA NOVOA que *"la prescripción, como causa de extinción, forma parte del derecho objetivo y determina la extinción ipso iure"* de la obligación tributaria". Vid. GARCÍA NOVOA, C.: *Iniciación, interrupción y cómputo del plazo de prescripción de los tributos*, ob. cit., pág. 90

840 DÍEZ-ALEGRÍA FAX, M.: "La extinción de la obligación tributaria", ob. cit., pág. 59.

en este punto, presentan un sentido opuesto, partiendo de la base de que en el Derecho Civil la prescripción no es una causa automática de extinción de las obligaciones, como sí ocurre en el ámbito tributario. Por ello, si se niega el efecto extintivo automático de la obligación tributaria, se podrá admitir la renuncia a la prescripción ganada, pero aceptar la automaticidad de la extinción supone negar el carácter *ex lege* de la obligación tributaria y, particularmente, de la configuración de su régimen prescriptivo.

BAYONA DE PEROGORDO y SOLER ROCH[841], aun adhiriéndose a la postura manifestada por aquellos que admitían la renuncia a la prescripción ganada en base a la no aplicación automática de la misma, realizan esta interesante afirmación *"esta posibilidad* –la de renuncia a la prescripción ganada-, *no prevista en la Ley, responde a una primacía del interés recaudatorio, injustificable más allá de los plazos de prescripción, que pugna con la indisponibilidad de las situaciones jurídicas subjetivas en el ámbito tributario y plantea dificultades en relación con la extinción de la obligación tributaria"*.

El texto que sustituyó al Reglamento General de Recaudación de 1968, el Reglamento General de Recaudación de 1990, modifica esta previsión señalando en su artículo 60.1 que *"la prescripción a que se refiere este capítulo, se aplicará de oficio, incluso en los casos en que se haya pagado deuda, sin necesidad de que la invoque o excepcione el obligado al pago"*. Este artículo excluye la posibilidad de

---

841 BAYONA DE PEROGORDO, J. J., SOLER ROCH, M. T.: *Derecho financiero*, Volumen II, ob. cit., pág. 210.

renuncia a la prescripción ganada y en este caso entendemos que el texto reglamentario sí se adecúa a las previsiones de la Ley. En consecuencia, señala PONT MESTRES[842] que el mantenimiento del criterio según el cual cabe la renuncia a la prescripción ganada *"ya no resulta tan fácilmente asimilable, aun cuando se permanezca fiel a la doctrina iusprivatista en esta materia, porque solo es pensable en tanto en cuanto no existan normas específicas que se opongan y, aquí, desde el inicio de la vigencia del Reglamento de 1990, la realidad es que existían"*. A pesar de ello, algunos autores como FALCÓN Y TELLA[843], consideraban, -y consideran-, que la renuncia a la prescripción ganada continuaba siendo posible. Este autor parece acercarse a los postulados de ROSSY[844], *supra* expuestos, cuando afirma que *"en el ordenamiento tributario no se extingue la obligación, ni surge un derecho subjetivo o una facultad de prescripción, sino que se extingue la "acción", o más precisamente la posibilidad de obtener la tutela efectiva del derecho, lo que en virtud del principio de autotutela administrativa se manifiesta (...) en un debilitamiento de las potestades de gestión y recaudación"*. Entiende este autor que el efecto de la prescripción de la deuda tributaria es una *"debilitación de las potestades de autotutela"* tendentes a la exigencia de la obligación, pero no una prohibición de renuncia impuesta al particular[845].

---

842 PONT MESTRES, M.: *La prescripción tributaria ante el derecho a liquidar y el derecho a recaudar y cuestiones conexas*, ob. cit., pág. 12.

843 FALCÓN Y TELLA, R.: *La prescripción en materia tributaria*, ob. cit., pág. 177.

844 ROSSY, H.: *Instituciones de Derecho Financiero*, ob. cit., pág. 541.

845 FALCÓN Y TELLA, R.: *La prescripción en materia tributaria*, ob. cit., pág. 182.

Más próximamente en el tiempo, este autor considera que lo que prohíbe el artículo 69.2 de la LGT es admitir una renuncia tácita a la prescripción, pero resultaría admisible una renuncia expresa, siempre que se acredite la intención del contribuyente de renunciar y que la renuncia no se produce por mero desconocimiento[846].

A nuestro parecer este modo de entender la renuncia no es correcto. El Reglamento General de Recaudación de 1990, cuando excluye la posibilidad de renunciar a la prescripción ganada únicamente está adoptando la consecuencia lógica que se derivaba del texto de la LGT de 1963 y, particularmente de su aplicación de oficio. El Reglamento no prohíbe el pago de la deuda prescrita, pero sí deja claro que el pago de lo inexistente se tendrá por indebido. La lectura contraria supone otorgar una cierta pervivencia a la deuda tributaria extinta, dejando su supervivencia a la voluntad de la Administración –que no aplica de oficio la prescripción– y del contribuyente –que puede renunciar a la prescripción y "reactivar" la deuda–[847]. En definitiva, supone aplicar las construcciones iusprivatistas en la protección del orden público, en tanto se permite que en el ámbito de lo

---

846   FALCÓN Y TELLA, R.: "El pago de obligaciones prescritas y la renuncia a la prescripción ganada: la Res. TEAC de 2 de febrero de 2017", *Quincena Fiscal*, núm. 7, 2017. BIB 2017\10930. (Consultado en la base de datos Aranzadi Instituciones, con fecha 20/11/2019).

847   En relación a ese *"debilitamiento de las potestades de autotutela"* al que alude FALCÓN Y TELLA, contrapone MARTÍNEZ GINER que *"se trata de un argumento poco perfilado, pues no tendría sentido configurarlo de tal modo que se debiera esperar un nuevo plazo de tiempo con el fin de comprobar si el interesado renuncia o no a la prescripción ganada"*. Vid. MARTÍNEZ GINER, L.: "La aplicación de oficio de la prescripción: efectos sobre la renuncia a la prescripción ganada", ob. cit., pág. 168.

jurídico-publico entre en juego la autonomía de la voluntad de las partes. Y aunque, como hemos defendido en otros puntos de este trabajo, no negamos la relación existente entre la prescripción regulada en el Código Civil y la prescripción tributaria, ni excluimos la aplicación supletoria de algunos conceptos propios de la construcción privada en el ámbito de la prescripción regulada en la LGT, también hemos manifestado que tal recurso debe quedar limitado a aquellos supuestos en los que se den las dos circunstancias siguientes: existencia de una laguna jurídica en el ámbito tributario y que la aplicación de la norma privada se someta al juicio del principio de seguridad jurídica, generando una situación en la que este resulte favorecido. Entendemos que en este caso no solo no había laguna jurídica alguna que justifique el recurso a la aplicación de oficio, sino que la seguridad jurídica resulta gravemente perjudicada en tanto se permite a las partes que hagan depender de su actuación la existencia de una deuda ya desaparecida. De ahí que ESCRIBANO[848] defendiera en su momento que, en puridad, tras la entrada en vigor del Reglamento General de Recaudación de 1990 no se produjera ninguna novedad en este sentido, pues el efecto ya previsto en la LGT de 1963 *"simplemente, se hace expreso"*.

También la doctrina del Tribunal Supremo en relación a esta cuestión pone de manifiesto una importante evolución en la concepción de la posibilidad de renunciar a la prescripción ganada en el ámbito tributario. Inicialmente, el Alto Tribunal se había mostrado favorable a admitir la validez del pago

---

848 ESCRIBANO LÓPEZ, F.: "Notas acerca del instituto de la prescripción en el nuevo Reglamento General de Recaudación", *Revista Técnica Tributaria*, núm. 13, 1991, págs. 19-20.

de la deuda tributaria prescrita y, con ello, la posibilidad de renuncia a la prescripción ganada. Así, en la Sentencia de 6 de junio de 1989 se indica *"que cuando el Tribunal Económico-Administrativo Provincial (...) dictó resolución (...) había prescrito el derecho de la Hacienda para liquidar la deuda tributaria, pero, también de otra, <u>resulta cierto que tal prescripción ganada es renunciable, expresa o tácitamente, por quien la hubiere consumado a su favor</u> (artículo 1935 del Código Civil), de donde la interposición del recurso de alzada ante el Tribunal Económico-Administrativo Central (...) operó aquella renuncia tácita, desde el momento que (..., haciendo caso omiso de ella, postuló de nuevo ante la propia Administración (Tribunal Económico-Administrativo Central) su pretensión primitiva, con renuncia tácita a hacer uso de aquella prescripción ganada".* En esta Sentencia el Tribunal Supremo admite la renuncia a la prescripción ganada con carácter amplio, cualquiera que sea la forma en que se efectúe la renuncia, ya sea expresa o tácita. Posteriormente, en la Sentencia de 1 de febrero de 1993[849], el Alto Tribunal restringe los supuestos en los que se considera renunciada la prescripción, admitiendo que la renuncia solo se producirá por actos expresos del contribuyente. Señala el Tribunal que *"si bien es cierto que alguna antigua Sentencia de esta Sala entendió renunciada la prescripción al no haber sido alegada en vía administrativa, la actual y también ya antigua doctrina de esta Sala entiende (siguiendo la doctrina civil reiterada) que <u>la renuncia de derechos ha de ser expresa, y no basta con su no alegación en vía administrativa para que se entienda renunciada,</u> dada la obligación de la Administración de*

---

849   Tol 1.686.739.

aplicarla de oficio, obligación que en su caso, corresponde también a la Jurisdicción, que al fiscalizar los actos de la Administración de contar con las mismas facultades que a esta conceden las Leyes".

Finalmente, en la Sentencia de 8 de febrero de 1995[850], este órgano jurisdiccional modifica radicalmente la doctrina mantenida hasta ese momento, impidiendo la renuncia a la prescripción ganada. Señala el Tribunal que aunque la doctrina previa *"con carácter general se ajusta a Derecho (especialmente, en el campo civil), debe ser rectificada y completada en el sentido de que, <u>constituyendo en el campo tributario una obligación de los órganos administrativos aplicarla de oficio, deben estos, antes de dar validez a los actos de renuncia tácita, advertir de su obligación de aplicar de oficio la prescripción</u>. Tal rectificación, asimismo, obedece a que, con posterioridad a esta Sentencia, el Real Decreto 1163/1990, de 21 septiembre, sobre devolución de ingresos indebidos, admite como tal. Cuando se hayan ingresado, después de prescribir la acción para exigir su pago, deudas tributarias liquidadas por la Administración o autoliquidadas por el propio obligado tributario; así como cuando se hayan satisfecho deudas cuya autoliquidación ha sido realizada hallándose prescrito el derecho de la Administración para practicar la oportuna liquidación (artículo 7.º.1.c), evidenciando una peculiar derogación del principio de renuncia tácita a la prescripción ganada".* Con ello, el Tribunal con fundamento en la consideración *ex lege* de la obligación tributaria, frente al carácter *ex contractu* o *ex*

---

850   *Tol 1.699.134.*

voluntatis de las obligaciones civiles[851], impide que los actos del particular, concluido el plazo de prescripción, puedan modificar el efecto extintivo propio de la institución.

Los términos de esta Sentencia fueron confirmados en otra Sentencia del Tribunal Supremo de 10 de marzo de 1995[852], y acogidos por numerosos pronunciamientos posteriores, entre otras las Sentencias de 14 de febrero de 1997, de 12 de noviembre de 1998 y de 8 de febrero de 2002[853], dejando sentado el criterio a aplicar a partir de ese momento y la interpretación que se debe dar a las previsiones legales sobre esta cuestión.

Este debate encontró su fin con la inclusión expresa en el artículo 69.2 de la LGT de 2003 de la prohibición de renuncia a la prescripción ganada, incluso en los casos en que se haya pagado la deuda[854]. Este pago de la deuda prescrita no es otra cosa que un pago de lo indebido, un *"error del obligado tributario"*[855], pues carece de objeto, dando

---

851 MARTÍNEZ GINER, L.: "La aplicación de oficio de la prescripción: efectos sobre la renuncia a la prescripción ganada", ob. cit., pág. 160.

852 *Tol 1.699.157.*

853 *Tol 1.699.452* y *Tol 1.702.043*, respectivamente.

854 Aunque el Informe para la reforma de la LGT del año 2001 señalaba a este respecto que *"en todo caso, podría cuestionarse si procede incluir alguna previsión respecto de la imposibilidad de considerar el pago de deudas prescritas como renuncia a la prescripción ganada, aunque este parece un asunto ya zanjado"*, dejando al arbitrio del legislador su inclusión o no, nos parece una buena opción desde el punto de vista de la seguridad jurídica la opción por reflejar expresamente la imposibilidad de renuncia a la prescripción ganada en el texto de la Ley.

855 ESEVERRI MARTÍNEZ, E., LÓPEZ MARTÍNEZ, J., PÉREZ LARA, J. M. DAMAS SERRANO, A.: *Manual Práctico de Derecho Tributario. Parte General*, ob. cit., pág. 494.

derecho al contribuyente al correspondiente reembolso de lo injustamente pagado[856]. En este sentido, señalan CALVO ORTEGA y CALVO VÉRGEZ[857] que *"la renuncia a la prescripción ganada que se apoya en la facultad general de todo sujeto de renunciar a derechos solo puede jugar cuando la deuda tributaria existe; y la extinción automática de la obligación (por ministerio de la ley) impide renunciar a un derecho sin contenido, es decir, sin objeto. Tendría que producirse un nuevo nacimiento de la obligación, lo que no es posible"*.

Como se ha indicado, el pago de la deuda prescrita genera un ingreso indebido para la Administración, cuya devolución es obligatoria[858], tal y como ha señalado el

---

856 Señala PONT MESTRES a este respecto que *"la prolija doctrina tributarista concerniente a la viabilidad de compatibilizar la prescripción de oficio con la posibilidad de renuncia a la prescripción ganada ha quedado totalmente superada por la insistencia del legislador -así ha de reconocerse- al dejar sucesiva y reiteradamente claro que, al menos en este extremo, la prescripción tributaria es claramente diferenciada de la prescripción civil, ya que una vez producida la prescripción en el supuesto que se hubiese pagado al deuda ha de devolverse sin más, con lo que la renuncia a la prescripción ganada queda completamente extramuros de la prescripción tributaria"*. Vid. PONT MESTRES, M.: *La prescripción tributaria ante el derecho a liquidar y el derecho a recaudar y cuestiones conexas*, ob. cit., págs. 12-13.

857 CALVO ORTEGA, R., CALVO VÉRGEZ, J.: *Curso de Derecho Financiero*, ob. cit., pág. 193.

858 Indica ESEVERRI en este punto que *"si la prescripción de los derechos a cargo de la Administración tributaria se ha producido y el órgano competente de su revisión no la aplica de oficio, confirmando, por ejemplo, la validez del acto administrativo recurrido, la resolución así pronunciada es inválida jurídicamente hablando y no puede desplegar eficacia alguna porque frente a ella siempre se podrá oponer la prescripción sobrevenida que podrá ser alegada a instancia de parte, o bien, podrá ser declarada de oficio. El ingreso de la deuda prescrita se tiene por indebido naciendo el derecho del obligado tributario a solicitar su devolución"*. Vid. ESEVERRI, E.: *La prescripción tributaria en la jurisprudencia del Tribunal Supremo*, ob. cit., pág. 275.

Tribunal Supremo, entre otras, en su Sentencia de 22 de abril de 1995[859]. Tratándose de un ingreso indebido, por carecer de objeto –la deuda tributaria se ha extinguido-, la Administración debe proceder a su reembolso, más los correspondientes intereses de demora[860]. En este punto se puede plantear la cuestión de si la devolución debe realizarse a instancia de parte -previa petición del interesado-, o de oficio por la Administración. La LGT, cuando regula el procedimiento para la devolución de ingresos indebidos en el artículo 221 señala que *"el procedimiento para el reconocimiento del derecho a la devolución de ingresos indebidos se iniciará de oficio o a instancia del interesado"*. El propio apartado 1. c) del artículo 221 de la LGT contempla el ingreso de cantidades correspondientes a deudas o sanciones tributarias después de haber transcurrido los plazos de prescripción como uno de los supuestos que da derecho a la devolución de ingresos indebidos. Con ello, la LGT admite que el procedimiento para solicitar la devolución se pueda iniciar tanto por el contribuyente como por la propia Administración. Entendemos que esta opción es coherente. No cabe duda de que el propio contribuyente, advertido el error del ingreso de la deuda prescrita, tiene derecho a solicitar su devolución; sin embargo, tampoco debe caber duda alguna de que si es la Administración la que detecta

---

859 *Tol 1.697.723.*

860 GARCÍA NOVOA considera que el pago de la deuda prescrita únicamente podrá definirse como una *"liberalidad o una transferencia de fondos a favor de la Administración"*. Entendemos que este pago indebido solo adquirirá el carácter de liberalidad cuando haya transcurrido el plazo de prescripción de cuatro años para solicitar y obtener la devolución de ingresos indebidos, pero no hasta ese momento. Vid. GARCÍA NOVOA, C.: *Iniciación, interrupción y cómputo del plazo de prescripción de los tributos*, ob. cit., pág. 90

el pago indebido, deberá proceder de manera automática a su reembolso, circunstancia que en la práctica tributaria no siempre se produce[861]. El incumplimiento de esta obligación por parte de la Administración resulta especialmente grave, pues se deriva de una triple negligencia: no declarar de oficio la prescripción de la deuda, aceptar el cobro de lo indebido y no proceder de oficio a su devolución.

3.2. *SUJETOS OBLIGADOS A LA APLICACIÓN DE OFICIO DE LA PRESCRIPCIÓN TRIBUTARIA*

El artículo 69.2 de la LGT señala que la prescripción se aplicará de oficio, por lo que resulta justificado preguntarse ¿a quién corresponde esta aplicación de oficio?. Obviamente, a quien tiene la potestad para ello. En virtud del principio de oficialidad, la aplicación de oficio supone que el impulso y desarrollo de los procedimientos se realiza por el órgano administrativo o judicial, sin solicitud o requerimiento previo de un tercero, por ser estos órganos los encargados de

---

861   Señala en este punto FALCÓN Y TELLA que "*en cuanto al hecho de que la Administración deba proceder de oficio a la devolución una vez que tenga constancia del carácter indebido del ingreso por hallarse prescrita la obligación, nada impide entender que dicha devolución de oficio solo el procedente si no ha existido una renuncia a la prescripción ganada*". Esta afirmación excluye no solo la posibilidad de que la Administración efectúe la devolución de oficio, pues conforme a esta interpretación solo cabría si se solicita la devolución de ingresos indebidos por el contribuyente, pero también excluye esta, pues en tanto este autor defendía que el pago de la deuda prescrita supone una renuncia a la prescripción ganada no cabría solicitud de devolución alguna. Vid. FALCÓN Y TELLA, R.: *La prescripción en materia tributaria*, ob. cit., pág. 187.

la defensa del interés público[862]. Por lo tanto, la aplicación de oficio de la prescripción supone que esta tenga que ser declarada por la Administración, sin necesidad de requerimiento alguno por parte del obligado tributario.

No hay duda a este respecto, pero dónde sí aparece algún interrogante es en relación a la determinación de qué órganos de la Administración deben aplicar de oficio la prescripción, pues el artículo 69.2 de la LGT no se refiere a ninguno en particular. Con toda lógica, esta previsión obliga en primer término a la Administración tributaria, encargada de la aplicación de los tributos. Sin embargo, cuando el procedimiento tributario finaliza y sale del ámbito de la Administración tributaria, para entrar en el orden jurisdiccional contencioso-administrativo, se plantea la duda de si también los órganos de la Administración de justicia están facultados para aplicar de oficio la prescripción y, de ser así, en qué modo.

3.2.1. APLICACIÓN DE OFICIO DE LA PRESCRIPCIÓN POR LOS ÓRGANOS DE LA ADMINISTRACIÓN TRIBUTARIA

Como señalábamos en las líneas superiores, el mandato contenido en el artículo 69.2 de la LGT se dirige en primer término a la Administración tributaria. Es esta la que resulta obligada preferentemente a la aplicación de oficio de la prescripción tributaria, cuando se den las circunstancias para ello, sin necesidad de actuación alguna por el sujeto pasivo.

---

862   Así lo define la RAE en su diccionario jurídico.

Para garantizar esta aplicación de oficio incluso, los apartados 2, 3 y 4 del Reglamento General de Recaudación de 1990 establecían las siguientes previsiones:

"*2. La prescripción será declarada por el Jefe de la Dependencia de Recaudación de la Delegación de Hacienda.*

3. Anualmente, se instruirá por dicha Dependencia expediente colectivo para declarar la prescripción de todas aquellas deudas prescritas en el año que no hayan sido así declaradas individualmente. Dicho expediente será aprobado por el Delegado de Hacienda, previa fiscalización del órgano interventor.

4. Las deudas declaradas prescritas serán dadas de baja en cuentas".

La inclusión de estas disposiciones resultaba, a nuestro parecer, muy positiva, en cuanto entendemos que, por un lado, explicita el procedimiento para determinar la prescripción de las deudas y, por otro, posee mayor carga obligacional para la Administración. Sin embargo, el vigente Reglamento General de Recaudación de 2005 ha suprimido tal referencia y, con ello, la obligación de la Administración de instruir anualmente el correspondiente expediente para declarar la prescripción de las deudas tributarias, dejando al arbitrio de la Administración su efectiva realización o no.

¿Qué efectos tiene la inaplicación de oficio de la prescripción por la Administración tributaria?. La jurisprudencia del Tribunal Supremo en este punto es clara[863]

---

863 Vid. la Sentencia del Tribunal Supremo de 22 de abril de 1995 (*Tol 1.697.723*).

y conecta con lo indicado en relación al pago de lo indebido: aunque la Administración no declare de oficio la prescripción, en tanto esta se debe aplicar de manera automática el pago de la deuda prescrita será, si se produce, un pago indebido, que no podrá equipararse a la renuncia a la prescripción ganada.

3.2.2. APLICACIÓN DE OFICIO DE LA PRESCRIPCIÓN POR LOS TRIBUNALES DE JUSTICIA

Afirmada la obligatoriedad de la aplicación de oficio de la prescripción por los órganos de la Administración, la siguiente cuestión es determinar si los órganos jurisdiccionales también quedan obligados a esta aplicación de oficio.

Entendemos que sí[864], pues, como se ha indicado, el artículo 69.2 de la LGT no explicita qué órganos de la Administración tienen que aplicar la prescripción de oficio, ni excepciona a ninguno de ellos. Si la prescripción debe ser aplicada de oficio, entendemos que tal mandato es extensible a todos los órganos de la Administración, también a los de la Administración de justicia.

La doctrina del Tribunal Supremo en este sentido es recurrente, afirmando de manera expresa que el deber de aplicación de oficio de la prescripción *"no solo afecta a la Administración tributaria sino que también se aplica a los*

---

864 También se manifiestan expresamente en el sentido de reconocer que el mandato la aplicación de oficio se dirige a los órganos administrativos y judiciales GÉNOVA GALVÁN, A.: "La prescripción tributaria", ob. cit., pág. 58 y DÍEZ-ALEGRÍA FAX, M.: "La extinción de la obligación tributaria", ob. cit., pág. 60.

órganos jurisdiccionales", tal y como indica en su Sentencia de 9 de junio de 2014[865].

Cosa distinta es que, correspondiendo la aplicación de oficio con carácter prioritario a la Administración tributaria, cuando el procedimiento llega al orden jurisdiccional, en ocasiones no se produzca una verdadera apreciación de oficio, particularmente en los casos en los que la prescripción ha sido alegada previamente por las partes.

Por otro lado, los distintos órdenes jurisdiccionales y el diverso modo de proceder ante cada uno de ellos, también va a limitar esa aplicación de oficio, en el sentido de que el órgano judicial quedará constreñido a las concretas normas procesales que resulten de aplicación, cuyo régimen es más estricto a medida que se escala en la pirámide que los jerarquiza. El orden jurisdiccional contencioso-administrativo posee un régimen jurídico propio que, obviamente, será de aplicación preferente frente a lo dispuesto en la LGT. Este diferente régimen jurídico también obliga a distinguir dos grandes supuestos: el primero, la aplicación de oficio de la prescripción por los órganos jurisdiccionales menores y, el segundo, la aplicación de oficio de la prescripción por el Tribunal Supremo, particularmente en los supuestos en que se resuelve un recurso de casación.

---

865 *Tol 4.372.129.*

A. APLICACIÓN DE LA PRESCRIPCIÓN TRIBUTARIA POR LA JURISDICCIÓN MENOR

Los órganos de la jurisdicción menor (y con esta expresión nos referimos a todos los órganos jurisdiccionales nacionales distintos al Tribunal Supremo y al Tribunal Constitucional)[866] van a poder apreciar la prescripción de la deuda tributaria en el procedimiento de sus actuaciones, si bien no siempre esta apreciación va a suponer una aplicación de oficio de la prescripción.

Esta declaración puede venir motivada, en primer término, por una alegación expresa de las partes. Así, si las partes aducen que la prescripción está ganada y el juzgador estima que así es, no hay obstáculo alguno para declarar extinguida la deuda tributaria. Debe hacerse notar que en estos casos no se cumple el mandato del artículo 69.2 de la LGT, pues aunque se aplique la prescripción no se realiza de oficio, ya que, como indicamos, ha sido previamente alegada por el contribuyente.

El problema se plantea en los casos en los que el órgano judicial considera que se ha producido la prescripción pero esta no ha sido alegada por las partes. ¿Puede en esos casos declarar la prescripción?. Para responder a esta pregunta hay que acudir a las normas que rigen el procedimiento contencioso-administrativo, especialmente a aquellas que

---

866   En concreto, tal y como indica el artículo 6 de la LJCA, estos Tribunales menores son: "a) *Juzgados de lo Contencioso-administrativo; b) Juzgados Centrales de lo Contencioso-administrativo; c) Salas de lo Contencioso-administrativo de los Tribunales Superiores de Justicia; d) Sala de lo Contencioso-administrativo de la Audiencia Nacional*".

regulan las pretensiones de las partes. El artículo 33 de la LJCA, establece en su apartado 1 que *"los órganos del orden jurisdiccional contencioso-administrativo juzgarán dentro del límite de las pretensiones formuladas por las partes y de los motivos que fundamenten el recurso y la oposición".* Esta previsión conduce a concluir que el juzgador queda constreñido a las peticiones de las partes, sin poder realizar apreciaciones más allá de las mismas. Sin embargo, el apartado 2 del referido artículo 33 añade *"si el Juez o Tribunal, al dictar Sentencia, estimare que la cuestión sometida a su conocimiento pudiera no haber sido apreciada debidamente por las partes, por existir en apariencia otros motivos susceptibles de fundar el recurso o la oposición, lo someterá a aquéllas mediante providencia en que, advirtiendo que no se prejuzga el fallo definitivo, los expondrá y concederá a los interesados un plazo común de diez días para que formulen las alegaciones que estimen oportunas, con suspensión del plazo para pronunciar el fallo. Contra la expresada providencia no cabrá recurso alguno".* Esto es, si el juzgador entiende que puede haber otros motivos alegables en el caso enjuiciado –como puede ser la prescripción-, que no han sido referidos por las partes, deberá comunicárselo para que, en el plazo de diez días efectúen las alegaciones que consideren oportunas. Informadas las partes y transcurrido el plazo para llevar a cabo alegaciones, el asunto podrá ser resuelto considerando no solo lo alegado inicialmente por la partes, sino también aquellos otros motivos apreciados por el Tribunal.

Por ello, en este punto nos sumamos a la tesis formulada por ESEVERRI[867], que entiende que nada obsta para que los Tribunales menores declaren la prescripción, aunque no haya sido alegada por las partes. Considera este autor que aunque el juzgador puede declarar la prescripción si considera que esta se ha ganado, no puede hacerlo de manera automática, sino que debe dar previa audiencia a las partes para que aleguen lo que estimen conveniente. Oídas las partes, el Tribunal podrá declarar la prescripción que, en estos casos, entendemos que sí será aplicada de oficio, por proceder de la iniciativa del órgano juzgador.

Esta misma conclusión es adoptada por el Tribunal Supremo, entre otras, en las Sentencias de 16 de diciembre de 2002, de 26 de abril de 2007[868] y, particularmente, en las Sentencias de 17 de marzo de 2008 y de7 de abril de 2008[869], que *"abren una nueva línea jurisprudencial en aras de la apreciación de la prescripción ganada, pues intentan conjugar la apreciación de oficio de la prescripción con los principios de contradicción y congruencia de la Sentencia"*[870]. Señala la Sentencia de abril de 2008 que *"debemos resolver si se produce un supuesto de incongruencia cuando, como sucede*

---

867 ESEVERRI, E.: *La prescripción tributaria en la jurisprudencia del Tribunal Supremo*, ob. cit. págs. 275 y ss. En este sentido también GUERRA REGUERA, que niega la posibilidad de que en estos supuestos se produzca desviación procesal, pues la prescripción debe ser aplicada de oficio. Vid. GUERRA REGUERA, M.: *Prescripción de deudas tributarias*, ob. cit., pág. 312.

868 *Tol 1.701.543* y *Tol 1.079.797*, respectivamente.

869 *Tol 1.292.732* y *Tol 1.292.732*, respectivamente.

870 Tal y como se indica en la Sentencia del Tribunal Supremo de 12 de enero de 2012 (*Tol 2.400.853*).

en el caso de autos, la Sentencia de instancia aplica de oficio la prescripción, no habiendo sido alegada por las partes. En efecto, como se recuerda en la Sentencia de esta misma Sala de 23 de julio de 2002, el artículo 67 LGT impone la aplicación de la prescripción de oficio, sin necesidad de que la invoque o excepcione el sujeto pasivo, lo que <u>supone que tanto en la vía administrativa (de inspección, de gestión o de reclamación) como en la jurisdiccional de instancia, los órganos que conocieron del asunto debieron, caso de concurrir, aplicarla aun cuando no hubiera sido propuesta por la parte</u>".

Esta doctrina se sintetiza en la Sentencia de 25 de enero de 2010[871], en la que el Alto Tribunal recoge expresamente los requisitos que deben concurrir para que los órganos judiciales apliquen de oficio la prescripción, incluso cuando no hubiere sido propuesta por la parte. Son dos: real concurrencia de la prescripción y observancia en sede judicial de los cauces y garantías procesales.

La exigencia de estos requisitos se justifica en que es necesario que *"para que los Tribunales de este orden jurisdiccional puedan tomar en consideración nuevos motivos, no alegados por las partes es preciso, so pena incurrir en incongruencia, que los introduzcan en el debate, siendo indiferente a estos efectos la naturaleza de tales motivos, pues solo así queda debidamente garantizado el principio de contradicción"*.

Para finalizar, en este punto se plantea la cuestión de que si el Tribunal no efectúa ese trámite de alegaciones podría

---

871 *Tol 1.798.189.*

considerarse el procedimiento nulo por indefensión de las partes. Sobre este particular compartimos la conclusión de GUERRA REGUERA[872], que sostiene que, aunque habría que estudiar cada supuesto particular, la omisión del trámite de alegaciones no supondría la nulidad de la resolución alegando una eventual *"indefensión"* de la Administración, pues *"supondría exigir que se le hubiese notificado algo que ella habría tenido que aplicar mucho antes de entrar en vía judicial"*, atendiendo al mandato del artículo 69.2 de la LGT.

B. APLICACIÓN DE LA PRESCRIPCIÓN TRIBUTARIA POR EL TRIBUNAL SUPREMO

Las particularidades en la regulación, tramitación y naturaleza del recurso de casación ante el Tribunal Supremo impiden extender a este punto la totalidad de las conclusiones alcanzadas en el apartado anterior.

El recurso de casación se define, por el propio Tribunal Supremo como *"un recurso extraordinario, que posee un ámbito restringido de las potestades jurisdiccionales de revisión, no estamos ante un recurso de plenitud jurisdiccional sino que como tal recurso de revisión viene sometido a las posibles correcciones de las infracciones jurídicas, sustantivas y procesales, en que hayan podido incurrir las resoluciones de instancia"*. En consecuencia, añade el Tribunal que en la interposición de este recurso *"no es posible, por tanto, traer al debate casacional cuestiones que resultaron ajenas a la*

---

872   GUERRA REGUERA, M.: *Prescripción de deudas tributarias*, ob. cit., pág. 314.

*instancia, menos aún reproducir el debate que se suscitó en
vía administrativa o económico administrativa, como es el
caso, puesto que como tantas veces ha dicho este Tribunal el
recurso de casación es un recurso que solo indirectamente,
a través del control de la aplicación del derecho que haya
realizado el Tribunal a quo, resuelve el caso concreto
controvertido"*[873].

El régimen jurídico de este recurso es coherente
con lo indicado por el Tribunal Supremo en el fragmento
reproducido y se encuentra en los artículos 86 y siguientes
de la LJCA. A los efectos que aquí son de interés citaremos
varios preceptos de esta regulación (destacamos aquellos
fragmentos que nos parecen de especial interés para la
resolución de la problemática planteada):

- En cuanto al objeto del recurso de casación, el
artículo 86.1 de la LJCA señala que podrán ser objeto
de recurso *"las Sentencias dictadas en única instancia
por los Juzgados de lo Contencioso-administrativo y las
dictadas en única instancia o en apelación por la Sala de
lo Contencioso-administrativo de la Audiencia Nacional
y por las Salas de lo Contencioso-administrativo de los
Tribunales Superiores de Justicia serán susceptibles de
recurso de casación ante la Sala de lo Contencioso-
administrativo del Tribunal Supremo.*

*En el caso de las Sentencias dictadas en
única instancia por los Juzgados de lo Contencioso-
administrativo, únicamente serán susceptibles de
recurso las Sentencias que contengan doctrina que se*

---

873   Sentencia del Tribunal Supremo de 27 de noviembre de 2014 (*Tol* 4.576.264).

reputa gravemente dañosa para los intereses generales y sean susceptibles de extensión de efectos".

El artículo 87 bis, en su apartados 1 y 2, por su parte, señala

"1. Sin perjuicio de lo dispuesto en el artículo 93.3, el recurso de casación ante la Sala de lo Contencioso-administrativo del Tribunal Supremo <u>se limitará a las cuestiones de derecho</u>, con exclusión de las cuestiones de hecho.

2. Las pretensiones del recurso de casación deberán tener por objeto la <u>anulación, total o parcial, de la Sentencia o auto impugnado</u> y, en su caso, la devolución de los autos al Tribunal de instancia o la resolución del litigio por la Sala de lo Contencioso-administrativo del Tribunal Supremo <u>dentro de los términos en que apareciese planteado el debate"</u>.

- El recurso se admitirá a trámite, según indica el artículo 88.1 de la LJCA *"cuando, <u>invocada una concreta infracción del ordenamiento jurídico</u>, tanto procesal como sustantiva, <u>o de la jurisprudencia</u>, la Sala de lo Contencioso-Administrativo del Tribunal Supremo estime que el recurso presenta interés casacional objetivo para la formación de jurisprudencia".* Se entenderá que existe interés casacional objetivo cuando se de alguna de las circunstancias enunciadas en los apartados 2 y 3 de este precepto, manifestando todas ellas una relación directa con el contenido de la resolución impugnada.

- Respecto al contenido del escrito de interposición del recurso, señala el artículo 92.3 de la LJCA que *"el escrito de interposición deberá, en apartados separados que se encabezarán con un epígrafe expresivo de aquello de lo que tratan:*

a) Exponer razonadamente por qué han sido infringidas las normas o la jurisprudencia que como tales se identificaron en el escrito de preparación, <u>sin poder extenderse a otra u otras no consideradas entonces,</u> debiendo analizar, y no solo citar, las Sentencias del Tribunal Supremo que a juicio de la parte son expresivas de aquella jurisprudencia, para justificar su aplicabilidad al caso; y

b) Precisar el sentido de las pretensiones que la parte deduce y de los pronunciamientos que solicita".

Los fragmentos destacados ponen de manifiesto la dependencia entre la Sentencia de instancia y el recurso de casación, pues lo alegado en el procedimiento y lo resuelto en tal Sentencia va a constreñir tanto la admisión como el contenido de este recurso.

Partiendo de la regulación esencial de este recurso, es posible un triple escenario:

- <u>**Primero. Que el recurso de casación se plantee en un supuesto en que la Sentencia de instancia no haya apreciado la prescripción, habiendo sido alegada.**</u> En estos supuestos, dado que, como indicamos, la prescripción ya había sido objeto del procedimiento sustanciado ante el órgano jurisdiccional que emite la Sentencia recurrida, no hay problema para que el Tribunal Supremo entre a conocer de este extremo y a valorar si, a su parecer, la prescripción se ha consolidado o no. Al igual que cuando se daba esta circunstancia en la jurisdicción menor, en puridad no se producirá una verdadera prescripción de oficio, pues esta ha sido alegada previamente por las partes.

- **Segundo. Que en el recurso de casación se alegue la prescripción como cuestión nueva.** Atendiendo únicamente a la regulación del recurso de casación parece que esta posibilidad no puede ser admitida. Como se infiere de las distintas disposiciones reproducidas de la LJCA, las pretensiones alegadas en el planteamiento del recurso de casación deben ceñirse a los términos en que se hubiese planteado la cuestión ante el órgano jurisdiccional de instancia, lo que excluye la introducción de nuevos elementos o cuestiones no alegadas ante tal órgano. Esta es la misma conclusión que alcanza el Tribunal Supremo, tanto con carácter general, en las Sentencias de 21 de diciembre de 2001, de 21 de marzo de 2003, de 6 de octubre de 2004, de 1 de diciembre de 2008 y de 6 de junio de 2011[874], como en particular respecto a la alegación de la prescripción como cuestión nueva en el recurso de casación, en sus Sentencias de 9 de febrero de 2012, de 16 de mayo de 2013, de 9 de junio de 2014, y de 13 de julio y de 18 de octubre de

---

874 *Tol 4.915.340, Tol 1.714.228, Tol 515.182, Tol 1.413.326 y Tol 2.153.501*, respectivamente.

2017, entre otras[875]. La doctrina contendida en estos pronunciamientos es clara en cuanto a la improcedencia de plantear cuestiones nuevas en casación, razonando así el Tribunal en la Sentencia de 9 de junio de 2014: *"aunque es doctrina reiterada de esta Sala que el deber de apreciación de oficio de la prescripción, ex artículos 67 de la Ley General Tributaria de 1963 y 69.2 de la Ley homónima de 2003, no solo afecta a la Administración tributaria sino que también se aplica a los órganos jurisdiccionales, también lo es que al socaire de ese deber no cabe plantear en casación cuestiones jurídicas nuevas con sustantividad propia (…) y en este caso la recurrente invoca la prescripción como efecto inducido de dos interrupciones injustificadas de las actuaciones inspectoras durante más de seis meses. Luego, para examinar de oficio la prescripción, hemos de analizar las actuaciones inspectoras desarrolladas a fin de confirmar primero si se produjeron esos dos períodos de interrupción de las actuaciones superiores a seis meses, decidir después si ambos resultaron realmente injustificados y, solo en el caso de que así lo entendiéramos, resolver finalmente cuáles son las consecuencias jurídicas de esa concreta y puntual circunstancia, en relación con la interrupción del plazo de prescripción del derecho a liquidar.*

Al ser así, en rigor podríamos detener aquí nuestro examen, porque este primer motivo de casación

---

875   *Tol* 2.459.307, *Tol* 3.746.035, *Tol* 4.372.129, *Tol* 6.212.099, y *Tol* 6.403.145, respectivamente.

oculta cuestiones jurídicas nuevas con sustantividad propia y diferenciada, bajo el argumento de que la prescripción debe ser apreciada de oficio, olvidando que la naturaleza extraordinaria de la casación como recurso tasado constriñe los poderes de este Tribunal y también la actividad de los recurrentes. No es una nueva instancia jurisdiccional; no nos traslada el conocimiento plenario del proceso de instancia, sino el análisis limitado que resulta de los motivos enumerados en el artículo 88.1 de la Ley reguladora de esta jurisdicción. Este planteamiento justifica la prohibición de cuestiones nuevas, estándonos vedado resolver sobre una tesis o sobre un extremo que las partes no sometieron a la consideración del Tribunal de instancia; por eso hemos inadmitido repetidamente esa clase de cuestiones en casación". La Sentencia de 16 de mayo de 2013 abunda en esta idea, indicando que, aun admitiendo la aplicación de oficio de la prescripción *"lo que no dice esta doctrina es que la misma sea aplicable, aun cuando para determinar si efectivamente se produjo o no la prescripción sea necesario valorar hechos que no fueron objeto de disputa o aplicar previamente al análisis de la prescripción normas, figuras jurídicas o institutos que nunca fueron cuestionados respecto de su correcta aplicación"*, fragmento reproducido en muchas de las Sentencias posteriores en las que se analizó esta misma cuestión.

A pesar de la claridad de esta doctrina reciente, la consideración de la procedencia de la alegación de la prescripción como cuestión nueva en el recurso de casación no había sido una cuestión pacífica. Aunque el Tribunal Supremo ya se había manifestado en contra de admitir la alegación de la prescripción como cuestión nueva en el recurso de casación en su Sentencia de 9 de enero de 2001[876], en la que afirma *"respecto del primero, es preciso recordar que esta Sala tiene reiteradamente declarada –v. gr. autos de la Sección Primera de 15 de julio y 24 de noviembre de 1999 (recursos 7223/1998 y 6659/1998) y Sentencias de 26 de junio de 1999 (recurso 2683/1995) y de 10 de abril y 30 de junio de 2000 (recursos de casación 1436/1992 y 1210/1993), por no citar otras que algunas de las más recientes– la imposibilidad de introducir en un recurso de casación cuestiones nuevas no suscitadas ni, por ende, tratadas en la instancia. Es cierto, en lo que toca al problema suscitado en el presente recurso, que el art. 67 de la Ley General Tributaria establece que «la prescripción se aplicará de oficio, sin necesidad de que la invoque o excepcione el sujeto pasivo» y que la Sala tiene asimismo reconocido, en consolidado criterio jurisprudencial que no es preciso, por lo conocido, reproducir pormenorizadamente, que ese deber de apreciación no está supeditado, por haberlo así querido la Ley, a la alegación o excepción de aquel a quien interese o beneficie. Pero no es menos cierto que la naturaleza de recurso extraordinario o especial que el de casación tiene impone la necesidad de que el enjuiciamiento que en él se realiza haya de*

---

876   *Tol 4.914.623.*

desarrollarse dentro del cauce suministrado por los *motivos tasados que lo autorizan, de tal suerte que ni la Sala podría reconstruir o ampliar un recurso de casación con motivos distintos de los aducidos por la parte sin desconocer el derecho de defensa de la contraria y la función de defensa de la norma y de su correcta interpretación que lo inspira, ni, cual si se tratara de un recurso de apelación, plantear a las partes la existencia de otros motivos susceptibles de fundar el recurso o la oposición por la vía del art. 43.2 de la Ley Jurisdiccional aquí aplicable –33.2 de la vigente–. Esta facultad está concebida para flexibilizar el principio dispositivo a la hora de centrar el tema fundamental objeto de debate, dando entrada, prudencialmente, al principio de iniciativa del órgano jurisdiccional, incluso en la segunda instancia, pero no puede extenderse a un recurso, como el de casación, que conserva una importantísima función de nomofilaxis del Ordenamiento y que, asegurando, como se ha dicho, la defensa de la norma y de su correcta interpretación, propende primordialmente a fijar su sentido y a unificar los criterios interpretativos y aplicativos de ese ordenamiento mediante la elaboración de jurisprudencia o doctrina legal –art. 1º.6 del Código Civil– y solo de forma indirecta o refleja satisfacer el derecho del litigante («ius litigatoris»)".*

Poco después, no obstante, se manifestó en sentido contrario en las Sentencias de 24 de febrero de 2001 y de 23 de julio y 18 de noviembre de

2002[877], indicando que *"la circunstancia de que no fuera aquélla –la prescripción, se entiende– aducida en la instancia no puede erigirse en obstáculo para su apreciación, siempre que en casación se articule por la parte recurrente, conforme aquí ha sucedido, mediante el oportuno motivo –el relativo a la infracción de las normas del ordenamiento aplicables para resolver las cuestiones objeto de debate–, dado que se trata de una causa extintiva del crédito tributario que debió apreciar de oficio la Sala de instancia. No se puede, pues, conceptuar esa falta de apreciación y su introducción en el debate, por vez primera, en esta casación, como «cuestión nueva»"*.

La causa de la argumentación opuesta de estas resoluciones se encuentra en que la Ley jurisdiccional aplicable en estas últimas Sentencias de los años 2001 y 2002 no es la misma que la que afecta a las Sentencias reproducidas del año 2012 en adelante, pues mientras las Sentencias más recientes aplican la vigente LJCA de 1998, la jurisprudencia de los años 2001 y 2002 se refiere a la derogada Ley de 27 de diciembre de 1956, reguladora de la Jurisdicción Contencioso-Administrativa[878]. La Ley de 1956 no impedía al Tribunal que, en el examen del recurso de casación, introdujera nuevas cuestiones no referenciadas por las partes, pues en los preceptos que regulan este recurso no se alude a la necesidad de que

---

877   *Tol 4.917.535, Tol 1.702.279* y *Tol 1.701.581*, respectivamente.
878   BOE núm. 363 de 28 de diciembre de 1956.

solo se puedan alegar cuestiones ya expuestas en la Sentencia de instancia, como ocurre en la regulación vigente. Por ello, la doctrina establecida en relación a los órganos jurisdiccionales menores podía ser trasladable al recurso contencioso administrativo. Sin embargo, como se ha observado, a pesar de su aparente claridad la Ley de la Jurisdicción de 1956 también ofrecía problemas interpretativos en relación a las facultades de los órganos judiciales para apreciar la prescripción tributaria, y de ahí la contradictoria doctrina manifestada por el Tribunal Supremo de forma casi coetánea en el tiempo en las Sentencias de 2001 referenciadas.

Por el contrario, la Ley vigente no otorga estas facultades al Tribunal, por lo que entendemos que esta doctrina no resulta trasladable, y que, en puridad, no se aprecia contradicción. Consideramos que, aun ordenando la LGT la aplicación de oficio de la prescripción, tal mandato es difícilmente trasladable a este ámbito, en la medida que las normas que lo rigen poseen el mismo rango legal que la LGT y son de aplicación prioritaria para la regulación del proceso sustanciado en sede judicial.

<u>**Tercera.** Que en la resolución del recurso de casación, el Tribunal Supremo entienda que se debe apreciar la prescripción, y esta no haya sido alegada por las partes en la Sentencia de instancia ni se haya planteado como cuestión nueva en el recurso de casación.</u> En estos casos, siguiendo lo indicado en

el apartado precedente, aunque el Tribunal entienda que en el supuesto enjuiciado se debería apreciar la prescripción, no está facultado para ello, pues su resolución queda constreñida a los estrictos términos en que se presenta el recurso de casación que, a su vez, queda sometido a las cuestiones alegadas a lo largo del procedimiento. Si, conforme a la regulación actual del recurso de casación se rechaza el planteamiento de la prescripción tributaria como cuestión nueva, al presentar tal recurso, con más motivo se deberá rechazar la apreciación por el Tribunal de la prescripción cuando no se ha hecho a la misma alusión alguna por las partes a lo largo del procedimiento.

3.3. UN PROBLEMA CADA VEZ MÁS FRECUENTE: LA VULNERACIÓN POR PARTE DE LA ADMINISTRACIÓN TRIBUTARIA DE LA APLICACIÓN DE OFICIO DE LA PRESCRIPCIÓN

Al hilo de lo expuesto en los apartados precedentes debemos preguntaros si se cumple el mandato del artículo 69.2 de la LGT por la Administración y si efectivamente esta aplica la prescripción de oficio, sin necesidad de que la oponga o excepcione el sujeto pasivo. La práctica tributaria impide responder afirmativamente, con rotundidad, a estas preguntas. Son muchas las ocasiones –cada vez más- en las que los órganos de la Administración obvian la aplicación de oficio de la prescripción, debiendo esta ser alegada por el sujeto pasivo para su apreciación. Parece que, en el plano empírico, la Administración está abandonando esta regla característica de la prescripción tributaria y adoptando la norma propia del ámbito civil, a saber, la necesidad de que la prescripción sea alegada para que sea apreciada[879].

Esta situación, como indicamos cada vez más frecuente, pero no novedosa, vulnera la esencia de la institución de la prescripción tributaria que, tal y como se ha puesto de manifiesto en distintos puntos de este trabajo, goza de un carácter propio. Este carácter propio viene dado por la configuración que el legislador ha hecho de esta figura en la LGT y tiene su reflejo en la modificación de alguno de los caracteres definitorios de la prescripción en el ámbito iusprivatista. Uno de ellos, y nos atrevemos a afirmar que el de más importancia, es la aplicación de oficio de la prescripción, que tiene un claro fundamento: salvaguardar el interés jurídico protegido en este ámbito, que es un interés público, general que, por tanto, merece una especial protección.

Decimos que no se trata de una cuestión novedosa, pues resulta curiosa la plena actualidad de las palabras que

---

879 Este problema no es precisamente reciente. Ya FERNÁNDEZ PAVÉS, en un trabajo del año 2003, apuntaba lo siguiente en relación a la aplicación de oficio de la prescripción por parte de la Administración: *"la argumentación anterior nos hace pensar, hasta qué punto realmente sirve al Derecho ese aspecto esencial de su régimen jurídico, si obviamente la Administración va a ser normalmente reticente a su admisión aunque sea procedente, y en otras instancias superiores hay que ser escrupulosamente cuidadosos con la «concatenación de los presupuestos procedimentales» seguidos, y no solo con los aspectos materiales de los cuales pueda depender su procedencia, a veces tan difusos como es el presente caso"*. Vid. FERNÁNDEZ PAVÉS, M. J.: "Pérdida de la devolución por bonificación del 95% y no aplicación de oficio de la prescripción: todo por la validez de la notificación al portero", *Jurisprudencia Tributaria Aranzadi*, Volumen II, 2003, págs. 2143-2144.

ROSSY[880] plasmó hace más de 60 años. Señalaba este autor al referirse a la aplicación de oficio de la prescripción que *"si se piensa un poco en la razón de esa aplicación de la prescripción sin que sea alegada por aquel a quien beneficie, se encontrará fácilmente si se considera que la Administración debe obrar siempre, siempre, de buena fe, y ciñéndose estrictamente a la ley; y si la Administración aprecia que ha prescrito su acción, no debe siquiera intentarla. La Administración, decimos, ha de obrar dentro de la ley, ejecutándola, y nunca fuera de la ley, porque quebrantaría uno de los fundamentos esenciales de la vida y estructura del Estado, cual es, no solo dar la ley, sino cumplirla y hacerla cumplir; y no la cumpliría la Administración sino la violaría, si tratara de ejercitar una acción a sabiendas de que está prescrita. La Administración no puede justificar su actitud en el disculpable egoísmo del particular que intenta ejercitar una acción prescrita "a ver si pasa", traicionando la buena fe que el administrado ha de suponer en la Administración; ha de atenerse a la ley y ha de demostrar en todo momento que es digna del crédito que los administrados dan a la Administración"*[881].

La inaplicación de oficio de la prescripción por los órganos de la Administración tributaria se produce en todos

---

880 ROSSY, H.: *Instituciones de Derecho Financiero*, ob. cit., pág. 543.

881 También hacía referencia a la reticencia por parte de los órganos de la Administración en la aplicación de oficio de la prescripción CASABLANCAS GARCÍA que, en comentario al artículo 60 del Reglamento General de Recaudación de 1990, apunta que *"parece que Hacienda pierda un poco el respeto tradicional que tenía ante los créditos que prescribían y que, muchas veces, se negaba a reconocer"*. Vid. CASABLANCAS GARCÍA, P.: *Breves comentarios al nuevo Reglamento General de Recaudación de Hacienda*, ob. cit., pág. 60.

los niveles de la Administración: desde los órganos de gestión e inspección, hasta los TEAs. Estos últimos son especialmente reacios a aplicar la prescripción de oficio en aquellos casos en que, planteada una reclamación económico-administrativa para su conocimiento, el procedimiento permanece paralizado, sin actuación interruptiva alguna, por más de cuatro años. Aunque la doctrina del Tribunal Supremo es clara en el sentido de que en esta situación los TEAs deben declarar la prescripción de oficio[882], no suelen proceder así, de ahí que algún autor se haya referido a esta situación certeramente como la *"obcecada resistencia de los Tribunales Económico-Administrativos a declarar la prescripción de oficio"*[883].

Es por ello que la reversión de esta aplicación de oficio de la prescripción que en la actualidad parece realizar la Administración tributaria en muchas de sus actuaciones resulta tan perjudicial para la institución y, por ello, tan criticable. La omisión de la aplicación de oficio supone obviar uno de los caracteres que justifican la existencia de la prescripción en el ámbito tributario y que protege un interés especialmente importante: el interés general. Con su actuación la Administración vulnera la protección de este interés general, pero también el ordenamiento tributario y con ello, nuevamente, el principio de seguridad jurídica.

---

882 En este sentido, las referidas Sentencias del Tribunal Supremo de 25 de junio de 1998 (*Tol 1.699.783*), de 1 de abril de 2000 (*Tol 1.701.122*), de 1 de junio de 2001 (*Tol 4.918.954*), de 28 de junio de 2002 (*Tol 1.701.643*), de 18 de junio de 2012 (*Tol 2.571.688*) y de 14 de noviembre de 2013 (*Tol 4.024.025*), entre otras.

883 GUERRA REGUERA, M.: *Prescripción de deudas tributarias*, ob. cit., pág. 308.

4. EFECTOS DE LA PRESCRIPCIÓN GANADA

De los efectos de la prescripción se ocupa el apartado 3 del artículo 69 de la LGT. Este artículo es claro cuando indica

> "La prescripción ganada extingue la deuda tributaria"

Este precepto reitera lo ya indicado en el artículo 59.1 de la LGT.

De esta manera, el artículo determina la extensión objetiva de la prescripción: la extinción de la deuda tributaria. Este es el efecto esencial del instituto prescriptivo, pues, transcurrido el plazo de cuatro años sin interrupción la deuda tributaria expira[884]. Este efecto extintivo también es propio del orden civil, pues el artículo 1.930 del Código Civil señala que por prescripción *"se extinguen del propio modo por la prescripción los derechos y las acciones, de cualquier clase que sean"*.

La previsión en relación al efecto extintivo del transcurso del plazo de prescripción fue una novedad de la LGT, ya que con carácter previo únicamente aparecía recogida en los distintos Reglamentos Generales de Recaudación[885].

---

884 Extinción y prescripción son dos conceptos fuertemente ligados, también en el propio lenguaje común. Así, la tercera acepción del verbo *"extinguir"* en el diccionario de la RAE es *"hacer que prescriba un plazo, un derecho, una obligación, etc."*.

885 Tanto el Reglamento General de Recaudación del año 1968 (artículo 64.4), como el Reglamento General de Recaudación del año 1990 (artículo 62.4), recogían una previsión idéntica a la establecida en la LGT de 2003.

Aunque el efecto extintivo de la prescripción resulta generalmente aceptado por la doctrina, no ha sido cuestión pacífica la delimitación del objeto de la prescripción, lo que enlazaba directamente con la naturaleza del plazo. En la actualidad, asumidos los postulados de la LGT, el debate sobre el objeto de la prescripción tributaria ya parece superado y plenamente aceptado que el plazo que regula la LGT es de prescripción.

El artículo 69.3 de la LGT establece el ámbito objetivo de la prescripción con carácter amplio, al señalar que lo que se extingue es la deuda tributaria. La extinción se produce, enlazando con lo indicado en el artículo 69.2 de la LGT, incluso en los casos en que la deuda se haya pagado posteriormente, pues la deuda tributaria no puede "resurgir" una vez fenecida. El efecto extintivo es el resultado directo de la conclusión del plazo de prescripción, y a él hemos venido haciendo referencia a lo largo de toda este estudio.

Este efecto extintivo sobre la deuda tributaria, independientemente de la naturaleza del plazo, también ha sido reconocido expresamente por el Tribunal Supremo, entre otras, en su Sentencia de 20 de marzo de 1999[886], en la que señala que "*ya se trate de una verdadera prescripción, ya de un supuesto de caducidad o ya se esté en presencia de una figura con perfiles propios, la prescripción que contemplan los artículos 64 y siguientes de la Ley General Tributaria supone que el transcurso del plazo de 5 años (rebajado a 4 por la Ley 1/1998, de Garantías de los Contribuyentes) priva a la Administración de su derecho -si se considera*

---

886 *Tol 1.551.616.*

que estamos ante una prescripción-, o de su potestad -si de una caducidad-, para fijar la deuda tributaria, de suerte que <u>el transcurso del tiempo indicado, con la inactividad del órgano de la Administración competente, conduce a la extinción de dicha deuda de forma automática, apreciable de oficio</u>, no pudiendo enervarse tal automatismo con ninguna consideración distinta a la de la interrupción o suspensión, en la forma prevista en la del plazo correspondiente". De esta forma, la prescripción supone que, indefectiblemente, se extinguirán todos los elementos que componen la deuda tributaria, recogidos en el artículo 58 de la LGT, a saber: obligación tributaria principal, obligación de realizar pagos a cuenta, interés de demora, recargos por declaración extemporánea y recargos del periodo ejecutivo.

En cuanto a los componentes de la deuda tributaria que se extinguen por prescripción, siendo la obligación tributaria principal el elemento esencial que configura la deuda tributaria, es claro que la extinción de la última conllevará la de la primera. Extinguida la deuda tributaria, la Administración pierde su derecho a determinar la cuota tributaria y a exigir su pago, pues este es el contenido esencial de la obligación tributaria principal.

Es preciso hacer notar que el concepto de deuda tributaria no refleja la totalidad de los efectos de la relación jurídico-tributaria, pues únicamente hace referencia a la deuda, no al derecho de crédito que ostenta la Administración. En este sentido se infiere una cierta parcialidad en la LGT, pues al referirse solo a la deuda tributaria está reflejando únicamente la posición del deudor y, aun siendo este el beneficiado por la prescripción, no se puede olvidar que esta priva al acreedor de exigir el cumplimiento de la obligación.

Señala SÁNCHEZ BLÁZQUEZ[887] a este respecto que *"el efecto primordial que se deriva de las que suelen denominarse como prescripción del derecho a liquidar y prescripción del derecho a recaudar es el de la extinción de la obligación tributaria principal y del crédito tributario en sentido estricto, en cuanto son las dos vertientes, pasiva y activa, de una misma relación jurídica entre acreedor (Hacienda Pública) y deudor (obligado tributario), que es la que en su integridad quedaría afectada por la prescripción"*. De esta forma, aunque la LGT se refiere únicamente a la deuda tributaria, será esta, pero también el crédito tributario, como sendas caras de la relación jurídico-tributaria, los elementos extinguen por prescripción. En definitiva, en palabras de FERREIRO LAPATZA[888], *"la prescripción ganada extingue la deuda tributaria y el correspondiente derecho de crédito de la Administración"*.

4.1. EXTINCIÓN DE LA DEUDA TRIBUTARIA Y DERECHOS SUSCEPTIBLES DE PRESCRIPCIÓN

En el presente trabajo hemos identificado el concepto de deuda tributaria y los distintos derechos susceptibles de prescripción que recaen sobre esta, por lo que aparece la cuestión de cómo se pueden encajar todos estos elementos

---

887   SÁNCHEZ BLÁZQUEZ, V. M.: *La prescripción de las obligaciones tributarias*, ob. cit., pág. 167.

888   FERREIRO LAPATZA, J. J.: *Instituciones de derecho financiero*, ob. cit., pág. 320.

en el artículo 69.3 de la LGT. A estos efectos, consideramos que lo que resulta primordial es establecer qué supone esa extinción, o cuál es su concreto alcance.

El efecto de la consumación de la prescripción es la extinción de la deuda tributaria, esto es, su desaparición. Si la deuda tributaria desaparece, entendemos que debe hacerlo a todos los efectos. De esta forma, prescrita la deuda, la Administración no podrá ni determinar la deuda tributaria ni exigir el pago.

Dice la RAE que *"extinguir"* es *"hacer que una cosa se termine o deje de existir, especialmente después de haber ido disminuyendo o desapareciendo poco a poco"*. Si es así, ¿deja de existir la deuda tributaria transcurrido el plazo de prescripción? A efectos de las facultades que puede ejercitar la Administración sobre ella sí, pues transcurrido el plazo de prescripción la Administración ya no va a poder ni determinar la deuda tributaria ni exigir el pago.

Sin embargo, esta afirmación presenta matices. Hay que partir de que la prescripción va a desplegar sus efectos sobre el derecho a liquidar y sobre el derecho a exigir el pago de la Administración, provocando que la liquidación devenga inalterable y la deuda inexigible[889]. La inalterabilidad de la

---

889 FALCÓN Y TELLA, R.: *La prescripción en materia tributaria*, ob. cit., págs. 191-193. Este autor liga la prescripción del derecho a liquidar con la inalterabilidad de la deuda y la prescripción del derecho a exigir el pago con su inexigibilidad. Sin embargo, MARTÍN CÁCERES realiza un planteamiento distinto, ligando la inexigibilidad de la deuda tanto a la prescripción del derecho a liquidar como a la prescripción del derecho a recaudar. Vid. MARTÍN CÁCERES, A. F.: *La prescripción del crédito tributario*, ob. cit., págs. 204-212.

deuda tributaria supone que *"resulta imposible añadir nuevos datos fácticos o jurídicos a la liquidación o autoliquidación inicial"*[890], ni por la Administración, ni por el contribuyente. Si la prescripción de sendos derechos es coincidente en el tiempo, el planteamiento de la prescripción de la deuda tributaria no ofrece mayor problema. Por ejemplo, la inexigibilidad vendrá ligada a la inalterabilidad en aquellos casos en los que, transcurrido el plazo de prescripción, la Administración no hubiese notificado liquidación alguna al contribuyente. Sin embargo, si la prescripción del derecho a liquidar y del derecho a exigir el pago no coincide en el tiempo, aparecen mayores dudas, porque, si lo que se extingue es la deuda tributaria ¿cómo se mantiene un derecho extinto el otro?; ¿cómo encaja esto con el texto del artículo 69.3 de la LGT? Pues bien, entendemos que en este caso es necesario conjugar el concepto de deuda tributaria y sus distintos componentes con las distintas facultades que la Administración puede ejercer sobre la misma.

Y es que prescribe el derecho de la Administración a determinar *"la deuda tributaria"* y el derecho de la Administración a exigir el pago *"de la deuda tributaria"*, esto es, prescriben dos derechos que recaen sobre un mismo elemento, la deuda tributaria, y que, como hemos indicado, provocan un efecto diferente sobre la misma. Por ello, debemos entender que, independientemente de la prescripción simultánea o consecutiva de sendos derechos, se requiere la concurrencia de ambos para que la prescripción alcance su efecto total: inalterabilidad e inexigibilidad de la deuda tributaria.

---

890   FALCÓN Y TELLA, R.: *La prescripción en materia tributaria*, ob. cit., pág. 191.

En definitiva, la extinción por prescripción de la obligación tributaria principal y, con ella, de la deuda tributaria, debe considerarse como la adición de la inalterabilidad y de la inexigibilidad de la deuda tributaria, pues son estos los dos efectos ligados a la desaparición de los derechos ejercitables por la Administración.

4.2. EXTINCIÓN DE LA DEUDA TRIBUTARIA E IMPRESCRIPTIBILIDAD DEL DERECHO A COMPROBAR E INVESTIGAR

No se entendería la prescripción sin el efecto extintivo asociado a la misma, derivado del propio principio de seguridad jurídica. De ahí que se deban rechazar frontalmente todos aquellos planteamientos que priven de tal efecto a la institución de la prescripción, ya sea de manera directa o indirecta, tal y como ocurre en la actualidad con el régimen establecido en el artículo 66 bis. de la LGT, contra el que tanto nos hemos manifestado, pues la imprescriptibilidad, en definitiva, no supone otra cosa que borrar el efecto extintivo asociado a la prescripción.

Es por ello que, a la luz del artículo 69.3 de la LGT, resulten tan criticables ciertos pronunciamientos del Tribunal Supremo, a los que ya nos hemos referido, en los que el legislador ha fundamentado la reforma de la LGT del año 2015. Así, en las Sentencias del Tribunal Supremo de 3 de mayo de 2010 y de 11 de noviembre de 2012[891], el Alto Tribunal concluye que *"la expiración del plazo legalmente establecido impide a*

---

891 *Tol 1.884.612* y *Tol 2.673.031*, respectivamente.

la Administración liquidar los ejercicios afectados, pero ello no obsta a que, para ejercer esa potestad en relación con un ejercicio aún vivo quepa examinar operaciones, compruebe asientos contables o analice transacciones realizadas más allá en el pasado. La consumación del plazo de prescripción extingue dicha potestad, pero no borra la realidad ni ciega el pasado impidiendo su examen cuando sea menester a fin de comprobar un tributo aún liquidable por la Administración".

En el mismo sentido, la Sentencia de 19 de enero de 2012[892], en la que se afirma que *"la actividad que prescribe es el derecho de la Administración a determinar la deuda tributaria mediante la liquidación y la acción para exigir el pago de las deudas liquidadas, no la actividad de comprobación, que se ha de sujetar al contenido legal de tal facultad. Interpretar lo contrario sería tanto como reconocer una especie de ultra actividad de la prescripción a ejercicios no afectados por ella, que no podrían regularizarse pese a que en ellos se obtuvieran rendimientos, ganancias, deducciones o pérdidas que, originarias de la relación jurídica nacida del ejercicio prescrito, hubieran de ser comprobadas, dando lugar a la exigibilidad, en su caso, de la deuda tributaria correspondiente. No se puede, pues, excluir la posibilidad de que, dentro de las actuaciones de comprobación, puedan verificarse operaciones que integran el hecho imponible aun cuando tengan su origen en ejercicios fiscales ya prescritos".*

Entendemos que la propia premisa de partida del Tribunal es errónea, pues alude a que lo que se extingue por prescripción es el derecho a determinar la deuda tributaria,

---

892 Tol 2.450.860.

cuando lo que efectivamente se extingue es la deuda tributaria misma, y en ese sentido el artículo 69.3 es claro. Es innegable que la extinción de la deuda supone también la extinción de los derechos de la Administración asociados a su liquidación y exigencia, pero el planteamiento del Tribunal Supremo no parece seguir esa misma línea, sino que, aun aceptando que tales derechos desaparecen, parece sostener que la deuda tributaria pervive, al menos a algunos efectos. En este sentido reproducimos otro extracto de una Sentencia del Tribunal Supremo, en este caso la de 27 de noviembre de 2012[893] *"una cosa es la prescripción del derecho de la Administración a la determinación de una deuda tributaria, cuyas consecuencias se arrastran en el futuro y afectan a ejercicios no prescritos (casos de las Sentencias citadas por la recurrente), y otra es la realidad y naturaleza de las cosas, que son y no pueden dejar de ser en ejercicios futuros, por lo que configurado erróneamente un concepto impositivo en un ejercicio prescrito, nada impide su adecuada configuración en los posteriores no prescritos".*

Al realizar tales afirmaciones parece que el Alto Tribunal se ha olvidado del artículo 69.3 de la LGT, pues su interpretación deja "viva" la deuda tributaria, aunque solo sea parcialmente, mientras que la LGT es clara en cuanto a su extinción total. Esta pervivencia no encaja con el efecto de la prescripción, pues, como señala MARTÍN CÁCERES[894], *"la extinción de la facultad liquidadora por prescripción determina de modo indirecto, por desaparición*

---

893   *Tol* 2.708.397.

894   MARTÍN CÁCERES, A. F.: *La prescripción del crédito tributario,* ob. cit., pág. 206.

del presupuesto habilitante (la exigibilidad de la deuda), la imposibilidad del ejercicio de la potestad liquidadora y, por consecuencia, la improcedencia de verificar actuación alguna tendente a la comprobación, investigación o liquidación de la deuda tributaria". Por ello consideramos erróneo este planteamiento y contrario a la seguridad jurídica y a la propia esencia de la prescripción, pues extinta la deuda, no se puede mantener su pervivencia a los solos efectos de comprobar e investigar situaciones ya consolidadas.

A mayor abundamiento, este nuevo *"derecho a comprobar e investigar"* carece de tal naturaleza jurídica, pues, en puridad, es una potestad inserta en el derecho a liquidar. La obligación de la Administración de declarar la prescripción de oficio, en este caso del derecho a liquidar, difícilmente casa con el mantenimiento, *sine tempore*, de una de las potestades que la integran[895].

4.3. EXTINCIÓN DE LAS OBLIGACIONES TRIBUTARIAS A CUENTA

No cabe duda de que la extinción de la deuda tributaria traerá consigo la extinción de la obligación tributaria principal, como elemento esencial de esta, tal y como hemos señalado en líneas superiores. Pero debemos preguntarnos cómo afecta el efecto extintivo que se consagra

---

895   DE JUAN CASADEVALL, J.: "La comprobación de *créditos fiscales* de ejercicios prescritos tras la Ley 34/2015, de reforma de la Ley General Tributaria", ob. cit., BIB 2016\2586. (Consultado en la base de datos Aranzadi Instituciones, con fecha 16/10/2017).

en el artículo 69.3 de la LGT a los restantes componentes de la deuda tributaria.

Hemos defendido en este trabajo que, como regla general, la prescripción de las obligaciones tributarias a cuenta va a venir determinada por la prescripción de la deuda tributaria, y con ello, de la obligación tributaria principal, en tanto que las segundas van a quedar integradas en la primera. En este punto nos hacemos eco de las palabras de VEGA HERRERO[896], que compartimos plenamente, cuando indica que *"la LGT regula la prescripción entre las formas extintivas de la deuda tributaria (…) este vocablo hay que entenderlo conforme al concepto analítico que contiene el artículo 58 de la LGT (de 1963), es decir, omnicomprensivo de la cuota y de los demás concepto que el él se enumeran"*. Conforme a este criterio, la extinción de la deuda tributaria va a suponer también la de todas las obligaciones a cuenta inherentes a la misma. Añade la referida autora que *"si lo que se extingue es la deuda tributaria, ya se da por supuesto que esta comprende no solo la cuota sino también los restantes conceptos pecuniarios que tienen carácter accesorio, en cuanto dependen de la existencia de aquella y además no son de necesaria concurrencia en la deuda tributaria, de ahí que sea ocioso aludir a su extinción separadamente"*.

Esta regla general únicamente tiene una especialidad, la relativa a las retenciones y pagos a cuenta cuando estos son realizados por un tercero distinto al sujeto pasivo. En estos casos, dado que estas operaciones no se ligan al nacimiento

---

896   VEGA HERRERO, M.: *La prescripción de la obligación tributaria*, ob. cit., págs. 113-114.

de la obligación tributaria principal ni son realizadas por el sujeto pasivo del tributo, poseen un plazo de prescripción propio a lo largo del cual la Administración puede liquidar y exigir el pago de tales deudas a los retenedores o a los obligados a realizar los pagos a cuenta. Sin embargo, ¿son totalmente independientes sendas prescripciones?. Entendemos que no, pues la extinción de la obligación tributaria principal a cuya cuenta se realizaban las correspondientes retenciones o pagos, supondrá la extinción de la obligación del soportar la retención, y con ello, de la obligación de retener. Esto es, lo que queremos destacar es que si la obligación principal a cuenta de la que se practicaba la retención desaparece, consideramos que debe extinguirse también la obligación de retener, pues, en estos casos, si perviviera esta última y el retenedor efectuara el pago ¿a cuenta de qué obligación lo haría, si la obligación principal ya no existe?[897]. A pesar de lo expuesto, la práctica tributaria no coindice con este

---

[897] No es este el criterio de SÁNCHEZ BLÁZQUEZ, pues sus conclusiones en este punto se derivan de lo defendido en cuanto al contenido de la prescripción. Recordemos que este autor consideraba que cada una de las obligaciones a cuenta daba lugar al nacimiento de un plazo de prescripción propio, conclusión que, por los motivos expuestos en el Capítulo Primero, no compartimos. La consecuencia de la configuración de la prescripción que realiza este autor en cuanto a los efectos de la institución en las obligaciones a cuenta, y particularmente, en las retenciones, es que "*la autonomía de la obligación de ingresar retenciones respecto a la obligación principal del sujeto retenido determina que producida la prescripción de esta última y no habiéndose consumado la prescripción de aquella, determina la no extinción de esta obligación de ingresar las retenciones*". No obstante, a renglón seguido, este autor reconoce que "*los problemas que pueden generarse de tal circunstancia, puesto que la prescripción de la obligación principal traerá consigo la extinción de la obligación de soportar la retención, por lo que de exigirse las mayores retenciones al retenedor, este ya no podrá repercutírselas al obligado a soportar la retención*". Vid. SÁNCHEZ BLÁZQUEZ, V. M.: *La prescripción de las obligaciones tributarias*, ob. cit., pág. 216.

criterio, y no es infrecuente que la Administración exija el pago al retenedor, una vez prescrito su derecho a liquidar la obligación principal de la que la retención trae cuenta, dando lugar a supuestos de enriquecimiento injusto, a los que ya nos referimos al abordar la interrupción de las obligaciones conexas.

Para resolver esta problemática, el Consejo de Defensa del Contribuyente ha realizado varias propuestas, entre las que destacan fundamentalmente dos[898]: la Propuesta 1/2003, sobre exigencia del impuesto al retenedor después de satisfecha la obligación principal por el contribuyente, y la Propuesta 8/2003, también sobre exigencia del impuesto al retenedor después de satisfecha la obligación principal por el contribuyente. En relación a lo que venimos defendiendo en los párrafos superiores, el Consejo de Defensa del Contribuyente manifiesta un criterio coincidente. Afirma en la Propuesta 1/2003 lo siguiente *"¿es razonable que la Administración instruya un acta al retenedor y le exija las retenciones no practicadas después de que el contribuyente ha satisfecho la obligación tributaria deduciendo exclusivamente las retenciones efectivamente soportadas? La respuesta es claramente que no. Aunque ambas obligaciones (ingresar la retención y el tributo) son diferentes y autónomas, existe entre ellas una indiscutible relación de dependencia. La obligación de retener tiene sentido como garantía y anticipación de un tributo. Esto es, de un lado, la práctica de la retención y su ingreso en la Hacienda Pública permite el control de rentas sujetas al Impuesto sobre la Renta y, de otro lado, es un pago*

898　También referenciadas por SÁNCHEZ BLÁZQUEZ, V. M.: *La prescripción de las obligaciones tributarias*, ob. cit., pág. 216.

anticipado o a cuenta de lo que resulte de la autoliquidación por el contribuyente del mismo Impuesto. Extinguida la deuda tributaria sin deducción de las retenciones, la obligación de ingresar un importe adicional, por no haber practicado retenciones o haberlo hecho por importe inferior al debido, pierde su objeto y su sentido, sin perjuicio de las infracciones que haya podido cometer el retenedor, que deben ser oportunamente tipificadas y sancionadas".

4.4. EXTINCIÓN DE LAS OBLIGACIONES ACCESORIAS: INTERESES DE DEMORA, DE LOS RECARGOS POR DECLARACIÓN EXTEPORÁNEA Y DE LOS RECARGOS DEL PERIODO EJECUTIVO

En tanto los intereses de demora, los recargos por declaración extemporánea y los recargos del periodo ejecutivo son obligaciones accesorias a la obligación tributaria principal, dependiendo su existencia y cuantificación de la previa determinación de la cuota tributaria, entendemos que extinguido el derecho de la Administración a determinar y exigir la primera, no cabe duda alguna de que también se extinguen los correspondientes derechos respecto a los segundos elementos. No se plantea en este punto duda alguna, pues el propio carácter accesorio de todos estos elementos y su integración plena en el concepto de deuda tributaria, impide la pervivencia de ninguno de ellos una vez esta se ha extinguido por prescripción.

Como apunta FALCÓN Y TELLA[899], *"dado que las potestades de autotutela administrativa se proyectan tanto sobre la obligación tributaria como sobre las obligaciones accesorias, la inactividad de dichas facultades afecta a una y otras. En este sentido, puede decirse que los efectos de la prescripción de la obligación tributaria principal, en cualquiera de sus dos modalidades, se extienden a dichas obligaciones accesorias"*, conclusión con la que coincidimos plenamente.

No así con la expuesta por SÁNCHEZ BLÁZQUEZ[900]. Este autor considera que la prescripción de la obligación tributaria principal no es extensible a las obligaciones accesorias, como regla general, al margen de que ambos plazos puedan discurrir parejos y la extinción producirse de manera simultánea. Aunque estas conclusiones son coherentes con el objeto de la prescripción defendido por este pronunciamiento doctrinal, no podemos compartirlas, precisamente porque no coincidimos en la base de la argumentación y, particularmente, en la autonomía de estas obligaciones a efectos de generar un plazo de prescripción propio, tal y como expusimos en el Capítulo Primero de la presente investigación.

---

899   FALCÓN Y TELLA, R.: *La prescripción en materia tributaria*, ob. cit., pág. 193. En el mismo sentido MARTÍN CÁCERES, A. F.: *La prescripción del crédito tributario*, ob. cit., pág. 205.

900   SÁNCHEZ BLÁZQUEZ, V. M.: *La prescripción de las obligaciones tributarias*, ob. cit., pág. 214.

4.5. EL DIFÍCIL ENCAJE ENTRE LA REGULARIZACIÓN VOLUNTARIA DEL ARTÍCULO 252 DE LA LEY GENERAL TRIBUTARIA Y LA EXTINCIÓN DE LA DEUDA TRIBUTARIA

La diferencia vigente entre el plazo de prescripción tributario (cuatro años) y penal, aplicable al delito fiscal, (cinco años)[901] ha sido una causa frecuente de dificultades interpretativas y, con ello, de litigiosidad. La Ley 34/2015 ha intentado ofrecer una solución a esta situación por medio de la inclusión 252 en el texto de la LGT, denominado *"Regularización voluntaria"*. Este nuevo precepto dispone que:

"La Administración Tributaria no pasará el tanto de culpa a la jurisdicción competente ni remitirá el expediente al Ministerio Fiscal salvo que conste que el obligado tributario no ha regularizado su situación tributaria mediante el completo reconocimiento y pago de la deuda tributaria antes de que se le hubiera notificado el inicio de actuaciones de comprobación o investigación tendentes a la determinación de la deuda tributaria objeto de la regularización o, en el caso de que tales actuaciones no se hubieran producido, antes de que el Ministerio Fiscal, el Abogado del Estado o el representante procesal de la Administración autonómica, foral o local de que se trate, interponga querella o

---

901 Artículo 131.1 del Código Penal.

denuncia contra aquél dirigida, o antes de que el Ministerio Fiscal o el Juez de Instrucción realicen actuaciones que le permitan tener conocimiento formal de la iniciación de diligencias.

(...)

Lo dispuesto en este artículo resultará también de aplicación cuando la regularización se hubiese producido una vez prescrito el derecho de la Administración para determinar la deuda tributaria.

Para determinar la existencia del completo reconocimiento y pago a que se refiere el primer párrafo de este artículo, la Administración Tributaria podrá desarrollar las actuaciones de comprobación o investigación que resulten procedentes, aún en el caso de que las mismas afecten a periodos y conceptos tributarios respecto de los que se hubiese producido la prescripción regulada en el artículo 66.a) de esta Ley".

El precepto representa, a nuestro parecer, un nuevo desatino del legislador en la Ley 34/2015 y un ataque más al principio de seguridad jurídica derivado de este texto legal. De su tenor literal se infiere la validez del pago realizado una vez prescrita la deuda tributaria, pago respecto al que, como hemos expuesto en apartados previos, no existe duda de su naturaleza de indebido, pues se realiza en relación a una deuda extinta. Con ello, este nuevo precepto, bien "desoye", o bien "se olvida", de los indicado en el artículo 69.3 de la LGT[902].

No cabe duda de que la diferencia entre el plazo de prescripción penal y el plazo de prescripción tributario resulta muy problemático en la práctica. Pero estas dificultades tampoco pueden facultar al legislador para conculcar las reglas que rigen la prescripción, sino que deberían servir para buscar soluciones alternativas respetuosas que no supongan un menoscabo del principio de seguridad jurídica. En esta línea, SOTO BERNABÉU[903], cuya opinión suscribimos, propone la necesidad de homogeneizar los plazos de prescripción tributarios y penales. Consideramos que esa equiparación de plazos se debería realizar a los cuatro años dispuestos en la LGT, pues, atendiendo al incremento de las capacidades de control de que dispone la Administración, no procedería un incremento del plazo hasta los cinco años, tal y como ya defendimos cuando abordamos el establecimiento del plazo en la presente investigación. Esta

---

902   A este respecto, SOTO BERNABEU ofrece una posible interpretación alternativa del artículo 252 de la LGT, señalando que se podría considerar que las cantidades ingresadas después de concluido el plazo de prescripción podrían entenderse como parte de la responsabilidad civil derivada de la posible conducta delictiva. Sin embargo, como la propia autora señala esta interpretación presenta el problema de que la responsabilidad civil debe ser declarada en una Sentencia judicial, circunstancia que en este caso no se produce. Vid. SOTO BERNABEU, L.: "Los efectos de la presentación fuera de plazo, transcurrido el plazo de prescripción, de una declaración o autoliquidación extemporánea bajo el régimen del artículo 27 de la Ley General Tributaria", *Crónica Tributaria*, núm. 162, 2017, pág. 226.

903   SOTO BERNABEU, L.: "Los efectos de la presentación fuera de plazo, transcurrido el plazo de prescripción, de una declaración o autoliquidación extemporánea bajo el régimen del artículo 27 de la Ley General Tributaria", ob. cit., pág. 226.

solución contribuiría a eliminar la descoordinación existente y es jurídicamente válida, pues, como señala esta autora, la única diferencia entre el ámbito administrativo sancionador y el ámbito penal *"descansa exclusivamente en el mayor reproche jurídico derivado de la cuantía de las cantidades no declaradas o ingresadas"*, diferencia que no justifica un tratamiento dispar a efectos de prescripción.

4.6. *PRESCRIPCIÓN Y BAJA PROVISIONAL POR INSOLVENCIA DEL DEUDOR*

Especial referencia en cuanto a sus efectos extintivos y su relación con la prescripción merece el supuesto particular de baja provisional por insolvencia del deudor. Esta posibilidad se recoge en el artículo 76 de la LGT[904] y está prevista en aquellos casos en los que la deuda deviene incobrable, total o parcialmente, por insolvencia probada del deudor. La declaración de insolvencia no se prevé como un mecanismo extintivo de la deuda tributaria, de ahí que el referido artículo 76 de la LGT, en su apartado 2 establezca que *"la deuda tributaria se extinguirá si, vencido el plazo de prescripción, no se hubiera rehabilitado"*[905]. En definitiva, *"lo que en realidad extingue la deuda no es la insolvencia,*

---

904   El apartado 1 de este precepto señala que *"las deudas tributarias que no hayan podido hacerse efectivas en los respectivos procedimientos de recaudación por insolvencia probada, total o parcial, de los obligados tributarios se darán de baja en cuentas en la cuantía procedente, mediante la declaración del crédito como incobrable, total o parcial, en tanto no se rehabiliten dentro del plazo de prescripción de acuerdo con lo dispuesto en el apartado 2 del artículo 173 de esta ley".*

905   MENÉNDEZ MORENO, A.: *Derecho Financiero y Tributario. Parte general. Lecciones de Cátedra*, ob. cit., pág. 208.

sino la prescripción", pues mientras el plazo de prescripción no concluya la Administración podrá rehabilitar el crédito, por ejemplo, cuando conozca que el obligado viniera a mejor fortuna.

La declaración de fallido del deudor posee carácter potestativo, de modo que será la Administración la que decida en cada caso si acude o no a esta vía. Esta falta de obligatoriedad ha sido criticada por MATA SIERRA[906], que ha señalado que evitar esta opción es un mecanismo que puede usarse de manera *"perversa"* por la Administración tributaria, a fin de salvaguardar su derecho a exigir el pago a lo largo del tiempo a través de sucesivas interrupciones del plazo de prescripción. Por ello, considera esta autora que, para corregir la potencial inactividad de la Administración sería necesario *"configurar la actuación administrativa con carácter obligatorio, como cierre necesario de un procedimiento ejecutivo "improductivo", estableciendo el plazo que corresponda y los cauces procedentes para instar la misma en el caso de que la Administración no actúe de oficio"*.

---

906 MATA SIERRA, M. T.: *Las garantías de los ciudadanos frente a la inactividad de la Administración tributaria*, ob. cit. págs. 248-250.

BIBLIOGRAFÍA

ALBALADEJO, M.: *La Prescripción Extintiva,* 18ª ed., Edisofer, Madrid, 2009.

ALBALADEJO, M.: *Derecho Civil I. Introducción y parte general,* 18ª ed., Edisofer, Madrid, 2009.

ALBIÑANA GARCÍA-QUINTANA, C.: "Presentación", *Crónica Tributaria,* núm. 19, 1976.

ALBIÑANA GARCÍA-QUINTANA, C.: *Derecho Financiero y Tributario,* Escuela de Inspección Financiera y Tributaria, Ministerio de Hacienda, Madrid, 1979.

ALBIÑANA GARCÍA-QUINTANA, C.: *Sistema tributario español y comparado,* 2ª ed., Tecnos, Madrid, 1992.

ALBIÑANA GARCÍA-QUINTANA, C.: "El llamado Estatuto de los Contribuyentes", *Tapia,* núm. 99, marzo-abril, 1998.

ALLER, C.: "De la prescripción del cobro de las deudas tributarias", *Crónica Tributaria,* núm. 19, 1976.

ALONSO ARCE, I.: *La Prescripción en los Procedimientos Tributarios y el Régimen de Concierto Económico con la Comunidad Autónoma del País Vasco,* 1ª ed., Aranzadi, Cizur Menor (Navarra), 2003.

ALONSO MURILLO, F.: "Artículo 24", en, ALONSO MURILLO, F., BLASCO DELGADO, C., GÓMEZ CABRERA, C., LÓPEZ MARTÍNEZ, J.: Comentarios a la Ley de Derechos y Garantías de los Contribuyentes, 1ª ed., McGrawHill, Madrid, 1998.

ÁLVAREZ BARBEITO, P.: "Nuevo plazo de prescripción para comprobar bases imponibles negativas. Análisis del art. 26.5 de la LIS", Quincena Fiscal, núm. 14, 2015.

AMADOR FERNÁNDEZ, S., ROMANO APARICIO, J.: Manual del nuevo Plan General Contable, 2ª ed., Centro de Estudios Financieros, Madrid, 2013.

ARANA LANDÍN, S.: "La regulación de la prescripción en la nueva modificación de la Ley General Tributaria 58/2003", en VARIOS: Estudios sobre la Reforma de la Ley General Tributaria, Huygens, Barcelona, 2016.

ARIAS ABELLÁN, M. D.: "El régimen jurídico del responsable en la nueva Ley General Tributaria", Revista Española de Derecho Financiero, núm. 123, 2004.

ARIAS ABELLÁN, M. D.: "Sobre la prescripción de las obligaciones de los responsables tributarios: el régimen contenido en la Ley 7/2012, de 29 de octubre, de modificación de la normativa tributaria y presupuestaria y de adecuación de la normativa financiera para la intensificación de las actuaciones en la prevención y lucha contra el fraude", Revista Española de Derecho Financiero, núm. 158, 2013.

ARIAS ABELLÁN, M. D.: "La reforma de la Ley General Tributaria: algunas cuestiones relativas a la prescripción", Nueva Fiscalidad, núm. 5, 2016.

ARIAS APARICIO, F.: "A propósito de los plazos administrativos, su cómputo y las nuevas reglas fijadas en la Ley 39/2015, de 1 de octubre, de Procedimiento Administrativo Común de las Administraciones Públicas", *Revista General de Derecho Administrativo, Iustel,* núm. 42, 2016.

ARRANZ DE ANDRÉS, C.: "La prescripción de la obligación del responsable tributario", en VARIOS: *Estudios de Derecho Financiero y Tributario en homenaje al Profesor Calvo Ortega,* 1ª ed., Lex Nova, Valladolid, 2005.

ASOREY, R. O.: "El principio de seguridad jurídica en el Derecho Tributario", *Revista Española de Derecho Financiero,* núm. 66, 1990.

ATIENZA ALARCÓN, L.: "La prescripción de la responsabilidad tributaria", *El Fisco,* núm. 56, 2001.

BADAS CEREZO, J., MARCO SANJUAN, J. A.: *Obligaciones formales. Declaración y retenciones, en VARIOS: Renta y Patrimonio 2015,* Aranzadi, Madrid, 2015.

BAEZA DÍAZ-PORTALES, M. J.: "Retroacción de actuaciones, defectos formales e intereses de demora", en VARIOS: *Comentarios a la Ley General Tributaria al hilo de su reforma,* 1ª ed., Wolters Kluwer-AEDAF, Madrid, 2016.

BANACLOCHE, J.: "El Estatuto del Contribuyente", *Impuestos,* tomo I, 1991.

BAS SORIA, J.: "Declaración de fraude de ley de una operación realizada en un periodo prescrito", *Estudios Financieros. Revista de Contabilidad y Tributación,* núm. 380, 2014.

BAYONA DE PEROGORDO, J. J., SOLER ROCH, M. T.: *Derecho financiero*, Compás, Alicante, 1987.

BAYONA DE PEROGORDO, J. J., SOLER ROCH, M. T.: *Derecho financiero*, Volumen II, Compás, Alicante, 1989.

BECERRA GUIBERT, I.: *Las notificaciones tributarias*, 1ª ed., Aranzadi, Pamplona, 1982.

BERCOVITZ RODRÍGUEZ-CANO, R.: "Comentario al artículo 1.137 del Código Civil" y "Comentario al artículo 1.156 del Código Civil", en BERCOVITZ RODRÍGUEZ-CANO, R. (Coord.): *Comentarios al Código Civil*, 3ª ed., Aranzadi, Cizur Menor (Navarra), 2009.

BLASCO DELGADO, C.: "La nueva configuración de la prescripción y el derecho a comprobar e investigar", en MERINO JARA, I. (Dir.), CALVO VÉRGEZ, J. (Coord.): *Estudios sobre la reforma de la Ley General Tributaria*, 1ª ed., Huygens, Barcelona, 2016.

CAAMAÑO ANIDO, M. A. (Dir.): *Derecho y Práctica Tributaria*, 1ª. ed., Ciss, Valencia, 2013.

CALVO ORTEGA, R., CALVO VÉRGEZ, J.: *Curso de Derecho Financiero I. Derecho Tributario. Parte General. II. Derecho Presupuestario*, 20ª ed., Thomson Reuters, Madrid, 2019.

CALVO VÉRGEZ, J.: "La comprobación de bases imponibles negativas correspondientes a ejercicios prescritos en el Impuesto sobre Sociedades y su tratamiento en la reforma tributaria", *Revista Aranzadi doctrinal*, núm. extra 11, 2014.

CALVO VÉRGEZ, J.: "Principales novedades del Impuesto de Sociedades para el ejercicio 2015", *Aranzadi digital*, núm. 1, 2016.

CALVO VÉRGEZ, J.: "La compensación de bases imponibles negativas en el Impuesto sobre Sociedades", en, MERINO JARA, I. (Dir.): *La reforma del Impuesto sobre Sociedades*, 1ª. ed., Instituto de Estudios Fiscales, Madrid, 2016.

CALVO VÉRGEZ, J.: "La interrupción del plazo de duración de las actuaciones inspectoras y la retroacción de las actuaciones a la luz de la reciente doctrina de los Tribunales de Justicia", *Quincena Fiscal*, núm. 13, 2016.

CANCIO FERNÁNDEZ, R. C.: "Sofismas y argucias en la interrupción de la prescripción en materia tributaria", *Quincena Fiscal*, núm. 21, 2009.

CARPIO MATEOS, F.: "Cómputo inicial de la prescripción de las acciones de la Hacienda Pública para liquidar los impuestos de Trasmisiones, Sucesiones y A.J.D.", *Boletín de Información del Ilustre Colegio Notarial de Granada*, 1986.

CASABLANCAS GARCÍA, P.: *Breves comentarios al nuevo Reglamento General de Recaudación de Hacienda*, 1ª ed., Ediciones Valbuena, Barcelona, 1991.

CASANA MERINO, R.: "La compensación de bases, cuotas, o deducciones provenientes de ejercicios prescritos", *Quincena Fiscal*, núm. 20, 2014.

CASTÁN TOBEÑAS, J.: *Derecho Civil Español, Común y Foral. Revisada y puesta al día por JOSEIS DE LOS MOZOS*, Tomo 1, Volumen II, 14ª ed., Reus, Madrid, 1984.

CAYÓN GALIARDO, A.: "Jurisprudencia sobre los efectos hacia el fututo de elementos contenidos en declaraciones de ejercicios ya prescritos", *Revista Técnica Tributaria*, núm. 102, 2013.

CHECA GONZÁLEZ, C.: *La revisión de los actos tributarios en vía administrativa*, 1ª ed., Lex Nova, Valladolid, 1988.

CHECA GONZÁLEZ, C.: *La revisión de oficio de los actos tributarios: nulidad y anulabilidad*, 1ª ed., Aranzadi, Pamplona, 1996.

CHECA GONZÁLEZ, C.: *Los responsables tributarios*, 1ª ed., Aranzadi, Cizur Menor (Navarra), 2003.

CORDERO GONZÁLEZ, E. M.: "Apuntes sobre el tratamiento de las bases imponibles negativas en los impuestos sobre la renta", *Estudios Financieros. Revista de Contabilidad y Tributación,* núm. 285, 2006.

CORDERO GONZÁLEZ, E. M.: "La interrupción de la prescripción en relación con las obligaciones conexas tras la reforma de la Ley General Tributaria por Ley 34/2015", *Revista Española de Derecho Financiero,* núm. 170, 2016.

CORDERO GONZÁLEZ, E. M.: " El derecho a comprobar e investigar BIN, créditos fiscales y demás elementos originados en periodos prescritos tras la reforma de la LGT", *Estudios financieros. Revista de contabilidad y tributación*, núm. 396, 2016.

CORRAL GUERRERO, L.: *Comentarios a las Leyes Tributarias y Financieras*, Tomos I y II, 1ª ed., Edersa, Madrid, 1982.

CORTÉS DOMÍNGUEZ, M.: *Ordenamiento tributario español,* Volumen I, 4ª ed., Civitas, Madrid, 1985.

CRÉMADES SCHULZ, M.: "Las obligaciones conexas antes de la reforma de la Ley General Tributaria por la Ley 34/2015", *Actualidad Jurídica Uría Menéndez*, núm. 42, 2016.

DE CASTRO Y BRAVO, F.: *Derecho Civil de España*, 2ª ed., Instituto de Estudios Políticos, Madrid, 1952.

DE JUAN CASADEVALL, J.: "La comprobación de créditos fiscales de ejercicios prescritos tras la Ley 34/2015, de reforma de la Ley General Tributaria", *Quincena Fiscal*, núm. 10, 2016.

DEL PASO BENGOA, J. M., JIMÉNEZ JIMÉNEZ, C.: *Derechos y Garantías del Contribuyente. Comentarios a la Ley 1/1998*, 1ª ed., Ciss, Valencia, 1998.

DE LA NUEZ SÁNCHEZ CASCADO, E.: "Reflexiones acerca de un posible Estatuto del Contribuyente", *Carta Tributaria. Monografías*, núm. 224, 1995.

DE LA NUEZ SÁNCHEZ CASCADO, E.: "Primeras reflexiones en torno al proyecto de ley de derechos y garantías de los contribuyentes", *Carta tributaria. Monografías, núm. 264*, 1996.

DE MIGUEL CANUTO, E.: "El plazo máximo para liquidar en las actuaciones inspectoras", *Quincena Fiscal*, núm. 14, 2016.

DE PABLO VARONA, C.: "Plazo de las actuaciones inspectoras", en MERINO JARA, I. (Dir.), CALVO VÉRGEZ, J. (Coord.): *Estudios sobre la reforma de la Ley General Tributaria*, 1ª ed., Huygens, Barcelona, 2016.

DELGADO GARCÍA, A. M.: *Las notificaciones tributarias en el ordenamiento jurídico español*, 1ª ed., Tirant lo Blanch, Valencia, 1997.

DÍEZ-ALEGRÍA FAX, M.: "La extinción de la obligación tributaria", *Revista de Derecho Financiero y Hacienda Pública*, núm. 68, 1967.

DÍEZ-PICAZO, L.: "La extinción de la deuda tributaria", *Revista de Derecho Financiero y Hacienda Pública*, núm. 54, 1964.

DÍEZ-PICAZO Y PONCE DE LEÓN, L.: *Fundamentos de Derecho Civil Patrimonial. Introducción. Teoría del contrato. Las relaciones obligatorias*, Volumen I, 2ª ed., Tecnos, Madrid, 1983.

DÍEZ-PICAZO Y PONCE DE LEÓN, L.: *Fundamentos de Derecho Civil Patrimonial*, Tomo III, Aranzadi, 2008.

DÍEZ-PICAZO, L.: *La Seguridad Jurídica y otros Ensayos*, 1ª ed., Civitas, Cizur Menor (Navarra), 2014.

ENNECERUS, L.: *Tratado de Derecho Civil (Parte General). Traducción del alemán por BLAS PÉREZ GONZÁLEZ y JOSÉ ALGUER*, Tomo I, Volumen 1°, Bosch, Barcelona, 1934.

ESCRIBANO LÓPEZ, F.: "Procedimiento de liquidación: presupuestos metodológicos y consecuencias prácticas. Prescripción e interrupción de plazos", *Crónica Tributaria,* núm. 19, 1976.

ESCRIBANO LÓPEZ, F.: "Notas acerca del instituto de la prescripción en el nuevo Reglamento General de Recaudación", *Revista Técnica Tributaria*, núm. 13, 1991.

ESCRIBANO LÓPEZ, F.: "Sobre el Proyecto de Ley de Modificación Parcial de la LGT", *Revista Española de Derecho Financiero,* núm. 166, 2015.

ESEVERRI, E.: "Apuntes sobre la prescripción tributaria", *Revista Española de Derecho Financiero,* núm. 57, 1988.

ESEVERRI, E.: *La prescripción tributaria en la jurisprudencia del Tribunal Supremo,* 1ª ed., Tirant lo Blanch, Valencia, 2012.

ESEVERRI, E.: "La prescripción tributaria: nueva regulación", *Documentos - Instituto de Estudios fiscales*, núm. 13, 2016.

ESEVERRI MARTÍNEZ, E., LÓPEZ MARTÍNEZ, J., PÉREZ LARA, J.M., DAMAS SERRANO, A.: *Manual práctico de Derecho Tributario. Parte general*, 5ª ed., Tirant lo Blanch, Valencia, 2019.

FABRA VALLS, M.: "Entrada en vigor y disposiciones transitorias de la nueva Ley General Tributaria", *Tribuna Fiscal*, 163, 2004.

FALCÓN Y TELLA, R.: *La prescripción en materia tributaria*, 1ª ed., La Ley, Madrid, 1992.

FALCÓN Y TELLA, R.: "La modulación de los plazos de prescripción en función de la conducta del sujeto pasivo", *Quincena Fiscal*, núm. 14, 1996.

FALCÓN Y TELLA, R.: "Interrupción de las actuaciones inspectoras y consumación de la prescripción", *Quincena Fiscal*, núm. 5, 1997.

FALCÓN Y TELLA, R.: "Prescripción de tributos y sanciones", *Revista Española de Derecho Financiero*, núm. 86, 1998.

FALCÓN Y TELLA, R.: "Aspectos positivos y negativos de la Ley de derechos y garantías del contribuyente (II): especial referencia a la aplicación retroactiva del plazo de prescripción y a la indemnización de los costes del aval", *Quincena Fiscal*, núm. 7, 1998.

FALCÓN Y TELLA, R.: "La prescripción de la obligación tributaria en relación al responsable: un problema mal planteado", *Quincena Fiscal*, núm. 12, 2001.

FALCÓN Y TELLA, R.: "La prescripción y las exenciones provisionalmente concedidas: el discutible criterio de la STS 8 febrero 2005", *Quincena Fiscal*, núm. 9, 2005.

FALCÓN Y TELLA, R.: "El artículo 150.5 LGT: la prescripción en los supuestos de retroacción de las actuaciones", *Quincena Fiscal*, núm. 15-16, 2007.

FALCÓN Y TELLA, R.: "El principio de buena fe y la imposibilidad de que el sistema de retenciones o el sistema de deducción cuota a cuota del IVA supongan un doble pago: la STS 27 de febrero de 2007 y la SAN 2 de octubre de 2007", *Quincena Fiscal*, núm. 19, 2007.

FALCÓN Y TELLA, R.: "La reanudación de las actuaciones tras su interrupción injustificada o el transcurso del plazo máximo de 12 meses", *Quincena Fiscal*, núm. 22, 2011.

FALCÓN Y TELLA, R.: "El anteproyecto de Ley de intensificación de la lucha contra el fraude especial referencia a la obligación de informar sobre los bienes y derechos situados en el extranjero", *Quincena Fiscal*, núm. 10, 2012.

FALCÓN Y TELLA, R.: "Los recursos tendentes a obtener la declaración de caducidad del procedimiento y la interrupción de la prescripción: el voto particular a la STSJ Madrid de 19 de noviembre de 2013 y las SSTS de 5 y de 23 de octubre de 2012", *Quincena Fiscal*, núm. 9, 2014.

FALCÓN Y TELLA, R.: "La imprescriptibilidad del derecho a comprobar e investigar (que no es un derecho sino una potestad) y los límites derivados de la buena fe y la confianza legítima", *Quincena Fiscal*, núm. 20, 2014.

FALCÓN Y TELLA, R.: "El pago de obligaciones prescritas y la renuncia a la prescripción ganada: la Res. TEAC de 2 de febrero de 2017", *Quincena Fiscal*, núm. 7, 2017.

FENELLÓS PUIGCERVER, V.: "Consideraciones acerca del Proyecto de Estatuto del Contribuyente", *Impuestos*, tomo II, 1997.

FERNÁNDEZ DE BUJÁN Y ARRANZ, A.: "Incidencia en la prescripción de la Ley 7/2012 de lucha contra el fraude fiscal", *Revista Aranzadi Doctrinal*, núm.1, 2014.

FERNÁNDEZ JUNQUERA, M.: *La prescripción de la obligación tributaria: un estudio jurisprudencial*, 1ª ed., Aranzadi, Elcano (Navarra), 2001.

FERNÁNDEZ JUNQUERA, M.: "¿Interrumpe la prescripción de una deuda tributaria de la sociedad filial, las actuaciones de la sociedad matriz?", *Jurisprudencia Tributaria Aranzadi*, núm. 18, 2003.

FERNÁNDEZ LÓPEZ, R. I.: "El problemático alcance temporal del plazo de prescripción creado con la Ley 1/1998", *Jurisprudencia tributaria Aranzadi*, Volumen I, 2002.

FERNÁNDEZ LÓPEZ, R. I.: "La comparecencia ante la Inspección aportando un poder de representación voluntaria no interrumpe la prescripción", *Jurisprudencia Tributaria Aranzadi*, núm. 12, 2003.

FERNÁNDEZ LÓPEZ, R. I.: *La imprescriptibilidad de las deudas tributarias y la seguridad jurídica*, 1ª ed., Marcial Pons, Madrid, 2016.

FERNÁNDEZ PAVÉS, M. J.: "Pérdida de la devolución por bonificación del 95% y no aplicación de oficio de la prescripción: todo por la validez de la notificación al portero", *Jurisprudencia Tributaria Aranzadi*, Volumen II, 2003.

FERREIRO LAPATZA, J. J.: "La extinción de la obligación tributaria", *Revista de Derecho Financiero y Hacienda Pública*, núm. 77, 1968.

FERREIRO LAPATZA, J. J.: *Instituciones de Derecho financiero*, 1ª ed., Marcial Pons, Madrid, 2010.

FORTUNY ZAFORTEZA, M., SOTELO TASIS, C.: *La reforma de la Ley General Tributaria*, 2015, 1ª ed., Francis Lefebvre, Madrid, 2015.

GALÁN RUIZ, J.: *La responsabilidad tributaria*, 1ª ed., Aranzadi, Pamplona, 2005.

GALAPERO FLORES, R.: "Obligaciones tributarias accesorias: interés de demora; recargos por declaración extemporánea y recargos del periodo ejecutivo", *Jurisprudencia Tributaria Aranzadi*, Volumen I, 2005.

GALERA RODRIGO, S.: *Derecho aduanero español y comunitario*, 1ª ed., Civitas, Madrid, 1995.

GANDARÍAS CEBRIÁN, L.: "Las alegaciones en la vía económico-administrativa interrumpen la prescripción, sí o sí", *Quincena Fiscal*, núm. 14, 2008.

GARCÍA DE ENTERRÍA, E.: *La lengua de los Derechos. La formación del Derecho Público europeo tras la Revolución Francesa*, 1ª ed., Aranzadi, Pamplona, 2009.

GARCÍA FRÍAS, M. A.: "La retroactividad de la Ley Tributaria y sus límites constitucionales", en VARIOS: *Tratado sobre la Ley General Tributaria: Homenaje a Álvaro Rodríguez Bereijo, Volumen 1, Tomo I*, Thomson Reuters-Aranzadi, Cizur Menor (Navarra), 2010.

GARCÍA NOVOA, C.: *El principio de seguridad jurídica en materia tributaria*, 1ª ed., Marcial Pons, Madrid, 2000.

GARCÍA NOVOA, C.: *Las notificaciones tributarias*, 1ª ed., Aranzadi, Elcano (Navarra), 2001.

GARCÍA NOVOA, C.: "El procedimiento de derivación de responsabilidad de administradores y sociedades. Aspectos sustantivos y procedimentales", *Revista Técnica Tributaria*, núm. 57, 2002.

GARCÍA NOVOA, C.: "La prescripción del tributo en la LGT/2003. Aspectos conceptuales y prácticos", en ARRIETA MARTÍNEZ DE PISÓN, J., COLLADO YURRITA, M. A. y ZORNOZA PÉREZ, J. (Dir.): *Tratado sobre la Ley General Tributaria*, Tomo I, 1ª ed., Aranzadi, Madrid, 2010.

GARCÍA NOVOA, C.: *Iniciación, interrupción y cómputo del plazo de prescripción de los tributos*, 1ª ed., Marcial Pons, 2011, Madrid.

GARCÍA NOVOA, C.: "Comentario a la Ley 7/2012 de modificación de la normativa tributaria y presupuestaria y de adecuación de la normativa financiera para la intensificación de las actuaciones en la prevención y lucha contra el fraude. Infracciones y sanciones", en VARIOS: *Comentarios a la Ley 7/2012*, 1ª ed., Aranzadi, Pamplona, 2013.

GARRIDO FALLA, F.: "Artículo 9", en GARRIDO FALLA, F. (Dir.): *Comentarios a la Constitución*, 2ª ed., Civitas, Madrid, 1985.

GÉNOVA GALVÁN, A.: "La prescripción tributaria", *Revista Española de Derecho Financiero*, núm. 57, 1988.

GIANNINI, A. D.: *Instituzioni di Diritto Tributario*, Giuffré, Milano, 1972.

GIL CRUZ, E. M.: "Imposibilidad de alterar las bases de ejercicios que no hayan prescrito y que se sustenten en ejercicios ya prescritos. Res. TEAC 24 de septiembre de 2008", *Quincena Fiscal*, núm. 11,2009.

GÓMEZ JIMÉNEZ, C., MARTÍNEZ LOZANO, J. M., RAMIRO ARCAS, M., VÍRSEDA MORENO, M. J.: *Guía de la reforma de la Ley General Tributaria*, 1ª ed., Wolters Kluwer, Madrid, 2015.

GÓMEZ TABOADA, J.: "Las obligaciones tributarias conexas: una teoría sobre su génesis", *Diario La Ley*, 29 de septiembre de 2014.

GÓMEZ TABOADA, J.: "Las obligaciones tributarias conexas han venido para quedarse", *Notario del Siglo XXI*, núm. 63, 2015.

GÓMEZ TABOADA, J.: "Las obligaciones tributarias conexas", en, VARIOS: *Comentarios a la Ley General Tributaria al hilo de su reforma*, 1ª ed., Wolters Kluwer – AEDAF, Madrid, 2016.

GONZÁLEZ APARICIO, M.: "El cómputo del plazo de prescripción del derecho a determinar la deuda tributaria en el IVA: algunos supuestos problemáticos en el ordenamiento tributario español", *Studi Tributari Europei*, núm. 9, 2019.

GONZÁLEZ APARICIO, M.: "Efectos sobre los plazos de prescripción tributaria de la suspensión adoptada a consecuencia de la declaración del estado de alarma", *Quincena Fiscal*, núm. 9, 2020.

GONZÁLEZ GARCÍA, E.: "La revisión de los actos tributarios en vía administrativa", *Revista de Derecho Financiero y Hacienda Pública*, núm. 122, 1976.

GONZÁLEZ MARTÍNEZ, M. T.: *La crisis de la prescripción tributaria*, 1ª ed., Francis Lefebvre, Madrid, 2016.

GONZÁLEZ MARTÍNEZ, M. T.: "Dudas en los primeros compases de la reforma de la LGT", *Estudios financieros. Revista de Contabilidad y Tributación*, núm. 400, 2016.

GONZÁLEZ SÁNCHEZ, M.: "La extinción de la obligación tributaria", en, CALVO ORTEGA, R. (Dir.): *Comentarios a la Ley General Tributaria*, 2ª ed., Thomson Reuters, Cizur Menor (Navarra), 2009.

GOROSPE OVIEDO, J. I.: "La prescripción del fraude de ley con consecuencias en periodos no prescritos y la reforma de la LGT y de la LIS. Análisis de la STS de 4 de julio de 2014, rec. Núm. 581/2013", *Estudios financieros. Revista de Contabilidad y Tributación*, núm. 379, 2014.

GUERRA REGUERA, M.: *Prescripción de deudas tributarias*, 1ª ed., Aranzadi, Cizur Menor (Navarra), 2013.

HERNÁNDEZ VERGARA, A., HERRERO DE EGAÑA ESPINOSA DE LOS MONTEROS, J. M.: "Cómputo de los plazos de prescripción de la deuda tributaria", en VARIOS *Comentarios a la Ley General Tributaria*, Aranzadi, 2008.

HERRERO BOTAS, C.: "Hacia una prescripción tributaria de tres años", *Gaceta fiscal*, núm. 77, 1990.

HERRERO DE EGAÑA ESPINOSA DE LOS MONTEROS, J. M.: "La vinculación de la Administración tributaria a los actos propios en su función de comprobación. Comentario a la Sentencia del Tribunal Supremo de 4 de noviembre de 2013", *Quincena Fiscal*, núm. 7, 2014.

HUELÍN MARTÍNEZ DE VELASCO, J.: "El derecho a comprobar e investigar", en VARIOS: *Comentarios a la Ley General Tributaria al hilo de su reforma*, 1ª ed., Wolters Kluwer – AEDAF, Madrid, 2016.

HUERTA HERNÁNDEZ, S.: *Duración del procedimiento de inspección tributaria: dilaciones no imputables*, 1ª ed., Sepín, Madrid, 2013.

JABALERA RODRÍGUEZ, A.: "La notificación en la nueva LGT", *Revista española de Derecho Financiero*, núm. 128, 2005.

JERICÓ ASÍN, C.: "Motivación de las dilaciones imputadas al obligado tributario", *Revista Aranzadi Doctrinal*, núm. 3, 2018.

JIMÉNEZ, C., MATA, A.: "Compensación de bases imponibles negativas: una buena y una mala noticia", *Iuris&Lex*, núm. 113, 2014.

JIMÉNEZ JIMÉNEZ, C.: "Últimos (y contradictorios) pronunciamientos jurisprudenciales y doctrinales en materia de comprobación de ejercicios prescritos", *Diario La Ley*, núm. 8403, 2014.

JUAN LOZANO, A. M.: *La interrupción de la prescripción tributaria*, 1ª ed., Tecnos, Madrid, 1993.

JUAN LOZANO, A. M., TRIGO Y SIERRA, L. F.: "La comprobación del valor de mercado en las operaciones vinculadas: algunas cuestiones críticas", *Actum fiscal*, núm. 24, 2009.

JUAN LOZANO, A. M., MARTÍN FERNÁNDEZ, J.: *Procedimiento de inspección: cuestiones útiles (ante y después de la reforma de la Ley General Tributaria)*, 1ª ed., Francis Lefebvre, Madrid, 2015.

LANZIANO, W.: *Teoría general de la exención tributaria*, 1ª ed., Depalma, Buenos Aires.

LEGAZ Y LACAMBRA, L.: *Introducción a la ciencia del Derecho*, Bosch, Barcelona, 1943.

LÓPEZ MARTÍNEZ, J.: "Un ejemplo más de la impericia del legislador: la prescripción tributaria frente a la potestad de comprobación y a las denominadas obligaciones conexas", *Quincena Fiscal,* núm. 15, 2017.

LOZANO SERRANO, C.: "Precisiones en torno a la prescripción", *Jurisprudencia Tributaria Aranzadi,* Volumen III, 1999.

LOZANO SERRANO, C.: "La prescripción de la responsabilidad tributaria", *Quincena Fiscal,* núm. 17, 2002.

LOZANO SERRANO, C.: "La comprobación de partidas compensables de periodos prescritos", *Quincena Fiscal,* núm. 11, 2014.

LOZANO SERRANO, C.: "La comprobación tributaria ante la prescripción", *Revista Española de Derecho Financiero,* núm. 171, 2015.

MADRIGAL GARCÍA, C.: "Eficacia de los actos administrativos. Tít. V. Cap. III", en VARIOS: *Comentario sistemático a la Ley de Régimen Jurídico de las Administraciones Públicas y del Procedimiento Administrativo Común,* 1ª ed., Carperi, Madrid, 1993.

MÁLVAREZ PASCUAL, L. A.: "El derecho de los responsables tributarios a recurrir las liquidaciones o sanciones firmes correspondientes al deudor principal", *Revista Española de Derecho Financiero,* núm. 142, 2009.

MANTERO SÁENZ, A.: "La prescripción en el Derecho Tributario", *Hacienda Pública Española,* núm. 52, 1968.

MARÍN BENITEZ, G., ASENSIO GIMÉNEZ, S.: "La prescripción en el ámbito tributario y el derecho de la Administración tributaria a comprobar e investigar", *Actualidad jurídica Uría Menéndez,* núm. 42, 2016.

MARTÍN FERNÁNDEZ, J.: *Tratado práctico de Derecho Tributario General Español. Una visión sistemática de la Ley General Tributaria*, 1ª ed., Tirant lo Blanch, Valencia, 2017.

MARTÍN CÁCERES, A. F.: "Prescripción", en VARIOS: *Comentarios a la Ley General Tributaria y líneas para su reforma. Homenaje a Fernando Sainz de Bujanda*, Volumen II, 1ª ed., Instituto de Estudios Fiscales, Madrid, 1991.

MARTÍN CÁCERES, A. F.: *La prescripción del crédito tributario*, 1ª ed., Marcial Pons-Instituto de Estudios Fiscales, Madrid, 1994.

MARTÍN FERNÁNDEZ, J. M.: "El recurso o reclamación interpuesto para obtener la declaración de caducidad: ¿interrumpe el plazo de prescripción del derecho de la Administración a determinar la deuda tributaria?: Análisis de la STS de 12 de julio de 2016 (rec. núm. 3404/2015)", *Estudios financieros. Revista de Contabilidad y Tributación*, núm. 409, 2017.

MARTÍN QUERALT, J.: "Derechos y Garantías del contribuyente....y de la Hacienda Pública", *Tribuna Fiscal*, núm. 78, 1997.

MARTÍN QUERALT, J., LOZANO SERRANO, C., TEJERIZO LÓPEZ, J. M., CASADO OLLERO, G.: *Curso de Derecho Financiero y Tributario*, 25ª ed., Tecnos, Madrid, 2014.

MARTÍN QUERALT, J., LOZANO SERRANO, C., TEJERIZO LÓPEZ, J. M.: *Derecho Tributario*, 22ª ed., Aranzadi, Cizur Menor (Navarra) 2017.

MARTÍNEZ GINER, L.: "La aplicación de oficio de la prescripción: efectos sobre la renuncia a la prescripción ganada", *Anales de la Universidad de Alicante: Facultad de Derecho*, núm. 9, 1994.

MARTÍNEZ GINER, L. A.: "La Seguridad Jurídica como límite a la potestad de comprobación de la Administración Tributaria: Doctrina de los actos propios y prescripción del fraude de ley", *Quincena Fiscal*, núm. 20, 2015.

MARTÍNEZ LAFUENTE, A.: "La prescripción en el Impuesto sobre los Bienes de las Personas Jurídicas", *Crónica Tributaria*, núm. 3, 1972.

MATA SIERRA, M. T.: *Las garantías de los ciudadanos frente a la inactividad de la Administración tributaria*, 1ª ed., Lex Nova, Valladolid, 2014.

MENÉNDEZ MORENO, A.: "La modificación parcial de la Ley General Tributaria", *Quincena Fiscal*, núm. 14, 2014.

MENÉNDEZ MORENO, A.: *Derecho Financiero y Tributario. Parte general. Lecciones de Cátedra*, 18ª ed., Civitas, Madrid, 2018.

MERINO JARA, I. (Dir.), LUCAS DURÁN, M. (Coord.): *Derecho Financiero y Tributario. Parte General*, 8ª ed., Tecnos, Madrid, 2019.

MONTERO DOMÍNGUEZ, A.: "Sinopsis del Anteproyecto de Ley de modificación de la Ley 58/2003, de 17 de diciembre, General Tributaria", *Carta Tributaria. Monografías*, núm. 9, 2014.

MONTESINOS OLTRA, S.: *La Compensación de Bases Imponibles Negativas*, 1ª ed., Aranzadi, Elcano, 2000.

MORÍES JIMÉNEZ, M. T.: *La retención a cuenta en el Impuesto sobre la Renta de las Personas Físicas*, 1ª ed., Marcial Pons, Madrid, 1996.

NIETO MONTERO, J. J.: "Los efectos de las notificaciones defectuosas de cara a la interrupción de la prescripción en materia tributaria", *Jurisprudencia Tributaria Aranzadi*, Volumen I, 1996.

O'CALLAGHAN MUÑOZ, X.: *Compendio de Derecho Civil. Tomo I (parte general)*, 1ª ed., Madrid, Edersa, 2004.

ORENA DOMÍNGUEZ, A.: "Los requerimientos de información: caducidad y motivación", *Quincena Fiscal*, núm. 17, 2019.

ORTIZ GUTIÉRREZ, R.: *La nueva Ley General Tributaria. Comentarios prácticos a su articulado*, 1ª ed., Tecnos, Madrid, 2005.

PALAO TABOADA, C.: "Lo "blando" y lo "duro" del Proyecto de Ley de derechos y garantías de los contribuyentes", *Estudios financieros. Revista de Contabilidad y Tributación*, núm. 171, 1997.

PALAO TABOADA, C.: "Ley de Derechos y Garantías de los Contribuyentes: el texto definitivo", *Estudios financieros. Revista de Contabilidad y Tributación*, núm. 181, 1998.

PALAO TABOADA, C.: "La dualidad de la prescripción del crédito tributario y la interrupción de la prescripción", *Estudios financieros. Revista de Contabilidad y Tributación*, núm. 199, 1999.

PALAO TABOADA, C.: "Doctrina de los actos propios, comprobación de ejercicios anteriores y fraude de ley (Comentario a la STC de 4 de noviembre de 2013, rec. núm. 28/2010)", *Estudios financieros. Revista de Contabilidad y Tributación*, núm. 376, 2014.

PAULICK, H.: *La Ordenanza tributaria de la República Federal Alemana. Su función y significado para el Derecho Tributario. Estudio preliminar. Versión española, traducida y anotada por Carlos Palao*, 1ª ed., Instituto de Estudios Fiscales, Madrid, 1980.

PÉREZ DE AYALA, J., GONZÁLEZ GARCÍA, E.: *Curso de Derecho Tributario*, Tomo I, 5ª ed., Editorial de Derecho Financiero, Madrid, 1989.

PÉREZ ROYO, F.: "Sobre la prescripción en Derecho Tributario y los actos con virtualidad interruptiva de la misma", *Crónica Tributaria*, núm. 19, 1976.

PITA GRANDAL, A. M.: "Introducción al estudio de la prueba en el procedimiento de gestión tributaria", *Revista Española de Derecho Financiero*, núm. 54, 1987.

PITA GRANDAL, A. M.: "La atribución de competencias en materia de comprobación e investigación tributaria", *Revista Española de Derecho Financiero*, núm. 92, 1996.

PONT MESTRES, M.: *La prescripción tributaria ante el derecho a liquidar y el derecho a recaudar y cuestiones conexas*, 1ª ed., Marcial Pons, Madrid, 2008.

PUJALTE MÉNDEZ LEITE, H.: "La proliferación de las monedas virtuales en un entorno desregulado: su impacto en la fiscalidad", *Revista de Fiscalidad Internacional y Negocios Transnacionales*, núm. 6, 2017.

PULIDO QUECEDO, M.: "Irretroactividad de las normas (tributarias) y seguridad jurídica", *Repertorio Aranzadi del Tribunal Constitucional*, núm. 19, 2001.

RECUERO ASTRAY, J. R.: *Impuesto sobre las Sucesiones y Donaciones*, Volumen II, 1ª ed., Ciss Fiscal, Madrid, 1980.

RODRÍGUEZ MÁRQUEZ, J.: "La prescripción de la obligación del responsable en la nueva LGT", *Nueva Fiscalidad*, núm. 4, 2001.

RODRÍGUEZ MÁRQUEZ, J.: "El interés de demora exigible por la Administración en el Proyecto de Ley General Tributaria: luces y sombras", *Quincena Fiscal*, núm. 15, 2003.

RODRÍGUEZ OTERO, L. E.: "La reforma de la Ley General Tributaria", *Actualidad Jurídica Aranzadi*, núm. 907, 2015.

ROMANO, S.: *Fragmentos de un Diccionario jurídico*, Ediciones Jurídicas Europa-América, Buenos Aires, 1964.

ROMERO GARCÍA, F.: "Conceptualización jurisprudencial de las dilaciones imputables al obligado tributario", *Quincena Fiscal*, núm. 156, 2012.

ROSSY, H.: *Instituciones de Derecho Financiero*, 1ª. ed., Bosch, Barcelona, 1959.

RUIZ HIDALGO, C.: "La declaración de responsabilidad del artículo 42.2.a) de la LGT y la prescripción: una interpretación integradora de la LGT", *Revista Técnica Tributaria*, núm. 109, 2005.

SAINZ DE BUJANDA, F.: *Hacienda y Derecho*, Volúmenes III y IV, Instituto de Estudios Políticos, Madrid, 1963.

SAINZ DE BUJANDA, F.: *Lecciones de Derecho Financiero*, 8ª ed., Universidad Complutense de Madrid. Sección de Publicaciones, Madrid, 1990.

SÁNCHEZ BLÁZQUEZ, V. M.: *La prescripción de las obligaciones tributarias*, 1ª ed., Asociación Española de Asesores Fiscales, Madrid, 2007.

SÁNCHEZ BLÁZQUEZ, V. M.: "La prescripción: cuestiones cerradas y abiertas sobre el inicio de su cómputo y los derechos a liquidar y exigir el pago", *Hacienda Canaria*, núm. 10, 2004.

SÁNCHEZ BLÁZQUEZ, V. M.: "Interrupción injustificada de las actuaciones inspectoras en los casos de dualidad de actas por conformidad parcial: la reciente doctrina del Tribunal Supremo sobre prescripción parcial", *Quincena Fiscal*, núm. 5, 2008.

SÁNCHEZ PEDROCHE, J. A.: "Súbditos fiscales o la reforma en ciernes de la LGT", *Contabilidad y tributación*, núm. 381, 2014.

SÁNCHEZ PEDROCHE, J. A.: "Artículo 26. Compensación de bases imponibles negativas", en SÁNCHEZ PEDROCHE, J. A., (Dir.): *Comentarios a la Ley del Impuesto sobre Sociedades y su normativa reglamentaria*, 1ª ed., Tirant lo Blanch, Valencia, 2017.

SÁNCHEZ RAMÍREZ, C.: "La prescripción en el Derecho Tributario", *Gaceta Fiscal*, núm. 90, 1991.

SANZ CLAVIJO, A.: *La caducidad del procedimiento. Su aplicación en el ámbito administrativo y tributario*, 1ª ed., La Ley, Madrid, 2009.

SANZ GADEA, E.: "Compensación de bases imponibles negativas", *Estudios financieros. Revista de Contabilidad y Tributación*, núm. 192, 1999.

SANZ GADEA, E.: *Impuesto sobre Sociedades (II). Comentarios y casos prácticos*, 1ª ed., Centro de Estudios Financieros, 2004.

SARTORIO ALABART, S.: *Ley General Tributaria e Interés de Demora*, 1ª ed., Marcial Pons, Madrid, 1999.

SAVIGNY, M. F. K.: *Sistema del Derecho romano actual. Vertido al castellano por Jacinto Mesía y Manuel Poley*, Tomos I, III y IV, 2ª ed., Centro Editorial de Góngora, Madrid, 1978,

SESMA SÁNCHEZ, B.: "La reforma de la LGT en materia de prescripción tributaria: cuestiones conflictivas", *Revista española de Derecho Financiero*, num.173, 2017.

SESMA SÁNCHEZ, B.: "La interrupción de la prescripción tributaria por liquidaciones nulas o anulables: una jurisprudencia contradictoria", *Quincena Fiscal*, núm. 5, 2017.

SIMÓN ACOSTA, E.: "Interrupción de la prescripción tributaria por la interposición de recursos", *Actualidad jurídica Aranzadi*, núm. 825, 2011.

SIMÓN ACOSTA, E.: "Objeto del tributo: la prestación tributaria", en SIMÓN ACOSTA, E., VÁZQUEZ DEL REY VILLANUEVA, A., SIMÓN YARZA, M. E.: "*Lo esencial de Derecho Financiero y Tributario. Parte general*", Aranzadi, Cizur Menor (Navarra), 2017.

SOTO BERNABEU, L.: "La comprobación de ejercicios prescritos y la seguridad jurídica", *Documentos – Instituto de Estudios Fiscales*, núm. 13, 2016.

SOTO BERNABEU, L.: "Los efectos de la presentación fuera de plazo, transcurrido el plazo de prescripción, de una declaración o autoliquidación extemporánea bajo el régimen del artículo 27 de la Ley General Tributaria", *Crónica Tributaria*, núm. 162, 2017.

TRIGO Y SERRA, L. F: "El ejercicio de la potestad comprobadora de la Administración con relación a las bases imponibles negativas del Impuesto sobre Sociedades", *Quincena Fiscal*, núm. 17, 2000.

VALDÉS SOLIS, I., GARCÍA-BERNARDO, F.: "Plazo de prescripción del Impuesto sobre sucesiones. Su cómputo", *Boletín de Información del Ilustre Colegio Notarial de Granada*, 1990.

VAQUERA GARCÍA, A.: "Problemática actual de las exenciones relativas a las retribuciones en especie en el Impuesto sobre la Renta de las Personas Físicas", *Estudios financieros. Revista de Contabilidad y Tributación*, núm. 423, 2018.

VARONA ALABERN, J. E.: "En torno a la prescripción de la obligación tributaria del responsable subsidiario", *Legal Today*, septiembre, 2008.

VEGA HERRERO, M.: *La prescripción de la obligación tributaria*, 1ª ed., Lex Nova, Valladolid, 1990.

VEGA HERRERO, M.: "Capítulo XV. Prescripción (Artículo 24)", en VARIOS: *Derechos y Garantías del Contribuyente (Estudio de la nueva ley)*, 1ª ed., Lex Nova, Valladolid, 1998.

VILLAR EZCURRA, M.: "La jurisprudencia sobre la obligación de practicar una regularización completa y su recepción en la reforma de la Ley General Tributaria de 2015", *Quincena Fiscal*, núm. 9, 2019.

VARIOS: "Algunos equívocos de nuestro Tribunal Supremo en torno a la figura del sustituto", *Jurisprudencia Tributaria Aranzadi*, Volumen I, 1997.

VARIOS: "¿Interrumpido el plazo de prescripción por el sustituto, debe también entenderse interrumpido para el contribuyente?", *Jurisprudencia Tributaria Aranzadi,* Volumen II, 1999.

VARIOS: *Practicum Procedimientos Tributarios,* 1 ª ed., Thomson Reuters, Cizur Menor (Navarra), 2016.

WINDSCHEID, B.: *Lehrbuch des Pandektenrechts,* 1ª ed., Dusseldorf, 1861-1870.

ZOZAYA MIGUÉLIZ, E.: "¿De quién es el retraso cuando la Inspección concede más plazo?", *Revista Aranzadi Doctrinal,* núm. 2, 2012.